CADIX,
OU LA DIAGONALE
DU FOU

ARTURO PÉREZ-REVERTE

CADIX,
OU LA DIAGONALE
DU FOU

ROMAN TRADUIT DE L'ESPAGNOL
PAR FRANÇOIS MASPERO

ÉDITIONS DU SEUIL
*25, bd Romain-Rolland, Paris XIV*ᵉ

Titre original : *El asedio*
© 2010, Arturo Pérez-Reverte
ISBN original : 978-84-204-0598-8
Éditeur original : Alfaguara,
Santillana Ediciones Generales,
S.L., Madrid

ISBN 978-2-02-102948-2

www.seuil.com

À José Manuel Sánchez Ron,
Amicus usque ad aras

Mais lorsque l'on veut pénétrer dans les mystères de la nature, il est très important de savoir si les corps célestes agissent les uns sur les autres par impulsion ou par attraction ; si quelque matière subtile et invisible les pousse les uns sur les autres, ou s'ils sont doués d'une qualité cachée ou occulte par laquelle ils s'attirent mutuellement.

Leonhard Euler,
Lettre à une princesse d'Allemagne, 1772

Tout peut arriver quand un dieu y travaille.

Sophocle, *Ajax*

1

Au seizième coup, l'homme attaché sur la table s'évanouit. Sa peau est devenue jaune, presque translucide, et sa tête pend dans le vide. La lueur de la lampe à huile accrochée au mur laisse entrevoir des traînées de larmes sur ses joues sales et un filet de sang qui goutte de son nez. Celui qui le frappait s'arrête un instant, indécis, le nerf de bœuf dans une main, essuyant de l'autre la sueur qui ruisselle de ses sourcils et inonde sa chemise. Puis il se tourne vers un troisième personnage, debout derrière lui dans la pénombre, adossé à la porte. L'homme au nerf de bœuf a maintenant le regard d'un chien de chasse qui demanderait pardon à son maître. Un molosse, brutal et maladroit.

Le silence revenu, on entend de nouveau à travers les volets fermés l'Atlantique battre la plage. Aucun mot n'a été prononcé depuis que les cris ont cessé. Sur le visage de l'homme qui est à la porte brille, à deux reprises, la braise d'un cigare.

– Ce n'était pas lui, dit-il enfin.

Nous avons tous, pense-t-il, notre point de rupture. Mais il ne l'exprime pas à voix haute. Pas devant cet auditoire stupide. Il existe un point exact où les hommes se brisent, à condition de savoir les y amener. Tout est une question de finesse dans la nuance. Savoir quand s'arrêter, et comment. Un gramme de plus dans la balance et tout fiche le camp. Tombe en morceaux. Bref, un travail inutile. Des coups aveugles, alors que le véritable objectif s'est perdu. Vaine sueur, comme celle de ce sbire qui continue de s'éponger, le nerf de bœuf dans l'autre main, en attendant l'ordre de poursuivre ou non.

– On n'en tirera plus rien.

L'autre le regarde, obtus, sans comprendre. Il s'appelle Cadalso : « Gibet », un nom qui convient bien à son office. Le cigare entre les dents, l'homme quitte la porte pour s'approcher de la table, se penche un peu et observe le corps sans connaissance : barbe d'une semaine, couches de crasse sur le cou, sur les mains et entre les traces violacées qui strient le torse. Trois coups de trop, estime-t-il. Peut-être quatre. Au douzième, tout semblait déjà évident ; mais il fallait quand même en être sûr. Dans le cas présent, personne ne viendra protester. Il s'agit d'un mendiant habituel du Récif. Un des nombreux déchets que la guerre et le siège français ont amenés dans la ville, tout comme la mer rejette des épaves sur une plage.

– Ce n'est pas lui qui l'a fait.

Les yeux de l'homme au nerf de bœuf clignotent, il essaye d'assimiler ce qu'il entend. On pourrait presque voir l'information se frayer un passage dans les étroits méandres de son cerveau.

– Si vous me permettez, je pourrais…

– Ne sois pas idiot. Je te dis que ce n'est pas lui.

Il scrute une dernière fois le corps, de très près. Les yeux sont entrouverts, vitreux et fixes. Mais il sait qu'il n'est pas mort. Rogelio Tizón a vu suffisamment de cadavres dans sa vie professionnelle pour ne pas se tromper. Le mendiant respire faiblement et une veine, gonflée par la position du cou, bat lentement. En se penchant davantage, le commissaire sent son odeur : humidité acide de la peau sale, urine répandue sur la table sous les coups. Transpiration de peur, qui refroidit maintenant avec la pâleur de l'évanouissement, bien différente de l'autre, animale, de l'homme au nerf de bœuf. Dégoûté, Tizón tire sur son cigare et laisse échapper une longue bouffée de la fumée qui remplit ses fosses nasales en effaçant tout. Puis il se redresse et se dirige vers la porte.

– Quand il se réveillera, donne-lui un peu d'argent. Et préviens-le : s'il bavarde et se plaint, on l'écorchera pour de bon... comme un lapin.

Il laisse tomber le mégot de son cigare et l'écrase de la pointe d'une botte. Puis il ramasse sur une chaise son chapeau mi-haut de forme, sa canne et sa redingote, pousse la porte et sort dans la lumière aveuglante de la plage, face à Cadix qui se déploie au loin derrière la Porte de Terre, ville blanche comme les voiles d'un navire sur les murs de pierres arrachées à la mer.

Bourdonnement des mouches. Elles viennent tôt cette année, à l'appel de la chair morte. Le corps de la fille est toujours là, sur la rive atlantique du Récif, de l'autre côté d'une dune dont la crête est balayée par le vent de levant qui emporte des franges de sable. Agenouillée près du cadavre, la femme que Tizón a fait venir de la ville fourrage entre les cuisses. C'est une matrone connue, qui lui sert aussi régulièrement d'informatrice. On la surnomme la mère Persil et, en d'autres temps, elle a fait la pute à la Merced. Tizón a plus confiance en elle et en son propre instinct que dans le médecin auquel la police fait ordinairement appel : un boucher alcoolique, incompétent et vénal. C'est pourquoi il l'emmène avec lui pour des affaires comme celle-là. Deux en trois mois. Ou quatre, si on compte une gargotière poignardée par son mari et l'assassinat, par un étudiant jaloux, de la patronne d'une pension. Mais ces derniers cas se sont avérés différents : clairs dès le début, crimes passionnels de la vie ordinaire. La routine. Les deux filles, c'est autre chose. Une histoire différente. Plus sinistre.

– Rien, dit la Persil, quand l'ombre de Tizón l'avertit de sa présence. Elle est aussi intacte qu'au jour de sa naissance.

Le commissaire contemple le visage bâillonné de la morte, sous la chevelure en désordre et souillée de sable. Quatorze ou quinze ans, maigre, une pauvre chose. Le soleil du matin noircit sa peau et boursoufle légèrement ses traits, mais ce n'est rien à côté du spectacle qu'offre son dos : lacéré par les coups de fouet qui ont mis à nu les os, dont on aperçoit la blancheur entre les chairs déchiquetées et le sang coagulé.

– Pareille que l'autre, ajoute la matrone.

Elle a rabattu la jupe sur les jambes de la fille et se relève en secouant le sable de ses vêtements. Puis elle ramasse le fichu de la morte, qui a été jeté tout près, et lui en couvre le dos, en chassant l'essaim de mouches posé dessus. Un carré de flanelle brun, aussi modeste que le reste de son habillement. La fille a été identifiée, c'est une servante d'une auberge de rouliers située sur la route du Récif, à mi-chemin entre la Porte de Terre et le chantier de la Coupure, tranchée destinée à empêcher toute velléité d'incursion française. Elle est partie la veille en fin d'après-midi quand il faisait encore jour, pour aller en ville voir sa mère malade.

– Et le mendiant, monsieur le commissaire ?

Tizón hausse les épaules, pendant que la Persil le fixe d'un œil inquisiteur. C'est une grosse et grande femme, robuste, plus durement marquée par la vie que par les ans. Il ne lui reste que quelques dents. Des racines grises apparaissent sous la teinture qui noircit les mèches de cheveux gras tenus par un fichu noir. Elle porte au cou un collier de médailles et de scapulaires, et un rosaire pend à un cordon de sa ceinture.

– Ce n'est pas lui non plus ?… Pourtant il criait comme si c'était bien lui.

Le commissaire regarde la matrone avec dureté et celle-ci détourne les yeux.

– Surveille ta langue, sinon c'est toi qui crieras.

La Persil se le tient pour dit. Elle connaît Tizón depuis assez longtemps pour savoir quand il n'est pas d'humeur à permettre des familiarités. Et c'est le cas aujourd'hui.

– Pardonnez-moi, don Rogelio. Je plaisantais.

– Eh bien, tes plaisanteries, tu peux les garder pour toi et ta salope de mère quand tu la retrouveras en enfer. – Tizón met deux doigts dans la poche de son gilet, en retire un douro d'argent et le lui jette. – Fiche le camp !

Pendant que la femme s'en va, le commissaire promène son regard sur les alentours comme il l'a déjà fait des dizaines de fois dans la journée. Le vent de levant a effacé les traces de la nuit. De toute manière, depuis qu'un muletier a découvert le cadavre et donné l'alerte à l'auberge voisine, il y a eu tant d'allées et venues que tout ce qui aurait pu en demeurer a été brouillé. Il reste un moment immobile, cherchant un quelconque indice qui aurait pu lui échapper, puis il renonce, découragé. Seule une empreinte prolongée, un large sillon sur un versant de la dune, là où poussent de maigres arbustes, attire son attention : il va jusque-là et s'accroupit pour mieux observer. Pendant un instant, dans cette position, lui vient la sensation qu'il a déjà éprouvée précédemment. Celle de s'être déjà vu vivre la même situation. En train d'inspecter des traces sur le sable. Sa tête, pourtant, se refuse à clarifier ce souvenir. Peut-être s'agit-il seulement d'un de ces rêves étranges qui finissent par ressembler à la réalité, ou alors de cette certitude inexplicable, fugace, que ce qui nous arrive nous est déjà arrivé avant. Quoi qu'il en soit, il finit par se relever sans parvenir à la moindre conclusion, ni sur la sensation éprouvée, ni sur la trace elle-même : un sillon qui peut avoir été fait par un animal, par un corps traîné, par le vent.

Quand il repasse devant le cadavre, le vent qui tourbillonne au pied de la dune a déplacé la jupe de la fille morte en découvrant une jambe nue jusqu'au jarret. Tizón n'est pas un tendre. En accord avec son dur métier et aussi certains traits peu amènes de son caractère, cela fait longtemps qu'il considère qu'un cadavre n'est qu'un morceau de viande en train de pourrir, au soleil comme à l'ombre. Un matériau de travail, des complications, de la paperasse, des enquêtes, des explications à ses supérieurs. Rien qui puisse inquiéter, au-delà du tout-venant quotidien, Rogelio Tizón Peñasco, commissaire chargé des Quartiers, Vagabonds et Étrangers de passage, cinquante-trois ans bien sonnés – dont trente-deux de service qui ont fait de lui un vieux limier familier de la rue. Mais cette fois, si endurci qu'il soit, le policier ne peut réprimer un vague sentiment de pudeur. Du bout de sa canne, il remet la jupe en place et rassemble dessus un petit tas de sable pour éviter qu'elle ne se relève encore. Ce faisant, il aperçoit, à demi enterré, un fragment de métal tordu et luisant, en forme de tire-bouchon. Il se penche, le prend, le soupèse dans sa paume et l'identifie immédiatement. C'est un éclat de la mitraille que projettent les bombes françaises en explosant. Il y en a dans tout Cadix. Celui-là a probablement volé depuis la cour de l'auberge du Boiteux, où une de ces bombes est récemment tombée.

Il jette le fragment et se dirige vers le mur blanchi à la chaux de l'auberge, où stationne un groupe de curieux maintenus à distance par deux soldats et un brigadier envoyés par l'officier de garde à San José dans le cours de la matinée à la demande de Tizón, qui sait que la vue de quelques uniformes ne manque jamais d'imposer le respect. Ce sont des domestiques et des servantes des gargotes voisines, des muletiers, des conducteurs de calèches et de carrioles avec leurs passagers, quelques pêcheurs, des femmes et des gamins de l'endroit. Se détachant un peu des autres, jouissant du double privilège que lui confère le fait d'être le propriétaire des lieux et d'avoir prévenu les autorités après la découverte du cadavre, se tient Paco le Boiteux.

– On dit que ce n'est pas celui que vous avez enfermé là-bas, commente l'aubergiste quand Tizón parvient à sa hauteur.

– On dit vrai.

Le mendiant rôdait depuis quelque temps dans les parages, et les gens des tavernes l'avaient dénoncé dès la découverte de la fille morte. C'est le Boiteux en personne qui l'a tenu sous la menace de son fusil de chasse jusqu'à l'arrivée des policiers, en lui évitant d'être trop maltraité : juste quelques coups de poing et de pied. Maintenant, la déception se lit sur les visages de tous les présents ; particulièrement sur ceux des gamins qui n'ont plus personne sur qui jeter les pierres dont ils avaient bourré leurs poches.

– Vous en êtes sûr, monsieur le commissaire ?

Tizón ne prend pas la peine de répondre. Il contemple la partie du mur détruite par l'artillerie française. Pensif.

– Quand la bombe est-elle tombée, camarade ?

Paco le Boiteux se place près de lui : les pouces passés dans sa ceinture, respectueux, mais restant sur ses gardes. Lui aussi connaît le commissaire, et il sait que ce *camarade* est une simple formule qui peut devenir dangereuse dans la bouche d'un personnage comme lui. Précisons que le Boiteux n'est affecté d'aucune claudication, mais qu'il tient ce nom de son grand-père : à Cadix, on hérite plus sûrement de surnoms que d'argent. Et aussi de métiers. Le Boiteux, avec son visage encadré de pattes blanches, a un passé de marin et de contrebandier notoire, qui n'exclut pas le présent. Tizón sait que la cave de l'auberge déborde de marchandises venues de Gibraltar, et que les nuits sans lune, quand la mer est calme et le vent raisonnable, la plage s'anime de silhouettes de bateaux et d'ombres qui s'affairent à débarquer des ballots. Parfois même, on y fait passer du bétail. Quoi qu'il en soit, tant que le Boiteux paie correctement les douaniers, militaires et policiers – y compris Tizón – pour regarder ailleurs, personne ne posera de questions sur ce qui se trafique sur cette plage. Bien sûr, si le tavernier devenait trop ambitieux et voulait faire le malin en grattant sur les commissions, ou s'il se livrait à la contrebande avec l'ennemi comme certains le font en ville et dans les environs, ce serait une autre paire de manches. Mais de cela, il n'y a aucune preuve. En fin de compte, du château de San Sebastián au pont de Zuazo, tout le monde ici se connaît de longue date. Et puis, avec la guerre et le siège, c'est, plus que jamais, la règle de vivre et laisser vivre qui prévaut. Cela inclut les Français, qui, depuis belle lurette, n'attaquent plus sérieusement et se bornent à tirer de loin, comme pour justifier leur présence.

– La bombe est tombée hier matin, vers huit heures, explique l'aubergiste, en désignant la baie, vers l'est. Elle est partie d'en face, de la Cabezuela. Ma femme étendait le linge et elle a vu l'éclair. Puis est venu le coup de canon, et, tout de suite, l'explosion, là-derrière.

– Des dégâts ?

– Très peu : ce bout de mur, le colombier, et quelques poules… Mais, bien sûr, on a eu sacrément peur. Ma femme a tourné de l'œil. À trente pas près, elle y passait.

Tizón se cure les dents avec un ongle – il a une canine en or à gauche –, tout en regardant la langue de mer d'un mille de large qui, en cet endroit, sépare le Récif – cette chaussée en forme de péninsule, avec la ville de Cadix à l'extrémité, les plages ouvertes de l'Atlantique d'un côté, et la baie, le port, les salines et l'île de León de l'autre – de la terre ferme, occupée par les Français. Le vent de levant rend l'air limpide, ce qui permet de distinguer à l'œil nu les fortifications impériales situées près du canal du Trocadéro : à droite le fort Luis, à gauche les murs à moitié ruinés de

Matagorda, et un peu plus haut, en retrait, la batterie fortifiée de la Cabezuela.

– Il est tombé d'autres bombes, par ici?

Le Boiteux hoche négativement la tête. Puis il fait un
geste pour désigner, sur le Récif même, des lieux éloignés
de l'auberge.

– Un peu du côté de l'Aguada, et beaucoup à Puntales:
là-bas, il en pleut tous les jours et ils vivent comme des
taupes... Mais ici, c'est la première fois.

Tizón acquiesce distraitement. Il continue de regarder les
lignes françaises en plissant les yeux à cause de la réverbération du soleil sur le mur blanc, l'eau et les dunes. Il calcule
une trajectoire et la compare à d'autres. Il n'y avait jamais
pensé jusque-là. Il n'est guère compétent en matière de questions militaires et de bombes, et puis il n'est pas certain
qu'il s'agisse bien de cela. C'est juste une vague impression.
Cette sensation désagréable, où se mêle la certitude d'avoir
déjà vécu la même chose, d'une manière ou d'une autre.
Comme un coup joué sur un échiquier – en l'occurrence la
ville – qui aurait été exécuté sans qu'il s'en rende compte.
Deux pions au total, avec celui d'aujourd'hui. Deux pièces
de perdues. Deux filles.

Il peut y avoir une relation, conclut-il. Lui-même, assis à
une table du café de la Poste, a assisté à des combinaisons
plus compliquées. Il les a même jouées personnellement,
après les avoir conçues, ou pour contrer celles d'un adversaire. Des intuitions en forme d'éclairs. Une vision subite,
inattendue. Une disposition des pièces classique, un jeu
sans histoire; et puis tout d'un coup, embusquée derrière
un cavalier, un fou ou un pion quelconque, la Menace – et
son Évidence: le cadavre au pied de la dune, saupoudré du
sable charrié par le vent. Et, planant sur tout cela comme
une ombre noire, le vague souvenir de quelque chose qu'il
a vu ou vécu, pareillement agenouillé devant les traces et

réfléchissant. Si seulement il pouvait se rappeler, se dit-il, tout irait mieux. Soudain il sent qu'il est urgent de retourner derrière les murs de la ville pour se livrer aux investigations adéquates. De se retrancher pour mieux se concentrer. Mais avant, sans dire mot, il revient au cadavre, cherche dans le sable le tire-bouchon métallique et le glisse dans sa poche.

*

À la même heure, trois quarts de lieue à l'est de l'auberge du Boiteux, Simon Desfosseux, capitaine attaché à l'état-major de l'artillerie de la 2ᵉ division du Premier Corps de l'armée impériale, somnolent et pas rasé, jure entre ses dents, tout en numérotant et archivant une lettre qu'il vient de recevoir de la Fonderie de Séville. D'après le rapport du colonel Fronchard chargé de superviser la fabrique de canons andalouse, les défauts de trois obusiers de 9 pouces reçus par les troupes qui assiègent Cadix – dans l'âme du canon, le métal se fissure après quelques coups – sont dus à un sabotage au cours de la fonte : un alliage délibérément incorrect, qui finit par produire des fractures et des cavités connues dans le langage des artilleurs sous le nom de criques et de retassures. Deux ouvriers et un contremaître, des Espagnols, ont été fusillés par Fronchard il y a quatre jours, dès la découverte des faits ; mais cela ne console pas pour autant le capitaine Desfosseux. Il gardait quelque espoir dans les obusiers désormais inutilisables. Et chose plus grave : ces attentes étaient partagées par le maréchal Victor et d'autres supérieurs, qui le pressent toujours de trouver une solution à un problème qui, désormais, ne dépend plus de lui.

– Chasseur !

– À vos ordres.

– Prévenez le lieutenant Bertoldi. Je serai là-haut, sur la tour.

Écartant la vieille couverture qui masque l'entrée de sa baraque, le capitaine Desfosseux sort, gravit l'échelle en bois qui conduit à la partie supérieure du poste d'observation et, par une meurtrière, contemple la ville au loin. Il reste tête nue sous le soleil, les mains croisées dans le dos sur les pans de sa veste indigo à revers rouges. Le fait que l'observatoire, doté de plusieurs télescopes et d'un micromètre Rochon ultramoderne à double lentille en cristal de roche, soit situé sur une légère élévation entre le fort armé de canons de la Cabezuela et le canal du Trocadéro ne doit absolument rien au hasard. C'est Desfosseux qui a choisi l'endroit après une étude minutieuse du terrain. De là, il peut embrasser tout le paysage de Cadix et de sa baie jusqu'à l'île de León ; et, avec l'aide de longues-vues, le pont de Zuazo et le chemin de Chiclana. En quelque sorte, ce sont là ses domaines. Tout au moins théoriques : c'est l'espace d'eau et de terre placé sous sa juridiction par les dieux de la guerre et l'État-Major impérial. Un cadre dans lequel l'autorité de maréchaux et de généraux peut, en certaines occasions, plier devant la sienne. Un champ de bataille particulier, fait de problèmes, d'essais et d'incertitudes – et aussi d'insomnies – où l'on ne se bat pas avec des tranchées, des mouvements tactiques ou des charges finales à la baïonnette, mais au moyen de calculs sur des feuilles de papier, de paraboles, de trajectoires, d'angles et de formules mathématiques. Un des nombreux paradoxes de cette complexe guerre d'Espagne est qu'un combat de cette importance, où le dosage des proportions dans une livre de poudre ou la vitesse de combustion d'une étoupille comptent davantage que le courage de dix régiments, soit confié, dans la baie de Cadix, à un obscur capitaine d'artillerie.

Depuis la terre, les positions ennemies sont inexpugnables. Même Simon Desfosseux le sait ; mais personne n'a osé le dire en ces termes à l'empereur. La ville n'est reliée au continent que par le Récif, étroite chaussée de pierre et de sable qui s'étend sur presque deux lieues. En outre, les défenseurs ont fortifié plusieurs points de cet unique passage, en le mettant sous le feu croisé de plusieurs batteries et forts disposés avec intelligence, qui, de plus, s'appuient sur deux places bien fortifiées : la Porte de Terre, garnie de cent cinquante bouches à feu, à l'endroit où commence la ville proprement dite, et la Coupure, située à mi-chemin sur le Récif et dont les travaux ne sont pas encore achevés. À l'extrémité de tout cela, là où l'isthme rejoint la terre ferme, se trouve l'île de León, protégée par des salines et des canaux. Il convient aussi d'ajouter les navires de guerre anglais et espagnols mouillés dans la baie, et les forces plus légères constituées de chaloupes canonnières qui surveillent les plages et les canaux. Un dispositif aussi formidable équivaudrait à un suicide pour toute attaque française venant de la terre ; de sorte que les compatriotes de Desfosseux s'en tiennent à une guerre de positions, dans l'attente de jours meilleurs ou d'un changement dans la situation de la Péninsule. Jusqu'à ce que ce moment arrive, l'ordre est de resserrer le cercle en intensifiant les bombardements sur des objectifs militaires et civils : système sur lequel le commandement français et le gouvernement du roi Joseph Bonaparte ne se font guère d'illusions. L'impossibilité de bloquer la ville laisse grande ouverte la porte principale de Cadix : la mer. Des navires sous divers pavillons vont et viennent devant le regard impuissant des artilleurs impériaux, la ville continue à commercer avec les ports espagnols rebelles et la moitié du monde, et, amère contradiction, les assiégés sont mieux approvisionnés que les assiégeants.

Pour le capitaine Desfosseux cependant, tout cela est relatif. Ou lui importe peu. Le résultat final du siège de Cadix, voire le cours de la guerre d'Espagne pèsent moins dans la balance de ses préoccupations que le travail qu'il réalise sur place. Celui-ci mobilise toute son imagination et tout son savoir-faire. La guerre, à laquelle il ne se consacre sérieusement que depuis peu de temps – il était, jusque-là, professeur de physique à l'école d'artillerie de Metz –, consiste pour lui à appliquer dans la pratique les théories scientifiques auxquelles, auparavant en civil et maintenant sous l'uniforme, il consacre sa vie. Il aime dire que son arme est sa table à calcul et sa poudre la trigonométrie. La ville et l'espace autour qui s'étendent sous ses yeux ne sont pas un objectif à conquérir, mais un défi technique. Il ne le dit certes pas à haute voix – cela lui vaudrait le conseil de guerre –, mais il le pense. Le combat privé que livre Simon Desfosseux n'est pas un problème d'insurrection nationale mais un problème de balistique, où l'ennemi ce n'est pas les Espagnols mais les obstacles interposés par la loi de la gravité, le frottement et la température de l'air, la condition des fluides élastiques, la vitesse initiale et la parabole décrite par un objet mobile – en l'occurrence, une bombe – avant d'atteindre, ou non, le point qu'il est censé toucher avec le maximum d'efficacité. De mauvaise grâce, mais en répondant aux ordres de ses supérieurs, il a fait, il y a quelques jours, une tentative pour l'expliquer à une commission de visiteurs espagnols et français venus de Madrid s'assurer de la bonne marche du siège.

À ce souvenir, il sourit malicieusement. Les membres de la commission sont arrivés cahin-caha d'El Puerto de Santa María dans des voitures civiles, par la route qui suit la rive du San Pedro : quatre Espagnols et deux Français, mourant de soif, épuisés, pressés d'en finir et apeurés à l'idée que l'ennemi pourrait leur souhaiter la bienvenue à coups de canon depuis le fort de Puntales. Ils sont descendus de voiture, secouant la poussière de leurs redingotes, vestes et chapeaux, tout en promenant des regards craintifs sur les alentours et en tentant sans beaucoup de succès d'afficher un maintien intrépide. Les Espagnols étaient des représentants officiels du gouvernement du roi Joseph ; et les Français, un secrétaire de la maison royale et un chef d'escadron nommé Orsini, aide de camp du maréchal Victor, qui leur servait de guide. Celui-ci a suggéré une explication succincte de la situation : que ces messieurs comprennent l'importance de l'artillerie dans un siège et puissent rapporter à Madrid que, pour bien faire les choses, il faut prendre son temps. *Chi va piano, va lontano*, a ajouté l'aide de camp Orsini qui, en plus d'être corse, s'est révélé doué d'humour. *Chi va forte, va alla morte*. Etcetera. De sorte que, comprenant le message, Desfosseux s'y est conformé. Le problème, a-t-il dit, en faisant appel au professeur toujours bien vivant sous l'uniforme, est semblable à celui qui se pose quand on lance une pierre avec la main. S'il n'y avait pas la gravité, la pierre suivrait une ligne droite ; mais la gravité est là. C'est la raison pour laquelle les projectiles propulsés par la force d'expansion de la poudre ne suivent pas une trajectoire directe, mais para-bolique, résultante d'un mouvement horizontal à vitesse constante, qui lui est communiqué au sortir du canon, et d'un mouvement vertical de chute libre qui augmente en proportion du temps que le projectile reste dans l'air. Vous me suivez ? – Il était évident qu'ils avaient du mal à le suivre ; mais, voyant un membre de la commission acquiescer, Desfosseux a décidé d'augmenter la dose. – La question, mes-sieurs, est d'obtenir la force nécessaire pour que la pierre aille le plus loin possible, tout en réduisant au minimum le temps qu'elle passe en l'air. Car le problème que posent nos pierres, messieurs, est que ce sont des bombes munies de mèches à retardement et dont l'explosion doit forcément se produire au bout d'un certain temps, qu'elles atteignent ou non leur objectif. Il faut y ajouter d'autres difficultés, le frottement de l'air, la dérive sous l'effet du vent et tout le reste : axes verticaux, distances parcourues proportionnelles au carré du temps écoulé conformément à la loi de la chute libre, etcetera. Vous me suivez toujours ? – Il a constaté avec satisfaction que, cette fois, plus personne ne le suivait. – Enfin, vous savez déjà tout ça.

– D'accord : mais est-ce que, oui ou non, les bombes arrivent sur Cadix ? s'est enquis un Espagnol, résumant le sentiment général.

– Nous nous y employons, messieurs. – Desfosseux regardait du coin de l'œil l'aide de camp Orsini qui avait sorti sa montre de sa poche et regardait l'heure. – Nous nous y employons.

Un œil collé au micromètre, le capitaine d'artillerie contemple Cadix et ses remparts blancs qui resplendissent dans les eaux de la baie couleur d'émeraude. Proche et inaccessible – un autre homme que Simon Desfosseux ajouterait peut-être *comme une belle femme*, mais ce n'est pas son genre. En réalité, les bombes françaises arrivent sur divers points des lignes ennemies, y compris Cadix ; mais à la limite de leur portée et souvent sans même exploser. Ni les travaux théoriques du capitaine, ni l'application et la compétence des artilleurs, vétérans de l'armée impériale, n'ont réussi jusqu'à maintenant à faire que les bombes aillent plus loin que 2 250 toises ; distance qui, au maximum, permet d'atteindre les remparts de l'est et leurs abords immédiats, mais rien de plus. Et, même ainsi, la plus grande part des bombes restent inertes, parce que la mèche de l'espolette s'est éteinte au cours du trajet : une moyenne de vingt-cinq secondes en l'air, entre le départ et l'impact. Alors que l'idéal technique caressé par Desfosseux, le tourment qui le maintient éveillé toute la nuit à faire des calculs à la lueur d'une chandelle et l'oblige à passer ses journées plongé dans un cauchemar de logarithmes, serait une bombe dont le retard aille au-delà de quarante-cinq secondes, tirée par une pièce d'artillerie qui permettrait de dépasser les 3 000 toises. Au mur de sa baraque, à côté des cartes, diagrammes, tables et feuilles de calcul, le capitaine a affiché un plan de Cadix sur lequel il note les lieux de chute des bombes : un point rouge pour celles qui explosent et un point noir pour celles qui tombent éteintes. La quantité de points rouges reste tristement minime et, de plus, concentrée en totalité, comme tous les points noirs, sur la partie orientale de la ville.

– À vos ordres, mon capitaine.

Le lieutenant Bertoldi vient d'arriver sur la plate-forme. Desfosseux, qui continue de regarder dans le micromètre et manœuvre la molette de cuivre pour calculer la hauteur et la distance des tours de l'église du Carmel, s'écarte du viseur et s'adresse à son subordonné :

– Mauvaises nouvelles de Séville. Quelqu'un a eu la main lourde avec l'étain en fondant les obusiers de 9 pouces.

Bertoldi fronce le nez. C'est un Italien petit et ventru, avec des favoris blonds, l'allure d'un bon vivant. Piémontais, cinq ans de service dans l'artillerie impériale. Autour de Cadix, les assiégeants ne parlent pas seulement la langue française. Il y a des Italiens, des Polonais, des Allemands, et d'autres encore. Sans compter les troupes auxiliaires espagnoles qui ont prêté serment au roi Joseph.

– Accident ou sabotage ?

– Le colonel Fronchard dit que c'est un sabotage. Mais vous connaissez le personnage... Je ne m'y fie pas.

Bertoldi esquisse un sourire, ce qui achève de donner à sa physionomie un air juvénile et sympathique. Desfosseux aime bien son adjoint, en dépit de son penchant excessif pour le vin de Jerez et les *señoritas* d'El Puerto de Santa María. Ils sont ensemble depuis qu'ils ont traversé les Pyrénées, il y a un an, après le désastre de Bailén. Parfois, quand il a un peu trop abusé de la bouteille, Bertoldi se laisse aller à le tutoyer amicalement. Desfosseux ne le réprimande jamais pour cela.

– Moi non plus, mon capitaine. Le directeur espagnol de la fonderie, le colonel Sánchez, n'a pas le droit de s'approcher des fours… C'est Fronchard qui s'occupe de tout, directement.

– En tout cas, il a dégagé sa responsabilité de façon expéditive. Lundi, il a fait fusiller trois ouvriers espagnols.

– Affaire classée, donc.

– Exactement, confirme Desfosseux, caustique. Et nous restons sans les obusiers.

Bertoldi lève un doigt pour objecter :

– Permettez ! Nous avons toujours Fanfan.

– Oui, mais ce n'est pas suffisant.

En parlant, le capitaine jette un regard, par la meurtrière latérale, en direction d'une redoute proche, protégée par des sacs de sable et des talus, où se trouve un énorme cylindre de bronze incliné à quarante-cinq degrés et recouvert d'une bâche : Fanfan, pour les amis. Il s'agit – ce nom lui a été donné par Bertoldi en l'aspergeant de manzanilla de Sanlúcar – du prototype d'un obusier Villantroys-Ruty de 10 pouces, capable d'expédier des bombes de 80 livres sur les remparts orientaux de Cadix, mais pas une toise plus loin pour le moment. Et encore, par vent favorable. Quand souffle le ponant, les projectiles ne font peur qu'aux poissons de la baie. Sur le papier, les obusiers fondus à Séville auraient dû bénéficier des essais et des calculs exécutés avec Fanfan. Mais c'est désormais impossible à vérifier, du moins pendant un certain temps.

– Fions-nous à lui, propose Bertoldi, résigné.

– Je lui fais confiance, vous le savez. Mais Fanfan a ses limites… et moi aussi.

Le lieutenant l'observe, et Desfosseux sait qu'il remarque ses cernes sous les yeux. Son menton mal rasé, il le craint, ne plaide pas non plus en sa faveur. Tout cela nuit à son image martiale.

– Vous devriez dormir un peu plus.

– Et vous – une mimique complice atténue le ton sévère de Desfosseux –, vous devriez vous mêler de vos affaires.

– C'est une affaire qui me regarde, mon capitaine. Si vous tombez malade, il me faudra traiter directement avec le colonel Fronchard... Et dans ce cas, je préfère passer tout de suite à l'ennemi. À la nage. Vous savez que dans Cadix ils vivent mieux que nous.

– Je vous ferai fusiller, Bertoldi. Personnellement. Après quoi, je danserai sur votre tombe.

Au fond, Desfosseux sait que le revers essuyé à Séville ne change pas grand-chose. Le temps passé devant Cadix lui permet de conclure que, vu les conditions particulières du siège, ni les canons conventionnels ni les obusiers ne sont capables de bombarder convenablement la place. Lui-même, après avoir étudié des situations semblables, comme le siège de Gibraltar en 1782, est partisan d'utiliser des mortiers de gros calibre, mais aucun de ses supérieurs ne partage cette idée. Le seul qu'il avait réussi à convaincre, après beaucoup d'efforts, était le commandant de l'artillerie, le général Alexandre Hureau, baron de Sénarmont, mais il n'est plus là pour le soutenir. Après s'être illustré à Marengo, Friedland et Somosierra, le général était si sûr de lui et méprisait tant les Espagnols – que, comme tous les Français, il appelle les *manolos*, terme qui dans leur esprit correspond à celui de racaille – qu'au cours d'une inspection de la batterie Villatte, située face à l'île de León sur le versant de Chiclana, il a voulu à tout prix expérimenter de nouveaux affûts en compagnie du colonel Dejermon, du capitaine Pindonell, chef de la batterie, et de Simon Desfosseux lui-même, en service commandé. Le général a exigé que les sept canons de la position fassent feu sur les lignes espagnoles, et plus concrètement en direction de la batterie de Gallineras. Et, sans écouter Pindonell qui lui faisait remarquer que cela attirerait immanquablement en retour le feu de l'ennemi, très puissant à cet endroit, le général, qui se considérait comme un grand artilleur, a levé son chapeau et dit qu'il se faisait fort de s'en servir pour cueillir avec exactitude chaque grenade des manolos qui arriverait.

– Alors cessez de discuter, et tirez ! a-t-il ordonné.

Discipliné, Pindonell a commandé le feu. Quand le premier coup de canon est arrivé en réponse, on a pu constater que la bombe n'était passée qu'à quelques pouces du chapeau brandi par Hureau, et avait éclaté entre celui-ci, Pindonell et le colonel Dejermon, en les emportant tous les trois. Desfosseux n'a dû son salut qu'au fait qu'il se trouvait un peu plus loin, à la recherche d'un endroit discret où soulager sa vessie, juste à côté de sacs de sable qui ont amorti le choc. Les trois morts ont été enterrés près de Chiclana, à l'ermitage de Santa Ana, et tous les espoirs de Desfosseux de bombarder Cadix avec des mortiers sont descendus dans la tombe en même temps que le baron de Sénarmont. En lui laissant au moins la consolation de pouvoir le raconter.

– Un pigeon, dit le lieutenant Bertoldi en désignant le ciel.

Desfosseux lève la tête et regarde dans la direction que lui indique son subordonné. C'est vrai. Volant en ligne droite depuis Cadix, l'oiseau achève de traverser la baie, passe au-dessus du discret colombier qui jouxte la baraque des artilleurs et survole la côte en se dirigeant vers Puerto Real.

– Ce n'est pas un des nôtres.

Les deux militaires échangent un coup d'œil, puis le lieutenant se détourne avec un sourire de connivence. Bertoldi est le seul avec qui Desfosseux partage ses secrets professionnels. L'un de ceux-ci est que, sans pigeons voyageurs, il serait impossible de mettre des points rouges et noirs sur la carte de Cadix.

*

Les navires des tableaux encadrés sur les murs et les modèles à l'échelle protégés par des vitrines semblent naviguer dans la pénombre du petit cabinet de travail meublé en acajou, autour de la femme qui écrit derrière son bureau, dans le rectangle éclairé par un mince rayon de soleil qui passe à travers les rideaux presque entièrement fermés d'une fenêtre. Cette femme se nomme Lolita Palma et a trente-deux ans : un âge auquel n'importe quelle Gaditane moyennement lucide a perdu tout espoir de se marier. De toute façon, depuis longtemps, le mariage n'est pas une de ses principales préoccupations ; il n'en fait même pas partie. Elle a d'autres soucis. L'heure de la prochaine marée haute, par exemple. Ou les agissements d'une felouque corsaire française qui opère entre Rota et la baie de Sanlúcar. Toutes choses qui, aujourd'hui, ont à voir avec une arrivée imminente qu'un employé de la maison, de garde au poste d'observation situé sur la terrasse, suit à travers un télescope depuis que la tour Tavira a signalé une voile à l'ouest : celle d'un navire en train d'entrer dans la baie, portant toute sa toile, à deux milles au sud des basses de Rota. Il pourrait s'agir du *Marco Bruto*, brigantin de deux cent quatre-vingts tonneaux et quatre canons : deux semaines de retard, revenant de Veracruz et de La Havane avec une cargaison prévue de café, cacao, bois de campêche et numéraire pour une valeur de quinze mille trois cents pesos. Son nom figure déjà dans l'inquiétante quadruple colonne qui enregistre les aléas des navires liés au commerce de la ville : *en retard, sans nouvelles, disparus, perdus*. Les deux dernières subdivisions portant parfois ce commentaire définitif et sans appel : *avec tout son équipage*.

Lolita Palma penche la tête sur la lettre qu'elle écrit en anglais, s'arrêtant pour consulter les chiffres notés sur une page d'un gros livre de changes, poids et mesures de commerce ouvert sur le bureau près de l'encrier, un gobelet d'argent accompagné d'un bouquet de plumes bien taillées, du sablier et de tout ce qu'il faut pour cacheter. La feuille de papier est posée sur un sous-main de cuir qui a appartenu à son père et porte toujours les initiales *TP* : Tomás Palma. La lettre, à en-tête de la raison sociale de la famille – *Palma & Hijos*, Palma & Fils, société fondée devant notaire à Cadix en l'an 1754 –, est adressée à un correspondant aux États-Unis d'Amérique et énumère un certain nombre d'irrégularités constatées dans une cargaison de 1 210 fanègues de farine qui a mis quarante-cinq jours à faire la traversée de Baltimore à Cadix dans les cales de la goélette *Nueva Soledad*, arrivée au port voici une semaine, et qui a été réexpédiée par d'autres bateaux vers les côtes de Valence et de Murcie, où la disette sévit et où la farine est payée au prix de la poudre d'or.

Quant aux navires qui décorent le cabinet de travail, ils ont chacun leur nom et Lolita Palma les connaît tous : certains seulement par ouï-dire, car ils ont été vendus, désarmés ou perdus en mer avant sa naissance. Pour les autres, elle en a foulé le pont dès sa petite enfance en compagnie de son frère et de sa sœur, elle les a vus toutes voiles dehors dans la baie, entrant ou sortant, elle en a entendu prononcer les noms sonores, pieux et souvent énigmatiques – *El Birroño*, *Bella Mercedes*, *Amor de Dios* – dans d'innombrables conversations familiales : tel est en retard, tel autre a essuyé une tempête de noroît, tel autre encore a été poursuivi par un corsaire entre les Açores et Saint-Vincent. Tout cela, avec mention précise des ports et des cargaisons : cuivre de Veracruz, tabac de Philadelphie, cuirs de Montevideo, coton de La Guaira… Des noms de contrées lointaines aussi habituels dans cette maison que peuvent l'être ceux de la rue Neuve, de l'église San Francisco ou de la promenade de l'Alameda. Les lettres de correspondants, mandataires et associés sont consignées en épaisses liasses archivées dans le bureau principal de la maison, situé avec les autres au rez-de-chaussée, à côté de l'entrepôt. *Ports* et *navires* : des mots qui évoquent l'espoir ou l'incertitude aussi loin que Lolita Palma remonte dans sa mémoire. Elle sait que, depuis trois générations, la prospérité des Palma dépend de ces bateaux, des aléas de leurs traversées, de leur comportement dans les calmes plats et les tempêtes, de leurs qualités marines et de l'habileté de leurs équipages à esquiver les dangers maritimes et terrestres. L'un d'eux – la *Joven Dolores* – porte son nom. Ou le portait, jusqu'il y a peu. Un bateau qui, d'ailleurs, n'a connu que de bonnes fortunes. Après une vie rentable de traversées, d'abord pour un commerçant en charbon anglais, puis pour les Palma, il termine maintenant sa vieillesse maritime paisiblement amarré, ayant perdu nom et pavillon, dans un cimetière marin proche de la pointe de la Clica, à côté du canal de la Carraca, sans jamais avoir été victime de la fureur des flots ni de la convoitise des pirates, corsaires ou pavillons ennemis, et sans avoir jamais endeuillé de foyers en y faisant des veuves ou des orphelins.

Près de la porte, une pendule-baromètre anglaise en ronce de noyer sonne trois coups graves, presque aussitôt répétés, plus argentins et plus lointains, par d'autres horloges de la maison. Lolita Palma, qui vient de terminer sa lettre, saupoudre l'encre des dernières lignes et la laisse sécher. Puis, s'aidant d'un coupe-papier, elle plie en quatre la feuille – qui est valencienne, blanche et épaisse, de la plus luxueuse qualité – et, après avoir écrit l'adresse au recto, elle gratte une allumette soufrée et cachette soigneusement les plis. Elle opère lentement, avec autant de minutie que pour tout ce qu'elle fait dans la vie. Enfin, elle place la lettre sur un plateau en bois incrusté d'ivoire de baleine et se lève, dans le froissement de sa robe d'intérieur – en soie chinoise importée des Philippines, noire et délicatement décorée – qui lui arrive jusqu'aux pieds chaussés de mules de satin. Ce faisant, elle piétine un exemplaire du *Diario Mercantil* tombé sur la natte de Chiclana qui couvre le sol. Elle le ramasse et le met avec d'autres qui sont posés sur une petite table : *El Redactor General*, *El Conciso*, quelques vieux journaux étrangers, anglais ou portugais.

Une jeune servante chante en bas, en arrosant les fougères et les géraniums de la cour, autour de la margelle de marbre de la citerne. Elle a une jolie voix. La chanson – une *copla* à la mode à Cadix, romance imaginaire entre une marquise et un contrebandier patriote – devient plus claire et plus précise quand Lolita Palma quitte son cabinet, parcourt deux des quatre côtés de la galerie vitrée du premier étage et gravit l'escalier de marbre blanc qui mène, deux étages plus haut, à la terrasse. Là, le contraste est intense avec la pénombre de l'intérieur. Le soleil de l'après-midi se réverbère sur les murs badigeonnés à la chaux et rend les dalles en terre cuite brûlantes, au-dessus de la ville qui s'étend tout autour comme une laborieuse ruche blanche incrustée dans la mer. La porte de la tour située dans un angle est ouverte ; après avoir monté un escalier plus étroit, en colimaçon avec des marches en bois, Lolita Palma débouche en haut du mirador semblable à ceux que possèdent de nombreuses maisons de Cadix, partout où l'activité courante des habitants – mandataires, armateurs, commerçants – est liée au port et à la navigation. Depuis ces tours, il est possible de reconnaître les bateaux qui viennent du large ; et, à mesure qu'ils se rapprochent, de distinguer avec l'aide de longues-vues les signaux hissés aux pennes des vergues : codes privés par lesquels chaque capitaine informe le propriétaire ou le correspondant à terre des circonstances du voyage et de la cargaison qu'il transporte. Dans une ville commerçante comme celle-là, où la mer est la voie d'accès universelle et le cordon ombilical en temps de paix comme de guerre, il y a des fortunes qui se font sur un coup de chance ou une occasion bien exploitée, et des concurrents qu'une demi-heure en plus ou en moins pour reconnaître le bateau qui se présente et ce que transmettent ses signaux peut ruiner ou rendre riches.

– On ne dirait pas le *Marco Bruto*, annonce le veilleur.

Santos est le vieux serviteur de la maison, vétéran de l'époque du grand-père Enrico, embarqué comme mousse sur un de ses navires à l'âge de neuf ans. Il a une main estropiée mais garde l'œil marin, capable d'identifier un capitaine à sa manière de carguer les vergues en évitant les basses des Puercas. Lolita Palma lui prend le télescope des mains – un bon Dixey anglais, tube extensible en laiton doré –, l'appuie sur le garde-fou et étudie le bateau au loin : voiles carrées, deux mâts portant toute leur toile pour profiter de la bonne brise qui le pousse par tribord, et aussi pour distancer un autre navire, avec deux voiles latines et un foc, qui, de la pointe de Rota, tente de lui barrer le passage en serrant le vent au plus près.

– La felouque corsaire ? interroge-t-elle en indiquant cette direction.

Santos hoche affirmativement la tête, tout en mettant en visière sa main où manquent le petit doigt et l'annulaire. Au poignet, à l'extrémité de la vieille cicatrice, on aperçoit un tatouage confus, décoloré par le soleil et le temps.

– Ils l'ont vu venir et ont sorti toute la toile, mais je ne crois pas qu'ils le rejoindront. Il arrive très ouvert par rapport à la côte.

– Le vent peut tourner.

– À cette heure-ci, et si vous me permettez, madame Lolita, même s'il tournait de trois quarts, cela resterait suffisant pour entrer dans la baie. Ce serait pire pour l'autre qui l'aurait de face… Je dirais que, d'ici une demi-heure, le Français en sera pour sa peine.

Lolita Palma regarde les récifs de l'entrée de Cadix que ne couvre pas encore la marée haute. Vers la droite, plus à l'intérieur, se trouvent les navires anglais et espagnols, mouillés entre le bastion de San Felipe et la Porte de Mer, à sec de toile et vergues basses.

– Et tu dis que ce n'est pas notre brigantin ?

– Pour moi, non. – Santos hoche la tête sans quitter la mer des yeux. – Ça ressemble plutôt à une polacre.

Lolita Palma observe de nouveau dans la longue-vue. Malgré la bonne visibilité due au vent d'ouest, elle ne peut distinguer les pavillons de signalisation. Mais il est certain que, même si le bateau a des voiles carrées, ses mâts qui, vus de loin, ne semblent pas pourvus de hunes ni de barres traversières, ne correspondent pas à ceux d'un brigantin conventionnel comme le *Marco Bruto*. Déçue, fâchée, elle cesse de regarder. Beaucoup trop de retard, pense-t-elle. Trop de choses sérieuses en jeu. La perte de ce navire et de sa cargaison serait un coup irréparable – le second en trois mois –, avec cette circonstance aggravante que, du fait du siège français, les risques encourus par les biens privés sont désormais à la seule charge des particuliers et des armateurs, aucune assurance ne couvrant plus leurs pertes.

– En tout cas, reste là. Jusqu'à confirmation.

– À votre service, madame Lolita.

Santos continue de l'appeler Lolita, comme tous les vieux employés et domestiques de la maison. Les plus jeunes l'appellent madame Dolores, ou mademoiselle. Mais dans la bonne société de Cadix qui l'a vue grandir, elle reste Lolita Palma, la petite-fille du vieil Enrico. La fille de Tomás Palma. C'est ainsi que ceux qui la connaissent la désignent toujours dans leurs réunions, réceptions et soirées, en parlent sur l'Alameda, dans la Calle Ancha, la grande rue, ou à la messe de midi des dimanches et jours de fête à l'église San Francisco – chapeau à la main pour les messieurs, légère inclination de la tête coiffée d'une mantille pour les dames, curiosité chez les réfugiés distingués que l'on a mis au courant : une demoiselle de la meilleure société, un excellent parti, que des circonstances tragiques ont placée à la tête de la maison. Une éducation moderne, évidemment. Comme presque toutes les jeunes filles de bonne famille de Cadix. Modeste et sans ostentation. Rien à voir, je vous assure, avec ces péronnelles de la noblesse décadente qui ne savent que remplir leurs carnets de bal avec les noms de leurs soupirants et se pomponner quand leur papa les vend, titre compris, au plus offrant. Parce que l'argent, dans cette ville, ce ne sont pas les vieilles familles avec des noms à tiroir qui le possèdent, c'est le commerce. Ici, le travail est la seule aristocratie respectée, et nous éduquons nos filles comme il faut : responsables de leurs cadets dès leur plus jeune âge, pieuses sans simagrées, des études pratiques, et une langue étrangère ou deux. Qui sait si elles ne devront pas aider aux affaires familiales, s'occuper de la correspondance et autres choses du même genre ; ou si, une fois mariées ou veuves, elles n'auront pas à intervenir dans des situations dont dépendent beaucoup de familles et de bouches à nourrir, bien éloignées de la vie mondaine. Et voyez : nous savons de bonne source que Lolita – dont le grand-père était un élu de la cité – a étudié, grâce à son père, l'arithmétique, les échanges internationaux, les équivalences des poids, mesures et monnaies dans le monde entier, et la comptabilité en partie double des livres de commerce. De plus, elle parle, lit et écrit l'anglais, et se défend en français. On dit même qu'elle s'y connaît en botanique. Les plantes, les fleurs et le reste. Comme c'est dommage qu'elle reste vieille fille.

Ce *comme c'est dommage qu'elle reste vieille fille* est la note finale, la petite revanche – perfide, juste dans les limites du raisonnable – que les membres de la bonne société gaditane, quand ils sont entre eux, prend sur les vertus domestiques, commerciales et publiques de Lolita Palma ; dont chacun sait que la bonne position dans le monde des affaires ne va guère de pair avec les plaisirs privés. De récents malheurs ne lui ont permis de quitter le deuil qu'il y a peu de temps. Deux ans avant qu'une épidémie de fièvre jaune n'emporte son père, son unique frère, l'espoir naturel de l'entreprise familiale, a été tué à la bataille de Bailén. Il existe une autre fille, sa cadette, mariée jeune et encore du vivant de leur père à un négociant de la ville. Et la mère. Ah, cette mère !

Lolita Palma descend de la terrasse au second étage. Sur un palier, du haut d'un tableau qui trône sur un socle d'azulejos portugais, un gracieux jeune homme portant une veste à col montant, une large cravate noire au cou, l'observe avec un sourire aimable, un peu moqueur. C'est un ami de son père, correspondant à Cadix d'une importante maison commerciale française, qui s'est noyé en 1807 dans le naufrage du navire sur lequel il voyageait, face au cap Trafalgar, sur les hauts-fonds de l'Aceitera.

En regardant le portrait pendant qu'elle descend l'escalier, Lolita glisse les doigts sur la rampe de marbre blanc délicatement veiné. Malgré le temps passé, elle s'en souvient bien. Très bien. Ce jeune homme s'appelait Miguel Manfredi, et il souriait comme sur le tableau.

En bas, la servante – elle s'appelle Mari Paz et c'est la femme de chambre de Lolita – a fini d'arroser les plantes. Le silence de l'après-midi règne dans la maison de la rue du Bastion, à un pas du cœur de la ville. Il s'agit d'une construction de trois étages, avec de solides murs en pierre calcaire, un double portail clouté de bronze doré, portant des heurtoirs en forme de barque, qui reste ordinairement ouvert, et une entrée large et fraîche en marbre blanc menant à la grille et au patio, autour duquel sont disposés des magasins pour les marchandises fragiles et les bureaux qu'occupent un certain nombre d'employés aux heures de travail. Le reste de la maisonnée compte sept domestiques : le vieux Santos, une servante, une esclave noire, une cuisinière, la jeune Mari Paz, un majordome et un cocher.

– Comment te sens-tu, maman ?

– Comme d'habitude.

Une chambre à coucher, lumière tamisée, fraîche en été et bien chauffée en hiver. Un crucifix en ivoire au-dessus du lit en fer laqué de blanc, une grande fenêtre avec un balcon à grille et jalousie qui donne sur la rue ; et sur celui-ci, des bordures de fougères, géraniums et basilics en pots. Une coiffeuse avec un miroir, un autre miroir pour le corps entier, une armoire à glace. Beaucoup de miroirs et beaucoup d'acajou, tout cela bien dans la tradition gaditane. Classique avant tout. Une Vierge du Rosaire encadrée au-dessus d'une bibliothèque, également en acajou, contenant les dix-sept tomes in-octavo de la collection complète du *Correo de las damas*. Seize, en réalité. Le dix-septième repose, ouvert, sur la courtepointe, devant la femme qui, à demi assise, soutenue par des oreillers, penche un peu la joue pour que sa fille y pose un baiser. Elle sent l'huile de Macassar qu'elle s'applique sur les mains et les poudres de frangipane dont elle se blanchit la figure.

– Tu en as mis du temps à venir me voir. Je suis réveillée depuis un bon moment.

– J'avais du travail, maman.

– Tu as toujours du travail.

Lolita Palma approche une chaise et s'assied à côté de sa mère, après avoir arrangé les oreillers. Patiente. Un instant, elle pense à son enfance, quand elle rêvait de parcourir le monde à bord de ces navires aux voiles blanches qui appareillaient lentement dans la baie. Puis elle pense au brigantin, à la polacre, ou à autre chose encore. Au bateau inconnu qui, en ce moment, arrive de l'ouest toutes voiles dehors, gréement tendu à l'extrême, esquivant la chasse du corsaire.

*

Se tenant à un hauban du mât d'artimon, Pepe Lobo observe les mouvements de la felouque qui tente de lui couper la route de la baie. Ses dix-neuf hommes font la même chose, groupés au pied des mâts et à l'avant, sous l'ombre de toute la toile déployée. Si le capitaine de la polacre – partie de Lisbonne il y a cinq jours avec une cargaison de morue, fromage et saindoux – ne connaissait pas tout ce que les caprices de la mer peuvent réserver de mauvaises comme de bonnes surprises, il serait plus tranquille qu'il ne l'est. Le Français est encore loin, et la *Risueña* – « La Rieuse » – navigue au largue, poussée par la marée et une bonne brise par tribord qui lui permettra, si tout va bien, de doubler les Puercas sans changer de bord, sous la protection des canons des forts espagnols de Santa Catalina et de la Candelaria.

– Nous avons plus de temps qu'il n'en faut, dit le second.

C'est un individu olivâtre, la peau grasse. Bonnet de laine et barbe d'une semaine. De temps en temps, il se retourne pour surveiller d'un œil soupçonneux les deux timoniers qui sont à la barre.

– Nous arriverons, insiste-t-il entre ses dents, comme s'il priait.

Pepe Lobo lève à demi la main, prudent.

– Ne soyez pas si sûr, lieutenant. Ne vendez pas la peau de l'ours avant de l'avoir tué.

L'autre crache dans la mer d'un air hargneux. Hostile.

– Je ne suis pas superstitieux.

– Moi si. Alors fermez votre putain de gueule.

Une brève pause. Tendue. L'eau qui court le long de la

coque. Bruit du vent dans le gréement et grincements des mâts et des haubans à chaque coup de la houle. Le capitaine continue de regarder dans la direction du corsaire. Le second, lui, regarde le capitaine.

– Vous m'insultez. Je ne suis pas disposé à supporter...

– Je vous ai dit de la boucler. Ou je vous la bouclerai moi-même.

– Des menaces, commandant?

– Parfaitement.

Tandis qu'il parle avec naturel, sans quitter l'autre bateau des yeux, Pepe Lobo libère les boutons dorés de sa veste de drap bleu. Il sait que des matelots tout proches se poussent du coude, tendent l'oreille et les fixent des yeux pour ne rien perdre.

– C'est intolérable, proteste le second. Je me plaindrai dès que nous serons à terre. Ces hommes sont témoins.

Le capitaine hausse les épaules.

– Dans ce cas, ils confirmeront que je vous ai brûlé la cervelle pour avoir discuté mes ordres alors que nous avions un corsaire à nos trousses.

Passée dans la large bande noire qui lui ceint la taille, luit, maintenant bien visible, la crosse de métal et de bois d'un pistolet. L'arme n'est pas destinée à l'ennemi qui s'approche, mais à maintenir l'ordre sur son propre navire. Ce ne serait pas la première fois qu'un membre de l'équipage perdrait la tête au milieu d'une manœuvre délicate. Ni qu'il réglerait la question sans états d'âme. Son second est un personnage inquiet et haineux, toujours le mot pour répondre, qui digère mal de ne pas être lui-même au commandement de la polacre. En quatre traversées, il a tout fait, de récriminations en récriminations, pour mériter un traitement que peu de tribunaux maritimes critiqueraient s'il lui était administré, comme c'est présentement le cas, en vue de l'ennemi. Avec la perspective de perdre bateau et cargaison, et de finir prisonniers, le moment n'est pas aux criailleries de bonnes femmes.

Pepe Lobo remarque un changement de rythme dans les vibrations du hauban auquel il se retient. Plus irrégulier, maintenant. D'en haut vient un léger bruit de voile qui flotte au vent.

– Faites votre travail, lance-t-il au second. Le perroquet d'artimon faseye.

À aucun moment, pendant qu'il parle, il ne quitte la felouque des yeux : cent tonneaux environ, une coque effilée remontant le vent jusqu'à cinq quarts, un mât incliné à l'avant et un autre à l'arrière, avec des voiles latines et un foc tendu comme une lame de couteau. Elle porte des drisses nues, sans pavillon national – la *Risueña* n'en arbore pas non plus –, mais cela ne fait pas de doute qu'elle est française. Personne ne viendrait de la terre comme ce chien si ses intentions n'étaient pas aussi claires. S'il s'agit bien du corsaire qui passe son temps à rôder dans la baie et a l'habitude de se tenir à l'affût derrière la pointe de Rota, ses canons et son équipage lui permettraient de s'emparer de la polacre dès lors qu'il pourrait suffisamment s'en approcher. La polacre est un navire marchand de cent soixante-dix tonneaux armé seulement de deux pièces de 4 livres, de quelques mousquets et de sabres : rien de sérieux à opposer aux deux caronades de 12 livres et aux six canons de 6 qui, à ce que l'on dit, arment l'autre. Dont les exploits sont désormais bien connus. Lorsque la *Risueña* a quitté le port il y a trois semaines pour Lisbonne, elle comptait à son actif un chébec espagnol avec une belle cargaison, dont 900 quintaux de poudre, et un brigantin d'Amérique du Nord imprévoyant qui naviguait trop près de la côte, capturé trente-deux jours après avoir appareillé de Rhode Island pour Cadix avec du tabac et du riz. Apparemment, les protestations des négociants de Cadix contre l'impunité dont jouit le corsaire n'ont rien changé à la situation. Pepe Lobo sait que les quelques navires de guerre anglais et espagnols sont employés à protéger l'intérieur du port et la ligne défensive, à escorter les convois et à transporter le courrier et les troupes. Quant aux canonnières et aux embarcations de moindre importance, elles sont inutiles par marée montante et vent venant de la mer. Cela, quand elles ne sont pas occupées à protéger le canal du Trocadéro, à surveiller la baie pendant la nuit ou affectées à des convois qui se rendent à Huelva, Ayamonte, Tarifa et Algésiras. Seul un chasse-marée espagnol, le mistic numéro trente-huit, croise entre la barre de Sanlúcar et la ville de Cadix, sans guère de résultats. Il est donc facile pour le corsaire de sortir le matin à découvert du port ou de la crique où il s'abrite, de donner la chasse et de revenir se protéger avec sa prise, quand il la tient, très vite et presque sans risques, sur une côte qui appartient aux Français sur toute sa longueur. Comme une araignée au centre de sa toile.

Pepe Lobo regarde enfin vers l'avant, en direction de la ville : des remparts bruns dans le lointain et d'innombrables tours au-dessus des maisons blanches, avec le château de San Sebastián, le phare et son aspect de navire échoué sur les bas-fonds. Quatre milles jusqu'aux Puercas et au Diamante, calcule-t-il après avoir estimé sa position en prenant pour repères la ville et la pointe de Rota. Sale entrée que celle de Cadix, avec beaucoup de cailloux et un courant dangereux par forte marée descendante ; mais le vent est favorable, et ce sera la pleine mer quand la polacre, sans changer de bord, passera entre les basses avant de lofer pour entrer à l'intérieur de la baie puis du port, sous la protection des batteries et des navires espagnols et anglais mouillés dont on pourra bientôt apercevoir au loin les mâts.

Les alliés anglais. Même si l'Espagne en est à sa quatrième année de guerre contre Napoléon, l'emploi du mot *alliés* pour désigner les Anglais fait faire la grimace au capitaine de la *Risueña*. Il les respecte sur la mer, mais il les déteste comme nation. S'il avait été lui-même anglais, il ne trouverait rien à redire : il serait aussi voleur et arrogant que ses compatriotes et ça ne l'empêcherait pas de dormir. Mais le hasard qui décide de ce genre de choses l'a fait naître espagnol, dans le port militaire de La Havane : un père galicien et maître d'équipage dans la Marine royale, une mère créole, la mer devant les yeux et sous les pieds depuis tout petit. Embarqué à onze ans, il a passé la plus grande partie de ses trente-deux années de bourlingue – mousse, novice sur un baleinier, gabier, second, un brevet de capitaine acquis à force de travail et de sacrifices – à se méfier des pirateries et des ruses, toujours infâmes, du pavillon britannique. Il n'a jamais sillonné de mer où celui-ci ne constituait pas une menace permanente. Et les Anglais, il croit bien les connaître : il les juge cupides, imbus de leur personne, toujours prêts à invoquer la première excuse venue pour violer cyniquement n'importe quel engagement ou parole donnée. Il en a fait personnellement l'expérience. Que les aléas de la guerre et de la politique aient transformé pour l'heure l'Angleterre en alliée de l'Espagne qui résiste à Napoléon n'y change rien. Pour lui, en paix ou à coups de canon, les Anglais ont toujours été les ennemis. D'une certaine manière, ils le sont encore. Deux fois, il a été leur prisonnier : l'une sur un ponton de Portsmouth et l'autre à Gibraltar. Et il n'oublie pas.

– Le corsaire est en train d'abattre, commandant.

– J'ai vu.

Chez le second, l'appréhension l'emporte sur la rancœur. Le ton a presque été conciliateur. Du coin de l'œil, Pepe Lobo le voit regarder avec inquiétude la flamme qui indique la direction du vent, puis le fixer. Dans l'attente.

– Je pense que nous devrions…, commence-t-il.

– La ferme !

Le capitaine observe les voiles, puis se tourne vers les timoniers.

– Lofez deux quarts de plus... C'est bien. Tenez bon ce cap...

Puis, s'adressant au second :

– Lieutenant ! Vous êtes aveugle ou sourd ?... Faites-moi border cette écoute.

En fait, sa mauvaise humeur n'a rien à voir avec les Anglais. Ni même avec cette felouque, qui, dans un ultime effort de se rapprocher de la polacre, a légèrement changé de cap en abattant et tente encore de leur donner la chasse un peu plus au sud-est, gardant confiance dans un coup de canon bien ajusté, un changement de vent ou une mauvaise manœuvre qui casserait quelque chose dans la mâture de la *Risueña*. Ce n'est pas cela qui préoccupe Pepe Lobo. Il est tellement sûr de semer le corsaire qu'il n'a même pas donné l'ordre de préparer les deux pièces du bord : des petits canons qui, d'ailleurs, ne serviraient à rien devant un ennemi dont un seul tir de caronade balaierait le pont. La peur d'un combat peut troubler un équipage qui n'est déjà pas brillant : à part une demi-douzaine de marins expérimentés, les autres sont de la vermine portuaire enrôlée pour un peu plus que la nourriture. Ce ne serait pas la première fois que Lobo verrait les hommes se cacher sous le pont en plein branle-bas. Cela lui a déjà coûté un bateau et la ruine économique en 1797, en sus du ponton de Portsmouth. Aussi tout ira-t-il pour le mieux aujourd'hui si personne n'a de doutes et si chacun fait son travail. En ce qui concerne les hommes qui sont sous son commandement, il n'a qu'un souhait, mouiller le plus vite possible à Cadix et les perdre de vue.

Non, sa préoccupation n'est pas là. Le capitaine de la *Risueña* sait qu'il fait son dernier voyage à son bord. Quand il a pris la mer il y a dix-neuf jours, ses relations avec le propriétaire, un armateur de la rue du Consulat nommé

Ignacio Ussel, étaient déjà mauvaises ; et elles ne pourront qu'empirer dès que celui-ci ou le client pour qui il affrète le bateau découvriront le manifeste de la cargaison. Un voyage malheureux, peu de vent et forte houle à Saint-Vincent, une avarie à l'étambot qui a obligé à mouiller un jour et demi à l'abri du cap Sines et des problèmes administratifs à Lisbonne sont la cause de ce que la polacre arrive en retard avec la moitié du fret prévu. C'est la goutte d'eau qui fera déborder le vase. La firme Ussel, qui sert à Cadix, comme d'autres, de couverture à diverses maisons commerciales françaises – jusqu'à une date récente, aucun étranger ne pouvait négocier directement avec les ports espagnols d'Amérique –, a des difficultés depuis que la guerre a commencé. En essayant de se refaire avec les occasions que celle-ci offre à des commerçants peu scrupuleux, monsieur Ussel cherche à obtenir le maximum de bénéfices avec le minimum de frais, aux dépens de ses employés : tous les prétextes lui sont bons pour payer en retard et mal. D'où, ces derniers temps, les relations tendues entre l'armateur et le capitaine de la *Risueña*. Et ce dernier sait que, à peine l'ancre jetée par quatre ou cinq brasses de fond, il devra chercher un autre bateau sur lequel gagner sa vie. Entreprise ardue dans un Cadix surpeuplé par le siège français, où, même si tout ce qui peut flotter continue de naviguer, y compris le bois pourri, manquent les bateaux et les bons équipages, abondent les capitaines, et si dans les tavernes du port où la levée forcée fait des ravages on ne trouve que la lie qui soit prête à s'enrôler pour quatre sous.

– Le Français vire de bord !… Il s'en va !

Sur toute la longueur de la polacre fusent les vivats. Tapes dans le dos et cris de satisfaction. Même le second ôte son bonnet de laine pour s'essuyer le front, soulagé. Se pressant tous sur la bande de bâbord, ils observent le corsaire virer vent debout et abandonner la chasse. Son foc faseye un

43

moment sur le long beaupré tandis que le bateau passe à prendre le vent sur tribord pour regagner le golfe de Rota. En montrant son travers, se présentant ainsi en pleine lumière, il permet de distinguer dans le détail la longue antenne de la grand-voile, la coque mince et noire, la voûte d'arcasse qui se prolonge sous le bout-dehors. Rapide et dangereux. On dit qu'il s'agit d'un navire marchand portugais arraisonné l'an dernier par les Français à la hauteur de Chipiona.

– Remontez un peu, ordonne Pepe Lobo aux timoniers. Est quart sud-est.

Certains matelots sourient au capitaine, avec des hochements de tête approbateurs. Je me fiche bien de leur approbation, pense-t-il, ils peuvent se la mettre où je pense. Au point où j'en suis. S'écartant des haubans, il reboutonne en partie sa veste, recouvrant le pistolet passé dans sa ceinture. Puis il se tourne vers le second, qui ne le quitte pas des yeux.

– Hissez le pavillon, et faites-moi ajuster cette toile... Dans une demi-heure, je veux que l'équipage soit prêt à serrer les perroquets.

Tandis que les hommes tirent sur les cordages pour adapter vergues et voiles au nouveau cap, et que le pavillon marchand, deux bandes rouges et trois jaunes, monte au mât d'artimon, Pepe Lobo observe la côte vers laquelle se dirige la felouque corsaire, qui montre maintenant sa poupe. La *Risueña* marche bien, le vent se maintient dans la bonne direction, et pas besoin de tirer des bords pour passer les Puercas. Cela signifie qu'on pourra entrer dans la baie sans s'exposer aux écueils qui la bordent ni au feu de la batterie française de l'autre fort de Santa Catalina, celui qui est situé à côté d'El Puerto de Santa María et a l'habitude de tirer sur les bâtiments que leurs manœuvres rapprochent trop de la terre. Le fort se trouve à un peu plus d'une demi-lieue à l'ouest, visible sur bâbord ; et plus loin, de l'autre côté du golfe de Rota et de la barre qui précède l'embouchure du San Pedro, on distingue déjà à l'œil nu la péninsule du Trocadéro, avec ses batteries françaises orientées vers Cadix. Lobo prend la longue-vue dans le tiroir de l'habitacle, la déploie et règle l'oculaire pour parcourir la côte du nord au sud avant de s'arrêter sur les forts : celui, abandonné, de Matagorda, situé en bas, sur la plage, le fort Luis et la Cabezuela, plus en arrière et plus haut, leurs canons dépassant des meurtrières. À ce moment, il aperçoit à l'une de celles-ci un éclair silencieux et, l'espace d'un instant, il croit voir la bombe française, un minuscule point noir, décrire une parabole au-dessus de la baie, en direction de la ville.

*

Assis dans la cour à colonnades du café de la Poste, jambes allongées sous la table et dos au mur – sa manière habituelle de se tenir dans les lieux publics –, le commissaire aux Quartiers, Vagabonds et Étrangers de passage, Rogelio Tizón, étudie l'échiquier qu'il a devant lui. Il tient une tasse de café dans la main droite et, de l'autre, il caresse ses favoris à l'endroit où ils rejoignent la moustache. Les gens qui sont sortis dans la rue du Rosaire en entendant le bruit commencent à revenir, commentant l'événement. Les joueurs de billard récupèrent leurs queues et leurs boules d'ivoire, on reprend les journaux abandonnés dans la salle de lecture et sur les tables de la cour, et chacun rejoint sa chaise et les habituels petits groupes se reforment dans le brouhaha des conversations, tandis que les garçons reprennent leur ronde, cafetière à la main.

– Elle est tombée au-delà de San Agustín, dit le professeur Barrull en se rasseyant. Sans exploser, comme presque toujours. On en est quittes pour la peur.

– C'est à vous de jouer, don Hipólito.

Barrull regarde le policier qui n'a pas levé les yeux de l'échiquier, puis consulte la disposition des pièces.

– Vous êtes aussi émotif qu'une sole frite, commissaire. J'admire votre sang-froid.

Tizón vide sa tasse et la pose à côté de l'échiquier, près des pièces prises : six pour lui, six pour son adversaire. Un équilibre qui, en réalité, n'est qu'apparent. La partie ne s'annonce pas bonne pour lui.

– Ma tour est menacée par ce fou et le pion... Ce n'est pas le moment de perdre mon temps avec des bombes.

L'autre émet un grognement de satisfaction, appréciant le cynisme du commentaire. Il a une abondante chevelure grise, un visage en longueur, chevalin, des dents jaunies par le tabac et des yeux mélancoliques derrière des lunettes en acier. Amateur de tabac à priser ocre, portant des culottes sur des bas noirs – toujours froissés – et des vestes à l'ancienne, il dirige la Société scientifique gaditane et enseigne les rudiments du latin et du grec aux jeunes gens de la bonne société. C'est aussi un redoutable joueur d'échecs, dont le naturel tranquille et l'humeur affable peuvent changer du tout au tout devant un échiquier. Son jeu est implacable et, pris d'une fureur homicide, il en oublie pratiquement toutes les règles de la courtoisie. Dans le feu de la rencontre, il peut lui arriver d'insulter ses adversaires, y compris Tizón : que le diable le patafiole, qu'il soit maudit jusqu'à la septième génération, chien galeux et chat pelé. Je vous écartèlerai avant le coucher du soleil, parole d'honneur. Je vous arracherai la peau morceau par morceau, etc. Des injures sophistiquées de ce genre. Barrull n'est pas cultivé pour rien. Mais le commissaire ne s'en formalise pas. Ils se connaissent et s'affrontent depuis dix ans. Ils sont amis, ou presque. Mieux vaut dire *presque*. Au moins, au sens incertain qu'a le mot *amitié* pour le commissaire.

– Vous avez déplacé ce mauvais cavalier à ce que je vois.

– Je n'ai pas le choix.

– Si, vous l'avez. – Le professeur rit, sans desserrer les dents. – Mais ce n'est pas moi qui vous le dirai.

Tizón fait signe au patron, Paco Celis, qui veille sur le seuil de la cuisine, et celui-ci envoie un garçon remplir la tasse du commissaire et poser à côté un verre d'eau fraîche. Concentré sur le jeu, Barrull fait non de la tête pour éloigner le garçon.

– Et vlan, en plein dans le lard ! lance-t-il en avançant un pion inattendu.

Le commissaire étudie le jeu, incrédule. Barrull tambourine des doigts sur la table, provocant, et dévisage son adversaire comme s'il allait lui expédier une balle dans la poitrine à la première occasion.

– Échec au roi au prochain coup, admet Tizón à contrecœur.

– Et mat au suivant.

Le vaincu soupire en ramassant les pièces. L'autre lui adresse un sourire torve en le regardant faire. *Vae victis*, dit-il. L'expression du commissaire comporte juste ce qu'il faut de résignation face à la mine réjouie de l'ennemi. Stoïque par habitude. Son adversaire le bat à plate couture trois fois sur cinq.

– Vous êtes odieux, professeur.

– Allez-y, pleurez. Pleurez comme une bonne femme qui n'a pas su se défendre en homme.

Tizón achève de ranger les pièces noires et blanches dans leur boîte, comme des cadavres dans une fosse commune attendant la pelletée de chaux vive. L'échiquier reste vide, désert comme le sable d'une plage à marée basse. L'image de la fille assassinée revient occuper ses pensées. Glissant deux doigts dans une poche, il touche le plomb tordu en forme de tire-bouchon ramassé près du cadavre.

– Professeur…

– Oui ?

Il hésite un peu. C'est vraiment difficile, conclut-il, de mettre des mots sur la sensation pénible qui le poursuit depuis l'auberge du Boiteux. Lui, agenouillé près de la fille morte. Le bruit de la mer proche, et des traces sur le sable.

– Des traces sur le sable, répète-t-il à haute voix.

Barrull a effacé son sourire homicide. Revenu à son état normal, il observe le policier avec un étonnement poli.

– Pardon ?

Les doigts encore dans la poche, tâtant le fragment de métal, Tizón fait un geste ambigu. Un geste d'impuissance.

– En fait, je suis incapable de vous expliquer... Il s'agit d'un joueur d'échecs qui regarde un échiquier vide. Et des traces sur le sable.

– Vous me faites marcher, rit Barrull, en remontant ses lunettes sur son nez. C'est une devinette... Un genre de charade.

– Pas du tout. Un échiquier et des traces, comme je vous l'ai dit.

– Et quoi d'autre ?

– Rien d'autre.

– Est-ce qu'il s'agit de quelque chose de scientifique ?

– Je ne sais pas.

Le professeur, qui vient de tirer de sa veste une tabatière en émail, s'arrête en la laissant à demi ouverte.

– De quel échiquier voulez-vous parler ?

– Je ne le sais pas non plus. De Cadix, je suppose. Et de la fille morte sur la plage.

– Bon Dieu, mon ami ! – Il prise une pincée de tabac. – Vous êtes bien mystérieux, aujourd'hui. Cadix est un échiquier ?

– Oui. Ou non... Enfin, plus ou moins.

– Dites-moi quelles sont les pièces.

Tizón regarde autour d'eux. Exact reflet de la vie dans la cité assiégée, la cour et la salle de l'établissement bouillonnent d'habitants, commerçants, oisifs, réfugiés, étudiants, ecclésiastiques, employés, journalistes, militaires et députés aux Cortès qui viennent de s'installer à Cadix en passant par l'île de León. Il y a des guéridons de marbre, des tables de bois et d'osier, des chaises cannées, des cendriers, des crachoirs en cuivre, quelques pots de chocolat et beaucoup de café, comme c'est l'habitude ici : des arrobes et des arrobes de café moulu dans la cuisine, servi très chaud, qui imprègne l'air de son arôme, s'imposant même sur la fumée du tabac qui plane et teint tout en gris. Le café de la Poste est fréquenté par des hommes – les femmes ne sont pas admises, sauf en période de Carnaval – de toutes origines et conditions : alternent ici les habits râpés des émigrés sans ressources avec d'autres à la mode, les vieilles vestes rapiécées avec soin, les bottes neuves, les semelles percées, le drap aux couleurs vives des volontaires locaux et les uniformes pitoyables, pleins de reprises, des officiers de la Marine royale qui n'ont pas touché leur solde depuis un an et demi. Les uns et les autres se saluent ou s'ignorent, se groupant suivant leurs affinités, leurs détestations ou leurs intérêts communs : on parle de table à table, on commente le contenu des journaux, on joue au billard ou aux échecs, on tue le temps seul ou à plusieurs en discutant de la guerre, de la politique, des femmes, des cours du bois de campêche, du tabac et du coton, ou du dernier libelle publié grâce à la récente liberté de la presse – que beaucoup applaudissent et d'autres, presque aussi nombreux, vilipendent – contre Pierre ou Paul, et plus généralement contre le premier chien coiffé venu.

– Je ne sais pas quelles sont les pièces, dit Tizón. Eux, j'imagine. Nous.

– Les Français ?

– Peut-être. Je n'écarte pas l'hypothèse qu'ils puissent y être mêlés, eux aussi.

Le professeur Barrull continue à ne pas y voir clair.

– Mêlés à quoi ?

– Je ne saurai pas dire. À ce qui se passe.

– Ça, c'est évident. Puisqu'ils nous assiègent.

– Ce n'est pas de ça que je parle.

Barrull l'observe maintenant avec attention, penché au-dessus de la table. Finalement, avec naturel, il prend le verre d'eau auquel Tizón n'a pas touché et boit lentement. Cela fait, il s'essuie les lèvres avec un mouchoir qu'il tire d'une poche de sa veste, contemple l'échiquier vide et relève les yeux. Ils se connaissent suffisamment pour savoir quand ils parlent sérieusement.

– Des traces sur le sable, commente-t-il gravement.

– C'est ça.

– Pourriez-vous donner quelques précisions… Cela m'aiderait un peu.

Tizón hoche la tête, l'air incertain.

– C'est comme si ça avait à voir avec vous. Quelque chose que vous auriez fait ou dit un jour. Voilà pourquoi je vous le raconte.

– Mais, cher ami… En réalité, vous ne me racontez rien du tout !

Une nouvelle explosion, lointaine cette fois, interrompt les conversations. La détonation, amortie par la distance et les constructions voisines, fait légèrement vibrer les vitres des fenêtres du café.

– Celle-là est tombée loin, note quelqu'un. Vers le port. Et elle a explosé.

– Cochons de gabachos* ! ajoute un autre.

Cette fois, il y a moins de gens qui sortent dans la rue pour voir ce qui se passe. Peu après, l'un d'eux revient en rapportant que la bombe est tombée sur la face extérieure

---

* *Gabachos* est le terme de mépris employé par les Espagnols pour désigner les Français.

des remparts, près de l'esplanade de la Croix. Sans faire ni dégâts ni victimes.

– Je verrai si je peux me souvenir, promet Barrull, peu convaincu.

Rogelio Tizón dit adieu au professeur, prend son chapeau et sa canne, et sort dans la rue, où la lumière décline et le soleil arrive à l'horizontale, colorant de rouge les tours blanches des terrasses. Des habitants sont encore à leurs balcons, regardant vers l'endroit où est tombée la dernière bombe. Une femme à l'air mauvais et puant la vinasse, qui le connaît, s'écarte sur son passage en maugréant entre ses dents. Vieux contentieux. Faisant comme s'il ne l'entendait pas, le commissaire continue de remonter la rue.

Des pions blancs et noirs, voilà où il en est. Ça, c'est la trame. Avec Cadix pour échiquier.

*

Taxidermie ne signifie pas seulement empailler, mais aussi créer une apparence de vie. Conscient de cela, le ruban à mesurer dans la main, l'homme en blouse grise et tablier de toile cirée prend les précautions nécessaires ; celles que prescrivent la science et l'art. De sa petite écriture, serrée et soignée, il note chaque résultat dans un carnet : largeur d'oreille à oreille et longueur de la tête à la queue. Puis, avec un compas, il mesure, sur chaque œil, l'angle formé par la distance entre le coin interne et le coin externe, et il en note la couleur, qui est marron foncé. Quand, finalement, il ferme le cahier, il regarde autour de lui et constate que la lumière qui pénètre par les vitres multicolores de la porte à demi ouverte donnant sur l'escalier qui conduit à la terrasse commence à baisser. De sorte qu'il allume une lampe à pétrole, ajuste le globe en verre et fait monter la flamme, pour qu'elle éclaire bien le cadavre du chien étendu sur la table de marbre.

51

Le moment est délicat. Très. Un mauvais début peut tout gâcher. Les poils de l'animal tomberont avec le temps, ou bien des larves ou des œufs d'insectes cachés dans l'intérieur en étoupe, bourre ou foin de mer finiront par détruire le travail. Ce sont les limites de l'art. Certains des spécimens qu'éclaire la lampe dans le cabinet ont été ainsi enlaidis par le passage des ans : inexactitudes dans la forme naturelle, ravages de la lumière, de la poussière ou de l'humidité, changements de couleur dus à un excès de tartre et de chaux ou à l'utilisation de vernis de mauvaise qualité. Ce sont aussi les limites de la science. Ces œuvres ratées, péchés de jeunesse, il les conserve pourtant, comme des témoins ou des rappels du danger que l'on court, dans ce genre d'exercice comme dans d'autres, de commettre des erreurs : muscles contractés qui défigurent l'attitude propre à chaque animal, postures peu naturelles, gueules ou becs mal finis, défauts dans la disposition de l'armature interne, emploi malhabile de l'aiguille pour recoudre… Tout compte, entre les murs de ce cabinet où la guerre et la situation de la ville rendent difficiles les conditions d'un travail convenable. Il est de plus en plus compliqué d'obtenir de nouveaux spécimens de quelque valeur, et l'on est obligé de se contenter de ce qu'il y a. Au jour le jour. En improvisant pièces et moyens.

Le taxidermiste va vers un meuble noir situé entre la porte ouverte de l'escalier qui mène à la terrasse, un poêle et une vitrine d'où un lynx, une chouette et un ouistiti surveillent le cabinet de leurs yeux immobiles en pâte de verre. Il y choisit, parmi d'autres instruments, des pinces en acier et un bistouri à manche d'ivoire. Les tenant à la main, il revient à la table et se penche sur l'animal : un jeune chien de taille moyenne, avec une tache blanche sur le poitrail qui se répète sur le front. De belles canines. Un bon spécimen dont la peau intacte ne conserve pas de trace du poison qui l'a tué. À la lumière de la lampe, avec beaucoup de précaution et de dextérité, le taxidermiste extrait les yeux avec les pinces, coupe le nerf optique avec le bistouri, nettoie et saupoudre les cavités d'un mélange d'alun, tanin et savon minéral qu'il a préparé dans un mortier. Puis il remplit les trous avec des boules de coton. Enfin, après avoir vérifié que tout est bien en ordre, il dispose l'animal sur le dos, bouche toutes les ouvertures du corps avec de la bourre, lui écarte les pattes, et, lui incisant le ventre à partir du sternum, commence à l'écorcher.

Sur un côté du cabinet, sous une perche accrochée au mur où sont fixés un faisan, un faucon et un gypaète empaillés, la pénombre permet tout juste de distinguer un plan de la ville déployé sur un bureau : grand, imprimé, avec en bas une double échelle en toises françaises et vares espagnoles. Sont posés dessus un compas, des règles et des équerres. Le plan est sillonné de curieuses lignes droites au crayon qui s'ouvrent en éventail à partir de l'est, et semé de croix et de cercles comme autant de marques sinistres de petite vérole. On dirait une toile d'araignée qui s'étend sur la ville, où chaque point et chaque signe serait des insectes attrapés, ou dévorés.

La nuit tombe lentement. Pendant que le taxidermiste taille la peau du chien à la lumière de la lampe, en la séparant soigneusement de la chair et des os, on entend, par l'escalier de la terrasse, roucouler des pigeons.

2

Bonjour. Comment allez-vous. Bonjour. Saluez votre femme de ma part. Bonjour. Au revoir, enchanté. Mes souvenirs à votre famille. Innombrables échanges rapides et aimables, sourires des connaissances, une ou deux brèves conversations pour s'enquérir de la santé d'une épouse, des études d'un fils ou des affaires d'un gendre. Lolita Palma chemine entre les petits groupes qui bavardent ou regardent les vitrines des commerces. Calle Ancha de Cadix, à la mi-journée. Le cœur de la société gaditane en pleine activité. Bureaux, agences, consulats, mandataires. Il est facile de distinguer les Gaditans des émigrés en observant leur comportement et leur conversation : ces derniers, habitants temporaires de pensions de la rue Neuve, de logements de la rue des Flamands Ivres et de maisons du quartier de l'Avemaría, se promènent devant les vitrines des boutiques chères et les portes des cafés ; tandis que les autres, tout à leurs commissions et à leurs négoces, vont et viennent, affairés, chargés de leurs portefeuilles, papiers et journaux. Les uns parlent de campagnes militaires, mouvements stratégiques, défaites et improbables victoires, les autres commentent le prix du drap de Nankin, de l'indigo ou du cacao, et la possibilité que les cigares de La Havane dépassent les quarante-huit réaux la livre. Quant aux députés des Cortès, à ces heures de la journée, ils ne sont pas dans la rue : ils sont réunis dans l'oratoire de San Felipe, à quelques pas de là, dont la galerie est remplie d'oisifs – le siège français laisse beaucoup de monde sans emploi, dans la ville – et de membres du corps diplomatique inquiets de savoir ce qu'on y concocte, avec l'ambassadeur anglais qui envoie des rapports par chaque bateau. C'est seulement un peu avant deux heures de l'après-midi que les constituants sortiront et se disperseront dans les restaurants et les cafés en commentant les incidents de la séance du jour et, comme d'habitude, en cassant au passage du sucre sur le dos de leurs semblables au gré de leurs idéologies, de leurs sympathies ou de leurs antipathies : ecclésiastiques, laïcs, conservateurs, libéraux, royalistes, vieilles badernes ossifiées, jeunes enragés radicaux et autres espèces, chacun avec son cercle de discussion et son journal favori. Une Espagne et ses provinces d'Outre-mer en miniature. Plusieurs de celles-ci en état d'insurrection, bien sûr, profitant de la guerre.

Lolita Palma vient de sortir du commerce de mode de la place San Antonio, devant le café d'Apollon. C'est la boutique la plus élégante de la ville – avant, elle s'appelait « La Mode de Paris », et maintenant, vu les circonstances, « La Mode espagnole » –, dont les articles et les robes sont convoités par les dames et les demoiselles de la meilleure société de Cadix. Malgré cela, la propriétaire de la firme Palma & Fils n'y commande aucun effet, car une couturière et une brodeuse travaillent sur des patrons simples qu'elle dessine elle-même en prenant ses idées dans des revues françaises et anglaises. Elle passe dans la boutique pour connaître le goût du jour et acheter du tissu ou quelques articles accessoires : la femme de chambre qui la suit à trois pas porte deux cartons soigneusement empaquetés, contenant six paires de gants, autant de bas, et de la dentelle blanche pour les dessous.

– Que Dieu vous garde, Lolita.

– Bonjour. Saluez madame votre épouse.

L'artère principale est un va-et-vient de visages presque tous connus, de têtes masculines qui se découvrent sur son passage. Bref, c'est la Calle Ancha, la grande rue. Peu de femmes, à cette heure de la journée. Aussi attire-t-elle davantage les regards des hommes. Amabilités et coups de chapeau, courtoises inclinations de la tête. Tout ce qui compte ici connaît la femme qui gère avec prudence et compétence, en dépit de son sexe plus ou moins faible, l'entreprise de son aïeul et de son père défunts. Un concentré de l'activité gaditane : commerce avec les Indes, navires, investissements, risques maritimes. Pas comme d'autres femmes de la partie, des veuves pour la plupart, qui se bornent au rôle de bailleurs de fonds en touchant commissions et intérêts. Elle, elle prend des risques, joue, perd ou gagne. Elle donne du travail et fait gagner de l'argent. Solide capital et vie irréprochable. Décence. Solvabilité, crédit et réputation. Un million et demi de pesos de capital, à vue de nez. Au moins. Une des nôtres, sans aucun doute. Des douze ou quinze familles qui comptent. Une tête bien faite posée sur des épaules que l'on dit très jolies, sans que personne puisse se vanter de les avoir vues. Toujours bonne à marier à trente-deux ans, même si elle n'est plus de la première jeunesse.

– Au revoir. Bonjour.

Elle marche au milieu de la rue, tête haute. Faisant sonner ses talons, sereine. C'est sa rue et c'est sa ville. Elle est vêtue de gris très sombre, avec pour seule note de couleur une mantille de flanelle garnie d'un ruban bleu. Une petite bourse assortie. La mantille, les cheveux serrés sur la nuque et bouclés sur les tempes, avec les escarpins de lin brodés d'argent sont la seule concession accordée à la promenade ; la robe est celle qu'elle porte pour travailler et recevoir dans son bureau, simple, pratique, convenable à l'extrême. Elle devrait y être à cette heure-ci, mais elle est sortie pour une affaire financière délicate : des lettres de change douteuses, acquises il y a trois semaines, qu'elle vient juste de négocier avec succès à la caisse de San Carlos, avec la commission adéquate. Les gants, les bas et la dentelle de La Mode espagnole, anciennement La Mode de Paris, sont une manière de fêter cela. Discrètement. Comme tout ce qu'elle pense et fait.

– Félicitations pour le *Marco Bruto*. J'ai lu dans la *Vigía* qu'il est arrivé sans encombre.

C'est son beau-frère Alfonso. De la maison Solé & Associés : tissus anglais et marchandises de Gibraltar. Guindé et froid comme d'habitude, redingote beige et gilet mauve, bas de soie, canne en rotin des Indes. Chapeau qu'il n'ôte pas, se bornant à y porter deux doigts et en soulever légèrement le bord. Lolita Palma le trouve toujours aussi peu sympathique qu'il y a six ans, quand il s'est marié avec sa sœur Caridad. Entre eux, les relations familiales ne dépassent pas les limites de la stricte bienséance. Une visite par semaine à la mère, et guère plus. La dot de quatre-vingt-dix mille pesos que lui a octroyée son défunt beau-père n'a jamais vraiment satisfait Alfonso Solé ; et les Palma n'ont pas non plus apprécié la manière dont cet argent a été employé, sur des critères inadéquats et avec un bénéfice quasiment nul. Outre quelques autres désaccords commerciaux, un contentieux à propos d'une propriété à Puerto Real à laquelle Alfonso croit avoir droit par son mariage les sépare aussi. L'affaire, qui tire son origine du testament de Tomás Palma, est entre les mains de notaires et d'avocats, ce qui n'arrange pas leurs relations, même si la guerre laisse tout en suspens.

– Il est arrivé, grâce à Dieu. Nous pensions la cargaison perdue.

Elle sait qu'Alfonso ne se soucie guère du sort du *Marco Bruto* : il verrait avec indifférence le bateau au fond de la mer ou dans un port français. Mais il s'agit de Cadix, et il faut respecter les convenances. Quand un beau-frère rencontre sa belle-sœur dans la Calle Ancha, à la vue de toute la ville, ils doivent se parler, même brièvement. Aucun commerce ne peut tenir, ici, si l'on n'a pas la confiance et le respect de la société ; et ni elle ni lui ne peuvent échapper à la règle.

– Comment va Cari ?

– Bien, merci. Nous te verrons vendredi.

Alfonso touche de nouveau son chapeau, prend congé et se dirige vers le bas de la rue. Sec et raide jusqu'à la pointe de sa canne. Les relations que Lolita Palma entretient avec sa sœur ne sont pas non plus chaleureuses. Elles ne l'ont jamais été, même dans leur enfance. Elle la trouve paresseuse et égoïste, trop habituée à vivre de l'effort d'autrui. Même la mort du père et celle du frère, Francisco de Paula, n'ont pas réussi à les rapprocher : chagrin, deuil, et chacune dans son coin. Aujourd'hui, la mère est leur seul lien, et encore est-il plus formel, ou pour la galerie, qu'autre chose : visite hebdomadaire à la maison de la rue du Bastion, chocolat, café et petits-fours, sans autre conversation qu'un bavardage insipide sur le temps qu'il fait, les bombes des Français et les plantes du balcon. C'est seulement quand arrive le cousin Toño, un célibataire jovial et sympathique, que l'ambiance s'anime. Le mariage avec Alfonso Solé – ambitieux et sans trop de scrupules, un père importateur de drap pour le Corps des volontaires locaux, une mère guindée et stupide – accentue les distances. Caridad et son mari n'ont jamais pardonné à Tomás Palma d'avoir refusé que son gendre intervienne dans l'entreprise familiale, ni qu'il ait limité les droits de sa fille cadette à une simple dot et à la maison de la rue des Gantiers où vivent aujourd'hui les Solé : une splendide demeure de trois étages estimée à trois cent cinquante mille réaux. Avec ça, disait le père, ils ont de quoi voir venir. Quant à ma fille Lolita, elle a tout ce qu'il faut pour aller de l'avant. Regardez-la. Intelligente et tenace. Elle se suffit à elle-même et je lui fais plus confiance qu'à n'importe qui d'autre : elle sait comment gagner de l'argent, et elle sait comment ne pas le perdre. Depuis toute petite. Si, un jour, elle décide de se marier, elle ne passera pas son temps à lire des romans ou à papoter dans les pâtisseries pendant que son mari se décarcasse. Croyez-moi. Elle est d'une autre étoffe.

– Toujours aussi jolie, Lolita. Je suis content de te voir... Comment se porte ta mère ?

Emilio Sánchez Guinea tient son chapeau dans une main et un gros paquet de courrier et de documents dans l'autre : sexagénaire, bas sur pattes, le poil blanc et clairsemé. Le regard avisé. Il est vêtu à l'anglaise, une double chaîne en or reliant les boutons aux poches du gilet, et il a cet air presque imperceptible de légère fatigue, habituel chez les négociants qui ont atteint un certain âge et une certaine position. À Cadix, où il n'existe pas, dans la bonne société, de pire indécence que l'oisiveté injustifiée, il est de bon ton de laisser apparaître une minuscule touche de négligé – une cravate un tout petit peu flottante, quelques faux plis sur l'habit bien coupé et d'excellente qualité –, révélatrice d'une intense et honorable journée de travail.

– Je sais que le bateau a fini par arriver. C'est un soulagement pour tout le monde.

C'est un vieil et cher ami, de toute confiance. Camarade d'études de feu Tomás Palma, associé à la firme familiale dans de nombreuses opérations commerciales, il partage également avec Lolita des risques et des affaires. Il a d'ailleurs aspiré pendant quelque temps à l'avoir pour belle-fille, en lui rebattant les oreilles des mérites de son fils Miguel, aujourd'hui son associé et l'heureux époux d'une autre jeune Gaditane. L'absence d'alliance familiale n'a jamais altéré les bonnes relations entre les maisons Palma et Sánchez Guinea. C'est don Emilio qui a conseillé la jeune femme lors de ses premiers pas dans les affaires, à la mort de son père. Il le fait encore, quand celle-ci a recours à ses avis et à son expérience.

– Tu rentres chez toi ?

– Je vais à la librairie de Salcedo. Je veux voir si des commandes sont arrivées.

– Je t'accompagne.

– Vous devez avoir des choses plus importantes à faire.

Le vieux négociant rit joyeusement.

– Quand je te vois, je les oublie toutes. Allons-y.

Il lui offre le bras. En chemin, ils commentent la situation générale, l'état de diverses affaires dont ils partagent les intérêts. L'insurrection des Amériques complique beaucoup les choses. Plus, même, que le siège français. L'exportation de produits vers l'autre rive de l'Atlantique a diminué de façon alarmante, les rentrées de fonds sont minimes, faute de numéraire, et certains commettent l'erreur d'investir en papier-monnaie qu'il est difficile, ensuite, de convertir en bon argent. Néanmoins, Lolita Palma parvient à compenser l'absence de liquidités par de nouveaux marchés : à la farine et au coton des États-Unis, aux récentes exportations vers la Russie et à la bonne position de la ville comme dépôt de marchandises en transit, viennent s'ajouter de prudents investissements dans les lettres de change et les risques maritimes : cette dernière spécialité étant justement celle de la maison Sánchez Guinea, qui y associe la firme Palma & Fils par des avances de capitaux pour financer des voyages commerciaux dont le remboursement inclut intérêts et commissions. Une pratique financière que l'expérience et le bon sens de don Emilio rendent très rentable, dans une ville qui a toujours besoin d'argent en espèces.

– Il faut se faire à cette idée, Lolita : un jour la guerre finira, et alors les vrais problèmes surgiront. Lorsque les mers seront de nouveau libres, ce sera trop tard. Nos compatriotes des Amériques se sont habitués à commercer

61

directement avec les Yankees et les Anglais. Et pendant ce temps, ici, nous continuons à vouloir leur faire payer au prix fort ce qu'ils peuvent se procurer tout seuls… La pagaille en Espagne leur permet de comprendre qu'ils n'ont pas besoin de nous.

Lolita marche en lui tenant le bras, dans la Calle Ancha. Ils passent devant des larges porches, des belles boutiques, des maisons de commerce. Il y a, comme d'habitude, de nombreux clients à l'intérieur de l'orfèvrerie de Bonalto. Encore d'autres groupes de gens, encore des saluts de passants et de connaissances. La femme de chambre marche toujours derrière avec les paquets. C'est la jeune Mari Paz : celle qui chante des romances avec une jolie voix en arrosant les jardinières.

– Nous pourrons nous rétablir, don Emilio… L'Amérique est très vaste, et la langue et la culture ne se rompent pas facilement. Nous serons toujours là-bas. Et puis il y a de nouveaux marchés. Voyez les Russes… Si le tsar déclare la guerre à la France, ils auront besoin de tout.

L'autre hoche la tête, sceptique. Cela dure depuis trop longtemps, dit-il. Et il ajoute que cette ville a perdu sa force. Sa raison d'être. La sentence est tombée en 1778, quand il a été mis fin au monopole du commerce avec l'Outre-mer. Quoi que l'on puisse dire, l'autonomie des ports américains est irréversible. Plus personne ne peut contrôler ces créoles. Pour Cadix, les crises successives et la guerre sont les clous qui scelleront son cercueil.

– Ne soyez pas pessimiste, don Emilio.

– Pessimiste ? Combien de désastres a vécus cette ville ?… La guerre coloniale de l'Angleterre nous a finalement fait beaucoup de tort. Puis est venue la nôtre avec la France révolutionnaire, suivie de la guerre avec l'Angleterre… C'est là que nous avons vraiment plongé. La paix d'Amiens a apporté plus de spéculation que de vrai commerce : souviens-toi de ces vieilles maisons françaises d'ici qui se sont effondrées d'un coup… Après, nous avons eu la nouvelle guerre contre les Anglais, puis le blocus et la guerre avec la France… Tu dis *pessimiste*, ma fille ?… Ça fait vingt-cinq ans que nous allons de Charybde en Scylla.

Lolita Palma sourit en lui serrant doucement le bras.

– Je ne voulais pas vous offenser, mon ami.

– Tu ne m'offenses jamais, ma fille. Il ne manquerait plus que ça.

Au coin de la rue de l'Amertume, près de l'ambassade britannique, se trouvent une officine commerciale et un petit café fréquenté par des étrangers et des officiers de marine. Le quartier est éloigné des remparts de l'est où tombent les bombes dont aucune n'est jamais arrivée jusque-là. Détendus, profitant du beau temps, quelques Anglais sont devant la porte, lisant de vieux journaux dans leur langue : favoris blonds, gilets criards. Quelques habits rouges de militaires.

– Regarde nos alliés… – Sánchez Guinea baisse la voix. – Assiégeant la Régence et les Cortès pour qu'ils lèvent toutes les restrictions à leur libre commerce avec les Amériques. Cherchant leur avantage, comme toujours, et fidèles à leur politique de ne jamais admettre un bon gouvernement dans toute l'Europe… Avec Wellington dans la Péninsule, ils font d'une pierre trois coups : ils s'assurent du Portugal, ils ont Napoléon à l'usure et, au passage, ils font de nous leurs débiteurs pour se faire payer ensuite. Cette alliance nous coûtera les yeux de la tête.

Lolita Palma lui fait remarquer l'agitation qui les entoure : petits groupes, passants, boutiques ouvertes. Un paquet du *Diario Mercantil* vient d'arriver au kiosque à journaux qui est au milieu de la rue, et les acheteurs se bousculent pour les arracher des mains du vendeur.

– Peut-être. Mais voyez la ville… Elle déborde de vie, de commerce…

– De la fumée, rien de plus, ma fille. Les étrangers s'en iront dès la fin du blocus, et nous serons de nouveau les soixante mille que nous avons toujours été. Que feront alors ceux qui, aujourd'hui, augmentent les loyers et triplent le prix d'un beefsteak?... Ceux qui ont fait commerce de la gêne des autres?... Ce que nous voyons là, ce sont des miettes pour aujourd'hui et c'est la faim pour demain.

– Mais les Cortès travaillent.

Les Cortès, grogne sans façon le vieux négociant, sont d'un autre monde. Constitution, monarchie, Ferdinand VII. Rien de tout cela n'a à voir avec notre affaire. À Cadix, avant tout, on aspire à la liberté. Et au progrès des peuples. En fin de compte, c'est sur ça que se fonde le commerce. Alors, qu'on établisse ou pas de nouvelles lois, qu'on décide si le droit des rois est d'origine divine ou si ceux-ci sont les dépositaires de la souveraineté nationale, ça ne changera rien à la situation : les ports américains seront dans d'autres mains et Cadix sera ruiné. Quand la vérole constituante sera passée, les vaches maigres pourront meugler.

Lolita Palma, rit, affectueuse. Son rire est grave, sonore. Un rire jeune. Sain.

– Je vous avais toujours tenu pour libéral...

Sans lui lâcher le bras, Sánchez Guinea s'arrête en plein milieu de la chaussée.

– Et par Dieu, oui, je le suis, dit-il en dirigeant des regards furibonds autour de lui, comme s'il cherchait quelqu'un qui oserait le contredire. Mais je suis de ceux qui offrent travail et prospérité... L'euphorie politique, c'est bien beau mais ça ne donne pas à manger. Ni à ma famille, ni à personne. Ces Cortès, elles demandent tout et ne donnent pas grand-chose. Pense à ce million de pesos qu'elles exigent de nous, les négociants de la ville, pour l'effort de guerre. Après ce qu'on nous a déjà extorqué!... Pendant ce temps, un conseiller d'État empoche quarante mille réaux par mois, et un ministre quatre-vingt mille.

Ils poursuivent leur chemin. Parmi les diverses librairies qui se trouvent entre les petites places de San Agustín et de la Poste, celle de Salcedo n'est pas loin. Ils s'arrêtent un peu au passage devant les boîtes et les étalages. Dans la boutique de livres de Navarro, certains ouvrages exposés sont brochés et non coupés, à côté de deux gros volumes superbement reliés dont l'un est ouvert à la page de titre : *Histoire de la conquête du Mexique*, d'Antonio de Solís.

– Avec ces perspectives, poursuit Sánchez Guinea, mieux vaut réunir son argent et l'investir dans des valeurs sûres. Je veux dire des maisons, des biens immobiliers, des terres… Réserver ses liquidités pour ce qui restera stable quand la guerre sera passée. Le commerce comme on l'entendait aux temps de ton grand-père, de ton père ou de moi-même ne reviendra jamais… Sans les Amériques, Cadix n'a pas de sens.

Lolita Palma regarde l'étalage. Trop de mots, se dit-elle. De tout ça, ils ont parlé cent fois, et son interlocuteur n'a pas l'habitude de perdre son temps pendant ses heures de travail. Or cela fait quinze minutes qu'il parle.

– Vous, vous avez une idée derrière la tête.

Un instant, elle craint qu'il ne lui propose une affaire de contrebande, comme celles qu'elle a déjà refusées trois fois au cours des derniers mois. Rien de spectaculaire, elle le sait bien. Ni de grave. Ici, la contrebande fait partie de la vie de tous les jours depuis les premiers galions des Indes. Rien à voir avec les agissements de certains négociants sans scrupule qui, depuis le début du blocus, commercent avec les zones occupées par les Français. La maison Sánchez Guinea n'est pas disposée à salir sa réputation par de tels procédés ; mais parfois, dans la marge aléatoire que laissent la guerre et les lois en vigueur, certaines de ses marchandises passent la Porte de Mer sans payer les droits de douane. C'est ce qu'on appelle à Cadix, entre gens respectables, travailler de la main gauche.

– Soyez gentil, arrêtez de tourner autour du pot.

Le négociant contemple la vitrine, mais elle sait que l'histoire de la conquête du Mexique est le cadet de ses soucis. Et il prend son temps. Je crois que tu mènes tout très bien, Lolita, commence-t-il au bout d'un moment. Tu réduis les frais et le train de vie. C'est intelligent. Tu sais que la prospérité ne durera pas toujours. Tu as réussi à garder ce qui est le plus difficile dans cette ville : le crédit. Ton grand-père et ton père seraient fiers. Que dis-je ? Ils le sont, en te voyant du ciel. Etcetera.

– Ne me dorez pas la pilule, don Emilio. – Elle rit de nouveau, sans quitter son bras. – S'il vous plaît, venez-en au fait.

Il baisse les yeux vers le sol, fixe le bout de ses chaussures bien cirées. Puis nouveau regard aux livres. Enfin, il se résout à lui faire face.

– Je suis en train d'armer un corsaire... J'ai acheté une lettre de marque en blanc.

Tout en disant cela, il cligne de l'œil d'un air comique, comme s'il s'attendait à la voir sursauter. Puis il l'observe, interrogateur. Elle hoche la tête. Là aussi, elle le voyait venir, car c'est un vieux débat entre eux, ils en ont beaucoup discuté. Quant à la lettre de marque, des rumeurs lui en étaient parvenues. Le vieux renard. Vous savez parfaitement, signifie l'expression de Lolita, que je n'aime pas ce genre d'investissements. Je ne veux pas être mêlée à tout ça. À la guerre et à ces gens.

Sánchez Guinea lève la main pour objecter, à mi-chemin entre l'excuse et la protestation amicale.

– Ce sont des affaires, ma fille. Ces gens sont les mêmes que ceux avec qui tu traites tous les jours sur les navires marchands... Et la guerre t'affecte comme tout le monde.

– Je déteste la piraterie. – Elle a lâché son bras et tient sa bourse à deux mains, sur la défensive. – Nous en avons trop souvent souffert et elle nous a coûté cher.

L'autre la raisonne, en énumérant ses arguments. Avec une chaleur sincère. En conseiller avisé. Un corsaire n'est pas un pirate, Lolita. Tu sais qu'il est soumis à des ordonnances strictes. Rappelle-toi que ton père pensait autrement. En 1806, nous en avons armé un en faisant parts égales, et ça nous a bien réussi. Aujourd'hui, c'est le moment. Il y a des primes à la capture, très attractives. Des cargaisons ennemies sur lesquelles faire main basse. Tout cela, légal, transparent comme le cristal. Il s'agit juste de mettre les capitaux, comme je le fais moi-même. Une affaire, rien de plus. Un risque maritime comme les autres.

Lolita Palma observe leur reflet dans la vitrine. Elle sait que son interlocuteur n'a pas besoin d'elle. En tout cas, pas de façon impérative. C'est une proposition amicale. Une occasion presque familiale de réaliser une opération rentable. Cadix ne manque pas de gens qui pourraient investir dans l'entreprise ; mais parmi d'autres associés possibles, c'est elle qu'il préfère. Une fille intelligente, sérieuse. Qui inspire respect et confiance. Qui a du crédit. La fille de son ami Tomás.

– Laissez-moi réfléchir, don Emilio.

– Bien sûr. Réfléchis bien.

*

Le capitaine Simon Desfosseux est mal à l'aise. Les généraux ne sont pas sa compagnie favorite, et il en a plusieurs aujourd'hui autour de lui. Ou sur lui. Tous suspendus à ses lèvres, ce qui n'est pas pour lui remonter le moral : le maréchal Victor, le chef d'état-major Semellé, les généraux de division Ruffin, Villatte et Leval, et le supérieur direct de

67

Desfosseux, commandant l'artillerie du Premier Corps, le général Lesueur, successeur de feu le baron de Sénarmont. Ils lui sont tombés dessus au milieu de la matinée, quand le duc de Bellune a décidé à l'improviste de quitter son poste de commandement de Chiclana pour faire une tournée d'inspection sur le Trocadéro, avec une forte escorte de hussards du 4e régiment.

– Notre intention est de couvrir la totalité de la superficie urbaine, explique Desfosseux. Jusqu'à maintenant, cela s'est révélé infaisable, car nous travaillons à la limite de nos possibilités, confrontés à plusieurs problèmes. La portée d'une part, et la combustion des mèches d'autre part... Ce dernier point est un inconvénient sérieux, car j'ai ordre d'envoyer sur la ville des bombes qui explosent, du type grenade. Pour cela, il faut une espolette pour le retardement ; et la distance à parcourir est si longue que beaucoup de bombes éclatent avant d'atteindre leur objectif... Nous avons dessiné une nouvelle espolette dont la mèche brûle plus lentement et ne s'éteint pas pendant le parcours.

– Et elle est disponible ? s'intéresse le général Leval, commandant la 2e division, cantonnée à Puerto Real.

– Elle le sera dans quelques jours. Théoriquement, elle dure plus de trente secondes, mais ce n'est pas toujours le cas. Il arrive que la friction de l'air accélère la combustion... ou l'éteigne.

Une pause. Les généraux, couverts de broderies jusqu'au col de leur veste, le regardent en attendant la suite. Le maréchal assis, les autres debout, comme Desfosseux. Sur un chevalet, une carte de la ville avec un plan de la baie. Par les fenêtres ouvertes du baraquement, on entend les voix des sapeurs qui travaillent au terre-plein de la nouvelle batterie. Des mouches tourbillonnent sur un rectangle de lumière que le soleil dessine sur le plancher, autour d'un cafard écrasé. Mouches et cafards se comptent par milliers dans les baraques et les tranchées du Trocadéro. Et aussi assez de rats, punaises, poux et moustiques pour équiper toute l'armée impériale.

– Cela nous amène à un autre problème : la distance. Une portée de 3 000 toises suffirait à couvrir presque toute la surface de la ville, en traversant celle-ci de part en part. Avec les moyens dont je dispose, je ne puis garantir cette portée au-delà de 2 300 toises, en tenant compte, en plus, de l'influence des vents de la baie sur la distance et la trajectoire… Cela nous permet de couvrir une aire qui va d'ici à ici.

Il indique des points de la zone orientale de la ville : la Porte de Mer, les abords de la Douane. Il ne cite pas de noms, car il sait que tous connaissent la carte : cela fait un an qu'ils l'étudient et scrutent la ville avec leurs longues-vues. Son index parcourt la ligne extérieure des remparts sans beaucoup pénétrer dans le tissu urbain : juste quelques rues du quartier du Pópulo, près de la Porte de Terre. Voilà où nous en sommes, confirme le doigt qui se déplace lentement. Puis Desfosseux retire sa main et regarde son chef direct, le général Lesueur. La suite est votre affaire, mon général, suggère ce regard, accompagné de la demande muette d'être autorisé à quitter les lieux. À disparaître et à retourner à sa règle à calcul, son télescope et ses pigeons voyageurs. À son affaire à lui. Mais, naturellement, il ne s'en va pas. Sachant que c'est précisément maintenant que commence le mauvais quart d'heure.

– Les navires ennemis mouillés dans le port sont à l'intérieur de ce périmètre, questionne le général Ruffin. Pourquoi ne les bombarde-t-on pas aussi ?

François Amable Ruffin, le commandant de la 1re division, est un individu maigre et sérieux, au regard absent. Vétéran d'Austerlitz et de Friedland, entre autres. Un personnage sensé, respecté par la troupe. Jeune pour son grade, tout juste quarante ans. Brave. De ceux qui meurent tôt en laissant leur nom inscrit quelque part. On ne bombarde pas les navires, répond Desfosseux, parce qu'ils sont trop loin ; les Anglais un peu vers l'extérieur et les Espagnols un peu vers l'intérieur. Les uns et les autres pour ainsi dire collés à la ville. C'est très difficile de viser une cible à une telle distance. Ce sont des tirs au petit bonheur la chance, sans aucune exactitude. À la grâce de Dieu. C'est une chose de faire tomber des bombes sur la ville à la volée, ici ou là, c'en est une autre d'atteindre un point précis. Ça, c'est impossible à garantir. Observez le bâtiment de la Douane, par exemple. Ici. C'est là que se tient le conseil de la Régence des insurgés. Pas un impact.

– Avec les moyens dont nous disposons, conclut-il, longue portée et précision sont impossibles.

Il est sur le point d'ajouter quelque chose. Il hésite, et le général Lesueur, qui a écouté en silence avec les autres, devinant son intention, fronce un sourcil en signe d'avertissement. Ne va pas mettre les pieds dans le plat, lui signifie le commandant de l'artillerie. Ne te complique pas la vie et ne me complique pas la mienne. C'est une inspection de routine. Dis-leur ce qu'ils veulent entendre, je me charge du reste. Un point c'est tout.

– En écartant la précision et en nous concentrant sur la portée, je crois que nous pourrions obtenir de meilleurs résultats avec des mortiers, au lieu d'obusiers.

Ça y est, il l'a dit. Et il ne s'en repent pas, même si, maintenant, Lesueur le foudroie du regard.

– C'est hors de question, réplique ce dernier d'un ton sec. L'essai que nous avons fait en novembre avec le mortier Dedon de 12 pouces fondu à Séville a été un désastre… Les projectiles n'ont même pas atteint les 2 000 toises.

Le maréchal se carre sur sa chaise et lance à Lesueur un regard autoritaire. Ce dernier est un artilleur chevronné qui connaît toutes les ficelles du métier : minutieux et rigoureux, de ceux qui n'entrent que lorsqu'ils savent par où ils pourront sortir. Le maréchal et lui se connaissent depuis le siège de Toulon, quand Victor s'appelait encore Claude Perrin et que tous deux bombardaient les redoutes royalistes et les navires espagnols et anglais, en compagnie de leur collègue, le capitaine Bonaparte. Laissons s'expliquer l'homme de l'art, dit son expression muette. Toi, tu restes toute la journée avec moi, et c'est lui qui sait, ou c'est du moins ainsi qu'on me l'a présenté. C'est pour ça que nous sommes venus. Pour qu'il me dise ce qu'il a à me dire. De sorte que Lesueur se tait et que le duc de Bellune se tourne vers Desfosseux en l'invitant à poursuivre.

– J'ai prévenu en son temps que le Dedon n'était pas la pièce adéquate, continue le capitaine. Il était à plaque et à chambre sphérique. Très imprécis de tir et dangereux de maniement. Il lui fallait 30 livres de poudre, ce qui était beaucoup trop : toute la poudre ne s'enflammait pas d'un coup, et la puissance de sortie ainsi diminuée réduisait la portée… Même les deux canons conventionnels lui étaient supérieurs.

– Travail d'amateur, typique de Dedon, dit le maréchal.

Tous rient avec complaisance, sauf Desfosseux et Ruffin, lequel regarde par la fenêtre d'un air absorbé comme s'il cherchait au-dehors quelque présage particulier. Le général Dedon est un homme haï dans l'armée impériale. Théoricien intelligent et artilleur consommé, son origine noble et ses manières irritent les grognards sortis du rang avec la Révolution ; comme Victor lui-même, qui a débuté petit tambour il y a trente ans à Grenoble, gagné son sabre d'honneur à Marengo et remplacé Bernadotte à Friedland. Tous s'emploient à discréditer les projets de Dedon et à vouer ses mortiers à l'oubli.

– Pourtant, l'idée de base était correcte, affirme Desfosseux avec l'aplomb du professionnel.

71

Le silence qui suit est si lourd que même le général Ruffin se retourne pour regarder le capitaine, vaguement intéressé. Pour sa part, ce n'est plus seulement un sourcil que fronce Lesueur pour adresser une muette admonestation à son subordonné. Ce sont les deux, et ses yeux le fusillent, furieux. Lourds de promesses.

– Le problème de la combustion partielle des grosses charges de poudre se pose également avec d'autres pièces, poursuit Desfosseux, impavide. Par exemple, les obusiers Villantroys, ou les Ruty.

Le silence s'épaissit encore. Le duc de Bellune étudie Desfosseux tout en se passant les doigts, pensif, dans l'abondante chevelure grise de sa tête léonine qu'il confie aux soins d'un coiffeur espagnol de Chiclana. Le capitaine sait que parler avec un tel manque de respect des obusiers, c'est insulter gravement ceux qui ont fait le choix de les privilégier. Son supérieur, Lesueur, passe son temps à chanter les mérites techniques de ces pièces. En alimentant stupidement, au sein de l'état-major, des espérances que Desfosseux juge injustifiées.

– Il y a une différence fondamentale, dit le maréchal. L'empereur est d'avis que l'arme appropriée pour bombarder Cadix est l'obusier… C'est lui, en personne, qui nous a envoyé les dessins du colonel Villantroys.

Bourdonnement de mouches. Tous les regards se rivent sur Desfosseux, qui tente de déglutir. Qu'est-ce que je fais ici ? se demande-t-il. Engoncé dans cet uniforme au col insupportable, à subir des discussions absurdes, au lieu d'être à Metz et d'enseigner la physique. Qu'est-ce que j'ai fait pour mériter ça ? Pour me retrouver au fin fond de l'Espagne, à jouer aux petits soldats avec des bravaches couverts de galons qui ne veulent entendre que ce qui leur convient. Ou ce qu'ils croient leur convenir. Comme ce sagouin de Lesueur, qui le sait aussi bien que moi, mais qui préfère les laisser me bouffer tout cru.

– Avec tout le respect que je dois avoir pour le choix de l'empereur, je crois que Cadix doit être bombardé avec des mortiers, et non des obusiers.

– Avec tout le respect que vous devez avoir…, répète le maréchal avec un sourire.

Un sourire songeur qui donnerait des frissons à n'importe quel militaire. Mais le capitaine Desfosseux est un civil en uniforme. Un soldat accidentel, pour le temps que durera son champ d'expériences : Cadix, pour le moment. On lui a collé cet uniforme sur le dos et on l'a fait venir de France pour ça. Son royaume n'est pas de ce monde.

– Excellence, même les défauts dans les espolettes ont une relation… Les grenades que tirent les obusiers nous obligent à employer des mèches inadéquates. Alors que la bombe de plus grand diamètre tirée par un mortier permet d'incorporer des mèches de plus grandes dimensions. De plus, du fait de sa gravité supérieure, elle permettrait que toute la poudre s'enflamme dans la chambre au moment du tir, améliorant ainsi la portée.

Le maréchal commandant le Premier Corps sourit toujours. Mais son expression, maintenant, trahit sa curiosité. Chose dangereuse quand il s'agit de maréchaux, généraux et gens du même acabit.

– L'empereur pense différemment. N'oubliez pas qu'il est artilleur, et qu'il se fait un point d'honneur de le rester… Et moi aussi.

Desfosseux acquiesce, mais personne ne peut plus l'arrêter. Il sent une chaleur pénible monter sous sa veste et un besoin urgent d'en déboutonner le col haut et rigide. Mais il garde l'énergie du désespoir : jamais plus, probablement, il n'aura l'occasion de dire clairement les choses. Et en tout cas pas dans un cachot militaire ou devant un peloton d'exécution. Si bien qu'après avoir profondément respiré il répond qu'il ne met pas en doute les mérites en matière d'artillerie de

Sa Majesté impériale, ni ceux de Son Excellence le duc de Bellune. C'est précisément pour cela qu'il ose dire ce qu'il dit, sans autre rempart que sa science et sa conscience. Loyauté envers l'arme de l'Artillerie et tout le reste. La France au-dessus de tout et de tous. Sa patrie, etcetera. Quant aux obusiers, le maréchal Victor était lui-même présent au Trocadéro quand on a fait les essais. Et il doit s'en souvenir. Aucune des huit pièces, tirant à quarante-quatre degrés d'élévation, n'a atteint plus de 2 000 toises. Beaucoup de projectiles ont explosé en l'air.

– À cause des déficiences des amorces des espolettes, précise sournoisement le général Lesueur.

– De toute façon, ils ne seraient pas arrivés jusqu'à la ville. À chaque tir, la portée diminuait… Les grains de lumière n'ont guère aidé non plus.

– Et pourquoi cela ? s'enquiert le maréchal Victor.

– Ils se détériorent un peu plus à chaque tir. Ce qui a pour effet de diminuer la force d'impulsion.

Cette fois, le silence dure plus longtemps. Pendant un moment, le maréchal observe attentivement la carte. Par la fenêtre, vers laquelle s'est de nouveau tourné le général Ruffin, on entend toujours le bruit que font les sapeurs en travaillant. Leurs coups de pic et de pelle. Enfin, le maréchal détache son regard de Cadix.

– Je vais vous dire les choses autrement, capitaine… Comment vous appelez-vous ? Rappelez-moi votre nom, je vous prie.

Gloups ! L'ingestion forcée de salive lui fait l'effet d'un coup de pistolet. Une mouche – espagnole, la garce – vole dans la pièce et va de général en général.

– Simon Desfosseux, Excellence.

– Eh bien, écoutez-moi, Desfosseux… J'ai trois cents bouches à feu de gros calibre pointées sur Cadix, et la Fonderie de Séville qui travaille jour et nuit. J'ai mon état-major d'artillerie, et je vous ai, vous – qui êtes, selon ce que m'a assuré le pauvre Sénarmont, paix à son âme, un génie de la théorie. J'ai mis à votre disposition les moyens techniques et l'autorité nécessaires... Que vous faut-il de plus pour foutre vos bombes en plein dans le trou du cul des manolos?

– Des mortiers, Excellence.

La mouche s'est posée sur le nez du duc de Bellune.

– Des mortiers, dites-vous.

– C'est bien ça. De plus gros calibre que le modèle Dedon : 14 pouces.

Victor chasse la mouche de la main. Un geste qui fait apparaître le soudard brutal, dont les brandebourgs et les galons de l'uniforme ne peuvent masquer la vulgarité.

– Oubliez ces putains de mortiers. Vous m'entendez?

– Parfaitement, Excellence.

– Si l'empereur dit que nous devons nous servir d'obusiers, on s'en sert et on la ferme.

Le capitaine Desfosseux lève une main. Il se rend, mais il demande encore une minute, rien qu'une petite minute. Parce que, dans ce cas, argumente-t-il, il doit poser une question au maréchal : Que désire Son Excellence? Que les bombes explosent dans Cadix? Ou trouve-t-elle suffisant qu'elles tombent, sans plus? Ayant dit cela, il se tait et attend. Après une brève hésitation et un échange de regards avec ses généraux, Victor répond qu'il ne comprend pas où le capitaine veut en venir. Celui-ci indique de nouveau la carte sur le chevalet et répond qu'il a besoin de savoir ce qu'on cherche : s'agit-il de causer de vrais dégâts dans la ville, ou seulement de saper le moral des habitants par la chute des bombes? Est-ce que le fait qu'elles explosent ou pas est sans importance? Est-ce que des dommages mineurs suffiraient?

La gêne du maréchal est évidente. Il se gratte le nez, là où s'était posée la mouche.

– Qu'entendez-vous par *dommages mineurs* ?

– L'impact d'une bombe pleine et inerte de 80 livres, qui ferait de la casse et pas mal de bruit.

– Écoutez, capitaine. – Victor ne semble plus fâché. – Ce que je veux, c'est écraser cette foutue péninsule et la prendre ensuite à la baïonnette avec mes grenadiers... Mais puisque ça s'avère impossible, je souhaite au moins qu'à Paris *Le Moniteur* publie sans mentir que nous donnons à la ville de Cadix une raclée dont elle se souviendra. Et sur toute son étendue.

Maintenant, c'est Desfosseux qui sourit. Pour la première fois. Évidemment pas un sourire insolent, qui ne conviendrait ni à son rang ni à sa situation. Juste une discrète ébauche. Pour annoncer la suite :

– J'ai fait des essais avec un obusier de 10 pouces qui tire des boulets spéciaux. Ou, plutôt, très simples. Sans poudre explosive. Pas d'espolette, pas de charge. Certains en fer massif et d'autres remplis de plomb. Ils semblent intéressants du point de vue de la portée, si j'arrive à résoudre quelques problèmes secondaires.

– Et qu'est-ce que ça fait comme dégâts en tombant ?

– Ça démolit les alentours. Avec de la chance, ça atteint un édifice. Parfois, ça tue ou estropie quelqu'un. Ça fait beaucoup de bruit. Et la portée peut probablement augmenter de 100 ou 200 toises.

– L'efficacité tactique ?

– Nulle.

Victor échange un coup d'œil avec le général Lesueur qui confirme du geste, très soulagé, même si, Desfosseux le sait, il n'a pas la moindre idée de ce dont il est question. L'existence des derniers essais avec Fanfan n'est connue que du capitaine et du lieutenant Bertoldi.

– Bon. C'est déjà quelque chose. Ça suffira au *Moniteur* pour le moment. Mais n'abandonnez pas les classiques.

Continuez à utiliser des obusiers avec des bombes conventionnelles, les espolettes et tout le saint-frusquin. Mettre un cierge au Christ et un autre au diable n'a jamais nui à personne.

Le duc se lève. Par un réflexe automatique, tous se redressent. En entendant le bruit de la chaise, le général Ruffin cesse de regarder par la fenêtre.

– Et autre chose, capitaine. Que ça explose ou non, si vous arrivez à expédier une bombe sur l'église San Felipe Neri où se réunit ce ramassis de brigands qu'ils appellent là-bas les Cortès, je vous fais passer commandant. Vous m'entendez ?… Vous avez ma parole.

Le général Lesueur fait la grimace. Victor s'en aperçoit et l'interpelle rudement.

– Quoi ? Vous avez quelque chose à y redire ?

– Ce n'est pas ça, mon général, s'excuse l'autre. Le capitaine Desfosseux a déjà refusé deux fois une promotion comme celle que vous lui offrez.

En disant cela, il regarde l'intéressé avec un mélange visible de sentiments : un peu de jalousie et une inquiétude non dénuée de soupçon. Dans son monde de soldats de métier, tout individu qui refuse une promotion ne peut être que suspect. Il est en contradiction manifeste avec l'esprit qui anime les vétérans de l'Empire : monter en grade et en honneurs depuis le rang de simple soldat jusqu'à ce que l'on soit en mesure, comme le duc de Bellune et le général Lesueur lui-même, de piller les terres, les villages et les villes placés sous son commandement et d'envoyer le butin chez soi, en France. Deux décennies de gloire républicaine, consulaire et impériale en affrontant le feu sans broncher ne sont pas incompatibles avec la perspective de mourir riche et si possible dans son lit. Bref, une raison de plus pour se méfier de quelqu'un qui, comme Desfosseux, prétend suivre sa propre musique. S'il n'était pas réputé pour ses compétences techniques, Lesueur l'aurait depuis longtemps envoyé croupir dans une redoute, dans les fondrières insalubres qui entourent l'île de León. À patauger dans la boue.

– Allons bon, commente Victor. Un individualiste, à ce que je vois. Qui doit nous regarder de haut parce que nous aimons les honneurs.

Un nouveau silence tendu. Logique, d'ailleurs. Rompu par un éclat de rire du maréchal. Le style Victor.

– Bien, capitaine. Faites votre travail et rappelez-vous : la bombe sur San Felipe. Ma proposition de récompense est toujours valable. Avez-vous pensé à autre chose qui vous agréerait davantage ?

– Un mortier de 14 pouces, Excellence.

– Foutez-moi le camp ! – Le maréchal montre la porte. – Et que je ne vous voie plus, foutue tête de mule !

*

Le taxidermiste entre de bon matin dans la boutique du marchand de savon Frasquito Sanlúcar. Celle-ci est située dans la rue de la Bénédiction Divine, près du Mentidero. Une boutique obscure et fraîche, étroite, avec une fenêtre donnant sur une cour intérieure, et un comptoir au fond, devant un rideau qui conduit aux magasins. Caisses empilées, tiroirs avec des couvercles vitrés pour montrer les marchandises. Flacons pour les produits élégants. Couleurs et parfums, odeurs de savons et d'essences. Sur le mur, une gravure coloriée du roi Ferdinand VII et un vieux baromètre de bateau à colonne, long et étroit.

– Bonjour, Frasquito.

Le marchand de savon porte une blouse grise. Il est roux, l'air plus anglais qu'espagnol, malgré son nom. Il porte des lunettes. Les taches de rousseur de sa figure montent jusqu'à la naissance de ce qui lui reste de cheveux frisés.

– Bonjour, don Gregorio. Qu'y a-t-il pour votre service ?

Gregorio Fumagal – tel est le nom du taxidermiste – sourit au marchand de savon. C'est un bon client, car les produits de Frasquito Sanlúcar sont les meilleurs et les plus variés de Cadix : depuis les pommades et les savons de toilette transparents et raffinés, importés de l'étranger, jusqu'aux savons à lessive espagnols ordinaires.

– Je veux de la teinture pour les cheveux. Et deux livres du savon blanc que je vous ai pris l'autre jour.

– Vous l'avez trouvé bien ?

– Remarquable. Et vous aviez raison. Il nettoie parfaitement la peau des animaux.

– Je vous l'avais dit. Il est meilleur que celui que je vous vendais avant. Et plus économique.

Deux jeunes femmes entrent dans la boutique. Je ne suis pas pressé, dit le taxidermiste, et il s'écarte du comptoir pendant que Sanlúcar s'occupe d'elles. Ce sont des habitantes du quartier, de la classe populaire : châles de laine grossière sur des jupes de serge, cheveux retenus par des épingles, panier pour les emplettes au bras. Désinvoltes, comme savent l'être les Gaditanes. L'une est petite et jolie, peau blanche et mains fines. Gregorio Fumagal les observe tout en furetant parmi les caisses et les sacs de produits.

– Mets-moi une demi-livre de ce jaune, Frasquito.

– Sûrement pas. Il n'est pas pour toi. Trop gras, ma fille.

– Et alors ? Qu'est-ce que ça peut faire ?

– Il y a beaucoup de graisse dedans. De porc. Quand on se lave, l'odeur ne s'en va pas complètement... Je vais te donner celui-là, qui est plus fin et avec de l'huile de sésame. Un produit de luxe.

– Et sûrement plus cher aussi. Je te connais.

Francisco fait sa tête d'innocent résigné.

– Un poil plus cher, c'est vrai. Mais tu mérites un savon de reine. De qualité supérieure. Ce qui se fait de mieux. Belle comme tu es. Tiens, sans aller plus loin, c'est celui dont se sert l'impératrice Joséphine.

– Vrai ?… Grand bien lui fasse. Je ne veux pas du savon d'une gabacha.

– Attends donc, ma fille. Je n'ai pas fini. La reine d'Angleterre aussi. Et l'infante Charlotte du Portugal. Et la comtesse de…

– Garde tes boniments pour toi, Frasquito.

Le marchand a pris une boîte et se dispose à l'envelopper dans du papier de couleur. Pour la clientèle féminine, il a l'habitude d'empaqueter les produits dans de jolies boîtes avec du beau papier et des étiquettes. Une réclame pour la maison.

– Combien de livres m'as-tu dit, mon cœur ?

En disant adieu aux deux jeunes femmes, Gregorio Fumagal s'écarte pour les laisser passer et reste à les regarder s'en aller.

– Excusez-moi, don Gregorio, dit le marchand en se retournant vers lui. Merci pour votre patience.

– Je vois que vous êtes toujours bien approvisionné malgré la guerre.

– Je ne me plains pas. Avec le port libre, on ne manque de rien. Même les produits français continuent de nous arriver. Et c'est une chance, parce que Cadix est une ville habituée à ce qui vient du dehors et le savon espagnol a mauvaise réputation… On dit que nous l'adultérons beaucoup.

– Vous aussi, vous l'adultérez ?

Sanlúcar prend son air le plus digne. Il y a de bons et de mauvais mélanges, répond-il. Voyez plutôt, ajoute-t-il en désignant une boîte de morceaux de savon d'un blanc immaculé. Du savon allemand. Il contient beaucoup de graisse parce que chez eux ils n'ont pas d'huile, mais ils la purifient jusqu'à la rendre inodore. En revanche, personne ne veut des savons de toilette espagnols. Il y a eu trop de falsifications, et les clients n'ont pas confiance. Finalement, ce sont eux, les honnêtes gens – je veux dire nous, rectifie le marchand après une pause, en s'incluant dans le lot – qui payent pour la malhonnêteté des autres.

On entend une explosion sourde. Lointaine. Boum! À peine une légère vibration du plancher et des vitres de la fenêtre. Ils tendent tous deux un instant l'oreille.

– Vous êtes inquiétés par les bombes, ici?

– Pas vraiment. – D'un air indifférent, Sanlúcar enveloppe les deux livres de savon et le flacon de teinture pour les cheveux dans du papier gris. – Ce quartier reste à l'écart. Celles qui vont le plus loin n'arrivent même pas jusqu'à San Agustín.

– Combien vous dois-je?

– Sept réaux.

Le taxidermiste met un douro d'argent sur le comptoir et attend la monnaie, à demi tourné dans la direction d'où est venu le bruit de l'explosion.

– De toute manière, elles se rapprochent petit à petit.

– Pas trop, grâce à Dieu. Ce matin, il en est tombé une rue du Rosaire. C'est celle qui est arrivée le plus près, et vous voyez : à 1 000 vares d'ici. C'est pour cela que beaucoup de gens de là-bas, ceux qui n'ont pas de parents chez qui aller, commencent à passer la nuit dans cette partie de la ville.

– En plein air?... Sacré spectacle.

– Je ne vous le fais pas dire. Il en vient toujours plus, avec des matelas, des couvertures et des bonnets de nuit, et ils se mettent sous les porches quand on le leur permet, sinon là où ils peuvent... On dit que les autorités vont installer des baraques sur le terrain de Santa Catalina, pour les éloigner. Derrière les casernes.

Quand Gregorio Fumagal sort de chez le marchand de savon, son paquet sous le bras, les deux jeunes femmes marchent devant lui en regardant les boutiques. Le taxidermiste les observe à la dérobée et, laissant derrière lui la place du Mentidero, se dirige vers la partie orientale de la ville par les rues droites et bien tracées – de façon à couper le passage aux vents de levant et de ponant – proches de la place San Antonio. En chemin, il s'arrête dans la boutique de la rue des Teinturiers, où il achète trois grains de sublimé, six onces de camphre et huit d'arsenic blanc. Puis il poursuit jusqu'au coin des rues des Rémouleurs et du Rosaire, où des habitants du quartier, assis à la porte d'un troquet, débouchent une bouteille de vin en contemplant la maison touchée par une bombe à neuf heures ce matin. Elle a perdu une partie de sa façade. De la rue, on peut voir trois étages éventrés de haut en bas, exhibant pêle-mêle des poutres brisées, des portes qui donnent sur le vide, des gravures ou des tableaux de travers sur les murs, un lit et d'autres meubles miraculeusement en équilibre au-dessus du désastre. Un paysage d'intimité domestique soudain mis à nu de la manière la plus obscène. Voisins, soldats, vigiles du quartier étayent les étages et retournent les décombres.

– Il y a des victimes ? demande Fumagal au marchand de vin.

– Aucune victime sérieuse, grâce à Dieu. Il n'y avait personne dans la partie qui a été démolie. Seules la propriétaire et une domestique ont été blessées… La bombe a tout cassé, mais le malheur s'arrête là.

Le taxidermiste s'approche d'un groupe de curieux qui observent les débris de l'engin : des fragments de fer et de plomb épars dans les gravats. Pour le plomb, ce sont de fins morceaux d'une demi-paume de long, enroulés sur eux-mêmes comme des tire-bouchons. La maison, entend dire Fumagal, est celle d'un commerçant français, emprisonné depuis deux ans sur les pontons de la baie. Sa femme est à l'hôpital avec les deux jambes cassées, après avoir été extraite des décombres. La domestique s'en tire avec quelques contusions.

– Elles l'ont échappé belle, affirme une voisine en se signant.

Les yeux attentifs du taxidermiste enregistrent tout. La direction d'où est venue la bombe, l'angle d'incidence, les dégâts. Vent de levant, aujourd'hui. Modéré. En se gardant d'attirer l'attention, il va du point où le projectile est tombé jusqu'à l'église du Rosaire en comptant les pas et en calculant la distance : environ 25 toises. Il prend discrètement des notes sur un petit carnet à couverture cartonnée qu'il sort de la poche de sa redingote ; il les reportera plus tard sur la carte déployée sur la table de son cabinet. Droites et courbes. Points d'impact sur la trame en forme de toile d'araignée qui grandit peu à peu sur le tracé de la ville. Ce faisant, il voit passer les deux jeunes femmes qu'il a rencontrées dans la boutique du marchand de savon, venues constater les dégâts. Pendant qu'il les observe de loin, le taxidermiste se heurte à un homme au teint hâlé qui arrive dans l'autre sens, vêtu d'un chapeau à cornes noir et d'une veste de drap bleu à boutons dorés. Après de brèves excuses de Fumagal, chacun poursuit son chemin.

*

Pepe Lobo ne prête pas attention à l'homme vêtu de sombre qui s'éloigne lentement avec deux paquets dans ses mains longues et pâles. Le marin a d'autres préoccupations. L'une d'elles est la manière dont la malchance s'acharne sur lui. Sous les décombres de la pension qu'il habite – qu'il habitait jusqu'aujourd'hui – est enterré son coffre de cabine avec ses affaires. Ce n'est pas qu'il y ait grand-chose dedans, mais quand même : trois chemises et du linge blanc, une veste, des pantalons, une longue-vue et un sextant anglais, une horloge de longitude, des cartes marines, deux pistolets et quelques objets indispensables, dont son brevet de capitaine. Pas d'argent : le peu qu'il possède tient dans sa poche. Le reste, ce qu'on lui doit pour son dernier voyage, il ignore quand il le recevra. La visite qu'il vient de rendre il y a une demi-heure à l'armateur de la *Risueña* n'est guère encourageante. Repassez dans quelques jours, capitaine. Quand nous aurons fait le bilan de ce voyage désastreux et que nous aurons tout réglé. Nous devons d'abord rembourser les emprunts auxquels nous a forcés le retard du navire. Votre retard, monsieur. J'espère que vous vous rendez compte de la gravité du problème. Pardon ? Ah, oui. Je regrette. Nous n'avons aucun commandement disponible. Naturellement, nous vous aviserons si cela se présente. Soyez sans inquiétude. Et maintenant, si vous me permettez. Au plaisir de vous revoir.

Le marin traverse la rue pour aller vers les gens rassemblés devant la maison. Commentaires indignés, insultes contre les Français. Rien de neuf. Il se fraye un passage entre les curieux jusqu'à ce qu'un sergent des Volontaires lui dise, d'un ton rogue, qu'il ne peut pas aller plus loin.

– J'habite dans cette maison. Je suis le capitaine Lobo.

Regard de haut en bas.

– Capitaine ?

– Parfaitement.

Le titre ne semble pas impressionner le sergent, qui porte l'uniforme bleu et blanc des milices urbaines ; mais en bon Gaditan, il flaire le marin de commerce et s'adoucit. Quand Lobo lui explique que son coffre est là-dessous, il lui offre l'aide d'un soldat pour le chercher dans les décombres, si tant est qu'on puisse sauver quelque chose de ce désastre. Et donc Lobo le remercie, ôte sa veste et, en manches de chemise, se met au travail. Ça ne va pas être facile, pense-t-il tout en remuant les moellons, les briques et les madriers brisés, de trouver un autre gîte décent. Avec l'affluence des étrangers, la pénurie de logements est extrême. La population de Cadix a doublé : pensions et auberges sont pleines, et même des chambres et des terrasses de maisons se louent ou se sous-louent à des prix extravagants. Il est impossible de rien trouver pour moins de vingt-cinq réaux par jour, et le loyer annuel d'un logis modeste dépasse déjà les dix mille. Des sommes que tout le monde ne peut pas débourser. Certains réfugiés appartiennent à la noblesse, ils disposent de ressources, reçoivent de l'argent des Amériques ou parviennent à toucher les revenus de leurs terres, situées en zone ennemie, à travers des maisons de commerce de Paris et de Londres ; mais la plus grande part est constituée de propriétaires ruinés, de patriotes qui ont refusé de prêter serment au roi usurpateur, d'employés en disponibilité, de fonctionnaires de l'ancienne administration ballottés par les flux et les reflux de la guerre, suivant avec leurs familles la Régence dans sa fuite depuis l'entrée des Français dans Madrid et Séville. D'innombrables émigrés s'entassent dans la ville sans moyens pour vivre convenablement, et leur nombre augmente avec ceux qui, quotidiennement, fuient l'Espagne occupée ou en danger de l'être. Par chance, les vivres ne manquent pas et les gens se débrouillent comme ils peuvent.

– Est-ce que c'est votre coffre, monsieur ?

– Oh, merde… Oui, ça l'était.

Deux heures plus tard, un Pepe Lobo sale, transpirant, résigné – ce n'est pas la première fois qu'il se retrouve avec guère plus que ce qu'il porte sur lui – marche en direction de la Porte de Mer, chargé d'un sac de toile contenant les restes de son naufrage personnel : les quelques affaires qu'il a pu sauver de l'écrasement du coffre. Sextant, longue-vue, cartes marines n'ont pas survécu. Le reste est en mauvais état. En tout cas, il a été bien inspiré de passer dès potron-minet chez l'armateur de la *Risueña*, sinon, ç'aurait pu être bien pire. Une bombe, et fini son tour de quart : au ciel avec les anges, ou peut-être ailleurs. En résumé, la situation n'est pas brillante. Elle est même délicate. Mais une ville comme Cadix laisse toujours une marge de manœuvre : l'idée le réconforte un peu, tandis qu'il s'enfonce par les rues et les tavernes voisines du Boquete et de la Merced, parmi les marins, les pêcheurs, les filles, la faune interlope des ports, les étrangers et les réfugiés de la plus basse condition. Là, dans des coins qui portent des noms éloquents comme la rue du Cercueil ou la rue de la Gale, il connaît des antres où un marin peut trouver une paillasse pour passer la nuit en échange de quelques sous ; encore qu'il faille y dormir avec une femme, en gardant un œil ouvert et un couteau sous la veste pliée qui sert d'oreiller.

*

Le temps semble suspendu dans le silence des créatures immobiles qui occupent les murs du cabinet. La lumière qui entre par la porte vitrée de la terrasse se reflète dans les yeux de verre des oiseaux et des mammifères empaillés, sur le vernis qui couvre la peau des reptiles, sur les grands bocaux où stagnent dans des postures fœtales, en état d'apesanteur chimique, des êtres jaunâtres. Dans la pièce, on entend seulement le son musical que produit un crayon qui court rapidement sur le papier. Au centre de ce monde singulier, Gregorio Fumagal couvre une petite feuille très fine d'une écriture minuscule et serrée. Vêtu d'une blouse et d'un bonnet de laine, le taxidermiste est debout, un peu penché sur un haut pupitre qui lui sert d'écritoire. De temps en temps, il tourne son regard vers le plan de Cadix étalé sur le bureau, et, à deux reprises, il prend une loupe et va l'étudier de près, avant de revenir à son pupitre pour continuer à écrire.

Les cloches de l'église de Santiago sonnent. Fumagal adresse un regard à la pendule en bronze doré posée sur la commode, se dépêche de terminer les dernières lignes et, sans se relire, roule le papier pour en faire un court cylindre, très fin ; il l'introduit dans le tube formé par la tige d'une plume d'oiseau qu'il sort d'un tiroir et dont il bouche les extrémités avec de la cire. Puis il ouvre la porte vitrée et gravit les quelques marches qui mènent à la terrasse. Contrastant avec la lumière tamisée du cabinet, la clarté brutale blesse les yeux. À moins de deux cents pas, le dôme et les tours inachevés de la nouvelle cathédrale, encore entourée d'échafaudages, se découpent dans le ciel de la ville sur le vaste panorama de la mer et de la bande de sable, blanche de soleil et ondulant dans la réverbération, qui longe la chaussée du Récif, s'éloigne et oblique vers Sancti Petri et les hauteurs de Chiclana, comme une digue sur le point d'être submergée par le bleu foncé de l'Atlantique.

Fumagal libère la ganse de la corde qui ferme la porte du pigeonnier et entre dans celui-ci. Sa présence y est habituelle et les volatiles ne s'agitent presque pas. Juste quelques battements d'ailes. Le roucoulement des oiseaux en liberté ou en cage et l'odeur familière de vesce ou de chènevis secs, d'air chaud, de plumes et d'excréments enveloppent le taxidermiste pendant qu'il choisit, parmi les pigeons enfermés, le plus approprié : un gros mâle, plumage gris bleuté, jabot blanc avec des reflets verts et violets sur la gorge, qui a déjà fait plusieurs allers-retours entre les deux rives de la baie. Un bon élément qui, par son extraordinaire sens de l'orientation, est devenu un fidèle messager de l'empereur, un vétéran qui a survécu à d'innombrables épreuves sous le soleil, la pluie et le vent, et échappé jusqu'à maintenant aux serres des rapaces et aux coups de fusil soupçonneux des bipèdes sans plumes. D'autres, parmi ses frères de pigeonnier, ne sont pas revenus de leurs périlleuses missions ; mais lui est toujours arrivé à bon port : un voyage d'aller de deux à cinq minutes selon le vent et le temps, volant vaillamment en ligne directe au-dessus de la baie, avec un heureux retour clandestin dans une cage dissimulée sur une embarcation de contrebandiers payés en or français. Un oiseau qui mène un combat très spécial – sa propre et minuscule guerre d'Espagne – à trois cents pieds de hauteur.

Après s'être emparé du pigeon et l'avoir retourné, avec ménagements, ventre en l'air, Fumagal s'assure qu'il est en bonne santé et que ses plumes des ailes et de la queue sont bien complètes. Puis il attache avec un cordonnet de soie cirée le petit tube du message à une forte plume de la queue, il referme le pigeonnier et se dirige vers le parapet de la terrasse qui donne au levant, là où les tours de garde qui se dressent au-dessus de la ville cachent la baie et la terre ferme. Avec beaucoup de précaution, après s'être assuré que personne ne l'observe depuis les terrasses voisines, le taxidermiste libère l'oiseau qui émet un joyeux roucoulement et vole en rond pendant une minute en prenant de plus en plus de hauteur, pour s'orienter. Finalement, son instinct infaillible ayant détecté le point exact vers lequel il doit se diriger, il s'éloigne rapidement, battant des ailes en cadence, vers les lignes françaises du Trocadéro : un point de plus en plus petit dans le ciel, bientôt imperceptible, qui finit par disparaître.

Immobile sur la terrasse, les mains dans les poches de sa blouse grise, Gregorio Fumagal contemple un long moment les toits de la ville. Puis il finit par faire demi-tour, descend l'escalier et revient dans le cabinet qui, après la lumière aveuglante du dehors, semble maintenant intensément obscur. Comme chaque fois qu'il envoie un pigeon vers l'est, le taxidermiste est en proie à une étrange euphorie. Sensation de pouvoir extrême, connexion spirituelle avec des énergies inexplicables, quasi magnétiques, déchaînées depuis l'autre côté de la baie par sa décision et sa volonté personnelles. Rien de moins banal ni de moins innocent, conclut-il, que ce pigeon désormais loin, transportant aveuglément la clef, le catalyseur, de complexes relations entre les êtres vivants, leur existence et leur mort.

Ce dernier mot plane sur les animaux immobiles. Le chien à demi empaillé est toujours sur la table de marbre, couvert d'un drap blanc. Un travail patient, tout comme l'autre. Qui requiert beaucoup de calme. Plusieurs parties du corps sont déjà tenues par du fil de fer qui renforce les os et les articulations, et certaines cavités naturelles sont remplies de bourre. Les orbites vides sont obstruées avec des boules de coton. L'animal répand l'odeur forte des substances qui le préservent de la décomposition. Après avoir haché et mélangé dans un mortier le savon de Frasquito Sanlúcar à de l'arsenic, du sublimé et de l'esprit-de-vin, le taxidermiste l'étend soigneusement avec une brosse en crin sur la peau du chien, en suivant délicatement le sens du poil et en essuyant l'écume avec une éponge.

Au moment où la pendule de la commode sonne un coup, Fumagal lui adresse de nouveau un rapide coup d'œil, sans interrompre son travail. Il se dit que le pigeon doit être parvenu à destination. Cela signifie de nouveau des droites et des courbes, des impacts et des explosions. Aujourd'hui même s'ébranleront encore des forces puissantes, épaississant la toile d'araignée sur la carte, où la dernière bombe tombée figure déjà par une marque en forme de croix.

À la tombée de la nuit, décide-t-il, il sortira faire une promenade. Longue. À cette époque de l'année, les nuits de Cadix sont délicieuses.

*

Rogelio Tizón ne boit pratiquement pas de vin ; juste, de temps en temps, un morceau de pain trempé dedans à la mi-journée. Aujourd'hui, il expédie son souper avec de l'eau, comme d'habitude. De la soupe, une cuisse de poulet bouillie. Un peu de pain. Il en est encore à nettoyer l'os quand on frappe à la porte. La servante – une femme d'âge mûr, petite et olivâtre – va ouvrir et annonce Hipólito Barrull, qui arrive avec un portefeuille bourré de papiers.

– Je ne sais si je fais bien en venant troubler votre intimité à cette heure, commissaire. Mais vous sembliez si préoccupé. Vous vous souvenez… ? Les traces sur le sable.

– Bien sûr que oui ! – Tizón s'est levé en s'essuyant la bouche et les mains avec sa serviette. – Et vous ne me dérangez jamais, professeur. Voulez-vous prendre quelque chose ?

– Non, merci. J'ai déjà dîné.

Le policier adresse un regard à sa femme, assise de l'autre côté de la table : très maigre, yeux noirs, éteints, avec des cernes qui accentuent son aspect fané. La bouche, lèvres serrées, est sévère. Tous savent dans la ville que cette femme sèche et triste a été belle en son temps. Et heureuse aussi, peut-être. Avant de perdre leur fille unique, disent les uns. Avant de se marier, disent d'autres, d'un air entendu. Que voulez-vous que je vous dise, voisine : c'est Cadix. Un sacré calvaire d'être la femme du commissaire Tizón. Est-ce que c'est vrai ce qu'on raconte ? Qu'il la bat ? S'il n'y avait que ça, voisin. Je vous le dis, moi, s'il ne faisait que la battre !

– Nous allons au salon, Amparo.

La femme ne répond pas. Elle se borne à adresser un sourire absent au professeur et demeure immobile, les doigts de la main gauche, où elle porte son alliance, roulant une vague boulette de pain sur la nappe. Devant son assiette intacte.

– Mettez-vous à l'aise, professeur. – Tizón a pris une lampe allumée et tourne la molette de la mèche pour augmenter la flamme. – Vous voulez du café ?

– Non, merci. Je ne dormirais pas de la nuit.

– Moi, ça ne change rien : avec ou sans café, ces derniers jours, je ne ferme pas l'œil. Mais vous fumerez bien un cigare avec moi. Oubliez un moment votre tabatière.

– Là, je ne dis pas non.

Le petit salon est confortable, avec des fenêtres – pour l'heure, fermées – qui donnent sur l'Alameda, des fauteuils et des chaises ouvragés, tapissés de damas, une *mesa camilla** et son brasero, une petite table basse et un piano collé au mur, dont personne ne joue plus depuis onze ans. Il y a des tableaux de médiocre facture et quelques gravures sur le papier peint des murs, et aussi un *canterano* en noyer, meuble mi-secrétaire mi-bibliothèque, portant trois douzaines de livres : plusieurs sur l'histoire de l'Espagne, deux ou trois traités d'hygiène urbaine, des recueils brochés d'ordonnances royales, un dictionnaire de la langue castillane, un *Don Quichotte* de l'éditeur Sancha en cinq volumes, les *Romances* de Juan Hidalgo et les deux tomes consacrés à Cadix dans les *Annales d'Espagne et du Portugal* de Juan Álvarez de Colmenar.

– Goûtez-moi celui-là. – Tizón ouvre un coffret à cigares. – Il est arrivé de La Havane voici deux jours.

Cigares gratis, soit dit en passant. En toute simplicité. Le commissaire vient de toucher huit bonnes boîtes d'excellents cigares comme partie du règlement – le reste, deux cents douros d'argent – correspondant à la validation du passeport douteux d'une famille d'émigrés. Les deux hommes fument autour d'un cendrier de métal en forme de chien de chasse. Y posant son havane tout juste allumé, Hipólito

---

* La *mesa camilla* est une table dont la nappe forme une jupe autour d'un brasero placé dessous afin de chauffer les convives.

Barrull ajuste ses lunettes, ouvre le portefeuille et étale devant Tizón plusieurs pages manuscrites. Puis il reprend son cigare, tire une bouffée et se carre dans son fauteuil avec un demi-sourire satisfait.

– Des traces sur le sable, répète-t-il en rejetant lentement la fumée. Je crois que c'était à ça que vous deviez penser.

Tizón regarde les papiers. Ils lui sont vaguement familiers. Il reconnaît l'écriture de Barrull.

Ô fils de Laërte, je te vois toujours à la recherche de traces pour tendre un piège à tes ennemis...

Oui, confirme-t-il, il a déjà lu ça. Il y a longtemps. Les pages sont numérotées, mais elles ne portent pas de titre ni aucune indication de leur origine. Le texte se présente sous la forme d'un dialogue : Athéna, Odysseus. «*Ton flair aussi sûr que celui d'un limier de Laconie a conduit tes pas sans te tromper.*» Le cigare entre les dents, il lève les yeux pour avoir une explication.

– Vous ne vous souvenez pas ? demande Barrull.

– Si, vaguement.

– Je vous ai donné à lire ces pages, autrefois. Dans ma désastreuse traduction de l'*Ajax* de Sophocle.

En quelques mots, le professeur lui rafraîchit la mémoire. Dans sa jeunesse, Barrull s'est consacré pendant un temps à la tâche – jamais achevée – de traduire en langue castillane les tragédies de Sophocle recueillies dans la première édition de ses œuvres imprimée en Italie au XVIᵉ siècle. Et voici environ trois ans, avant la guerre avec les Français, en parlant de cette tentative avec Tizón pendant une partie d'échecs au café de la Poste, ce dernier a exprimé sa curiosité pour *Ajax*, en affirmant au professeur que le premier acte commençait par une enquête quasi policière menée par Odysseus. Ou Ulysse, pour les intimes.

– Naturellement. Que je suis bête.

Rogelio Tizón frappe les pages du doigt et tire sur son cigare. Maintenant, il se souvient de tout. À l'époque, Barrull lui a prêté le manuscrit de la tragédie de Sophocle, et il l'a lu avec intérêt, même si l'intrigue lui a paru ne pas valoir grand-chose. Pourtant, de sa lecture, il a retenu l'épisode où Ulysse, en plein siège de Troie, enquête sur le massacre perpétré par Ajax, parmi les brebis et les bœufs du camp grec. Ajax est devenu fou à la suite d'une offense commise par ses compagnons, liée aux armes du défunt Achille. Et, devant l'impossibilité de se venger, il décharge sa colère sur les animaux, qu'il torture et tue dans sa tente.

– Vous aviez raison, à propos de la plage et des traces sur le sable… Lisez plutôt.

Tizón lit. Et il n'en perd pas un mot :

Et voici que je te rencontre près de la tente marine d'Ajax au bord du rivage, suivant depuis longtemps déjà la piste et mesurant les traces fraîches imprimées sur le sable…

C'était donc ça qu'il avait en mémoire, se dit-il, déconcerté. Quelques feuilles de papier lues il y a trois ans. Une tragédie grecque.

Hipólito Barrull semble se rendre compte de la déception du policier.

– Vous vous attendiez à mieux, n'est-ce pas ?

– Non, professeur. Je suis sûr que ça me sera utile… Ce qu'il faut, c'est que je trouve quelle relation il peut y avoir entre ce que je me rappelle de votre *Ajax* et les faits présents.

– Vous ne m'avez rien dit l'autre jour sur la nature exacte de ces faits… Faites-vous référence au siège français ou à la mort de ces pauvres filles ?

Tizón regarde la braise de son cigare en cherchant une réponse. Puis il hausse les épaules.

93

– Tout le problème est là, répond-il. J'ai l'impression que les deux choses ont à voir l'une avec l'autre.

Barrull hoche la tête, en allongeant sa face chevaline dans une moue sceptique.

– Cette impression est-elle liée à votre flair policier, commissaire ? Celui – je vous demande pardon de toujours citer les classiques – du *limier de Laconie* ?... Excusez ma franchise, mais ça me semble absurde.

Grimace de lassitude. Je sais bien, murmure Tizón, tout en feuilletant les pages dont il lit des lignes çà et là. Aucune lumière encore. Barrull l'observe en silence, avec un intérêt visible, en lâchant des ronds de fumée.

– Fichtre, don Rogelio, dit-il enfin. Pour une surprise, c'est une surprise !

– Pourquoi dites-vous ça ?

– Je n'aurais jamais imaginé que quelqu'un comme vous mêlerait Sophocle à cette affaire.

– Et que voulez-vous dire par quelqu'un comme moi ?

– Vous savez bien... Plutôt terre-à-terre.

Nouveaux ronds de fumée. Silence.

– Vous êtes commissaire de police, ajoute Barrull au bout d'un moment. Habitué à des tragédies qui ne sont pas écrites mais bien réelles. Et je vous connais : vous êtes un homme rationnel. Sensé. C'est pourquoi je me demande si vous pouvez vraiment établir des relations raisonnables. D'un côté, vous avez un assassin, ou plusieurs. De l'autre, la situation imposée par les Français. Mais rien de plus.

Le commissaire émet un petit rire de travers, du côté de la bouche que le cigare laisse libre. Découvrant la canine en or.

– Et j'ai aussi votre ami Ajax, pour compliquer davantage les choses. Siège de Troie, siège de Cadix.

– Avec Ulysse pour enquêteur – Barrull découvre à son tour ses dents jaunes –, pour collègue. Bien qu'à en juger par la tête que vous faites, ces papiers n'éclairent rien.

Tizón fait un geste vague.

– Il faudra que je les lise encore, en prenant mon temps.

La flamme de la lampe se reflète sur les lunettes du professeur.

– Disposez-en autant que vous voudrez… En échange, je vous attends demain au café, devant l'échiquier. Prêt à vous écraser impitoyablement.

– Comme d'habitude.

La femme est sur le seuil du salon. Ils ne l'ont pas entendue venir. Rogelio Tizón se rend compte de sa présence et se tourne vers elle, irrité, car il croit qu'elle les a écoutés. Ce n'est pas la première fois. Mais elle fait un pas en avant ; quand la lumière éclaire sa face sombre, le commissaire comprend qu'elle apporte une nouvelle, et que celle-ci n'est pas bonne.

– Un vigile vient te chercher. On a trouvé une autre fille morte.

3

L'aube trouve Rogelio Tizón éclairé à demi par une lanterne à pétrole posée sur le sol. La fille – ce qui reste d'elle – est jeune, pas plus de seize ou dix-sept ans. Cheveux châtain clair, constitution fragile. Elle est bâillonnée et gît sur le ventre, les mains liées sous elle et le dos nu, tellement déchiqueté que les os apparaissent dans la chair violacée et noire, couverte de caillots de sang séché. Elle n'a pas d'autres blessures visibles. De toute évidence, elle a été tuée à coups de fouet, comme les autres.

Personne, voisins ou passants, n'a rien vu ou entendu. Le bâillon sur la bouche, l'isolement du lieu et l'heure du crime ont garanti l'impunité de l'assassin. Le corps a été découvert dans un terrain vague qui donne sur la rue des Rémouleurs où l'on a l'habitude de laisser les déchets que le chariot à ordures ramasse tous les matins. La partie inférieure du corps reste vêtue ; Tizón lui-même a soulevé la jupe pour le vérifier. Le jupon et le reste sont à leur place, ce qui écarte en principe l'hypothèse d'agressions plus perverses, si tant est que le mot *plus* peut avoir un sens dans de telles circonstances.

– La Persil est arrivée, commissaire.

– Faites-la attendre.

La matrone qu'il a envoyé chercher fait le pied de grue à l'extrémité de la ruelle, avec les vigiles qui maintiennent à distance les quelques voisins déjà debout à cette heure matinale et venus satisfaire leur curiosité. Prête à énoncer son diagnostic définitif quand le commissaire lui en donnera l'ordre. Mais Tizón n'est pas pressé. Il reste immobile depuis un bon moment, assis sur un tas de décombres, le chapeau rabattu sur le front et la redingote jetée sur les épaules, les mains posées sur la tête de bronze de sa canne. Il regarde. Il s'est demandé si la fille est morte là, ou si elle y a été déposée après sa mort, mais ses dernières hésitations se dissipent avec la lueur de l'aube qui permet de découvrir des taches de sang sur le sol et les pierres proches du cadavre. C'est ici même, sans aucun doute, que, ligotée et bâillonnée pour étouffer ses cris, elle a été fouettée à mort.

Rogelio Tizón – le professeur Barrull l'a dit cette nuit même avec autant de rudesse que de franchise – n'est pas homme à s'embarrasser de sentiments délicats. Certaines horreurs courantes de sa vie professionnelle ont endurci son regard et sa conscience, sans compter que lui-même peut parfois faire horreur. Tout Cadix le connaît comme un personnage coriace, dangereux. Pourtant, en dépit de sa rude biographie, la proximité du corps torturé lui inspire un trouble inhabituel. Il ne s'agit pas de la vague pitié que peut susciter n'importe quelle victime, mais d'une étrange pudeur, agressée jusqu'aux limites de l'insupportable. Plus intense maintenant que le jour où, cinq mois plus tôt, il s'est trouvé face au cadavre de la première fille morte de la même façon ; et plus intense aussi que la deuxième fois, lors de l'assassinat sur le Récif. L'impression pénible qu'un abîme s'ouvre sous ses pieds. La sensation de vide indéfinissable, où résonnent, affreusement tristes, les notes du piano familial dont personne n'effleure plus les touches. Odeur lointaine, jamais oubliée, d'une peau d'enfant, fièvre maligne qui refroidit dans la douleur nue d'une chambre vide. Solitude faite de silences sans larmes, mais qui gouttent comme le tic-tac cruel d'une horloge. Regard absent, finalement, de la femme qui erre désormais dans la maison et la vie de Rogelio Tizón comme un reproche, un témoin, un fantôme ou une ombre.

Le commissaire se lève en clignant des yeux comme s'il revenait de très loin. Le moment est venu pour la Persil de procéder à son inspection et, d'un geste, il ordonne de la laisser venir. Sans attendre le salut de la matrone ni y répondre, Tizón s'éloigne du corps de la fille. Pendant quelques instants, il interroge les voisins qui se sont rassemblés près du terrain vague, après avoir passé manteaux, capes ou bonnets à la va-vite par-dessus leurs chemises de nuit. Non, décidément, personne n'a rien vu ou entendu. Ils ne savent pas non plus si la fille est du quartier. Personne n'est au courant d'une disparition. Tizón ordonne à son subordonné Cadalso de faire enlever le corps dès que la matrone aura terminé son examen, sans qu'aucun habitant ne le voie.

– Compris?

– Oui.

– Ça veut dire quoi, ce oui?… Vous avez bien compris, oui ou merde?

– Compris, monsieur le commissaire. Le corps caché, et que personne ne le voie.

– Et bouche cousue. Aucune explication. Est-ce clair?

– Très clair, monsieur le commissaire.

– Si l'un de vous ne tient pas sa langue, je la lui arrache et je la lui écrase sur son sale groin. – Il désigne la Persil, agenouillée près du corps. – Dites la même chose à cette vieille pute.

Après avoir tout réglé, Rogelio Tizón s'éloigne, canne à la main, en observant les alentours. Les premières lueurs du jour pénètrent dans la rue des Rémouleurs montant des remparts et de la baie proche, et noyant de gris les façades des maisons. Pas de contours définis, seulement des ombres qui estompent les formes dans les porches, les grilles et les recoins de la rue. Les pas du commissaire résonnent sur le pavé pendant son court trajet, à l'affût de quelque chose qu'il ignore encore : un indice, une idée. Il se sent comme le joueur qui, devant une partie difficile, dépourvu de recours immédiats, étudie les pièces en espérant qu'une révélation subite, une issue qu'il n'avait pas aperçue jusque-là, lui inspirera un nouveau mouvement. Cette sensation ne doit rien au hasard. L'écho de sa conversation avec Hipólito Barrull résonne, précis, dans son souvenir. Le flair d'un limier de Laconie. Des traces. Le professeur l'a accompagné, cette nuit, sur le lieu du crime et a jeté un coup d'œil avant de disparaître avec beaucoup de tact. Nous reporterons cette partie d'échecs, a-t-il dit en s'en allant. Il est trop tard, maintenant, pour rien reporter, a failli répondre Tizón, qui pensait à tout autre chose. Parce qu'il livre, depuis un bon bout de temps, une partie bien plus obscure et plus complexe. Trois pions hors jeu, un joueur caché et une ville assiégée. Ce que désire à présent le commissaire, c'est rentrer chez lui et lire le manuscrit d'*Ajax* qui l'attend sur le fauteuil, ne serait-ce que pour écarter l'association erronée et absurde qu'il suggère. Il sait combien il est dangereux de se laisser égarer par des idées excentriques qui mènent à des impasses et des pièges de l'imagination. Dans les affaires criminelles, où les apparences trompent rarement, le chemin le plus évident est aussi le plus sûr. S'en écarter conduit à des vues stériles et dangereuses. Mais aujourd'hui il a du mal à garder la tête froide ; d'où son malaise. Les quelques lignes lues dans la nuit se répètent au rythme de ses pas dans le petit matin gris de la ville. Toc, toc, toc. *Suivant depuis longtemps déjà la piste.* Toc, toc, toc. *Et mesurant les traces fraîches imprimées sur le sable.* Toc, toc, toc. Des pas et des traces. Cadix en est plein. Davantage, même, que sur le sable d'une plage. Ici, les traces se superposent les unes aux autres. Des milliers d'apparences effacent ou dissimulent des milliers de réalités, d'êtres humains complexes, contradictoires et malveillants. Le tout compliqué encore par le siège singulier que subit la ville. Par cette guerre étrange.

La façade dévastée au coin des rues des Rémouleurs et du Rosaire frappe Tizón en pleine figure. C'est d'une évidence diabolique. Le commissaire reste immobile, paralysé, tant il ne s'attendait pas à cette découverte – ou peut-être, conclut-il un instant plus tard, peut-être justement s'y attendait-il inconsciemment. La bombe française est tombée il y a moins de vingt-quatre heures à trente pas de l'endroit où gît la fille. Avec des précautions presque exagérées, comme s'il craignait de modifier les indices par des mouvements inappropriés, Tizón étudie l'effondrement, la brèche verticale qui met à nu une partie des trois étages de la maison, les murs intérieurs à découvert et provisoirement étayés par des madriers. Puis il se retourne pour regarder dans la direction du levant d'où est venu le tir, par-dessus la baie, en calculant la trajectoire jusqu'au lieu de l'impact.

Un homme est sorti, en manches de chemise malgré le froid du petit matin, portant un long tablier blanc. C'est un boulanger qui veut débarrasser l'entrée de sa boutique des tronçons de poutres qui l'encombrent. Tizón va pour le rejoindre et, arrivé au porche, il perçoit l'odeur des miches tout juste sorties du four. L'homme le regarde d'un air soupçonneux, étonné de trouver dans la rue, de si bonne heure, un individu portant redingote, chapeau et canne.

– Où sont les restes de la bombe ?

– On les a emportés, répond le boulanger, surpris que quelqu'un s'intéresse à des bombes de si bon matin.

Tizón demande des détails, et il les lui donne. Il explique que certaines explosent et d'autres pas. Celle-là l'a fait. Elle a touché le haut de la maison, au coin de la rue. Les éclats de plomb sont retombés partout.

– Vous êtes sûr que c'était du plomb, camarade ?

– Oui, monsieur. Des morceaux comme ça, de la longueur d'un doigt. Du genre de ceux qui sont tordus par l'explosion de la bombe.

– Comme des tire-bouchons, précise Tizón.

– Exactement. Ma fille en a rapporté quatre à la maison… Vous voulez les voir ?

– Non.

Tizón fait demi-tour pour regagner la rue des Rémouleurs. Il marche à présent d'un pas pressé en réfléchissant rapidement. Cela ne peut être de simples coïncidences, conclut-il. Deux bombes et deux filles mortes moins de vingt-quatre heures après leur chute, et à quelques pas de celle-ci. Tout est trop précis pour qu'on l'attribue au hasard. Et, qui plus est, ce ne sont plus seulement deux crimes, mais trois. La première fille, également fouettée à mort, a été trouvée dans une ruelle entre Santo Domingo et la Merced, dans la partie orientale de la ville, près du port. À l'époque, l'idée n'avait effleuré personne de se demander si des bombes étaient tombées à proximité, et c'est bien ce que Tizón veut maintenant vérifier. Ou confirmer, car il subodore que c'est bien le cas. Qu'il y a eu, pareillement, un impact proche juste avant. Que ces bombes tuent autrement que ne l'ont prévu les Français. Que le hasard n'existe pas sur les échiquiers.

Le policier sourit légèrement – encore qu'il soit excessif d'appeler sourire cette mimique rébarbative et lugubre que dessinent ses lèvres en découvrant la dent en or –, tandis qu'il chemine dans la lumière grise, accompagné du bruit de ses pas, en balançant sa canne. Toc, toc, toc. Songeur. Cela fait bien longtemps – il a oublié quand – qu'il n'a pas éprouvé cette pénible sensation de la peau qui se hérisse sous les vêtements. Le frisson de la peur.

*

Le canard vole bas au-dessus des salines, avant d'être abattu d'un coup de fusil. Le tir provoque les appels et l'envol apeurés d'autres volatiles aux alentours. Puis le silence revient. Au bout d'un moment, trois formes humaines se découpent à contre-jour sur le ciel de plomb du petit matin. Elles portent la capote grise et le schako noir des soldats français et avancent prudemment, courbées, fusil à la main. Deux restent en arrière, sur un petit talus de sable, couvrant avec leurs armes la troisième qui va chercher le gibier dans les buissons.

– Ne bougez pas, chuchote Felipe Mojarra.

Il est à plat ventre sur la rive de l'étroit étier, jambes et pieds nus dans la vase imprégnée de sel, tenant son fusil tout près de son visage. Il observe les Français. À côté de lui, le capitaine du génie Lorenzo Virués reste très calme, baissant la tête et serrant dans ses bras la sacoche en cuir, pourvue de lanières pour la porter sur le dos, dans laquelle il transporte une longue-vue, des cahiers et tout ce qu'il faut pour dessiner.

– Ceux-là, c'est la faim qui les mène. Ils partiront dès qu'ils auront trouvé leur canard.

– Et s'ils viennent jusqu'à nous ? s'inquiète l'officier, toujours dans un murmure.

Mojarra caresse de son index le pontet de son arme : un bon mousquet Charleville – pris à l'ennemi quelque temps plus tôt près du pont de Zuazo – qui tire des balles sphériques en plomb de presque un pouce de diamètre. Dans la giberne qu'il porte attachée à sa large ceinture, à côté d'une gourde pleine d'eau, il garde en réserve dix-neuf cartouches de ces balles, enveloppées dans du papier ciré.

– S'ils viennent trop près, j'en tuerai un et les autres ne s'aventureront pas plus loin.

Du coin de l'œil, il voit le capitaine Virués prendre le pistolet qu'il porte à son ceinturon avec son sabre et le garder dans sa main, pour parer à toute éventualité. Ce militaire a suffisamment l'habitude du feu pour que Mojarra croie inutile de lui recommander de n'armer son pistolet qu'au tout dernier moment, car dans le silence des salines n'importe quel son s'entend de loin. De toute manière, Mojarra préfère que les Français trouvent leur canard le plus vite possible et retournent dans leurs tranchées. Ce genre de rencontre, on sait comment ça commence, mais on ne sait pas comment ça se termine : et cet homme des salines n'a aucune envie de regagner les lignes espagnoles avec les gabachos à leurs trousses en traversant presque une demi-lieue de no man's land, un labyrinthe marécageux avec ses canaux, ses étiers et ses sables mouvants. Il lui a fallu quatre heures pour guider son compagnon par l'étier de San Fernando afin d'être à l'aube sur le lieu idoine : un point d'observation qui permette au militaire de lever des croquis des fortifications ennemies de la redoute dite des Grenadiers. Après quoi, une fois retrouvé le calme de l'arrière, ces notes seront converties en cartes et plans détaillés, un art dans lequel le capitaine Virués – comme on l'a expliqué à Mojarra dont les compétences se limitent à savoir patauger dans la vase des salines – est passé maître.

– Ils s'en vont. Ils ont leur canard.

Les trois Français se retirent avec les mêmes précautions, aux aguets, fusils prêts à tirer. À leur façon prudente de se déplacer, Mojarra estime que ce sont des vétérans – sûrement des fusiliers du 9e régiment d'infanterie de ligne, qui tient les tranchées les plus proches – accoutumés aux attaques surprises des bandes de guérilleros opérant le long de la ligne fortifiée qui défend l'île de León, au-delà des méandres du canal de Sancti Petri et l'étier de la Cruz. S'il est au courant pour le 9e de ligne, c'est parce que, le mois dernier, il a égorgé dans les mêmes parages un Français qui s'était accroupi pour satisfaire un besoin naturel, et qu'il a pu voir la plaque de son schakos.

– Allons-y. Suivez-moi à six ou sept pas.

– Nous sommes encore loin ?

– On y est presque.

Après s'être légèrement relevé pour inspecter le terrain, Felipe Mojarra avance lentement, plié en deux et le fusil à la main, le long de la ramification de l'étier dont l'eau lui monte jusqu'aux genoux. Tout homme ordinaire qui resterait quelques heures sans chaussures dans le sel épais de cette eau aurait les pieds transformés une bouillie de chair sanglante, mais il est né dans les salines. Ses pieds, rompus à toute une vie de braconnier, ont la plante garnie d'un cal jaunâtre et dur comme du vieux cuir qui lui permet de marcher sans se blesser sur des cailloux ou des épines. Pendant qu'il progresse avec précaution, il entend le doux clapotis des bottes militaires de son compagnon. À la différence de Mojarra, qui porte une culotte s'arrêtant aux genoux, une chemise de toile grossière, une veste courte en flanelle et une navaja dont la lame d'une paume et demie est passée dans sa ceinture, le capitaine est vêtu de son uniforme bleu à revers et col violets, orné de l'insigne crénelé du génie. C'est un bel homme qui doit mesurer, estime Mojarra, près de six pieds et avoir trente ans bien sonnés ; cheveux et moustache châtain clair, manières courtoises. Le saunier n'est pas choqué de voir cet officier s'obstiner – c'est la cinquième reconnaissance qu'ils effectuent ensemble – à revêtir l'uniforme complet, sans autre allégement que l'absence de la cravate réglementaire. Peu nombreux sont les militaires espagnols qui y renoncent quand ils participent à des actions irrégulières. S'ils se font prendre, l'uniforme leur garantit que les Français les traiteront d'égal à égal, comme des prisonniers de guerre ; un sort bien différent de celui des gens du cru, comme ce serait le cas pour Mojarra. Là, peu importe l'habit. Tomber entre des mains françaises signifie normalement une corde au cou et une branche d'arbre, ou une balle dans la tête.

– Attention, mon capitaine. Passez par l'autre bord… C'est ça. Si vous allez par là, vous vous enfoncerez tout entier. Cette vase peut avaler d'un coup un cavalier et son cheval.

Felipe Mojarra Galeote a quarante-six ans ; il est né sur l'île de León, d'où il n'est sorti que pour aller à Chiclana, Puerto Real et El Puerto de Santa María, ou dans la ville de Cadix, car une de ses filles, Mari Paz, y travaille comme servante dans une bonne maison, chez des gens riches qui sont dans le commerce. Ses trois enfants – rien que des filles, le seul garçon est mort avant d'avoir atteint quatre ans –, il les a élevés, tout en entretenant une épouse et une vieille belle-mère impotente, grâce à son travail de saunier et son activité de braconnier dans les marais salants et les étiers de la région, dont il connaît chaque détour mieux que ses propres pensées. Comme tous ceux qui, du temps de la paix, vivaient tant bien que mal dans cette région, Mojarra sert depuis un an dans la compagnie des chasseurs des Salines : une troupe irrégulière, organisée par l'habitant de l'île don Cristóbal Sánchez de la Campa. On vous y paye de temps en temps, et on vous donne de quoi manger. De plus, le saunier n'aime pas les Français : ils volent le pain des pauvres, pendent les gens, violent les femmes et sont les ennemis de Dieu et du roi.

– Voilà la redoute des gabachos, mon capitaine.

– Celle des grenadiers ? Tu es sûr ?

– Il n'y en a pas d'autre dans les parages. Elle est à deux cents pas.

Adossé à un petit monticule de sable, le fusil entre les jambes, Mojarra observe le militaire qui a sorti ses instruments de travail et déplie la longue-vue dont il enduit de boue le cuivre et la lentille en laissant seulement un petit espace propre au centre. Puis, après avoir rampé jusqu'à la crête du talus, il la dirige vers les positions ennemies. La précaution n'est pas de trop, car le ciel s'annonce dégagé, sans un nuage, et le soleil qui commence à dorer l'horizon ne sera plus long à apparaître entre Medina Sidonia et les pinèdes de Chiclana. C'est l'heure que le capitaine Virués préfère pour prendre ses croquis ; car, comme il l'a dit un jour à Mojarra, la lumière horizontale fait mieux ressortir les détails et les formes.

– Je vais voir si rien ne cloche, chuchote le saunier.

Il rampe, fusil à la main, puis se met à genoux, au milieu des arroches et des asperges sauvages qui poussent le long du talus, pour inspecter les environs : petites dunes de sable, buissons épineux, roseaux, tas de boue et croûtes de sel blanches, luisantes, qui craquent quand on marche dessus. Pas trace de Français à l'extérieur de leur fort. À son retour, il voit que le militaire a posé la longue-vue et fait aller son crayon sur le cahier. Une fois de plus, Mojarra admire son coup de main, la façon rapide et précise dont il transpose sur le papier les lignes du fort, les murs élevés avec de la boue, les gabions, les fascines, les bouches des canons dans les meurtrières. Un paysage qui, sans guère de variations, se répète régulièrement tout au long de l'arc de douze milles qui va du Trocadéro au château de Sancti Petri, verrouillant l'île de León et la ville de Cadix. Parallèlement à cet arc offensif, courent les lignes espagnoles : un épais réseau de batteries qui croisent leurs feux et prennent les canaux en enfilade, rendant impossible un assaut direct des troupes impériales.

Une trompette sonne dans le fort. Le saunier sort un peu la tête et voit monter le long d'un mât un drapeau bleu, blanc et rouge qui pend ensuite, inerte. Il est l'heure de manger un morceau. Il plonge une main dans sa giberne et en sort un quignon de pain rassis, qu'il grignote après l'avoir mouillé de quelques gouttes d'eau de la gourde.

– Comment va votre travail, mon capitaine ?

– À merveille. – Le militaire parle sans lever la tête, tout à son dessin. – Et de ton côté ?

– Calme plat. Tout est tranquille.

Mojarra observe que le courant du petit étier voisin commence à s'écouler doucement et découvre les berges. Signe que là-bas, dans la baie, la marée descend. Le canot à fond plat qu'ils ont laissé à un mille et demi de là sera bientôt échoué dans la vase. Dans quelques heures, pour la dernière partie de leur retour à la Carraca, ils vont avoir le courant contre eux, et cela rendra le trajet plus pénible. C'est là l'un des aspects de l'étrange guerre qui se livre dans les salines. Les flux et les reflux de l'eau, au rythme des marées de l'Atlantique proche, accentuent le caractère particulier des opérations militaires : incursions de guérillas, feux de contrebatterie, flottilles de chaloupes canonnières qui, grâce à leur faible tirant d'eau, manœuvrent en silence dans ce labyrinthe de marécages, marais salants, canaux et étiers.

Le premier rayon du soleil, rougeâtre et horizontal, passe entre les arbustes et éclaire le capitaine Virués, toujours concentré sur ses croquis. Parfois, dans les moments d'inaction – les excursions matinales de Felipe Mojarra et de son compagnon abondent en pauses patientes et en attentes prudentes –, le saunier l'a vu dessiner d'autres choses, prises dans la nature : une plante, une anguille, un crabe des salines. Toujours avec la même rapidité, la même habileté. Une fois, au Nouvel An, quand ils ont dû attendre la tombée de la nuit pour repartir sans être vus de la batterie que les Français ont installée dans le coude de San Diego – ce qui les a obligés à passer la journée à grelotter de froid, cachés dans un moulin à sel en ruine –, le capitaine s'est distrait en dessinant Mojarra lui-même, qu'il a fort bien rendu : les longs favoris en forme de côtelettes rivalisant en épaisseur avec les sourcils et encadrant les rides profondes du visage et du front, l'expression obstinée, dure, de l'homme qui a grandi sous le soleil et dans le vent, dans l'âpre sel des étiers. Un portrait que le capitaine Virués a donné à son compagnon à leur retour dans les lignes espagnoles et que celui-ci, satisfait de la ressemblance, conserve, dans un vieux cadre sans verre, dans son humble logis de l'Île.

Trois coups de canon français retentissent au loin – à une demi-lieue, vers la partie haute de l'étier Zurraque – et, sur-le-champ, lui répond de l'autre rive la contrebatterie espagnole. Le duel se prolonge un moment, pendant que des avocettes affolées s'envolent au-dessus des salines, puis tout redevient silencieux. Le crayon entre les dents, le capitaine a pris la longue-vue et étudie de nouveau la position ennemie, énumérant des détails à voix basse comme pour les fixer dans sa mémoire. Il revient ensuite à son cahier. Mojarra se soulève à demi et jette encore un coup d'œil sur les alentours pour vérifier que le calme continue de régner.

– Où vous en êtes, mon capitaine ?

– J'aurai fini dans dix minutes.

Le saunier acquiesce, satisfait. Selon le moment, la situation et le lieu, dix minutes peuvent signifier une vie entière. En attendant, toujours accroupi et essayant d'être le plus discret possible, il dénoue la fente de sa culotte et urine dans le petit étier. Puis il sort de sa poche son mouchoir à carreaux vert et délavé qu'il noue ordinairement sur son crâne, le pose sur son visage, installe le fusil entre ses jambes et s'endort. Comme un enfant.

*

Le bureau est petit, miteux, avec une fenêtre grillagée donnant sur la rue du Mirador et un angle de la Prison royale. Au mur, un portrait – auteur inconnu, médiocre facture – de Sa Jeune Majesté Ferdinand VII. Il y a aussi deux chaises garnies de cuir fendillé et une table de travail pourvue de tiroirs, sur laquelle est disposé tout ce qu'il faut pour écrire, encrier, plumes, crayons, un plateau en bois couvert de documents et un plan de Cadix sur lequel se penche Rogelio Tizón. Depuis un moment, le commissaire étudie les trois lieux qu'il a entourés d'un cercle au crayon : l'auberge du Boiteux sur le Récif, le coin des rues des Rémouleurs et du Rosaire, et l'endroit où est apparu pour la première fois le corps d'une fille assassinée de la même manière que les autres l'ont été ensuite : une ruelle proche de l'angle des rues Sopranis et de la Gloire, non loin de l'église Santo Domingo, à seulement cinquante pas de là où, la veille, une bombe est tombée. Il est facile, sur le plan, de constater que les trois crimes ont été commis le long d'un arc qui parcourt la partie orientale de la ville, à l'intérieur du rayon d'action de l'artillerie française qui tire depuis la batterie de la Cabezuela, sur le Trocadéro, à quelque deux milles et demi de distance.

C'est impossible, se dit-il une fois de plus. Sa raison professionnelle, celle du policier chevronné habitué à ne suivre que des évidences, refuse l'association qu'établit son instinct entre les crimes et les points d'impact des bombes. Ce n'est là qu'une hypothèse excentrique, peu probable, parmi bien d'autres possibles. Un vague soupçon, dépourvu de bases sérieuses. Pourtant, si absurde soit-elle, cette idée mine de façon inexplicable les autres certitudes de Tizón, qui en est le premier étonné. Ces derniers jours, en interrogeant les habitants du lieu où, voici presque six mois, est tombée la première bombe, il a pu vérifier qu'elle a, elle aussi, explosé à l'arrivée. Et que, comme les deux autres, elle a produit une pluie de fragments sur les abords immédiats ; des morceaux de plomb identiques à celui qu'il garde maintenant dans un tiroir : une demi-paume de longueur, fin et tordu, semblable aux fers à friser des femmes.

Le doigt sur le plan, suivant le tracé des rues et le contour des remparts, Tizón parcourt en imagination des lieux qu'il connaît dans leurs moindres détails : places, rues, recoins qui deviennent obscurs à la tombée de la nuit, les points qui sont à portée des bombes françaises et ceux qui, plus éloignés, restent à l'abri. Il n'est guère versé en technique militaire, et encore moins en artillerie. Ses connaissances ne vont pas plus loin que celles de n'importe quel Gaditan familiarisé dès l'enfance avec l'Armée, la Marine royale et les canons postés aux meurtrières des remparts et aux sabords des navires. Aussi a-t-il eu recours, quelques jours plus tôt, à un expert. Je veux tout savoir sur les bombes que tirent les Français, lui a-t-il dit. La raison pour laquelle certaines explosent et d'autres pas. Et aussi où elles tombent et pourquoi. L'expert, un capitaine d'artillerie nommé Viñals, vieille connaissance du café de la Poste, le lui a expliqué, assis à une petite table de la cour, en dessinant sur le marbre avec un crayon : emplacement des batteries ennemies, rôle du Trocadéro et de la Cabezuela dans le siège de la ville, trajectoires des bombes, lieux situés à portée de celles-ci et lieux situés au-delà.

– Parlez-moi de ça. – Arrivé à ce point de l'exposé, Tizón a levé la main. – De la portée des bombes.

Le militaire était tout sourire, en homme qui connaît son sujet sur le bout des doigts. C'était un individu d'âge moyen, à l'épaisse moustache et aux pattes grisonnantes, portant la veste bleue à col rouge de son arme. Il passait trois semaines sur quatre dans la position avancée du fort de Puntales, à moins d'un mille de l'ennemi, sous une canonnade constante.

– C'est un grave problème pour les Français. À ce jour, ils

n'ont pas réussi à dépasser une ligne imaginaire qui, tracée du nord au sud de la ville, la diviserait en deux. Et ce n'est pas faute d'essayer !

– Décrivez-moi cette ligne.

De bas en haut, a expliqué l'artilleur. Depuis le départ de l'Alameda à l'ouest, jusqu'à la vieille cathédrale. Plus des deux tiers de la ville, a-t-il ajouté, restent à l'extérieur de ce secteur. Voilà pourquoi les Français tentaient d'allonger leurs tirs, sans y arriver. Et c'est la raison pour laquelle toutes les grenades tombées sur Cadix étaient concentrées sur la partie orientale. Trois douzaines jusqu'à maintenant, dont très peu étaient parvenues à exploser.

– Trente-deux, a précisé Tizón qui a tout vérifié. Et onze seulement ont explosé.

– C'est naturel. Elles viennent de loin, et leurs mèches ont eu le temps de s'éteindre durant le temps passé en l'air. Ou alors elles sont trop courtes, et la grenade explose à mi-chemin. Et ce n'est pas faute d'avoir essayé toutes sortes d'espolettes !… Je les étudie personnellement quand nous pouvons les récupérer : toutes les espèces possibles de métaux et de bois, et au moins dix modèles différents d'amorces pour enflammer les charges.

– Est-ce qu'il y a des différences techniques entre les bombes ?

Le problème, a expliqué l'artilleur, ce n'était pas seulement les grenades qui arrivaient sur Cadix, mais les canons qui les tiraient. Ils étaient de trois types : canons normaux à tir tendu, mortiers et obusiers. Avec presque une demi-lieue de distance entre la Cabezuela et les remparts de la ville, les premiers étaient inopérants. Leur portée était insuffisante et le boulet finissait dans la mer. C'est pourquoi les Français avaient recours à des pièces qui tiraient par élévation, suivant une trajectoire courbe, comme c'était le cas des mortiers et des obusiers.

– D'après ce que nous savons, ceux d'en face ont exécuté les premiers essais avec des mortiers à la fin de l'année passée : des pièces de 8, 9 et 11 pouces, qu'ils ont fait venir de France, dont les grenades n'ont même pas réussi à traverser la baie. C'est alors qu'ils ont recouru à un dénommé Pere Ros pour fondre de nouveaux mortiers… Ce nom vous dit quelque chose, commissaire ?

Tizón a acquiescé. Par ses rapports et ses informateurs, il savait que ce Ros était un Espagnol rallié au roi Joseph, Catalan de Seo de Urgel, ancien élève de la Fonderie royale de Barcelone et de l'académie de Ségovie. Aujourd'hui à Séville avec la charge de superviseur de la fabrique d'artillerie, il était au service des Français.

– C'est à Pere Ros, a poursuivi Viñals, que les gabachos ont passé commande de sept mortiers de 12 pouces, système Dedon, à plaque et à chambre sphérique. Mais les Dedon sont compliqués à fondre et leur tir est très imprécis. Le premier qu'ils ont amené de Séville n'a pas donné de résultat et, du coup, ils ont suspendu la fabrication… Ils ont eu recours alors aux Villantroys : lesquels, comme vous le savez, sont les obusiers dont on a tant parlé en décembre quand ils nous bombardaient depuis la Cabezuela : des pièces de 8 pouces qui n'ont pas dépassé les 2 000 toises ; ce qui correspond pour nous à environ 3 400 vares. Et, en plus, chaque coup tiré diminuait leur portée.

– Pourquoi ?

– Vu la trop grande quantité de poudre utilisée pour tirer, la lumière du canon finissait par s'abîmer, d'après ce que j'ai compris. Un désastre… On en a même fait des chansons chez nous.

– Avec quoi tirent-ils maintenant ?

L'artilleur a haussé les épaules. Puis il a sorti de la poche de sa veste un paquet de tabac et du papier, et s'est confectionné un mince cigare.

113

– Nous ne le savons pas encore avec certitude. Il est plus facile d'être renseigné sur le passé par des déserteurs et des espions que d'être au courant des récents événements... Nous avons seulement eu la confirmation que ce renégat catalan est en train de fondre de nouveaux obusiers sous la direction du général Ruty. De 10 pouces, semble-t-il. Les grenades qui arrivent en ce moment sur Cadix sont de ce calibre.

– Et pourquoi contiennent-elles du plomb ?

Après avoir gratté une allumette, Viñals a commencé à souffler de la fumée.

– Pas toutes. Sur la pointe du quai, il y a trois semaines, il en est tombé une en fer massif ou presque. D'autres portent une charge normale de poudre et ce sont celles qui vont le moins loin et avortent le plus. Pour le plomb, ça reste un mystère, bien que chacun ait son idée.

– Dites-moi la vôtre.

L'artilleur a terminé son café et appelé le garçon. Un autre, lui a-t-il demandé. Avec une goutte d'eau-de-vie dedans pour la digestion. À Puntales, nous souffrons tous du ventre.

– Les Français, a-t-il poursuivi, ont la meilleure artillerie du monde. Ils ont derrière eux des années de guerre et d'expériences. Et n'oubliez pas que Napoléon est lui-même artilleur. Ils ont les meilleurs théoriciens dans ce domaine. Je dirais que cet emploi du plomb est expérimental. Ils cherchent à allonger la portée.

– Mais pourquoi le plomb... Je ne comprends pas.

– Parce que c'est le métal le plus lourd. Avec du plomb à l'intérieur, l'augmentation de la gravité spécifique du projectile permet d'allonger la parabole de tir. Il faut bien savoir que la distance susceptible d'être parcourue par une grenade est liée à sa densité et à son poids. Sans oublier la puissance de la charge de poudre au départ et les conditions atmosphériques. Vous voyez, tout compte.

– Et cette forme en tire-bouchon ?

– C'est l'explosion qui les tord. Le plomb, en fondant à l'intérieur, se transforme en minces flaques. Lors de l'explosion, celles-ci se morcellent et frisent... De toute manière, ne vous laissez pas abuser par les résultats. Ce n'est pas facile de travailler à la distance où ils sont. Je doute qu'un artilleur espagnol en soit capable. Non par faute d'idées ou de savoir-faire, bien entendu... Nous avons des gens très forts dans la théorie comme dans la pratique. Je parle du manque de moyens. Les gabachos doivent dépenser une fortune... Chaque grenade qu'ils nous envoient doit coûter son pesant d'or...

Seul dans son bureau, Rogelio Tizón se souvient de la conversation avec le capitaine d'artillerie, tandis qu'il étudie le plan de Cadix comme on interrogerait un sphinx. Trop peu d'éléments, pense-t-il. Ou même aucun. Il tâtonne en aveugle. Des canons, des obusiers, des mortiers. Des bombes. Du plomb, comme le tire-bouchon qu'il sort d'un tiroir et soupèse d'un air sombre. Trop vague. Trop insaisissable, ce qu'il cherche. Ce qu'il croit chercher. Ce soupçon d'un lien secret entre les bombes et les filles assassinées est confus et peut-être injustifié. Il a beau se creuser la cervelle, il continue à n'avoir aucun indice, aucune trace réelle. Juste des tire-bouchons tordus, qui sont là comme des pressentiments. Le capitaine Viñals a parlé de gravité spécifique. La sensation d'être au bord d'un gouffre obscur, les poches bourrées de plomb. Et c'est tout. Rien qui puisse lui servir. Juste ce plan de la ville déployé sur la table, étrange échiquier où la main d'un improbable joueur déplace des pièces dont Tizón ne parvient pas à comprendre le caractère. Ça ne lui était jamais arrivé auparavant. À son âge, cette incertitude lui fait peur. Un peu. Et aussi le rend furieux. Très.

Rageur, il remet le morceau de plomb dans le tiroir et ferme celui-ci brutalement. Puis il donne un coup de poing sur la table, si fort qu'il fait sauter quelques gouttes hors de l'encrier, aspergeant un coin de la carte. Foutredieu ! jure-t-il. En entendant le bruit, le secrétaire qui travaille dans la pièce voisine passe la tête par l'embrasure de la porte.

– Quelque chose ne va pas, monsieur le commissaire ?

– Occupez-vous de vos oignons !

Le secrétaire rentre la tête comme une souris apeurée. Il sait reconnaître les symptômes. Tizón regarde ses mains posées sur le bord de la table. Elles sont larges, calleuses, dures. Capables de faire mal. Et quand c'est nécessaire, elles savent faire mal.

Un jour, conclut-il, il trouvera le fin mot. Et quelqu'un paiera pour tout ça.

*

Avec d'infinies précautions, Lolita Palma place dans une section de l'herbier les trois feuilles d'amarante à côté d'un dessin en couleurs de la plante complète exécuté de sa main. Chaque feuille mesure deux pouces et se termine par une toute petite épine plus claire, ce qui permet de la classer sans difficulté parmi les *Amaranthaceae spinosae*. Elle n'en avait encore jamais eu : les spécimens sont arrivés quelques jours plus tôt de Guayaquil, dans un paquet contenant d'autres feuilles et plantes envoyées par un correspondant local. Maintenant, elle savoure le plaisir du collectionneur satisfait d'une nouvelle acquisition. Un doux sentiment de bonheur. Raisonnable. Une fois séchée la petite goutte de colle qui fixe chaque spécimen sur le carton, Lolita pose par-dessus une feuille de papier pelure, ferme l'herbier et le range verticalement sur un rayon de la grande armoire vitrée, à côté d'autres semblables portant des noms évocateurs qui désignent tous des trésors singuliers de la Nature : *Chrysanthème, Œil-de-bœuf, Centaurée, Pascalia*. Le cabinet botanique, contigu au bureau de travail situé au premier étage de la maison, est modeste mais suffisant pour les besoins d'un amateur : confortable, bien éclairé par une fenêtre donnant sur la rue du Bastion et une autre ouverte sur le patio. On y trouve quatre grands meubles de classement dont les tiroirs sont étiquetés suivant le contenu, une table de travail avec un microscope, des loupes et les ustensiles appropriés, et une bibliothèque avec des œuvres de référence, parmi lesquelles un Linné, une *Description des plantes* de Cavanilles, le *Theatrum florae* de Rabel, l'*Icones plantarum rariorum* de Jacquin-Nikolaus, et un gros in-folio en couleurs du *Des plantes de l'Europe* de Merian. Le balcon vitré en forme de jardin d'hiver qui donne sur le patio porte également plusieurs jardinières contenant neuf sortes différentes de fougères apportées d'Amérique, des îles du Sud et des Indes orientales. Quinze autres variétés dans de grands pots ornent le patio, les balcons qui ne sont jamais frappés par la lumière du soleil et d'autres lieux sombres de la demeure. La fougère, la *filice* des Anciens, chez laquelle ni les auteurs classiques ni les spécialistes modernes de la botanique n'ont jamais réussi à localiser le sexe masculin – dont l'existence même reste à ce jour une simple conjecture –, a toujours été la plante de prédilection de Lolita Palma.

Mari Paz, la femme de chambre, apparaît à la porte du cabinet.

– Excusez-moi, mademoiselle… Don Emilio Sánchez Guinea est en bas avec un autre monsieur.

– Dis à Rosas de les faire patienter. J'arrive tout de suite.

Quinze minutes plus tard, le temps de passer par la garde-robe de sa chambre pour mettre un peu d'ordre dans sa toilette, elle descend en boutonnant un spencer de satin gris sur un corsage blanc et une basquine vert sombre, traverse le patio et pénètre dans la partie de la maison réservée aux bureaux et aux magasins.

– Bonjour, don Emilio. Quelle agréable surprise.

Le petit salon de réception, contigu au bureau principal et aux autres lieux de travail du rez-de-chaussée, est vieillot et confortable. Une haute plinthe en bois vernis court le long des murs ornés de gravures marines encadrées – vues de ports français, anglais et espagnols – et il est meublé de fauteuils, d'un sofa, d'une pendule High & Evans et d'une étroite bibliothèque dont les quatre rayons sont pleins de livres de commerce. Le sofa est occupé par Sánchez Guinea et par un homme plus jeune, la peau brune et hâlée. Tous deux se lèvent en la voyant entrer, posant sur une table leurs tasses en porcelaine de Chine dans lesquelles Rosas, le majordome, vient de leur servir le café. Lolita s'assied comme à son habitude sur un fauteuil de cuir ancien qui a appartenu à son père et invite les deux visiteurs à reprendre leurs places.

– Quel bon vent vous amène chez moi ?

Elle s'adresse au vieil ami de la famille, mais observe l'autre homme : la quarantaine, cheveux et favoris noirs, yeux clairs, vifs. Peut-être intelligents. Pas très grand, mais large d'épaules sous la veste bleue – un peu usée aux coudes et aux poignets, note-t-elle – avec des boutons dorés. Des mains fermes et vigoureuses. Un marin, sans nul doute. Cela fait trop longtemps qu'elle est en contact avec ce monde pour ne pas reconnaître les gens de mer au premier coup d'œil.

– Je désire vous présenter ce monsieur.

Don Emilio le fait d'une manière brève, pratique, allant droit au but : capitaine José Lobo, une vieille connaissance. Pour l'heure à Cadix, sans emploi du fait de diverses circonstances. La maison Sánchez Guinea projette de l'associer à une affaire en cours. Tu sais laquelle. Celle dont nous avons parlé il y a peu dans la Calle Ancha.

– Vous voudrez bien nous excuser un moment ?

La voyant se lever de son fauteuil, les deux hommes

l'imitent, et elle invite don Emilio à passer avec elle dans le bureau privé. Du seuil, avant de refermer la porte, Lolita Palma regarde une dernière fois le marin qui est resté debout au milieu du salon : son attitude semble circonspecte, mais l'expression est tranquille, aimable. Presque amusée par la situation. Cet individu, pense-t-elle fugacement, est de ceux qui sourient avec les yeux.

– Que signifie ce traquenard, don Emilio ?

Le vieux négociant proteste.

– Mais pas du tout, ma fille. Je voulais juste que tu fasses la connaissance de mon homme. Pepe Lobo est un capitaine expérimenté. Un sujet de valeur, compétent. C'est le bon moment pour l'employer, parce qu'il est sans travail et disposé à embarquer sur n'importe quel tas de bois pourvu qu'il flotte. Nous tenons déjà à demi armé un cotre, avec la lettre de marque dont je t'ai parlé l'autre jour, et il sera en mesure de prendre la mer à la fin du mois.

– Je vous ai dit que je ne veux pas me mêler de la course.

– Tu n'auras pas à t'en mêler. Je te propose juste une participation. Après-demain, je dépose la caution de l'armement.

– De quel bateau s'agit-il ?

Sánchez Guinea le décrit avec l'emphase du commerçant satisfait de son acquisition : un cotre français de cent quatre-vingts tonneaux capturé par un corsaire d'Algésiras et vendu aux enchères à Cadix il y a vingt jours. Vieux, mais en bon état. Il peut porter huit canons de 6 livres. Rebaptisé la *Culebra*, parce qu'il s'appelait le *Colbert*. Acheté pour vingt mille réaux. L'armement – voiles et gréement neufs, armes légères, poudre et munitions – en demandera environ dix mille de plus.

– Nous ferons des campagnes courtes : de Saint-Vincent à Gata, à la rigueur jusqu'à Palos. Avec peu de risques et la perspective de gros bénéfices. Une affaire sûre, crois-moi… Les deux tiers de l'armateur nous reviendraient, à toi et à moi. Le dernier tiers pour le capitaine et l'équipage. Tout cela dans la plus scrupuleuse légalité.

Lolita Palma regarde la porte fermée.

– Que pouvez-vous encore me dire de cet homme ?

– Il n'a pas eu de chance dans ses derniers voyages, mais c'est un bon marin. Il a fait la course dans le Détroit durant la dernière guerre. Il commandait une goélette de six canons avec laquelle il a fait une campagne rentable. Je le sais, parce que j'en étais un des propriétaires... À la fin, il a essuyé un sale coup : une corvette anglaise l'a capturé près du cap des Trois Fourches.

– Je crois avoir entendu parler de lui... Est-ce qu'il ne s'est pas évadé de Gibraltar ?

Sánchez Guinea émet un rire malicieux, approbateur. Ce souvenir semble le réjouir.

– Parfaitement. Il était prisonnier et s'est fait la belle avec d'autres en volant une tartane. Depuis quatre ans, il navigue sur des navires marchands... Récemment, il a eu des désaccords avec son dernier armateur.

– Qui était-ce ?

– Ignacio Ussel.

Le vieux négociant prononce ce nom en arquant les sourcils, avec un regard mi-interrogateur, mi-complice. Tout Cadix sait parfaitement que les relations de la maison Palma & Fils avec cette firme sont déplorables. Durant la crise de l'année 1796, Tomás Palma a failli être ruiné par la malhonnêteté d'Ignacio Ussel, qui lui a fait perdre trois cargaisons importantes. La fille n'a pas oublié.

– Nous avons une lettre de marque signée par la Régence pour deux ans, poursuit Sánchez Guinea, un navire armé, un capitaine capable de réunir un bon équipage, et une côte ennemie le long de laquelle vont et viennent des bateaux français ou en arrivent d'autres des régions occupées. Que demander de plus ?... Il y a aussi des récompenses pour les prises sur l'ennemi, en plus de la valeur des bateaux et de ce qu'ils transportent.

– À vous suivre, don Emilio, il s'agirait presque d'un devoir patriotique.

Le vieux négociant rit de bonne grâce. C'en est un, ma fille, répond-il. Et y ajouter l'intérêt personnel n'a rien de répréhensible. Armer pour la course n'est pas déshonorant pour une maison de commerce respectable. Rappelle-toi que ton père l'a fait sans chercher midi à quatorze heures. Et je t'assure qu'il en a fait voir aux Anglais. Ça n'est pas comme la traite des Noirs.

– Tu sais, conclut-il, que je n'ai pas de problème de liquidités. Et que je peux trouver d'autres associés. Il s'agit juste d'une bonne affaire. Comme d'autres fois, je crois de mon devoir de te la proposer.

Un silence. Lolita continue de fixer la porte fermée.

– Pourquoi ne le sondes-tu pas un peu ? – Sánchez Guinea fait un geste d'encouragement. – C'est un homme intéressant. Moi, je le trouve sympathique.

– Vous semblez avoir très confiance en lui… Vous le connaissez si bien que ça ?

– Mon fils Miguel a fait un voyage avec lui. Valence aller-retour, juste au moment où nous évacuions Séville et où la panique était générale. Ils ont même essuyé une tempête. Il est revenu ravi, louant sa compétence et son sang-froid… C'est Miguel qui a eu l'idée de lui confier la *Culebra* dès qu'il a su qu'il se trouvait à Cadix sans emploi.

– Il est d'ici ?

– Non. Il est né à Cuba, je crois. À La Havane ou dans les parages.

Lolita Palma regarde ses mains. Elles sont encore jolies : de longs doigts, des ongles pas très soignés mais réguliers. Sánchez Guinea l'observe. Son sourire est devenu songeur. Puis il hoche la tête, bon enfant.

– Il y a quelque chose chez lui, tu sais ?... Il est énergique, il a une personnalité intéressante. À terre, il est peut-être un peu emprunté. Le mot *monsieur* ne lui va pas toujours comme un gant. Dans les affaires de femmes, par exemple, il n'a pas la réputation d'être très scrupuleux.

– Mon Dieu, quel portrait vous m'en faites !

Le vieux négociant lève les deux mains, comme pour se défendre.

– Je te dis seulement la vérité. J'en connais qui le détestent et d'autres qui le tiennent en grande estime. Mais, comme dit mon fils, les seconds seraient prêts à donner pour lui jusqu'à leur chemise.

– Et les femmes, elles, qu'est-ce qu'elles donneraient ?

– Ça, c'est à toi d'en juger.

Ils sourient tous deux en se regardant. Sourire vague et un peu triste chez elle. Un peu surpris, presque curieux, chez lui.

– De toute manière, conclut Sánchez Guinea, il s'agit d'engager un capitaine corsaire. Pas d'organiser un bal.

*

Guitares. Lampes à huile. La danseuse a la peau brune, luisante de la transpiration qui colle ses cheveux noirs sur son front. Ses mouvements ont tout d'un animal lascif, pense Simon Desfosseux. Une Espagnole sale, aux yeux sombres. Gitane, suppose-t-il. Ici, ils ont tous l'air de Gitans.

– Nous ne nous servirons que de plomb, dit-il au lieutenant Bertoldi.

Le local est plein de monde : dragons, artilleurs, marins, infanterie de ligne. Rien que des hommes. Rien que des officiers. Ils se pressent autour des tables tachées de vin, assis sur des bancs, des chaises et des tabourets.

– Vous ne décrochez jamais, mon capitaine ?

– Vous voyez. Jamais.

Avec un geste de résignation, Bertoldi vide son verre et reprend du vin à la cruche posée devant lui. L'atmosphère est voilée par un brouillard gris de fumée de tabac. L'odeur de sueur qui se dégage des uniformes déboutonnés sur les gilets et les manches de chemise est forte. Même le vin – épais et lourd, de celui qui abrutit au lieu de rendre gai – a cette même odeur âpre, trouble comme les douzaines de regards qui suivent les mouvements de la femme en train de se tordre et de se déhancher, provocante, au rythme des guitares, en se donnant des claques sur les cuisses.

– La chienne, murmure Bertoldi qui ne la quitte pas des yeux.

Il reste encore un moment à observer la danseuse. Pensif. Puis il se tourne vers Desfosseux :

– Du plomb, disiez-vous ?

Le capitaine acquiesce. C'est la seule solution, dit-il. Du plomb inerte. Des bombes de 80 ou 90 livres, sans poudre ni espolette. 100 toises de plus de portée, au moins. Voire davantage, si le vent est favorable.

– Les dommages seront minimes, objecte Bertoldi.

– Nous nous occuperons plus tard de les augmenter. L'important est de parvenir au centre de la ville… À la place San Antonio ou dans ses environs.

– C'est donc décidé.

– Absolument.

Bertoldi lève son verre en haussant les épaules.

– À Fanfan, dans ce cas.

– C'est ça. – Desfosseux choque légèrement son verre contre celui de son adjoint. – À Fanfan !

Les guitares se taisent, les hommes applaudissent en proférant des grossièretés dans toutes les langues de l'Europe. Immobile, renversée en arrière, une main encore levée, la danseuse promène ses yeux très noirs sur l'assistance. D'un air de défi. Sûre d'elle. Maintenant que le désir qui rôde dans cette salle a été avivé par sa danse, elle est certaine qu'elle peut choisir. Son instinct ou son expérience – elle est jeune, mais elle en sait déjà suffisamment – lui disent que n'importe lequel de ceux qui sont là jettera de l'argent entre ses cuisses rien que pour attirer son regard sur lui. Les temps sont propices. Les hommes qu'il faut, là où il faut, car guerre ne signifie pas toujours misère. En tout cas, pas pour tout le monde, quand on a un joli corps et un regard noir comme les siens. En se disant cela, Simon Desfosseux s'attarde sur la peau brune des bras de la danseuse ; des gouttes de sueur luisent en coulant dans son décolleté impudique qui laisse à nu la naissance des seins. Peut-être un jour cette femme mourra-t-elle de faim, dans une guerre future, quand elle sera fanée ou vieille. Mais pas dans celle-ci... Il suffit de voir les regards lubriques rivés sur elle ; les calculs sordides sous l'humilité apparente des deux guitaristes – père, frère, cousin, amant, maquereau – qui, assis sur des chaises basses, leurs instruments sur les genoux, observent l'assistance en souriant aux applaudissements tout en essayant de repérer la bourse la plus pleine de la soirée. Quelle est aujourd'hui la cote, sur le maigre marché local de la chair fraîche, de l'honneur supposé de leur fille, sœur, cousine, maîtresse, protégée, pour ces messieurs français dans un cabaret de Puerto Real ? Parce que la patrie et le roi Ferdinand, c'est bien joli, mais en attendant il faut faire bouillir la marmite.

Simon Desfosseux et le lieutenant Bertoldi sortent dans la rue, heureux de respirer la brise. L'obscurité est totale. La plupart des habitants sont partis à l'arrivée des troupes impériales, et les habitations abandonnées servent maintenant de casernes et de logements pour les soldats et les officiers, les cours et les jardins étant affectés aux chevaux. L'église, avec ses murs épais, une fois pillée et son retable parti alimenter le feu des bivouacs, sert de magasin pour les munitions et la poudre.

– Cette Gitane m'a échauffé les sangs, commente Bertoldi.

En suivant la rue, les deux officiers arrivent au bord de la mer. Il n'y a pas de lune, et des milliers d'étoiles remplissent la voûte céleste au-dessus des terrasses des maisons basses. À une demi-lieue au levant, de l'autre côté de la tache noire de la baie, on distingue quelques lumières, isolées, dans l'arsenal ennemi de la Carraca et le village de l'île de León. Comme d'habitude, les assiégés semblent plus sereins que leurs assiégeants.

– Ça va faire trois mois que je n'ai pas reçu la moindre lettre, ajoute Bertoldi un peu plus tard.

Desfosseux esquisse une moue dans l'obscurité. Il a pu suivre sans difficulté l'enchaînement des pensées de son compagnon. Lui-même, en ce moment, pense intensément à sa femme qui l'attend à Metz. Avec son fils qu'il connaît à peine. Deux ans déjà. Ou presque. Et combien d'autres encore devant lui ?

– Ces chiens de manolos, murmure Bertoldi, haineux. Ce ramassis de brigands pouilleux.

Sa bonne humeur coutumière semble s'être aigrie, ces dernières semaines. Comme lui, comme la grande majorité des vingt-trois mille hommes retranchés entre Sancti Petri et Chipiona, le capitaine Desfosseux ignore ce qui se passe en France et dans le reste de l'Europe. Il ne dispose que de commentaires peu fiables, de suppositions, de rumeurs. Un journal récent, une brochure, une lettre sont des raretés qui ne viennent pas jusqu'à eux. Ils ne reçoivent pas de nouvelles de leurs familles, et celles-ci sont dans le même cas. Les gué-rillas, bandes de criminels qui opèrent sur toutes les voies de communication, ne laissent rient passer. Se déplacer en Espagne, c'est comme voyager en Arabie : les courriers sont attaqués, capturés, atrocement assassinés dans les montagnes et les bois, et seuls les voyageurs accompagnés d'une forte escorte parviennent à se rendre d'un point à un autre sans risquer de mauvaises rencontres. Les routes habituelles venant de Jerez et de Séville sont une succession de fortins où des petites garnisons démoralisées vivent dans la peur, l'œil aux aguets et le fusil prêt à tirer, se méfiant autant des ennemis qui rôdent à l'extérieur que des habitants des villages qu'ils savent dans leur dos. Et, la nuit tombée, chaque champ, chaque chemin redeviennent le domaine des insurgés, piège mortel pour les malheureux qui s'y aventurent sans protection et que l'on retrouve au petit matin torturés comme des bêtes sauvages à la lisière des bois de chênes verts et de pins. Voilà ce qu'est la guerre d'Espagne, la guerre en Andalousie. Occupant le terrain seulement en apparence, plus puissantes par leur réputation que dans les faits, les troupes du Premier Corps qui assiègent Cadix sont trop loin de tout et de tous. Des hommes pratiquement isolés dans leur exil précaire à l'avenir incertain, sur cette terre hostile où le sentiment d'abandon et la lassitude, aussi abrutissants que des narcotiques, s'emparent des meilleurs soldats, victimes autant du feu de l'ennemi que des maladies et de la nostalgie.

– Hier, nous avons enterré Bouvier, dit Bertoldi, lugubre.

Le capitaine ne répond pas. L'intention de son subordonné n'est pas de l'informer ; il ne fait qu'exprimer un sentiment à voix haute. Louis Bouvier, un lieutenant d'artillerie avec lequel ils ont fait le voyage de Bayonne à Madrid et qu'ils ont retrouvé affecté à la batterie de San Diego, à Chiclana, souffrait depuis quelque temps d'une maladie nerveuse dont les effets le plongeaient dans une mélancolie profonde. L'avant-veille, en quittant son service, Bouvier a saisi le fusil d'un soldat, s'est enfermé dans une baraque, a enfoncé le canon dans sa bouche, glissé le gros orteil du pied droit sur la détente de l'arme, et s'est brûlé la cervelle.

– Mon Dieu ! Ce pays est le cul du monde.

Desfosseux garde le silence. La brise de mer est légère, portant l'odeur de vase et d'algues de la marée basse. Vers les dernières maisons du village, quelques formes obscures et proches indiquent l'emplacement des tentes de campagne et des fortins qui défendent la plage de possibles débarquements ennemis. Il peut entendre les consignes échangées par les sentinelles, les hennissements étouffés des chevaux dans les cours où ils sont parqués. La rumeur confuse formée par d'innombrables sons indéfinissables provenant de milliers d'hommes qui dorment ou veillent les yeux ouverts dans la nuit. Une armée échouée devant une ville.

– Passer au plomb me semble une bonne idée, commente Bertoldi sur le ton d'un naufragé qui se raccrocherait au premier objet qui flotte.

Desfosseux fait quelques pas et s'arrête, observant les lumières lointaines. Mentalement, il calcule de nouvelles trajectoires. Des lignes courbes impeccables. Des belles et parfaites paraboles.

– C'est la seule manière d'y arriver… Demain, nous commencerons à travailler à la modification du centre de gravité. Une très légère rotation obtenue par le frottement de l'âme du canon pourrait nous être utile.

Un silence. Long.

– Savez-vous ce que je pense, mon capitaine ?

– Non.

– Que vous ne vous ferez jamais sauter le caisson comme le pauvre Bouvier.

Desfosseux sourit dans le noir. Il sait que son adjoint dit vrai. Jamais, du moins tant qu'il aura des problèmes à résoudre. Pour lui, pas question d'ennui ou de découragement. Le fil d'acier qui l'attache au bon sens et à la vie est fait de concepts, pas de sentiments. Même des mots comme *devoir*, *patrie* ou *camaraderie*, auxquels se raccrochent communément Bertoldi et d'autres hommes, ne jouent aucun rôle. Pour lui, il s'agit de poids, volumes, longueur, élévation, densité des métaux, résistance de l'air, effets de rotation. Ardoise et règle à calcul. Tout ce qui, en somme, permet à Simon Desfosseux, capitaine d'artillerie de l'armée impériale, de rester en marge de toute incertitude qui ne soit pas strictement technique. Les passions perdent les hommes, mais elles peuvent aussi les sauver. La sienne est de parvenir à allonger la portée de ses bombes de 750 toises.

*

Trois hommes dans une pièce, sous un autre portrait de Ferdinand VII. La lumière matinale qui filtre à travers les persiennes fait luire les broderies d'or au col, aux revers et aux poignets de la veste du lieutenant général de la Marine royale, don Juan María de Villavicencio, commandant l'escadre de l'Océan et gouverneur militaire et politique de Cadix.

– Est-ce tout ?

– Pour le moment.

Glacial, le gouverneur repose le rapport sur le maroquin vert de son bureau, laisse retomber ses lunettes en or au bout du cordon qui les rattache à la boutonnière du revers, et regarde le commissaire Rogelio Tizón.

– Ça ne semble pas si important.

Tizón adresse à la dérobée un regard à son supérieur direct, l'intendant général et juge du Crime et de la Police, Eusebio García Pico. Celui-ci est assis un peu à l'écart, presque de côté, jambes croisées et pouce de la main droite dans une poche de son gilet. Le visage impassible, comme s'il pensait à des affaires lointaines et ne faisait que passer par là. Tizón a attendu vingt minutes dans l'antichambre, et il se demande maintenant de quoi les deux hommes ont parlé avant qu'il n'entre.

– C'est une affaire difficile, mon général, répond prudemment le policier.

Villavicencio continue de le dévisager. C'est un marin de cinquante-six ans, cheveux gris, très vieille Espagne, qui a derrière lui de nombreuses campagnes navales. Énergique, mais aussi fin politique, tout conservateur qu'il soit en matière de nouvelles libertés et aveuglément fidèle au jeune roi prisonnier en France. Habile, manœuvrier, avec le prestige que lui vaut son passé militaire, le gouverneur de Cadix – ce qui revient à dire aujourd'hui du cœur de l'Espagne patriote et insurgée – s'entend bien avec tout le monde, évêques et Anglais compris. Son nom figure parmi ceux qui sont destinés à faire partie de la future Régence, le jour où l'actuelle sera rénovée. Un homme puissant, Tizón le sait. Un homme d'avenir.

– Difficile, répète Villavicencio, songeur.

– C'est le mot, mon général.

Un long silence. Tizón aimerait fumer, mais personne ne semble y penser. Le gouverneur joue avec ses lunettes, regarde de nouveau les quatre pages succinctes du rapport, puis le remet en place en prenant soin de laisser un écart de deux pouces entre un de ses angles et celui formé par le coin de la table.

– Êtes-vous sûr qu'il s'agit du même assassin dans tous les cas ?

Le policier se justifie brièvement. Sûr, non, on ne peut l'être de rien, mais la manière de procéder est identique. Et le genre de femme aussi. Très jeunes, d'humble origine. Comme le dit le rapport, deux servantes, et une fille qu'il n'a pas été possible d'identifier. Le plus probable est qu'il s'agit d'une réfugiée sans famille et sans occupation connue.

– Pas de… hum… violences physiques ?

Un autre regard à la dérobée. Rapide. L'intendant continue

de rester silencieux, immobile comme une statue. Comme s'il n'était pas présent.

– Elles ont toutes été tuées à coups de fouet, monsieur. Impitoyablement. Si ce ne sont pas là des violences physiques, alors que le Christ descende nous dire ce que c'est.

Ces derniers mots ne plaisent pas au gouverneur, dont les convictions religieuses sont bien connues. Il creuse un peu les joues et fronce les sourcils en contemplant ses mains, qui sont blanches et fines. Des mains d'un homme de bonne éducation, observe Tizón, fréquentes parmi les officiers de la marine de guerre. Les plébéiens ne sont pas admis dans la Marine royale. À celle de gauche brille une belle émeraude, cadeau personnel de l'empereur Napoléon quand Villavicencio se trouvait à Brest avec l'escadre franco-espagnole, avant la bataille de Trafalgar, la détention du roi, la guerre avec la France, bref avant que tout ne fiche le camp.

– Je parlais de… enfin, vous savez. Un autre genre de violences.

– Personne ne les a violées. En tout cas, nous n'en avons pas trouvé d'indices.

Villavicencio garde le silence, le regard fixé sur Tizón. Il attend. Le policier se croit obligé d'ajouter de nouvelles explications, sans être sûr que le gouverneur le souhaite vraiment. C'est l'intendant qui l'a amené ici. Don Juan María, a dit García Pico dans l'escalier – et cette manière de désigner le gouverneur par son prénom ressemblait à un dangereux avertissement concernant leurs positions réciproques –, désire un rapport direct, verbal, en plus du rapport écrit. Plus de détails. Voir si les choses pourraient échapper à son contrôle. Ou au vôtre.

Tizón décide de se lancer :

– D'une certaine manière, le meurtre de cette dernière fille est une chance. Personne ne l'a réclamée, sa disparition n'a pas été déclarée... Cela nous permet de maintenir l'affaire dans des limites discrètes. Sans faire de vagues.

Un léger signe d'assentiment du gouverneur lui indique qu'il va dans la bonne direction. C'est donc de cela qu'il s'agit, conclut-il intérieurement, en réprimant le sourire qui est sur le point d'affleurer sur ses lèvres. Maintenant, il devine sur quel terrain il avance. Quel est l'objectif de García Pico. Le sens de son avertissement dans l'escalier.

Comme pour le lui confirmer, Villavicencio indique le rapport de Tizón d'un geste négligent de la main qui porte l'émeraude.

– Trois filles assassinées de cette façon, ce n'est pas seulement une affaire... hum... difficile. C'est une atrocité. Et ce sera un scandale public si la chose vient à transpirer.

Nous y voilà, se dit Tizón. Je te vois venir, excellentissime fils de pute.

– En fait, elle a un peu transpiré, dit-il avec prudence. Sans plus. Des rumeurs, des commentaires, des bavardages de bonnes femmes... Inévitable, Votre Excellence le sait. La ville est petite et surpeuplée.

Il se tait un moment pour observer l'effet produit. Le gouverneur le regarde d'un air interrogateur et García Pico a modifié son attitude d'apparente indifférence.

– Mais même ainsi, poursuit le policier, nous gardons la situation en main. Nous avons exercé quelques pressions sur les voisins et les témoins. En démentant tout... Et les journaux n'en ont pas dit le moindre mot.

L'intendant intervient enfin. Le coup d'œil inquiet qu'il adresse au gouverneur avant d'ouvrir la bouche n'échappe pas à Tizón.

– Pour le moment. Mais c'est une histoire terrible. S'ils y plantent une dent, ils ne la lâcheront plus. Et en plus, il y a cette liberté de la presse dont ils abusent tous. Rien ne pourrait empêcher...

Villavicencio lève une main pour l'interrompre. Cela saute aux yeux qu'il a l'habitude d'interrompre les gens à son gré. À Cadix, un général de la Marine est Dieu. Et avec la guerre, Dieu le Père.

– Quelqu'un m'a déjà parlé de cette histoire. L'éditeur d'*El Patriota* a entendu des bruits. Le même qui, jeudi dernier, posait des questions avec beaucoup d'impertinence sur l'origine du pouvoir des rois...

Le gouverneur laisse ces derniers mots en suspens. Il regarde Tizón comme s'il l'invitait à réfléchir pour de bon sur les fondements de la royauté. Les journaux, finit-il par ajouter, acerbe. Que lui dire, dans ces conditions ? Vous connaissez le genre d'individus que nous devons supporter ici. Bien sûr, j'ai tout nié en bloc. Heureusement, cette engeance a d'autres os à ronger. À Cadix, la seule chose qui intéresse vraiment, c'est la politique, et même la guerre reste au second plan. Les débats à San Felipe Neri épuisent l'encre des imprimeries.

Un aide de camp en uniforme des Gardes du corps royaux frappe à une porte latérale, s'approche du bureau et échange quelques mots à voix basse avec Villavicencio. Le gouverneur acquiesce et se lève. Tizón et l'intendant l'imitent sur-le-champ.

– Si vous me permettez, messieurs. Je dois vous laisser seuls un moment.

Il quitte la pièce, suivi de son aide de camp. Tizón et l'intendant restent debout, contemplant par la fenêtre le paysage, les remparts et la baie. De la maison du gouverneur, on jouit de belles vues ; celles-là mêmes que pouvait admirer, il y a trois ans, le prédécesseur de Villavicencio, le général Solano, marquis del Socorro, avant que la populace en furie ne le traîne dans les rues en l'accusant d'être vendu aux Français : un *afrancesado*. Solano soutenait que le véritable ennemi était les Anglais et qu'attaquer l'escadre de l'amiral

Rosily bloquée dans la baie mettrait la ville en danger. La foule, exaltée et en plein soulèvement, entraînée par la lie du port, contrebandiers, poissardes et autres gens de mauvaise vie, a mal pris la chose. L'édifice a été pris d'assaut et Solano conduit au supplice sans que les militaires de la garnison, terrifiés, lèvent le petit doigt pour le sauver. Tizón l'a vu mourir transpercé d'un coup de lame dans la rue de la Douane, sans intervenir. C'eût été folie de s'en mêler, d'ailleurs le sort du marquis ne lui faisait ni chaud ni froid. Et ça n'a pas changé. Aujourd'hui, si cela se représentait, il éprouverait la même indifférence au spectacle de Villavicencio traîné dans la rue. Ou du juge García Pico.

Ce dernier le regarde, pensif.

– Je suppose, commente-t-il, que vous êtes bien conscient de la situation.

Tu parles si j'en suis conscient, pense Tizón en revenant à l'instant présent. C'est pour ça que tu m'as amené ici. Dans ce guet-apens avec le grand homme.

– S'il y a d'autres assassinats, nous ne pourrons pas continuer à les cacher, dit-il.

Maintenant, García Pico a pris une expression sévère.

– Diantre ! Rien n'indique qu'il y en aura… Combien de temps s'est écoulé depuis le dernier ?

– Quatre semaines.

– Et vous continuez à ne pas avoir d'indices solides ?

Ce *vous continuez* ne passe pas inaperçu de Tizón. Il hoche la tête.

– Aucun. Le criminel agit toujours suivant le même mode. Il attaque dans des lieux solitaires des jeunes filles seules. Il les bâillonne et les fouette jusqu'à la mort.

Un très bref instant, il est tenté d'ajouter l'histoire des bombes et de leurs points d'impact, mais il ne le fait pas. La mentionner l'obligerait à donner trop d'explications. Et il n'est pas d'humeur. Il n'a pas non plus d'arguments. Pas encore.

– Un mois a passé, relève l'intendant. L'assassin s'est peut-être lassé.

Tizón fait une moue dubitative. Tout est possible, répond-il. Mais il peut aussi attendre l'occasion propice.

– Vous croyez qu'il tuera de nouveau ?

– Peut-être que oui. Peut-être que non.

– Dans tous les cas, c'est votre affaire. Votre responsabilité.

– Ce n'est pas facile. J'aurais besoin...

L'autre l'interrompt en fendant l'air d'une main irritée.

– Écoutez. Nous avons tous nos préoccupations. Don Juan María a celles qui lui correspondent, moi les miennes, et vous les vôtres... Votre travail consiste à faire en sorte que les vôtres ne deviennent pas les miennes.

Il a prononcé ces derniers mots le regard fixé sur la porte fermée derrière laquelle a disparu Villavicencio. Puis il se tourne de nouveau vers Tizón.

– Ça ne devrait pas être difficile de trouver un assassin qui agit de la sorte. Vous l'avez dit vous-même tout à l'heure : la ville est petite.

– Oui, mais pleine de gens.

– Contrôler ces gens est aussi votre affaire. Tendez vos filets, activez vos informateurs. Bref, gagnez votre salaire. – García Pico montre la porte fermée et baisse la voix. – S'il y a un autre meurtre, il nous faudra un coupable. Quelqu'un à exhiber en public, vous comprenez ?... Quelqu'un à punir.

Voilà qui devient définitivement clair, conclut Tizón, presque soulagé.

– Ces choses sont difficiles à prouver sans les aveux du sujet, argumente-t-il.

Il en reste là et regarde son interlocuteur d'un air entendu. Tous deux savent parfaitement que la torture est sur le point d'être abolie officiellement par les Cortès, et qu'aucun juge, procureur ou tribunal ne prendrait sur lui de l'autoriser.

– Dans ce cas, à vous d'assumer les responsabilités qui vous échoient, tranche García Pico. Toutes.

Villavicencio revient dans la pièce. Il semble préoccupé. Absent. Il les regarde comme s'il avait oublié ce qu'ils font là.

– Vous devrez m'excuser… On vient de confirmer que l'expédition du général Lapeña a débarqué à Tarifa.

Tizón sait ce que cela signifie. Ou il se l'imagine. Quelques jours plus tôt, six mille soldats espagnols et autant d'anglais, sous les ordres des généraux Lapeña et Graham, ont quitté Cadix en deux convois se dirigeant vers l'est. Un débarquement à Tarifa suppose des actions militaires à proximité de Cadix, possiblement autour du nœud de communications de Medina Sidonia. Et peut-être une grande bataille, de celles dont le résultat, de défaite en défaite jusqu'à la *victoire finale*, pour reprendre le mot en vogue chez les humoristes locaux, sera discuté des semaines durant par l'opinion publique gaditane dans les journaux, les cafés, les réunions mondaines, pendant que les généraux – qui se jalousent à mort et ne peuvent se supporter – et leurs partisans n'en finiront pas de s'agonir de noms d'oiseaux.

– Je dois vous prier de partir, dit Villavicencio. J'ai des affaires urgentes à régler.

Tizón et García Pico prennent congé, ce dernier avec des révérences protocolaires que le gouverneur accueille d'un air distrait. Juste au moment où ils vont quitter la pièce, Villavicencio semble se rappeler quelque chose.

– Je serai clair, messieurs. Nous vivons une situation hors de l'ordinaire, une situation tragique. En ma qualité de responsable politique et militaire, je ne dois pas seulement m'entendre avec la Régence, mais aussi avec les Cortès, les alliés anglais et le peuple de Cadix. Et cela, en plus de la guerre et des Français. Ajoutez-y le gouvernement d'une ville qui a doublé le nombre de ses habitants et qui dépend de la mer pour son approvisionnement, sans compter les risques d'épidémies et autres problèmes... Comme vous le comprendrez, il est sûrement horrible qu'un fou barbare se promène en se livrant à des atrocités sur les jeunes filles, mais ce n'est pas pour autant mon principal souci. En tout cas, tant que cette affaire n'éclatera pas au grand jour pour devenir un scandale public... Est-ce que je m'explique bien, commissaire ?

– Parfaitement, mon général.

– Les jours qui viennent seront décisifs, car l'expédition du général Lapeña peut changer le cours de la guerre en Andalousie. Durant un certain temps, cela laissera cette affaire de crimes au second plan. Mais si nous avons une morte de plus, si cette histoire transpire trop et si l'opinion publique exige un coupable, je veux l'avoir immédiatement... Est-ce que je m'explique toujours bien ?

Très bien, pense le policier. Mais il ne le dit pas et se borne à acquiescer. Villavicencio leur tourne le dos pour revenir à son bureau.

– Encore une chose, ajoute-t-il en s'asseyant. Si c'était moi qui avais à régler cette pénible affaire, je me préparerais des solutions alternatives... Quelque chose qui, en cas de besoin, faciliterait la besogne.

– Votre Excellence se réfère-t-elle à un suspect prévu d'avance à cet effet ?

Ignorant le haut-le-corps de García Pico et le regard furibond qu'il lui adresse, Tizón demeure sur le pas de la porte dans l'attente d'une réponse. Celle-ci arrive après un court silence, irritée et sèche :

– Je me réfère à l'assassin, un point c'est tout. Avec toute cette racaille étrangère qui a envahi la ville, ça peut être n'importe qui.

*

La demeure des Palma est grande, seigneuriale, une des meilleures de Cadix ; et Felipe Mojarra la contemple avec plaisir, heureux que sa fille Mari Paz y soit employée. Situé à quelques pas de la place San Francisco, l'édifice en occupe tout un angle : quatre étages avec cinq balcons et une porte principale dans la rue du Bastion, et quatre autres balcons sur la rue des Doublons, où se trouve l'entrée des bureaux et des magasins. Appuyé sur la borne du coin opposé, une cape de Zamora sur les épaules et son chapeau à bords relevés planté sur le mouchoir qui lui ceint la tête, Mojarra attend que sa fille sorte, en fumant un cigare dont il a haché le tabac avec sa navaja. Le saunier est un homme fier, qui a des idées bien arrêtées sur la place de chacun. C'est pourquoi il a refusé d'attendre, comme on le lui a proposé, la jeune fille dans le patio avec sa grille de fer ouvragée, ses dalles en marbre, ses trois arcs à colonnes encadrant le grand escalier et son petit autel de la Vierge du Rosaire dans une niche du mur. Tout cela est trop imposant. Sa place à lui est au milieu des étiers et des marais, et ses pieds crevassés et durcis par le sel s'adaptent mal aux espadrilles qu'il a chaussées pour venir à Cadix et qu'il aimerait bien ôter. Il est parti très tôt, avec un laissez-passer en règle, profitant de ce que le capitaine Virués assistait à une réunion de chefs et d'officiers à la Carraca – en relation avec l'expédition militaire de Tarifa – et n'avait pas besoin de lui. Et c'est ainsi que, sur les instances de sa femme, Mojarra est venu rendre visite à sa fille. Du fait de la guerre, le père et la fille ne se sont pas vus depuis que, voici cinq mois, elle est entrée comme domestique dans la maison des Palma, recommandée par le curé.

Elle sort enfin, par la porte de la rue des Doublons, et le saunier est tout ému de la voir arriver, avec sa jupe brune, son tablier de mousseline blanche et la petite mante qui lui couvre la tête et les épaules. Elle a bonne mine. Sûr qu'elle mange bien, grâce à Dieu. Mieux vaut être à Cadix que sur l'Île.

– Bonjour, père.

Ni baisers, ni démonstrations de tendresse. Des gens passent dans la rue, il peut y avoir des voisins aux balcons, et les Mojarra sont une famille honorable qui ne donne pas motif à commérages. Le saunier se borne à sourire affectueusement, les pouces passés dans sa large ceinture où il a glissé sa navaja à manche de corne d'Albacete, et contemple Mari Paz avec satisfaction. Une belle plante. Presque une femme. Elle aussi sourit, ce qui creuse les fossettes qu'elle a depuis toute petite. Toujours plus gracieuse que jolie, avec de grands yeux doux. Seize ans. Propre et bonne comme nulle autre.

– Comment va mère?

– En bonne santé. Comme tes petites sœurs et la grand-mère. Elles t'envoient toutes leur bon souvenir.

La fille indique la porte des magasins.

– Vous ne voulez pas entrer?… Rosas, le majordome, a dit qu'il vous invitait à prendre une tasse de café ou de chocolat dans la cuisine.

– On est bien dans la rue. Allons faire un tour.

Ils descendent jusqu'au bâtiment carré de la Douane, où des soldats des Gardes wallonnes, baïonnette au canon de leur fusil, font les cent pas près des guérites de la porte. Un drapeau ondule doucement sur son mât. C'est là que travaillent ces messieurs de la Régence qui gouverne l'Espagne, ou ce qui en reste, au nom du roi prisonnier en France. De l'autre côté du bastion, sous un ciel clair et presque sans nuages, miroite l'azur de la baie.

– Comment vas-tu, ma fille?

– Très bien, père. Vraiment.

– Tu te plais dans cette maison?

– Beaucoup.

Le saunier hésite en passant la main sur ses longs favoris et son visage dont le menton n'a pas connu le rasoir depuis trois jours.

– J'ai vu que le majordome est… Enfin, tu vois ce que je veux dire.

La fille a un sourire bon enfant.

– Un peu efféminé ?

– C'est ça.

Il y en a beaucoup comme lui, raconte la fille, employés dans les bonnes maisons. Ce sont des gens ordonnés et propres, et c'est la coutume à Cadix. Rosas est une personne décente, qui gouverne parfaitement la maison et s'entend bien avec tout le monde. On la respecte.

– Tu n'as pas de garçons qui te font la cour ?

Mari Paz rougit, resserrant un peu sur son visage, instinctivement, la mante qui la coiffe.

– Ne dites pas de bêtises, père. Qui voulez-vous qui me fasse la cour ?

Père et fille se promènent le long des remparts, en direction de la place des Puits à Neige et de l'Alameda, en faisant un détour lorsque des bastions ou des batteries pointées sur la baie leur barrent le passage. En bas, la mer se brise sur les rochers découverts et des mouettes tournoient dans le ciel. Parmi elles, un pigeon passe, plus haut, filant tout droit d'un vol décidé, avant de se perdre au-dessus de la baie en direction de la terre ferme, sur l'autre rive.

– Et comment te traitent ceux d'en haut ?

– Très bien. La demoiselle est sérieuse et aimable. Elle reste toujours réservée, mais elle se comporte parfaitement avec moi.

– Vieille fille, d'après ce qu'on m'a dit.

– Je ne crois pas que ce soit les prétendants qui lui manqueraient, si elle voulait. Et elle est très forte. Depuis la mort de son père et de son frère, c'est elle qui s'occupe de tout : le commerce, les bateaux… Tout. Elle aime lire, et elle aime les plantes. Les plantes, c'est sa passion. Elle en étudie des rares qu'on lui apporte d'Amérique. Elle en a aussi bien dans des livres que dans des herbiers et dans des pots.

Mojarra hoche la tête, philosophe. Maintenant qu'il connaît le capitaine Virués et ses dessins, plus rien ne l'étonne.

– Il faut de tout pour faire un monde.

– Vous ne croyez pas si bien dire. Parce que Madame mère, la veuve, est nettement plus difficile. Et sèche, vous n'avez pas idée. Elle passe son temps au lit en se prétendant malade, mais elle ment. Ce qu'elle veut, c'est que tout le monde soit à ses pieds, et surtout sa fille. Dans la maison, on dit qu'elle ne pardonne pas à la demoiselle d'être restée vivante et de diriger le commerce, alors que le petit monsieur Francisco de Paula, son préféré, est mort à Bailén… Mais ça n'empêche pas doña Dolores d'être très patiente avec sa mère. Très bonne fille.

– Elles ont de la famille ?

– Oui. Le cousin Toño : un vieux garçon très blagueur, toujours de bonne humeur, qui m'aime beaucoup. Il n'habite pas là, mais il vient les visiter tous les soirs… La demoiselle a une sœur mariée, mais, ça, c'est une autre histoire. Elle est prétentieuse et plus sèche. Une personne désagréable.

À présent, c'est au tour de Felipe Mojarra de donner des nouvelles à sa fille. Il décrit la situation dans l'île de León : l'encerclement français, la militarisation de toute la zone, les hommes mobilisés et la pénurie qui frappe la population civile, avec la guerre à la porte même des maisons. Les bombes, raconte-t-il, se succèdent jour après jour, et presque tout le ravitaillement va à l'Armée et à la Marine royale. Le bois, le vin, l'huile sont devenus rares, et, parfois, il n'y a pas de farine pour faire le pain. Rien à voir avec la belle vie qu'on mène à Cadix. Par chance, être enrôlé dans la compagnie de chasseurs permet de rapporter deux ou

trois fois par semaine une ration de viande pour le pot-
au-feu familial, et ce n'est pas difficile de se débrouiller en
pêchant dans les étiers ou en cherchant des crabes dans
la vase à marée basse. De toute manière, si l'on en croit
les ennemis qui désertent, c'est pire de l'autre côté. Avec les
villages saignés à blanc et tout le monde, Français compris,
réduit à la misère. Dans certains endroits, ils n'ont même
pas de vin, alors qu'ils occupent Jerez et El Puerto.

– Il y en a beaucoup qui désertent ?

– Pas mal, oui. Parce qu'ils ont trop faim, ou parce qu'ils
ont des problèmes avec leurs chefs. Ils suivent les étiers à la
nage et se livrent à nos avant-postes. Parfois ce sont encore
des gosses, et presque tous arrivent dans un état qui fait
peine à voir… Mais tu ne me croiras pas : il y en a aussi de
chez nous qui passent en face. Surtout des gens qui ont de
la famille là-bas. Ceux-là, quand on les prend, on les fusille,
bien sûr. Pour te donner un exemple… Tu en connaissais
un : Nicolás Sánchez.

Mari Paz regarde son père, bouche bée et yeux écarquillés.

– Nico ?… Celui de la boulangerie du Christ Saint ?

– Oui. Il avait sa femme et ses enfants à Chipiona, et il
a voulu les rejoindre. On l'a surpris dans l'étier Zurraque,
la nuit, en train de ramer dans un canot.

La fille se signe.

– Ça me paraît bien cruel, père.

– Les gabachos aussi tuent les leurs, quand ils les attrapent.

– Ce n'est pas la même chose. Dimanche dernier, le curé
de San Francisco a dit que les Français sont les serviteurs
du diable, et que Dieu veut que nous, les Espagnols, les
exterminions comme des punaises.

Mojarra fait quelques pas en regardant le sol devant ses
espadrilles. Puis il hoche la tête d'un air maussade.

– Je ne sais pas ce que veut Dieu.

Il marche un peu et s'arrête, sans lever les yeux. Il se dit que même si elle paraît une femme, Mari Paz est encore une enfant. Il y a des choses qu'il est impossible d'expliquer. Pas ici, pas de cette manière. En réalité, même lui ne se les explique pas.

– Ce sont des hommes comme nous, reprend-il enfin. Comme moi… Au moins ceux que j'ai vus.

– Vous en avez tué beaucoup ?

Nouveau silence. Maintenant, le père regarde la fille. Un instant, il est sur le point de répondre non, mais, finalement, il hausse les épaules. Pourquoi nier ce que je fais, pense-t-il, puisque je le fais. L'obligation aveugle d'obéir à ce que Dieu – dont les intentions ne sont pas l'affaire de Felipe Mojarra – peut vouloir ou ne pas vouloir. Le devoir envers la patrie et envers le roi Ferdinand. La seule chose que le saunier sait avec certitude est qu'il n'aime pas les Français, mais il doute que ceux-ci soient davantage les serviteurs du diable que certains Espagnols de sa connaissance. Eux aussi, ils saignent, crient de peur et de douleur, comme lui-même. Comme n'importe qui.

– Oui, j'en ai tué quelques-uns.

– Bon. – La fille se signe de nouveau. – Si ce sont des Français, il n'y a pas de péché.

*

Pepe Lobo écarte l'ivrogne qui lui demande une pièce pour se payer du vin. Il le fait sans violence, patient, en essayant seulement que l'homme – un matelot sale et loqueteux – ne lui barre pas le passage. L'ivrogne titube et fait un faux pas, avant de disparaître loin de l'unique lanterne qui éclaire d'une lueur jaunâtre le coin de la rue de la Gale.

– Nous avons un problème, dit Ricardo Maraña.

Le second de la *Culebra* est sorti de l'obscurité où il se tenait immobile, dénoncé par la braise rouge d'un cigare. Il est grand et pâle. Vêtu de noir avec de fines bottes à revers, à l'anglaise, et tête nue. La lumière qui tombe verticalement de la lanterne creuse les orbites dans son visage mince.

– Grave ?

– Ça dépend de toi.

Maintenant, les deux hommes descendent la rue côte à côte, Maraña en boitant légèrement. On distingue des formes d'hommes et de femmes devant les porches et à l'entrée des ruelles. Chuchotements en espagnol et en d'autres langues. Cris, rires, jurons, qui sortent par la porte ou la fenêtre d'une taverne. Parfois, le son d'une guitare.

– La garde est venue il y a environ une demi-heure, explique Maraña. Un matelot américain a été poignardé, et ils cherchent le coupable. Brasero fait partie des suspects.

– Et c'est lui ?

– Je n'en ai pas la moindre idée.

– Ils en ont arrêté d'autres ?

– Ils en ont pris six ou sept autres dans leur filet, mais aucun n'est de chez nous. Ils les interrogent.

Contrarié, Pepe Lobo hoche la tête. Il connaît le maître d'équipage – le bosco, comme on dit à bord – Brasero depuis quinze ans et sait que, quand il a bu, il est capable de poignarder non seulement un matelot américain mais son propre père. Seulement, Brasero est également un élément clef de l'équipage qu'ils sont en train de recruter à Cadix. Sa perte, une dizaine de jours avant de prendre la mer, serait un désastre pour leur campagne.

– Ils sont toujours dans la taverne ?

– Je suppose. J'ai demandé qu'on me prévienne s'ils les embarquent.

– Tu connais l'officier ?

– De vue. Un jeune lieutenant des perroquets.

Pepe Lobo sourit en entendant le mot *jeune* dans la bouche de son second, car Maraña n'a pas encore vingt ans. Deuxième enfant d'une famille honorable de Malaga, on le surnomme le Petit Marquis à cause de ses manières et de son allure distinguées. Précédemment garde-marine – sa claudication vient d'un éclat au genou reçu à bord du vaisseau *Bahama* à Trafalgar –, il a quitté le service de la Marine royale à quinze ans après un duel au cours duquel il a blessé un camarade de promotion. Depuis, il navigue sur des navires corsaires, d'abord sous pavillon espagnol et français, et maintenant avec les Anglais pour alliés. C'est la première fois qu'il sert sous les ordres du capitaine Lobo, mais ils se connaissent bien. Son dernier embarquement a été sur un chasse-marée de quatre canons basé à Algésiras, le *Corazón de Jesús*, dont la lettre de marque a expiré il y a deux mois.

La taverne est un des nombreux bouges proches du port fréquentés par des matelots et des soldats, espagnols et étrangers : plafonds enfumés par les lampes à huile et les chandelles qui y sont accrochées, grandes barriques de vin, tonneaux servant de tables avec des tabourets bas, le tout aussi noir de crasse que le sol. La salle a été vidée des clients et des filles, et seuls restent sept hommes à l'aspect patibulaire gardés par une demi-douzaine de soldats, baïonnette au canon.

– Bonsoir, dit Lobo au lieutenant.

Tout de suite, il se nomme, ainsi que son compagnon. Capitaine Untel et premier officier Untel, du cotre corsaire la *Culebra*. Il semble qu'un de ses hommes soit ici. Soupçonné de quelque chose.

– D'assassinat, confirme l'officier.

– Si c'est de celui-là qu'il s'agit – Lobo indique Brasero : la cinquantaine, cheveux poivre et sel et grosse moustache grise, pognes larges comme des battoirs –, je vous assure qu'il n'a rien à voir avec cette histoire. Il est resté toute la nuit avec moi. Je viens juste de l'envoyer ici faire une commission… C'est sûrement une erreur.

Le lieutenant cille. Très jeune, comme l'a dit Maraña. Un garçon bien élevé. Indécis. Le titre de capitaine de corsaire doit l'impressionner. Avec un officier de l'Armée ou de la Marine royale, la chose serait différente. Mais ceux qu'on appelle les perroquets ne sont qu'une milice. Pas des vrais militaires.

– Vous en êtes sûr, monsieur ?

Pepe Lobo continue de regarder son maître d'équipage, qui se tient, impassible, au milieu des autres, les mains dans les poches, les yeux rivés sur ses chaussures, portant les mots *corsaire* et *contrebandier* comme un écriteau sur son visage tanné par le sel et le vent, où les cicatrices et les rides se croisent en sillons que l'on dirait tracés à coups de hache. Anneaux d'or aux oreilles, muet et calme. Aussi dangereux qu'au temps où tous deux poursuivaient ensemble les navires marchands anglais dans le Détroit, avant d'être capturés en 1806 et de partager la même misère à Gibraltar. Maudit ivrogne, se dit-il intérieurement. C'est sûrement lui qui a réglé son compte à l'Américain. Il n'a jamais supporté d'entendre parler anglais. Je me demande où il a bien pu planquer le coutelas qu'il porte toujours glissé dans sa ceinture. Je suis prêt à parier n'importe quoi qu'il doit être tout près, par terre, dans la sciure maculée de vin sous les tables. Je suis certain que le bosco l'a balancé dès que ceux-là sont entrés. Salaud d'enfant de putain.

– Vous avez ma parole d'honneur.

Le perroquet hésite un instant, plus par souci de ne pas abdiquer son autorité que pour une autre raison. « Perroquet », c'est le sobriquet inventé par les humoristes locaux par analogie avec le superbe uniforme – veste rouge, revers et col vert, bufflleterie blanche – que portent les deux mille habitants appartenant aux classes supérieures de la ville qui composent le Corps des volontaires de l'élite. Dans le périmètre urbain de Cadix, les civils s'organisent pour la guerre

145

chacun selon sa position sociale : unis dans le patriotisme, mais pas n'importe comment. Bourgeois, artisans et petit peuple ont leurs milices propres, qui ne manquent jamais de recrues. Celui qui s'y enrôle échappe du même coup à la véritable Armée, où il serait exposé aux rigueurs et aux dangers des premières lignes. Une bonne partie de l'ardeur guerrière locale se satisfait de se promener dans des uniformes rutilants et de se donner des allures martiales dans les rues, les places et les cafés de la ville.

– Il est bien entendu que vous en serez personnellement responsable.

– Naturellement.

Pepe Lobo sort dans la rue suivie de ses hommes, et tous les trois marchent le long des murs de Santa María en direction du Boquete et de la Porte de Mer. Pendant un moment, personne ne dit mot. Les rues sont noires et le maître d'équipage va comme une ombre docile derrière les officiers. Sur le pont d'un navire, Brasero est l'être le plus consciencieux et le plus paisible du monde, jouissant d'un vrai don pour diriger les hommes dans des situations difficiles. Un individu sans histoire à qui il arrive parfois, quand il foule la terre ferme, de lâcher la barre au point de sombrer dans une folie incontrôlable.

– Vous mériteriez d'aller crever en enfer, bosco ! lâche enfin Lobo sans se retourner.

Silence hostile derrière lui. À côté, il entend le second rire tout bas, entre ses dents. Un rire qui s'achève par une légère quinte de toux et une respiration sifflante, entrecoupée. En passant près d'une lanterne, le corsaire observe du coin de l'œil la mince silhouette de Ricardo Maraña qui, avec indifférence, a tiré un mouchoir d'une manche de son habit et le presse sur ses lèvres exsangues. Le jeune second de la *Culebra* est de ceux qui brûlent la chandelle par les deux bouts : libertin et dissolu jusqu'à la témérité, sombre

146

jusqu'à la cruauté, courageux jusqu'au désespoir, il encaisse par anticipation les dividendes de la vie – la sienne est une sinistre course contre le temps – avec un sang-froid qui ne correspond pas à son âge, épuisant son crédit sans montrer d'inquiétude pour un avenir inexistant, fixé de longue date par le diagnostic médical, irréversible, d'une phtisie à son dernier stade.

Des sentinelles les arrêtent devant la double Porte de Mer, qui, à cette heure, est fermée. Les règles régissant les sorties et les entrées de la ville entre le coucher et le lever du soleil sont rigoureuses – la Porte de Terre ferme quand sonne l'angélus du matin et celle de Mer l'angélus du soir –, mais une autorisation officielle ou quelques pièces glissées dans la main qu'il faut facilitent les formalités. Après s'être fait reconnaître comme appartenant à l'équipage du cotre la *Culebra* et avoir montré les sauf-conduits portant le sceau de la Capitainerie, les trois marins passent sous l'épais rempart de pierre et de brique, hérissé de guérites et éclairé par une lanterne de chaque côté du mur. À leur gauche, sous les canons qui arment les meurtrières du bastion des Nègres, s'étend le large môle qui se termine par deux colonnes portant les statues de saint Servin et de saint Germain, patrons de Cadix. Plus loin, dans l'obscurité de la baie que longe le rempart, serrées comme un troupeau qui se protège des loups, les formes noires des innombrables bâtiments de toute nature et de tout tonnage se balancent doucement sur leurs ancres, face à la brise de ponant, feux de position éteints pour éviter le tir des artilleurs français qui se trouvent de l'autre côté de la nappe d'eau, au Trocadéro.

– Je vous veux à bord dans un quart d'heure, bosco. Et pas question de retourner à terre sans la permission du second ou la mienne... Compris ?

L'autre grogne un acquiescement. Discipliné. Pepe Lobo s'approche des trois ou quatre formes immobiles entre les ballots du quai et réveille le patron d'un canot. Pendant que celui-ci prépare son embarcation et ajuste les avirons à leurs tolets, un groupe de matelots anglais qui viennent de parcourir les bouges des rues proches du port passe près d'eux. Ce sont des gens des navires de guerre, et ils rentrent à bord imbibés de vin. Les trois corsaires les regardent embarquer dans leur chaloupe et s'éloigner en ramant lourdement, au milieu des chants et des rires ; sûrement en direction de la frégate de quarante-quatre canons qui est mouillée face aux Chantiers.

– Alliés de mes fesses, marmonne haineusement Brasero.

Lobo sourit intérieurement. Aucun des deux n'a oublié Gibraltar.

– Fermez votre grande gueule, bosco. Ça suffit pour aujourd'hui.

Lobo reste avec son second pour voir s'éloigner, dans le lent clapotis des avirons, la forme noire du canot qui transporte Brasero. La *Culebra* est ancrée quelque part dans cette obscurité, à l'est du môle, par quatre brasses sur fond de sable, son mât unique n'ayant pas reçu toutes ses voiles et ses manœuvres étant encore incomplètes. Il manque douze hommes – deux artilleurs, un écrivain-interprète, huit matelots et un charpentier de confiance – pour compléter les quarante-huit nécessaires pour naviguer et combattre.

– La Marine nous a fourni la poudre, commente Lobo, 150 livres, vingt-deux poires à poudre et 11 livres et demie de mèche. Ç'a été la croix et la bannière pour les obtenir, avec tout le remue-ménage de l'expédition de Tarifa, mais enfin nous les avons. Le gouverneur a signé ce matin.

– Et les soixante pierres à fusil et les quarante à pistolet ?

– Également. Dès que la chaloupe sera à quai, tu t'occuperas de tout ; mais qu'on n'embarque rien tant que je ne serai pas à bord. Avant, je dois voir les armateurs.

Un bref éclair luit sur l'autre bord de la baie, du côté du

148

Trocadéro. Les deux hommes restent immobiles et regardent dans cette direction, dans l'attente, pendant que Pepe Lobo compte mentalement les secondes. Arrivé à dix, il entend la détonation lointaine du tir. Dix-sept secondes plus tard, une colonne d'écume éclaire la nuit à peu de distance du môle, entre les silhouettes noires des bateaux ancrés.

– Cette nuit, ils tirent court, constate froidement Maraña.

Les deux hommes reprennent le chemin de la Porte de Mer, où la lumière de la lanterne dessine une sentinelle qui les observe depuis sa guérite. Maraña s'arrête avant d'arriver, après un coup d'œil vers le quai étroit qui court sous le rempart en direction de l'esplanade de la Croix et de la Porte de Séville.

– Où en sont les papiers ? demande-t-il.

– Tout est en règle. Les armateurs ont déposé la caution et, lundi, nous signerons le contrat de course.

Le second de la *Culebra* écoute d'un air distrait. À la faible lueur de la lanterne encore lointaine, Pepe Lobo le voit diriger de nouveau son regard vers l'extrémité du quai, sur Puerto Piojo, où quelques marches conduisent à une plage dont le sable est découvert à marée basse et que les angles des bastions laissent dans l'ombre.

– Je t'accompagne un peu, dit-il.

L'autre le regarde, sérieux, un moment. Soupçonneux. Puis il esquisse un sourire que la nuit et le faible éclairage transforment en un simple trait obscur.

– Il y a combien d'armateurs, en fin de compte ?

Ils marchent, précédés par leurs ombres allongées, le bruit de leurs pas se mêlant au clapotis de l'eau sous les pierres du quai, agitée par la brise de ponant qui fraîchit.

– Deux, comme je t'ai dit, répond Lobo. Des plus solvables. Emilio Sánchez Guinea et madame Palma... Ou plutôt mademoiselle.

– Comment est-elle ?

– Un peu sèche. Selon don Emilio, elle a eu du mal à se décider. Il semble qu'elle ne tienne pas les corsaires en haute estime.

Il entend un rire rauque, humide. Puis une brève quinte de toux étouffée par le mouchoir.

– Je partage cette opinion, murmure Maraña un instant plus tard.

– Bah, je suppose qu'elle est dans son rôle. Celui d'une commerçante respectable. En tout cas, elle est la patronne.

– Jolie ?

– Vieille fille. Mais elle n'est pas mal. Encore pas mal.

Ils sont arrivés aux marches qui descendent vers le sable. En bas, sur le rivage, Lobo croit deviner la forme d'une barque à voile et deux hommes qui attendent dans le noir. Des contrebandiers, sûrement. Ils sortent souvent pour livrer des marchandises sur la côte ennemie où la pénurie multiplie leur valeur par quatre.

– Bonne nuit, commandant, dit Maraña.

– Bonne nuit.

Après que son second a descendu les marches et disparu dans l'obscurité où se confondent rempart, plage et mer, Pepe Lobo demeure un moment immobile à écouter le bruit de toile et de cordages de la barque qui hisse sa voile et s'éloigne du quai. On raconte à Cadix qu'il y a une femme ; que Ricardo Maraña a une amie ou une maîtresse à El Puerto de Santa María, en zone occupée par l'ennemi. Et que, certaines nuits, quand le vent est favorable et qu'il peut profiter d'expéditions des contrebandiers, il traverse la baie pour lui rendre visite en cachette, jouant sa liberté ou sa vie.

4

Le bois de pins brûle du côté de Chiclana. La fumée d'un gris brunâtre, ponctuée de temps en temps par les éclairs des tirs d'artillerie, stagne suspendue entre ciel et terre tandis que le crépitement de la fusillade se fait entendre, amorti par la distance. Le chemin qui monte de la côte vers Chiclana et Puerto Real est encombré de troupes françaises qui battent en retraite, un torrent de fuyards, de chariots chargés de blessés et de bagages, et de soldats qui tentent de se mettre à l'abri. Le chaos est total ; les informations, inexactes ou contradictoires. D'après les bruits qui circulent, on se bat durement sur la colline du Puerco, où les divisions Leval et Ruffin sont en difficulté ou ont déjà été battues, à l'heure qu'il est, par une force anglo-espagnole qui, après avoir débarqué à Tarifa, avance sur Sancti Petri et Cadix pour briser l'encerclement de la ville. On affirme aussi que les villages de Vejer et de Casas Viejas sont tombés aux mains de l'ennemi et que Medina Sidonia est menacé. Cela signifie que tout l'arc sud du front français autour de l'île de León peut s'effondrer d'un moment à l'autre. La peur de rester bloquées sur la côte, coupées de l'intérieur, fait que les forces impériales situées entre la mer et l'étier Alcornocal se retirent vers le nord.

Simon Desfosseux marche dans le flot de fuyards, de voitures et de bêtes qui s'étend à perte de vue. Il a égaré son chapeau et va en gilet et manches de chemise, la veste sur le bras et le sabre dans une main, la dragonne enroulée autour de la poignée et du fourreau. Comme des centaines d'hommes désorientés, le capitaine d'artillerie a franchi à gué, mouillé jusqu'à la ceinture, les étiers qui forment la petite île du moulin d'Almansa. Son pantalon et sa veste sont imprégnés d'une eau boueuse qui ruisselle à chaque pas dans ses bottes. Le chemin est très étroit, avec sur la gauche des marécages et des salines, et sur la droite le versant d'une colline couvert de lentisques et de broussailles qui annoncent le bois de pins proche. Des coups de feu claquent derrière la colline, et tous regardent dans cette direction en s'attendant à voir l'ennemi apparaître d'un moment à l'autre. La perspective de tomber entre les mains d'Espagnols vindicatifs les inquiète tous. Et s'ils pensent aux féroces guérillas, cette appréhension se change en épouvante.

Desfosseux a joué de malchance. L'attaque ennemie l'a surpris ce matin à quatre lieues de son poste habituel : dans le camp de Torre Bermeja, où il passait la nuit auprès du commandant de l'artillerie du Premier Corps, le général Lesueur, avec une escorte de six dragons. Le général, mécontent du feu inefficace de la batterie de Las Flechas contre le fortin espagnol situé à l'embouchure du canal de Sancti Petri, l'avait emmené pour résoudre le problème. Ou pour s'en décharger sur lui. Malgré l'agitation enregistrée au cours de la dernière semaine le long du front, avec le débarquement à Tarifa et la tentative ennemie, il y a deux jours, d'établir un pont de bateaux sur la partie inférieure du canal, Lesueur a décidé de ne pas bouger de là. Tout est calme, a-t-il dit durant le souper au cours duquel il a peut-être un peu trop forcé sur la manzanilla. Les Espagnols ont retiré leur pont en disparaissant comme des rats. Et un peu d'action fortifie le moral des troupes. Vous n'êtes pas d'accord, messieurs ? Ce soir, ces culs-terreux d'insurgés ont mordu la poussière devant trois de nos régiments de ligne qui, en profitant du fond obscur des dunes, ont avancé sur la plage et pu passer sur l'autre rive en leur réglant leur compte. D'excellents soldats, ces hommes du général Villatte. Oui. De vrais braves. Rien à craindre, donc. Et faites-moi plaisir, Desfosseux. Passez-moi encore un peu de vin, si ce n'est pas trop vous demander. Merci. Nous finirons notre travail demain. En attendant, reposez-vous.

Le repos a été de courte durée. Les choses ont changé au petit matin, quand l'avant-garde ennemie est apparue sur les arrières des Français, dans la colline du Puerco, poussant jusqu'à Torre Bermeja par le chemin de Conil et le sable dur de la plage laissé à découvert par la marée basse, tandis que, de l'autre côté de Las Flechas, les Espagnols rétablissaient leur pont de bateaux et traversaient le canal. À midi, pris entre deux feux, quatre mille hommes de la division Villatte battaient en retraite dans un grand désordre vers Chiclana, le général Lesueur piquait des éperons pour filer au galop en emmenant les dragons de l'escorte, et le capitaine Desfosseux à qui un individu sans scrupule avait volé son cheval – celui-ci n'était plus dans les écuries quand il avait couru le chercher – se retrouvait en train d'user la semelle de ses bottes au milieu des fuyards.

Des coups de fusil crépitent tout près, presque sur la colline qui touche au bois de pins. Des hommes crient que l'ennemi est sur l'autre versant, et le torrent de la retraite coule encore plus fort, bousculant les traînards qui entravent son cours. Une voiture dont la roue s'est brisée est poussée sur le bas-côté et ses occupants montent sur les mules qu'ils activent à grands coups de lanières sans se soucier des hommes qui vont à pied. La panique se propage rapidement pendant que Simon Desfosseux presse le pas comme les autres. Il avance, visage décomposé, en regardant comme chacun la colline menaçante, sur sa droite. Il n'a aucune envie de connaître de près le fil de ces longues navajas espagnoles. Ou les baïonnettes anglaises disciplinées.

Des détonations retentissent dans les broussailles et des balles passent en sifflant au-dessus de la colonne. Tout le monde crie. Quelques hommes sortent de la file, se jettent à plat ventre ou à genoux en pointant leurs fusils.

– Les guérilleros!... Les guérilleros!

D'autres disent que non, que ce sont les Britanniques. Que le chemin va être coupé un peu plus loin, au petit pont de bois qui permet de franchir le prochain étier. Cela semble en rendre fous certains. Ils se bousculent dans l'étroit chemin et ceux qui le peuvent se mettent à courir. Maintenant les coups de feu ont augmenté autour d'eux, mais personne ne voit rien, personne ne tombe blessé.

– Dépêchez-vous! Ils veulent nous fermer la route de Chiclana!

Des soldats tentent de couper par le maquis, mais la vase des petits canaux et la boue des salines entravent leur marche. Un lieutenant, que Desfosseux identifie par la plaque de son schakos comme appartenant au 94e de ligne, prétend organiser un détachement pour faire face à la colline et protéger le flanc des fuyards, mais personne ne le suit. Il y en a même un qui le menace avec son arme quand il l'attrape par le bras et tente de le prendre avec lui. Finalement, l'officier renonce, va se mêler au flot humain et se laisse porter par lui.

– Il y a des gens dans le bois de pins, dit quelqu'un.

Desfosseux regarde dans cette direction et sent son sang se glacer. Une douzaine de cavaliers sont apparus sur un côté de la colline, sortant de la pinède qui fume derrière eux. Un long frisson d'épouvante parcourt toute la colonne en débandade, car il peut s'agir d'éclaireurs de la cavalerie ennemie. Quelques coups de feu isolés éclatent, et Desfosseux lui-même, dans son angoisse, s'imagine en train de fuir sous une pluie de coups de sabre. Très vite, le feu cesse, car les cavaliers ont été reconnus comme étant des chasseurs à cheval de la division Desagne, qui battent en retraite vers la batterie de Santa Ana en escortant un train d'artillerie légère.

Si ce n'est pas une déroute, pense le capitaine, ça y ressemble beaucoup. Le mot est peut-être trop cru pour être appliqué à l'armée impériale ; mais ce ne serait pas la première fois. Le souvenir de Bailén est encore cuisant, ainsi que d'autres épisodes mineurs de la guerre d'Espagne. La France napoléonienne n'est pas invincible. En tout cas, il s'agit de la première incursion de Desfosseux sur le versant noir et abyssal de la gloire militaire : les hommes échappant à tout contrôle, la panique collective, tout un monde régi, hier encore, par l'ordre et la discipline, à la limite du sauve-qui-peut. Pourtant, même dans ces conditions, malgré l'incertitude, les difficultés de cette marche forcée, le désir de trouver un abri à Chiclana ou plus loin, le capitaine expérimente une curieuse sensation de dédoublement intérieur ; comme s'il y avait un autre Simon Desfosseux, un jumeau capable d'observer tout ce qui l'entoure d'un œil serein. Scientifique. Son esprit de technicien est fasciné par le spectacle, nouveau pour lui et très instructif, de l'être humain abandonné à lui-même, quand a disparu la hiérarchie sociale et militaire qui lui dispensait la sécurité, et que rôde tout proche le sinistre ronronnement de la défaite et de la mort. Mais son instinct naturel, sa manière particulière de voir le monde, ne le quitte pas dans ces circonstances. Comme dirait le lieutenant Bertoldi s'il était là – par chance pour lui, il doit être loin d'ici, en train de contempler confortablement le paysage depuis le Trocadéro –, on ne changera jamais Desfosseux. Il a des automatismes. Chaque détonation qui résonne à proximité, chaque mouvement de panique des hommes affolés qui cherchent à s'abriter derrière leurs voisins lui fait penser à des impacts et des probabilités, des systèmes aléatoires, des droites à tir tendu et

155

des courbes d'objets mobiles, des onces de plomb propulsées à la limite de leur portée. Nouvelles idées, approches jusque-là inconnues du problème. Voilà pourquoi l'on peut affirmer que ce sont bien deux hommes en un seul qui marchent en direction de Chiclana. Un qui, dévoré par la peur, court, à bout de souffle, partie intégrante du troupeau humain en fuite. Un autre, serein, impassible, observateur minutieux d'un monde fascinant, régi par de complexes règles universelles.

– Ils sont derrière nous! crient les soldats.

Nouvelle alarme injustifiée. Les hommes se précipitent. Le bruit circule maintenant que le général Ruffin est mort ou a été fait prisonnier. Desfosseux commence à être fatigué de ces rumeurs et de ces explosions de panique. Nom de Dieu! se dit-il en ralentissant le pas, tout en résistant à l'envie de quitter le chemin et de s'asseoir. Si quelque chose dépasse la désolation d'une retraite comme celle-là, c'est la sensation atroce d'indignité et de ridicule personnels. Le professeur de physique de l'école d'artillerie de Metz, en manches de chemise et sans chapeau, entraîné par des centaines d'hommes aussi apeurés que lui.

– Ne restez pas en arrière, mon capitaine, lui conseille un caporal moustachu qui marche à côté de lui.

– Fichez-moi la paix.

Une masure, tout près. Un moulin à farine, de ceux dont les meules de pierre sont mues par le flux et le reflux de la marée, avec son logis adossé. En s'approchant, le capitaine constate qu'il vient d'être pillé. La porte a volé en éclats, le sol est jonché d'ustensiles cassés et de débris récents. Arrivé plus près, il distingue quatre corps immobiles par terre, tandis qu'un chien attaché, pris de folie furieuse, aboie contre les soldats qui passent sur le chemin.

– Des guérilleros, commente le caporal, indifférent.

Ce n'est pas l'impression du capitaine. Il s'agit de trois

hommes et d'une femme que leur aspect semble désigner comme le meunier et sa famille. Les cadavres sont criblés de coups de baïonnette, et des rigoles de sang tout juste coagulé teignent de brun la terre sableuse. Il est évident que des Français en retraite ont donné ici libre cours à leur frustration et à leur rage. Encore des représailles, conclut-il, mal à l'aise, en détournant les yeux. Qui s'ajoutent à bien d'autres.

Le chien continue d'aboyer contre les soldats en tirant violemment sur sa chaîne. Sans se donner la peine de s'arrêter, le caporal qui marche à côté de Desfosseux prend le fusil qu'il porte à l'épaule, vise et le tue.

*

Gregorio Fumagal se noircit les cheveux et les pattes avec la teinture achetée au marchand de savon Frasquito San-lúcar. La préparation produit une couleur sombre, légèrement rougeâtre, qui dissimule les mèches grises du taxidermiste à mesure qu'il l'applique avec une petite brosse, très lentement, en essayant de bien la répartir. Quand il a fini, il s'essuie la figure et observe le résultat dans une glace. Satisfait. Puis il sort sur la terrasse, pour contempler le vaste panorama de la ville et de la baie ; et pendant un moment, il demeure immobile au soleil, en écoutant les canons qui tirent encore à l'autre extrémité du Récif, entre Sancti Petri et les hauteurs de Chiclana. D'après ce qu'il a entendu en achetant du pain dans la boulangerie de la rue des Paveurs, les généraux Lapeña et Graham ont percé hier, pendant quelques heures, le front français, en livrant un combat sanglant entre la colline du Puerco et la plage de la Barrosa ; mais à cause de la mésentente entre eux, due à la jalousie et à des questions de coordination et de compétences, tout est redevenu comme avant. De nouveau stabilisée, la ligne de front se limite désormais à un duel d'artillerie prolongé qui laisse Cadix en marge.

Une fois ses cheveux séchés, Gregorio Fumagal redescend et se regarde encore dans le miroir. Sa coquetterie est particulière et n'a rien à voir avec une vie sociale inexistante. En réalité, tout, en lui, naît et meurt discrètement : dans sa routine quotidienne, pigeonnier compris, et dans les corps des animaux morts qu'il vide et recompose avec patience et dextérité. Chez lui, ni les cheveux teints, ni les autres soins personnels ne répondent, comme chez des hommes coquets ou frivoles, au désir de simuler la fraîcheur de la jeunesse. C'est juste une question de principes. De discipline utile. Le taxidermiste est un homme qui porte une extrême attention à sa personne, avec une exigence rigide qui va du rasage journalier à l'hygiène des ongles, ou aux vêtements qu'il repasse lui-même ou fait laver dans une blanchisserie de la rue du Petit Champ. D'ailleurs, il n'imagine pas d'autre choix. Pour un homme de sa classe, sans famille ni amis, loin du tribunal des regards d'autrui qui juge vertus et défauts, cette norme personnelle, intime, incontournable est devenue avec le temps un système de survie. À défaut de foi dans le présent ou de drapeau à défendre – celui de l'autre rive de la baie est seulement une alliance de circonstance –, les routines, les habitudes personnelles, les codes rigoureux qui n'ont rien à voir avec les lois vénales et inutiles des hommes sont le retranchement dans lequel Fumagal se réfugie pour survivre, sur un territoire hostile où le repos n'existe pas, les perspectives d'avenir sont quasi inexistantes, et l'unique consolation consiste à refaire la Nature avec un rembourrage de paille, une aiguille à coudre et des yeux en pâte de verre.

*

*C'est de lui et pas d'un autre que je suis la trace, car il a
commis durant la nuit un acte effroyable. Nous ne savons
rien avec certitude, car nous n'avons que des conjectures.
Je me suis lancé à sa recherche et j'identifie certaines
empreintes ; mais d'autres me laissent perplexes et je ne
puis déterminer de qui elles sont.*

Ce passage obsède Rogelio Tizón. On dirait qu'il y a plus
de vingt siècles Sophocle a écrit ces mots en pensant précisément à lui. À ce qu'il ressent aujourd'hui. Très attentivement, le policier feuillette encore les pages du manuscrit
couvertes de l'écriture, grande et soignée, presque celle
d'un copiste, du professeur Barrull. Il finit par s'arrêter sur
un autre passage qu'il a marqué, comme les précédents, de
petites croix au crayon dans la marge :

*Et maintenant, sans manger ni boire, cet homme reste
assis immobile au milieu des bêtes égorgées par son fer. Il
est manifeste qu'il médite quelque terrible forfait.*

Troublé, Tizón pose le manuscrit sur la table. Ces bêtes
égorgées cadrent bien avec les images dont il se souvient :
des filles le dos lacéré à coups de fouet au point de laisser
apparaître les os. Du temps a passé depuis la dernière fois,
mais il ne réussit pas à penser à autre chose. Un chirurgien
de la Marine royale, une vieille connaissance dont il apprécie
la discrétion en lui accordant une confiance qu'il ne manifeste pas envers les collaborateurs habituels de la police,
a confirmé ses soupçons : le fouet utilisé n'est pas un banal
instrument en corde ou en cuir ; ni même un nerf de bœuf,
plus solide et contondant. Il s'agit d'un fouet spécial, cer-
tainement fait de fil de fer tressé. L'ouvrage d'un artisan du
mal. Fabriqué dans le but précis de blesser. D'écorcher à
mort, en arrachant la chair à chaque coup. Ce qui signifie

que les crimes de celui qui l'utilise ne peuvent être attribués à un accès de fureur subite, à un acte improvisé n'importe comment dans la rue. L'assassin, quel qu'il soit, est loin d'agir en obéissant à ses impulsions du moment. Il sort à la recherche délibérée de proies, après avoir tout préparé minutieusement. Il en jouit. Équipé pour infliger le plus de souffrances possible pendant qu'il tue.

Trop difficile, se dit Tizón. Du moins, avec les éléments dont il dispose. C'est chercher une aiguille dans une meule de foin, dans une ville dont la guerre et le siège ont presque doublé le nombre des habitants, qui dépasse les cent mille. Pour la passer au crible, le vaste réseau d'auxiliaires qu'il tisse patiemment depuis des années ne suffit pas : prostituées, mendiants et toutes sortes d'informateurs et de mouchards. Même un curé, confesseur bien connu des ouailles de San Antonio, figure sur la liste, au prix de l'ignorance de sa manière très particulière – découverte par Tizón dans la plus grande discrétion – de comprendre son ministère auprès des pécheresses. En échange, enfin, d'argent, d'impunité ou de privilèges pour les uns ; pour les autres, de la licence de régler certains comptes avec leurs semblables, la politique et le monde qu'ils jalousent ou qu'ils détestent. À son âge et par son métier, Rogelio Tizón sait tout ce qu'il faut savoir – ou du moins croit-il le savoir – sur les angles obscurs de la condition humaine, le point exact où les hommes se brisent, s'effondrent, collaborent ou se perdent à jamais, la capacité infinie de vilenie que peut manifester un être humain quand il rencontre ou qu'on lui offre les occasions idoines.

Le commissaire se lève, de mauvaise humeur, et marche dans le salon en contemplant d'un regard distrait les livres alignés sur le meuble qui sert à la fois de secrétaire et de bibliothèque. Il sait qu'il peut y trouver des réponses, mais pas toutes. Pas même dans le manuscrit à l'encre un peu pâlie qui est sur le bureau avec ses petites croix au crayon marquant des passages plus inquiétants que révélateurs. Des questions qui mènent à d'autres questions ; incertitude et impuissance. Ce dernier mot en tête, Tizón passe les doigts sur le couvercle du piano, fermé depuis des années, dont personne ne joue plus dans la maison. Ce qu'il peut réussir à savoir, les réponses et les questions auxquelles on arrive toujours à trouver un sens, est sans doute très utile dans le travail d'un commissaire de police ; mais cela ne couvre pas tous les fronts nécessaires, dans ce Cadix plein d'émigrés, de troupes et de population civile. En principe, tout nouvel arrivant se soumet à une enquête, à l'Audience territoriale, qui jugera de sa conduite et lui délivrera, le cas échéant, une autorisation de résidence. Pour celui qui ne dispose pas de l'argent suffisant – le pot-de-vin n'est pas à la portée de toutes les bourses, et, au-dessous de cent cinquante douros, il ne faut pas espérer obtenir une petite signature qui avaliserait de faux documents –, les difficultés sont énormes. C'est pourquoi le trafic de personnes, avec ses aspects bureaucratiques, est devenu un commerce auquel participent à égalité capitaines de navire, fonctionnaires, militaires et contrebandiers. Tizón lui-même, en sa qualité de commissaire aux Quartiers, Vagabonds et Étrangers de passage, ne s'en tient pas à l'écart. Le tarif officiel des contraventions pour délit d'entrée illégale se monte à un millier de réaux pour un couple avec enfants, et quelques centaines de plus s'il est accompagné d'une domestique. Des affaires qu'il se charge d'arranger pour le quart de la somme. Ou pour la moitié – parfois, il parvient à encaisser la totalité –, quand il s'agit d'effacer ou de laisser sans effet un décret d'expulsion signé par la Régence. Après tout, les affaires sont les affaires. Et la vie est la vie.

Il va à la porte qui conduit aux autres pièces et tend l'oreille. Le silence est absolu, mais il sait que sa femme est là, dans sa chambre, lèvres serrées et yeux baissés, en train de broder ou de regarder la rue derrière la jalousie du balcon. Immobile, comme d'habitude : impassible à l'égal d'un sphinx, et muette comme le reproche d'un fantôme. Le rosaire, qui en d'autres temps ne quittait pas ses doigts, gît oublié dans un tiroir du chiffonnier. Il n'y a pas non plus de veilleuses allumées dans le couloir devant l'effigie du Nazaréen dans une urne de verre. Cela fait des années que personne ne prie plus dans cette maison.

Le commissaire se dirige vers la fenêtre, ouverte sur l'Alameda et la large vue sur la mer. Loin, à quelque deux milles de Cadix et face à El Puerto de Santa María, deux bâtiments anglais escortés de canonnières espagnoles tirent sur le fort ennemi de Santa Catalina. On peut distinguer à l'œil nu la fumée des bordées, entraînée par la brise, les minuscules pyramides blanches des voiles déployées par les vaisseaux et les embarcations plus légères, qui se croisent dans leurs manœuvres de virements de bord. On aperçoit aussi des voiles devant Rota. Attentif, Tizón entend par moments les lointains coups sourds des canons et la réponse des batteries françaises du continent. De cette fenêtre, il ne peut voir le paysage du côté sud-est de la ville, sur la portion de terre ferme. À part ce que tout le monde sait – qu'il y a eu une bataille sanglante sur la colline du Puerco –, il ne connaît rien de la tournure que prennent les choses là-bas. On dit que les combats continuent sur toute la ligne, et que des guérillas espagnoles débarquent en différents points de la côte pour détruire les positions ennemies. Ce matin, en venant livrer des prisonniers à la Prison royale, le commissaire a pu monter sur le bastion des Martyrs et constater qu'au-delà du Récif et de l'île de León les pins de Chiclana brûlaient toujours.

Mais cette bataille n'est pas la sienne. Ou il ne la ressent pas comme telle. Rogelio Tizón n'a jamais essayé de se mentir à lui-même. Il sait que, si les circonstances avaient été différentes, il se serait mis tout naturellement au service du roi usurpateur de Madrid, comme l'ont fait d'autres collègues en zone occupée par les Français. Non pour des raisons idéologiques, mais simplement pour suivre le cours des événements. Il est fonctionnaire, et sa seule idéologie s'aligne sur la hiérarchie établie. Un policier reste toujours un policier : tout pouvoir constitué a besoin de ses services et de son expérience. Aucun système ne peut tenir autrement. Il s'agit toujours d'appliquer les mêmes méthodes, quels que soient les idées et le drapeau. De plus, Tizón aime sa profession. Il a tous les dons requis pour l'exercer. Il possède, et il en est conscient, la dose exacte d'absence de scrupule et d'indifférence mercenaire, de loyauté technique que requiert ce travail. Il est né policier, et, en tant que tel, il a parcouru les échelons habituels : d'humble sbire jusqu'à commissaire ayant tout pouvoir sur les vies, les biens et les libertés. Ça n'a pas non plus été facile. Ni gratuit. Mais il est satisfait. Son terrain de lutte, c'est la ville qu'il sent autour de lui, ancienne et sournoise, grouillante d'êtres humains. Ce sont eux son matériau de travail. Son champ d'expérimentation et de progrès. Sa source de pouvoir.

Il s'éloigne de la fenêtre, pour retourner au bureau. Inquiet. Tournant en rond, conclut-il, comme un animal en cage. Et il n'aime pas ça. Ce n'est pas son genre. Il sent en lui une rage, ténue et précise, aiguisée comme un poignard, qui, ces derniers temps, s'est insinuée dans sa volonté. Le manuscrit du professeur Barrull est toujours sur la table, comme pour se moquer de lui. *« J'identifie certaines empreintes ; mais d'autres me laissent perplexe »*, lit-il de nouveau. Cette ligne est une écharde dérangeante plantée dans l'égoïsme de Tizón. Dans la paix professionnelle de son esprit. Trois filles en six mois, assassinées de manière identique. Encore heureux, comme n'a pas manqué, il y a quelques semaines, de le faire remarquer le gouverneur Villavicencio, que la guerre et le siège français relèguent les crimes au deuxième ou au troisième plan. Mais cela n'efface pas le malaise qu'éprouve le commissaire : le sentiment insolite de honte qui le ronge intérieurement chaque fois qu'il y pense. Quand il contemple le piano silencieux et calcule que l'âge des filles mortes correspond presque à celui qu'aurait aujourd'hui l'enfant qui, en d'autres temps, a fait résonner ses touches.

Il sent battre en lui une colère sourde. Oui, impuissance est bien le mot. Un ressentiment qu'il n'a encore jamais connu, une haine intime qui se coagule jour après jour, contredisant sa manière détachée, impersonnelle, de comprendre son métier. L'homme qui a torturé jusqu'à la mort trois malheureuses est là, proche, se fondant dans la foule sans visage, ou portant celui de milliers de ses semblables, *« assis immobile au milieu des bêtes égorgées »*. Chaque fois qu'il sort dans la rue, le commissaire regarde à droite et à gauche, suit des yeux des individus choisis au hasard qui se déplacent dans la multitude et conclut toujours, vaincu, que ce peut être n'importe qui. Il a également fait la tournée des endroits où sont tombées les bombes françaises, inspectant chaque détail, interrogeant les voisins, dans une tentative inutile de parvenir à ce que la sensation vague, le soupçon insensé dont il ne peut se libérer, débouche enfin sur un indice ou une idée ; sur quelque chose qui lui permette de relier concrètement son intuition à des faits et à des personnes tangibles. Des visages derrière lesquels on puisse lire le crime, même si l'expérience lui a appris qu'aucun signe extérieur ne distingue un scélérat ; car des atrocités comme celles commises sur ces filles, ou comme n'importe quelles autres, sont à la portée du premier homme venu. Qu'on ne dise pas que le monde est fait d'innocents, car c'est le contraire : il est peuplé d'individus capables, tous sans exception, du pire. Le problème de base de tout bon policier est de déceler chez ses semblables le degré exact de méchanceté ou de responsabilité qui lui revient dans le mal causé ou à causer. C'est cela, et seulement cela, la justice. Telle que l'entend Rogelio Tizón. Attribuer à chaque être humain son quota spécifique de culpabilité et, si c'est possible, le lui faire payer. Impitoyablement.

*

– On s'en va!... En arrière, doucement!... Remuez-vous, on s'en va!

En entendant les ordres, Felipe Mojarra finit de charger son fusil, remet la baguette en place sous le canon et jette à droite et à gauche un regard qui lui confirme qu'effectivement l'heure est venue de déguerpir. Les sauniers et les fusiliers marins déployés en guérilla autour du moulin de Montecorto commencent à battre en retraite, pliés en deux, s'arrêtant un instant pour viser et tirer vers les petits panaches de fumée de mousqueterie qui parsèment la ligne française toute proche.

– Retirez-vous vers les bateaux, sans vous presser... Petit à petit!

Flop! Une balle française soulève du sable sur le talus, entre les asperges sauvages. Mojarra ne s'attarde pas à chercher d'où elle vient, mais il calcule que les premiers tireurs ennemis sont à moins de cinquante pas. Pour les empêcher de lever la tête, il se redresse à demi, vise et appuie sur la détente. Puis il prend une autre cartouche dans sa giberne, mord le papier ciré, introduit la poudre et la balle, et bourre de nouveau avec la baguette, sans arrêter de reculer en pataugeant dans la vase qui s'insinue entre les orteils de ses pieds nus. Une autre balle, plus imprécise cette fois, siffle au-dessus de sa tête. Le soleil est déjà haut, et les flaques couvertes de croûte blanche, les cristaux de sel crissant sous les pas qui couvrent les bords des marais,

des étiers et des rigoles brillent comme des diamants minuscules. Dans une rigole, gisant dans la vase de la rive, les
cadavres français qu'il a vus aux premières lueurs de l'aube,
après le débarquement, sont toujours là. Ils sont deux. Il est
passé à côté quand il a reçu, avec ses camarades, l'ordre de
se déployer en tirailleurs autour de la position qui venait
d'être prise, et de rester là pour ralentir la contre-attaque
ennemie, pendant que les sapeurs démolissaient les parapets
de boue et les abris de Montecorto, enclouaient les canons
français et mettaient le feu partout.

Le coup de main d'aujourd'hui est le troisième auquel
Felipe Mojarra participe après la fin de la bataille autour
de Chiclana. D'après ce qu'il sait, depuis que les Français
ont recouvré leurs positions les incursions espagnoles et
anglaises se sont succédé le long de la ligne. Cela implique
des débarquements et des harcèlements continus dans les
canaux et sur la côte, de Sancti Petri au Trocadéro et à Rota,
ville prise et tenue pendant trois jours par les forces espagnoles qui, avant de rembarquer sans dommages, ont détruit
les parapets, jeté l'artillerie ennemie à l'eau et harangué
la population en faveur de Ferdinand VII. En fait, le bruit
circule que le combat de la colline du Puerco n'a pas été
aussi heureux qu'on le raconte, même si les Anglais, comme
d'habitude, se sont battus avec beaucoup de fermeté et de
correction; et que le général Graham, exaspéré par le comportement de son collègue Lapeña durant l'action, ne porte
pas vraiment les Espagnols dans son cœur et refuse le titre
de comte, de duc ou de marquis – en matière de titres,
Mojarra n'est pas très assuré – du Puerco que les Cortès
prétendent lui décerner; certains disent que c'est à cause
de sa mésentente avec Lapeña, et d'autres parce qu'on lui a
appris que *puerco* signifie *pig* en anglais. Quoi qu'il en soit,
les frictions entre militaires sont fréquentes: les Espagnols
reprochent à leurs alliés leur arrogance, ceux-ci leur renvoient

166

à la figure leur manque de discipline, et aucun n'a vraiment tort. Felipe Mojarra lui-même en a fait la cruelle expérience la semaine dernière. Au cours d'une de ces incursions, prévue à neuf heures du matin pour attaquer la batterie française du Coto, une demi-compagnie de fusiliers marins anglais avec huit sauniers pour guides a débarqué et est restée près de trois heures à se battre seule, parce que la force espagnole – soixante-dix hommes du régiment de Malaga – ne s'est pas présentée avant midi, au moment où les Anglais rembarquaient. Mojarra lui-même est revenu aux barques en jurant et en maudissant ses compatriotes, portant un officier anglais auquel un boulet de canon avait arraché la moitié d'un bras. S'il l'a ainsi sauvé au péril de sa vie, c'est parce que, avant l'action, ce vilain rouget – c'est le nom qu'on leur donne dans l'Île à cause de leurs vestes rouges – avait traité les sauniers avec beaucoup de mépris, dans sa langue mais pas besoin de traducteur. Et Mojarra voulait qu'à l'avenir l'Anglais, s'il survivait, se souvienne de lui chaque fois qu'il contemplerait son moignon. Du sale *Spaniard* auquel il devait d'avoir sauvé sa peau rose.

Les deux cadavres français sont presque l'un sur l'autre, et leur sang a rougi le sel des bords de la rigole. Mojarra ignore qui les a tués, mais il suppose qu'il s'agit de sentinelles tombées au premier moment de l'incursion, quand cinquante-quatre matelots et fusiliers marins espagnols, douze sapeurs de l'Armée et vingt-deux sauniers volontaires ont remonté en barque le canal Borriquera, s'enfonçant derrière la côte ennemie à la faveur de l'obscurité. Un des cadavres a les cheveux grisonnants et son visage est à demi enfoui dans la vase, et l'autre, brun, moustache à la française, est couché dessus, sur le dos, les yeux et la bouche ouverts, et le front aussi, par l'impact de la balle qui l'a tué. Le saunier observe que quelqu'un a pris les fusils et la buffleterie avec les cartouchières et les sabres, mais pas les anneaux en or dont les gabachos aiment orner leurs oreilles. Felipe Mojarra est de ceux qui respectent les défunts, dans la limite de ce qu'il considère décent. En d'autres circonstances, il aurait décroché les anneaux en prenant bien soin de ne pas déchirer les lobes ni de recourir à sa navaja, comme d'autres le font. Il n'est pas une brute, il est bon chrétien. Mais, avec les hommes qui se retirent vers le canal principal et les gabachos sur les talons, l'heure n'est pas à la délicatesse. Et donc il règle la question en arrachant brutalement les anneaux, qu'il enveloppe dans son mouchoir avant de glisser le tout dans sa ceinture, juste au moment où un grenadier de l'infanterie de marine qui arrive en courant, plié en deux et ruisselant de sueur, s'arrête pour reprendre son souffle et le voit terminer l'opération.

– Merde ! dit le grenadier. Tu es arrivé avant moi, camarade.

Sans répondre, Mojarra reprend son fusil et s'éloigne, laissant l'autre occupé à fouiller en hâte les vestes des morts et inspecter leurs bouches, au cas où il y aurait des dents en or à extirper à coups de crosse. Dans le maquis que forme la végétation basse des salines, le reste des Espagnols se retire en suivant les rigoles et les étroits étiers qui conduisent au canal principal, à travers l'enchevêtrement des marais et des terres inondables qui entourent Montecorto. Près du rivage, le saunier observe qu'une bonne partie de la force espagnole a déjà embarqué, protégée par le feu de deux canonnières du port de Gallineras qui tirent à intervalles réguliers sur les positions françaises. L'onde de choc des détonations arrive jusqu'à Mojarra, lui déchirant les tympans et la poitrine. Du côté espagnol, il ne semble pas qu'il y ait d'autres pertes que quelques blessés qui arrivent par leurs propres moyens. Deux prisonniers français sont avec eux.

– Attention ! crie quelqu'un.

Une grenade française arrive en vrombissant et éclate en l'air, en arrosant le canal de mitraille. En entendant l'explosion, beaucoup d'hommes – dont Mojarra –, dans les barques et sur le rivage, se baissent ; mais un petit groupe d'officiers qui se tiennent près du mur de pierre et de terre d'une vanne restent bien droit, honneur militaire oblige. Parmi eux, le saunier reconnaît don Lorenzo Virués, avec sa veste bleue à col violet, son chapeau à cocarde rouge et son inséparable sacoche en cuir sur le dos. Le capitaine du génie a débarqué de bonne heure avec la force d'incursion pour observer les fortifications ennemies – Mojarra imagine qu'il a pris aussi quelques croquis – avant que les sapeurs n'en fassent de la semoule.

– Ça alors, Felipe ! – Virués semble tout heureux de voir le saunier. – Je suis content de te retrouver sain et sauf. Comment ça se passe, là-bas ?

Mojarra se cure les dents. Il a mastiqué du fenouil marin pour calmer sa soif – on les a fait débarquer sans eau ni nourriture – et un brin est resté coincé dans sa gencive.

– Rien de particulier, don Lorenzo. Les *mosiús* reviennent, mais lentement. Les nôtres se retirent en bon ordre… Vous avez un ordre à me donner ?

– Non. Je pars tout de suite avec ces messieurs. Rejoins tes camarades. On n'a plus rien à faire ici.

Mojarra arbore un sourire candide.

– Nous emportons de bons petits dessins, mon capitaine ?

– Oui, quelques-uns. – Virués répond au sourire. – J'ai pu en faire plusieurs.

Le saunier porte un doigt à son sourcil droit, en manière de salut informel censé imiter respectueusement le vrai salut militaire. Puis il crache le brin de fenouil et se dirige tranquillement vers les barques. Mission accomplie : une de plus. Sa Majesté le roi, prisonnier en France ou ailleurs, sera content de lui. Pour sa part, ce n'est plus son affaire. À ce moment, un homme passe tout près en courant. C'est un sous-officier de la Marine qui porte deux pistolets à la ceinture et une vieille veste reprisée aux coudes. Et il a l'air pressé.

– Grouillez-vous!... On s'en va... Ça va sauter!

Avant que le saunier ait pu deviner de quoi il parle, une explosion formidable retentit derrière, et l'onde d'expansion l'atteint comme si on lui avait donné un coup de poing brutal dans le dos. Il se retourne, désorienté et effrayé, et voit qu'à l'intérieur des terres monte un énorme champignon de fumée noire d'où se détachent, tombant de tous côtés, des fragments de madriers et de fascines enflammés. Les sapeurs viennent de faire sauter la poudrière française de Montecorto.

Le vent de levant qui fraîchit disperse le nuage en l'entraînant vers le canal et couvre l'embarquement des derniers hommes. Dans une des barques, serré au milieu de ses camarades, Mojarra sent que l'air est chargé de soufre à en vomir. Mais cela fait longtemps qu'il ne vomit plus.

*

C'est dimanche, et la cloche fêlée de San Antonio annonce la fin de la messe de midi. Assis à une table devant la porte de la pâtisserie de Burnel, sous les fers forgés des balcons peints en vert, le taxidermiste Gregorio Fumagal boit un verre de lait tiède en observant les fidèles qui sortent de l'église, se dispersent parmi les bancs de marbre et les orangers plantés dans des caisses ou se dirigent vers le large terre-plein qui borde la place, où attendent des calèches et des chaises à porteurs. Celles-ci sont réservées à des dames et des personnes âgées, car la journée est agréable et les gens préfèrent la rituelle promenade à pied en direction de la Calle Ancha ou de l'Alameda. Comme chaque dimanche à la même heure, tout ce qui compte ou prétend compter dans la ville est là : noblesse, grand commerce et bonne société, émigrés distingués, officiers de l'Armée, de la Marine royale et de la milice locale. La place est un défilé permanent d'uniformes brodés, d'étoiles, de galons et de rubans, de bas de soie, de redingotes et d'habits de cérémonie, de chapeaux ronds, larges ou hauts de forme, et aussi de vestes traditionnelles, de capes, de bicornes, voire de quelques tricornes, car les gens âgés qui conservent encore les manières du passé ne manquent pas. Même les petits garçons portent un uniforme et vont en rangs, comme le veut l'air du temps, avec un accoutrement complet d'officier suivant la profession ou le caprice de leurs parents, comprenant vestes, petites épées et chapeaux ornés d'une cocarde rouge sur laquelle, pour répondre à la dernière mode, s'affiche le monogramme *FVII* désignant le roi Ferdinand.

Le taxidermiste a ses idées personnelles sur le spectacle auquel il assiste. C'est un homme de science et de livres, ou du moins se considère-t-il comme tel. Cela exonère son regard – analytique, froid, comme les animaux immobiles dans son cabinet – de toute bienveillance. Les pigeons qui, depuis sa terrasse, tissent ou aident à tisser un réseau de droites et de courbes sur la carte de la ville, sont à l'opposé de tous ces faisans et ces paons qui font la roue en se vautrant dans les turpitudes de leur monde corrompu, périmé, condamné par le cours inexorable de la Nature et de l'Histoire. Gregorio Fumagal a la certitude que même les Cortès réunies à San Felipe Neri n'y changeront rien. Ce n'est pas d'une future Charte, rédigée en grande partie par le clergé – il forme la moitié des députés – et par des nobles qui se cramponnent à l'ancien régime ou en sont issus, que viendra la main qui effacera tout. Si l'on suit cette voie, avec ou sans Constitution, et quels que soient les oripeaux dont on parera celle-ci, l'Espagnol continuera d'être un esclave avili, dépourvu d'âme, de raison et de vertu, que ses geôliers inhumains empêcheront toujours de voir la lumière. Un malheureux soumis sans recours à des hommes qui sont ses égaux mais que sa stupidité, sa paresse ou la superstition lui font prendre pour les représentants d'un ordre supérieur : des dieux sur la terre, vêtus d'hermine, de pourpre, de capes noires et de soutanes, qui ont toujours profité de l'erreur de l'homme, sous tous les soleils et toutes les latitudes, pour le réduire en esclavage, faire de lui une créature vile et misérable, corrompre son héroïsme et son courage. Fumagal, homme aux lectures étrangères et novatrices – le baron d'Holbach, alias Jean-Baptiste de Mirabaud, est son mentor depuis qu'il y a vingt ans lui est tombée entre les mains une édition française du *Système de la Nature* –, estime que l'Espagne a perdu l'occasion d'avoir une guillotine au bon moment : un fleuve de sang aurait nettoyé, conformément aux lois universelles, les écuries pestilentielles de cette terre inculte et infortunée, toujours assujettie à des prêtres fanatiques, des aristocrates corrompus, des rois dégénérés et incapables. Mais il croit aussi qu'il est encore possible d'ouvrir les fenêtres pour faire entrer l'air et la lumière. Cette chance se trouve à une demi-lieue de distance, de l'autre côté de la baie ; dans les aigles impériales qui, de leurs serres sublimes, détruisent les armées de l'obscurantisme qui enchaînent encore une partie de l'Europe.

Fumagal trempe distraitement ses lèvres dans son verre de lait de chèvre. Des femmes accompagnées de leurs maris, toutes portant rosaire et petit missel relié en nacre ou en cuir fin, s'arrêtent devant la pâtisserie. Pendant que ces messieurs restent debout, allument des cigares, tripotent leur chaîne de montre, saluent des connaissances et lorgnent les autres dames qui passent, elles s'installent à une table libre, commandent des rafraîchissements avec des petits gâteaux et bavardent de leurs affaires : mariages, naissances, baptêmes, enterrements. Rien que des événements domestiques. Ou mondains. Pas la moindre allusion à la guerre, à part quelques lamentations sur le prix de tel ou tel produit et le manque de neige – avant l'occupation française, des chariots l'apportaient de Ronda – pour refroidir les boissons. Fumagal les observe discrètement, avec une profonde répugnance. Le mépris qu'il cultive de longue date le tient irrémédiablement à l'écart de la vie ordinaire des humains : un malaise physique qui le fait s'agiter sur sa chaise. Presque toutes sont vêtues de noir ou de tons sombres, réservant les couleurs vives aux gants, bourses et éventails, sous les légères mantilles en dentelle qui couvrent les chignons, coques, boucles et anglaises. Quelques-unes, suivant la mode, portent des rangées de boutons qui vont du coude au poignet. Chez les femmes de basse classe, ils sont en laiton doré ; mais chez celles-là, ils sont en or et en brillants qui étincellent, comme ceux que leurs seigneurs et maîtres ont à leurs gilets. Chacun de ces boutons, calcule Fumagal, ne vaut pas moins de deux cents pesos.

– Qu'est-ce que c'est ? demande une dame en priant ses amies de faire silence.

– Je n'entends rien, Piedita, dit une autre.

– Tais-toi et écoute. C'est loin.

Un grondement profond et sourd, très distant, arrive jusqu'aux guéridons de la pâtisserie. Les dames et leurs maris, comme le reste des passants, regardent avec inquiétude au-delà du coin de la rue Murguía, où se trouve le café d'Apollon. Un moment, les conversations restent en suspens, chacun cherchant à deviner s'il s'agit d'un coup de canon de routine, comme ceux qu'échangent quotidiennement Puntales et le Trocadéro, ou si les artilleurs français – maintenant qu'après le combat de Chiclana la situation a été rétablie ils visent de nouveau le périmètre urbain de Cadix – intensifient les tirs qui tentent d'atteindre le centre.

– Ce n'est rien, conclut, rassurée, doña Piedita en revenant à ses gâteaux.

173

Avec une froide rancœur, le taxidermiste regarde vers le levant. De cette direction, pense-t-il, viendra un jour le vent brûlant qui mettra toute chose à sa place ; l'épée flamboyante de la science qui avance peu à peu, se renforçant, éclaboussant de points rouges le plan de cette ville. Cette épée arrivera jusqu'à cette place. De cela, il est sûr et il y travaille, au risque de sa vie : la clef du monde futur. Tôt ou tard, cette épée arrivera même plus loin et finira par couvrir la totalité de cet espace irréel peuplé d'êtres depuis longtemps irréels. De cet abcès gonflé de pus qui réclame à grands cris le bistouri du chirurgien. De cet obstacle aveugle et suicidaire qui freine la roue de la raison et du progrès.

Les dames continuent de papoter, se servant de leurs éventails ouverts comme d'ombrelles pour se protéger le front. Fumagal, qui les épie toujours, esquisse involontairement un sourire féroce. Tout de suite, s'en rendant compte, il le dissimule en buvant une gorgée de son verre de lait. Il jubile à l'idée des bombes qui tomberont sur ces boutons d'or et de diamants. Sur les châles de soie, les éventails, les escarpins de satin. Sur les anglaises, qui ont la forme de tire-bouchons.

Stupides animaux, se dit-il. Scories gratuites et malades du monde, sujettes dès la naissance à la contagion de l'erreur. Il aimerait en emmener une chez lui, trophée original parmi les autres spécimens conventionnels qui décorent sa maison ; y compris le chien des rues, son dernier travail, joliment dressé maintenant sur ses quatre pattes et contemplant le vide avec ses yeux de verre tout neufs. Et là, dans la pénombre complice et chaude du cabinet, empailler cette femme toute nue sur la table de marbre.

À cette pensée, le taxidermiste est pris d'une inopportune érection – il porte un pantalon ajusté, avec une redingote ouverte et un chapeau rond – qui l'oblige, pour la dissimuler, à croiser les jambes et changer de position. Après tout, conclut-il, la liberté de l'homme n'est rien d'autre que la nécessité qu'il porte en lui.

*

Rumeur des conversations. Sans musique, parce que c'est Carême. Pour le reste, l'hôtel particulier loué par l'ambassadeur anglais pour sa fête – *réception* est le terme discret employé en considération de la date – resplendit de l'éclat des candélabres en argent et cristal, entre les bouquets de fleurs, sous les lustres étincelants du plafond. On fête le succès anglo-espagnol de la colline du Puerco, bien que certains disent qu'il s'agit d'une manœuvre diplomatique pour apaiser les frictions entre les généraux Graham et Lapeña. C'est peut-être la raison pour laquelle la réception de l'ambassadeur Wellesley ne se tient pas dans sa résidence de la rue de l'Amertume mais en terrain neutre, moyennant le prix – ce genre de détails intéresse beaucoup Cadix – de quinze mille réaux pour la location, que vient d'encaisser la Régence : car la demeure, propriété du marquis de Mazatlán, a été mise sous séquestre depuis que son ancien maître s'est rallié à Joseph Bonaparte, le roi usurpateur. Quant au buffet, il est plutôt chiche : vins espagnols et portugais, punch anglais auquel personne ne touche à part les Britanniques, petits feuilletés au poisson, fruits et rafraîchissements divers. Toute la dépense est allée aux bougies et aux lampes à huile qui illuminent littéralement la maison de l'escalier aux salons. Dans la rue, où des domestiques en livrée reçoivent les invités, il y a des lanternes et des torches, et aussi sur la terrasse, dont la balustrade, éclairée par des chandelles, donne sur la promenade qui longe les remparts et l'obscurité de la baie, où, très loin, vers El Puerto de Santa María, Puerto Real et le Trocadéro, brillent quelques lumières.

– Voici la veuve du colonel Ortega qui entre.

175

– Veuve de colonel peut-être, mais on dirait plutôt la bonne amie d'un sergent.

Le groupe rit, les femmes masquant leur bouche derrière leur éventail. La plaisanterie est venue, comme toujours, du cousin Toño. Il occupe le milieu d'un canapé entouré de fauteuils et de tabourets, près de la grande verrière de la terrasse, avec Lolita Palma et d'autres Gaditanes, mariées ou célibataires. Au total, une demi-douzaine de dames et de demoiselles. Elles sont accompagnées de quelques messieurs qui restent debout, coupes et cigares à la main, habits noirs, cravates blanches ou jabots en dentelle et gilets très voyants, comme le veut la mode. Il y a également deux militaires espagnols en uniforme de cérémonie et un jeune député aux Cortès répondant au nom de Jorge Fernández Cuchillero, délégué de Buenos Aires, ami de la famille Palma.

– Ne sois pas cruel, le reprend affectueusement Lolita en le saisissant par une manche.

– C'est pourtant pour ça que tu es assise près de moi, répond le cousin Toño, désinvolte et bon enfant.

Le cousin Toño – Antonio Cardenal Ugarte – est un parent célibataire qui a toujours entretenu d'excellentes relations avec les Palma et sacrifie depuis des années au rituel quasi quotidien de la visite de l'après-midi chez Lolita et sa mère, où il joue les boute-en-train et laisse le niveau de toutes les bouteilles de manzanilla qui lui tombent sous la main au-dessous de la ligne de flottaison. Habitué des cafés gaditans, très grand et dégingandé, un peu myope et, avec les ans, affecté d'une légère brioche, il s'habille avec un sympathique laisser-aller : lunettes tordues sur le nez, cravate nouée à la diable et gilet constellé de cendres de havane. À l'aise économiquement, bien qu'il n'ait jamais travaillé de sa vie, il ne se lève pas avant midi et vit des rentes que produisent des titres qu'il possède à La Havane, dont le montant lui arrive toujours en bon argent malgré la guerre. Pour le reste, étranger à la politique, le cousin Toño est l'ami de tout le monde. Toujours inventif et pétillant, son inaltérable bonne humeur en fait l'animateur obligé de toute réunion qu'il honore de sa présence. Il est doté d'une extraordinaire facilité pour rassembler autour de lui les invités les plus jeunes, les femmes les plus jolies et les dames les plus amusantes, et il n'est pas de réception, même les plus guindées, où le groupe qui l'entoure ne se distingue par son animation et sa gaieté.

– Ne t'avise pas de goûter à ce qu'il y a sur ces plateaux, ma fille. C'est infâme. Notre allié Wellesley a tout dépensé pour l'éclairage : tout pour les yeux, rien pour le ventre.

Scandalisée, Lolita Palma lui pose les doigts sur les lèvres, en regardant à la dérobée l'ambassadeur anglais. Vêtu d'une veste de velours violet, de bas de soie noire et de souliers à grandes boucles d'argent, le frère du général Wellington reçoit les invités près de la porte du salon. Il est accompagné de plusieurs officiers en veste rouge et d'autres en uniforme bleu à galons de la marine britannique. Parmi eux, dédaigneux, le visage sévère couleur crevette cuite, se tient le général Graham. Le héros de la colline du Puerco.

– Ne parle pas si haut, il va t'entendre.

– Eh bien, qu'il m'entende, que diantre ! Ils nous font mourir de faim.

– Mais est-ce que ce ne sont pas plutôt les Français ? demande, amusé, un des messieurs présents. C'est un militaire de belle prestance, détaché dans l'île de León. Lolita le connaît pour l'avoir déjà rencontré dans une des rares réceptions où il lui arrive d'aller, celle de sa marraine doña Concha Solís. L'officier est le neveu de celle-ci. Il se nomme Lorenzo Virués. Il est de Huesca. Capitaine du génie.

– Laissez les Français là où ils sont, blague le cousin Toño. Devant ces infâmes feuilletés, ça ne fait aucun doute : l'ennemi est dans nos murs.

Nouveaux rires. Le cousin Toño enchaîne plaisanterie sur plaisanterie et ses éclats de rire – sonores comme ceux des enfants – résonnent dans ce coin du salon. Après lui, celle qui rit le plus en agitant ses anglaises est Curra Vilches, la meilleure amie de Lolita Palma : menue, jolie, un peu grassouillette mais charmante, mise encore en valeur ce soir par un châle turc qui ceint, sur sa poitrine, sa tunique en crêpe de Chine. Mariée à un commerçant gaditan bien placé qui voyage beaucoup et la laisse libre, dans les limites de la bienséance, d'aller dans le monde, son aplomb et son caractère enjoué sont inépuisables, et l'on peut dire qu'elle et le cousin Toño font la paire. Lolita la connaît depuis leur enfance : études à l'académie pour demoiselles de doña Rita Norris et vacances d'été à Chiclana entre les pins et la mer. Et aussi confidences mutuelles, fidélité et infinie tendresse.

– Un autre rafraîchissement, Lolita ? suggère le capitaine Virués.

– Oui. Une limonade, je vous prie.

Le militaire part à la recherche d'un domestique, pendant que le cousin Toño raconte aux dames comment le Saint-Office – dont l'abolition est débattue ces jours-ci à San Felipe Neri – s'oppose à la braguette sur les culottes masculines, considérée immorale, en faveur du pantalon à pont boutonné des deux côtés, plus décent.

– Précepte que je respecte moi-même rigoureusement. Voyez vous-mêmes, mesdames. Je n'ai pas envie de me faire condamner pour quatre boutons de plus ou de moins.

Ce discours, prononcé avec la verve habituelle, déclenche de nouveau des rires et des coups d'éventail. En souriant, Lolita promène son regard autour d'elle. Il y a quelques soutanes. Un groupe de messieurs, sans dames, discute autour d'une table. Lolita les connaît presque tous. Ils sont pour la plupart jeunes, faisant partie des réformistes qui commencent à être connus sous l'appellation de libres ou de libéraux, et parmi eux figurent plusieurs députés aux Cortès : le fameux Argüelles, chef du clan, et José María Quepo de Llano, comte de Toreno ; lequel, malgré son extrême jeunesse, est délégué des Asturies. Les accompagnent l'homme de lettres Quintana, le poète Francisco Martínez de la Rosa – joli garçon d'allure gitane avec de grands yeux –, le jeune Antoñete Alcalá Galiano, fils du général de brigade mort à Trafalgar, que Lolita connaît depuis son plus jeune âge, et Ángel Saavedra, duc de Rivas : un capitaine qui attire les regards des dames, pas seulement pour ses vingt ans qu'il porte avec grâce, ni pour les aiguillettes d'état-major qui ornent sa veste, ni pour ses bottes à la Souvarov, mais parce qu'il a été grièvement blessé à la bataille d'Ocaña et a présentement le front bandé, conséquence d'un coup de baïonnette reçu au combat de Chiclana. Dans un autre groupe, entourés d'officiers et d'aides de camp, se tiennent le gouverneur Villavicencio, le lieutenant général don Cayetano Valdés, commandant les forces légères de la baie, et les généraux Blake et Castellanos ; le général Lapeña, pour sa part, toujours très remonté contre les Anglais, reste invisible. Parmi les autres uniformes se détache le rouge des officiers des Volontaires, couverts de broderies et d'aiguillettes en quantité inversement proportionnelle à leur proximité du champ de bataille. Quant aux femmes, il est facile de distinguer les Gaditanes des étrangères aristocrates ou fortunées ; ces dernières sont vêtues à la mode française, ceintures hautes, et les autres à l'anglaise, moins décolletées et dans des tons plus sobres. Certaines émigrées plus âgées portent encore des accroche-cœurs sur le front et les cheveux coupés sur la nuque à la mode dite « à la guillotine » que personne, ici, n'arbore plus depuis longtemps.

Pour sa part, Lolita est mise avec discrétion, comme toujours. Ce soir, elle a abandonné le noir ou le gris habituels pour une robe bleue, corsage ajusté et taille basse, avec une mantille de dentelle dorée sur les épaules et les cheveux retenus par deux petits peignes en argent. Pour tout bijou, elle porte au cou un camée de famille cerclé d'or. Elle n'assiste presque jamais à ce genre de réception, sauf si cela présente un intérêt commercial. Et c'est justement le cas. L'invitation de l'ambassadeur anglais est arrivée au moment où Palma & Fils souhaite obtenir un contrat de fourniture de viande de bovins marocains destinée aux troupes britanniques. En de telles circonstances il est conseillé de se montrer un peu, même si l'on prévoit de se retirer tôt.

Le capitaine Virués revient, suivi d'un domestique qui porte la limonade sur un plateau. Fernández Cuchillero, qui vient de recevoir de Buenos Aires une lettre de sa famille, raconte la tournure que prennent les événements dans le Río de la Plata, où la Junte insurgée refuse de reconnaître l'autorité de la Régence. Tandis qu'elle prend le verre et remercie le militaire de son amabilité, Lolita, surprise, voit entrer dans le salon don Emilio Sánchez Guinea accompagné de son fils Miguel et du marin nommé Lobo : les deux commerçants en habit noir et le corsaire en veste bleue à boutons dorés et pantalon blanc. La présence de ce dernier produit en elle un vague sentiment de gêne, et ce n'est pas la première fois. Elle ignore pourquoi les Sánchez l'ont amené ce soir. En fin de compte, il n'est rien d'autre qu'un associé minoritaire, subalterne. Un de leurs employés. Ou presque.

– Allons donc…, commente le capitaine Virués qui a suivi son regard. Voyez qui nous arrive : l'homme de Gibraltar.

Lolita se tourne vers le militaire, étonnée.

– Vous le connaissez ?

– Un peu.

– Pourquoi Gibraltar ?

Virués tarde un instant à répondre. Quand il se décide enfin, il sourit bizarrement.

– Nous y avons tous les deux été prisonniers, en 1806.

– Ensemble ?

– Mais pas vraiment intimes.

Le ton méprisant de la réponse ne passe pas inaperçu de Lolita Palma ; mais elle ne veut pas être indiscrète, ni manifester un trop grand intérêt. Virués a rejoint la conversation générale. De son canapé, Lolita voit Sánchez Guinea saluer l'ambassadeur et divers invités, puis, l'apercevant, traverser le salon dans sa direction. Son fils Miguel et le corsaire le suivent à quelques pas. Mue par une impulsion qu'elle-même ne comprend pas tout de suite, elle se lève et va à la rencontre du vieux négociant. Elle n'a pas envie de recevoir son salut en même temps que les autres, se dit-elle, près de Virués et de son étrange sourire.

– Tu es ravissante, Lolita. Si ton père te voyait…

Échange d'amabilités affectueuses. Miguel Sánchez Guinea, correct et avenant bien qu'un peu petit, ressemblant beaucoup à son père, se joint à eux. Le capitaine Lobo est resté en retrait, observant la scène, et quand Lolita le regarde enfin, il la salue en inclinant brièvement la tête, sans bouger de sa place ni desserrer les lèvres. Elle prend don Emilio par le bras, et l'emmène à l'écart, baissant la voix.

– Qu'est-ce qui vous a pris de l'amener ici ?

Le vieux commerçant se justifie. Pepe Lobo travaille pour lui, et aussi pour elle. C'est une excellente occasion de le présenter à diverses personnes, anglaises et espagnoles, dont la connaissance peut lui être utile pour le travail qu'on lui a confié. Ce n'est jamais mauvais de mettre un peu d'huile dans les gonds de certaines portes pour qu'elles ne grincent pas. C'est ça, Cadix.

– Pour l'amour de Dieu, don Emilio. C'est un corsaire.

– Bien sûr que oui. Et tu as investi dans son entreprise autant d'argent que moi. Ton intérêt dans l'affaire est égal au mien.

– Mais cette fête… Rendez-vous compte. Chaque chose à sa place. Et à son heure.

En disant cela, elle promène son regard autour d'elle, mal à l'aise. Sánchez Guinea, lui, la regarde.

– Tu veux parler du qu'en-dira-t-on?

– Évidemment.

– Je ne comprends pas cette réticence. C'est un marin comme les autres. Prêt, c'est vrai, à risquer plus que la plupart.

– Pour de l'argent.

– Comme toi-même, ma fille. Et comme moi. Ce mobile a dans cette ville une tradition aussi honorable que n'importe quel autre.

Lolita Palma observe par-delà les épaules de son interlocuteur. À quelques pas, près de Miguel Sánchez Guinea, le capitaine corsaire étudie le plateau de boissons que lui présente un serviteur en livrée. Au bout d'un instant, après ce qui semble être une brève réflexion, il fait non de la tête. Quand il lève les yeux, son regard croise celui de la femme, qui détourne le sien.

– Vous aimez bien cet homme. Vous me l'avez dit.

– C'est vrai. Et Miguel aussi l'aime bien. Il est capable et sérieux. Son travail exige la confiance. C'est comme ça que tu devrais voir les choses.

– Eh bien, moi, il ne me plaît pas du tout.

Le commerçant lui adresse un regard interrogateur.

– Vraiment?… Pas du tout?

– Comme je vous le dis.

– Pourtant tu t'es associée à nous.

– C'est différent. Je me suis associée à vous, comme d'autres fois.

– Donc tu as confiance en moi, comme les autres fois. Tu n'as jamais eu à t'en repentir. – Sánchez Guinea lui a pris une main qu'il tapote affectueusement. – Je ne te demande pas non plus de l'inviter chez toi à prendre une tasse de chocolat.

Sans brusquerie, Lolita retire sa main.

– Vous allez trop loin, don Emilio.

– Non, ma fille. Je te dis cela par amitié. C'est pourquoi je ne comprends pas ta réaction.

Ils changent de sujet, car Miguel Sánchez Guinea vient se mêler à la conversation. Le corsaire reste à l'écart, et, de temps en temps, Lolita Palma le suit des yeux pendant qu'il circule lentement dans le salon, les mains dans le dos, croisées sur les pans de sa veste, tranquille et légèrement absent. Un peu ailleurs, peut-être ; encore que, un moment plus tard, quand elle le regarde de nouveau, Lolita décide qu'elle s'est manifestement trompée, car elle le voit en train de parler avec le plus grand naturel à des gens qu'il semblait ne connaître ni d'Ève ni d'Adam.

– Votre capitaine Lobo se lie facilement, fait-elle remarquer à Miguel Sánchez Guinea.

Celui-ci sourit en allumant un cigare.

– C'est pour ça qu'il est venu. Il n'est pas du genre à se perdre dans un endroit comme celui-là, ni dans aucun autre. S'il tombait à la mer, il lui pousserait des branchies et des nageoires.

– Ton père dit qu'il a fait ta conquête.

Miguel expulse la fumée avec un rire amusé. Lolita et lui se connaissent depuis l'enfance. Ils jouaient ensemble autour des maisons de campagne de leurs familles respectives, sous les pins de Chiclana. Elle est la marraine de son aîné.

– Un homme véritable, résume-t-il. Comme ceux d'autrefois.

– Et bon marin, dites-vous, ton père et toi.

– Le meilleur que je connaisse. – Miguel arrête de tirer sur son cigare pour le pointer dans la direction du corsaire, qui discute maintenant avec un aide de camp du général

Valdés. – Il est de ces individus tranquilles que rien ne trouble jamais, même en pleine tempête, quand la côte est sous le vent et que les mâts sont en train de passer par-dessus bord… Il fera de bonnes prises, si la chance lui sourit.

– Il est allé à Gibraltar, je crois.

– Il y est allé souvent. Une fois, comme prisonnier des Anglais. Ça fait des années.

– Et que s'est-il passé ?

– Il s'est évadé. Comme ça, à leur barbe. Il a volé un bateau.

Les gens vont et viennent, se saluent, commentent le cours de la guerre et des affaires, qu'ils mélangent souvent indifféremment dans la conversation. Lolita Palma est de ces femmes – et cela intrigue toujours les étrangers – qui ne se privent pas d'intervenir ; tout en restant prudente, comme à son habitude, elle écoute avec attention et réserve ses opinions, y compris quand on les lui demande. Durant un long moment, des connaissances les abordent, elle et les Sánchez Guinea, afin de commenter la marche des affaires et exprimer leur inquiétude pour les territoires américains insurgés, la rébellion et le blocus de Buenos Aires, la loyauté de Cuba, le chaos dans lequel la situation espagnole plonge tout l'autre côté de l'Atlantique, où opportunistes et aventuriers pêchent en eaux troubles. Pour la note que les Anglais, tôt ou tard, finiront par présenter pour leur aide dans la guerre d'Espagne.

– Vous m'excuserez, messieurs. Je suis lasse et il est temps de penser à partir.

Elle se retire quelques minutes dans le cabinet de toilette où elle se rafraîchit un peu. En revenant, elle trouve le capitaine Lobo, juste à mi-chemin du trajet qu'elle doit parcourir pour rejoindre le groupe où retentissent les éclats de rire du cousin Toño. Par association d'idées, Lolita pense que le corsaire a effectué un mouvement – le hasard n'existe pas dans ce genre de manœuvre – semblable au parcours que trace un navire pour en intercepter un autre : calculant la position estimée à un moment déterminé et se postant en attente sur un point de l'océan, avec prudence et patience. Il semble habile dans ce type de calculs.

– Je souhaitais vous remercier.

– De quoi donc ?

– De participer à l'entreprise.

C'est la première fois qu'elle a l'occasion de l'observer de près et de lui parler. Il y a un mois, dans le bureau de la rue du Bastion, ils ne se sont vus qu'un moment. Et Sánchez Guinea était là. Méfiante, Lolita Palma se demande si ce ne sont pas le vieux commerçant ou son fils qui ont conseillé cette rencontre au marin.

– Je ne sais si vous êtes au courant, ajoute-t-il. Nous appareillons dans une semaine.

– Je sais. Don Emilio m'en a informée.

– Et, à moi, il m'a dit que vous n'aimez pas les corsaires.

Direct, avec un léger sourire. Juste ce qu'il faut de provocation pour ne pas être incorrect, ou discourtois. Des branchies, a dit Miguel tout à l'heure. S'il tombait à la mer, il lui pousserait des branchies.

– Monsieur Sánchez Guinea parle trop, parfois. Mais je ne vois pas en quoi cela peut vous gêner dans l'exercice de vos responsabilités.

– Ça ne me gêne pas. Mais il serait peut-être utile de vous expliquer en quoi consistent celles-ci.

De près, son visage n'est pas désagréable mais manque de finesse. Grand nez, profil mal dégrossi. Lolita remarque derrière l'oreille gauche, à demi cachée par les pattes et le col de la veste, une cicatrice en diagonale sous la naissance des cheveux, vers la nuque. Ses yeux clairs sont d'un vert qui évoque la couleur du raisin fraîchement lavé.

– Je sais parfaitement en quoi elles consistent, répond-elle. J'ai été élevée au milieu des navires et des affrètements, et les intérêts de ma famille ont été plus d'une fois lésés par des gens qui font votre métier.

– Pas espagnols, je suppose.

– Espagnols ou anglais, c'est du pareil au même. Pour moi, un corsaire n'est rien d'autre qu'un pirate nanti d'une lettre de marque.

Pas de réaction visible, constate-t-elle. Rien. Les yeux clairs continuent de la regarder, tranquilles. Il a le regard d'un chat, qui varie selon la lumière.

– Pourtant – un sourire nuance l'objection –, vous vous associez parce que ça peut être rentable.

Le ton du marin est plus prudent que bien élevé. Il dénote une certaine instruction, mais limitée. Peu de choses en filigrane. Lolita détecte une origine familiale humble derrière cette voix et dans les traits durs, résolument virils, de l'homme qu'elle a devant elle. Et le mot *homme*, décide-t-elle, ne doit rien au hasard. Il pourrait s'agir d'un paysan sain et fort, de ceux qui courbent quotidiennement l'échine sur leurs champs, ou d'un habitué des tavernes, avec fumée de cigares, sueur et couteau. Inquiète, elle se dit qu'il pourrait bien être de la seconde espèce. Pas difficile de l'imaginer dans les bouges mal famés situés entre les Portes de Mer et de Terre, ou dans les cabarets de flamenco et de filles faciles de la Caleta. Sur ce point, c'est vrai que don Emilio Sánchez Guinea l'a prévenue. Son regard direct n'est ni celui d'un homme du monde, ni de quelqu'un qui prétend passer pour tel.

– Mes motifs sont mon affaire, capitaine. Je préfère ne pas en discuter avec vous.

Le corsaire reste un moment silencieux, sans cesser de la regarder. Très sérieux.

– Écoutez, madame… Ou préférez-vous que je vous appelle mademoiselle?

– Madame. Si ce n'est pas trop vous demander.

186

– Écoutez. Vous avez investi dans notre cotre, vous et don Emilio, un argent que vous auriez pu placer ailleurs. Moi, je mets tout ce que j'ai. Si quelque chose tourne mal, vous ne perdez que votre mise.

– Vous oubliez notre réputation d'armateurs...

– C'est possible. Mais une réputation, ça se rétablit. Vous en avez les moyens. Tandis que moi, je ne perds pas seulement le navire, je me perds moi-même.

Lolita hoche la tête, très lentement. Elle soutient sans ciller le regard de l'homme.

– Je continue à ne pas comprendre ce que cela vient faire dans cette conversation. Dans votre nécessité de m'expliquer certaines choses.

Pour la première fois, son interlocuteur semble mal à l'aise. Juste un instant. Un soupçon de gêne qui détonne chez lui comme un habit mal coupé. Ou dans son cas, pense méchamment Lolita, bien coupé. Pepe Lobo contemple ses mains – grandes, fortes, ongles ras – puis détourne le regard pour le promener rapidement sur le salon. Elle se rend compte alors qu'il porte la même veste aux manches un peu râpées que dans le bureau de la rue du Bastion : soigneusement brossée et les revers repassés, mais la même. La chemise aussi, blanche et amidonnée, qui s'effiloche au col, sur la mince cravate de taffetas noir. Pour une raison inexplicable, cela l'attendrit un peu. Encore qu'en l'occurrence parler d'attendrissement soit excessif. Dangereux, peut-être. Aussi cherche-t-elle un terme plus adéquat. Dire que cela l'adoucit serait probablement plus convenable. Ou la détend.

– C'est que je ne suis pas sûr, en vérité, répond le marin. Je n'ai jamais été un homme très expansif... Pourtant, pour une raison que moi-même je ne comprends pas, je sens cette nécessité de les expliquer.

– À moi ?

– À vous.

Lolita, qui n'a pas encore fini de digérer sa gêne première, accueille ce ton presque fâché avec soulagement.

– Vous sentez cette nécessité ? Avec moi ?... Écoutez, capitaine. Je crains que vous ne vous donniez trop d'importance.

Nouveau silence. Maintenant le corsaire la regarde d'un air songeur. Il a peut-être tué des hommes, pense-t-elle tout à coup. En les fixant de ces yeux félins et impassibles.

– Je ne vous ennuierai pas davantage, dit-il soudain. Je regrette de vous avoir importunée, doña Dolores... Ou dois-je vous appeler madame Palma ?

Elle se tient très droite et frappe doucement sa main libre avec son éventail en tentant de dissimuler son trouble. Troublée de se sentir troublée. À son âge. Elle, la propriétaire de la firme Palma & Fils.

– Appelez-moi comme vous voudrez, pourvu que ce soit avec respect.

L'homme acquiesce légèrement et fait mine de se retirer. Il s'arrête un instant, à demi tourné. Il paraît encore réfléchir. Finalement il lève un peu la main, comme pour demander une trêve.

– Nous appareillons dans la nuit de mardi prochain, si tout va bien, dit-il presque à voix basse. Vous seriez peut-être intéressée par une visite de la *Culebra*. Avec don Emilio et Miguel, naturellement.

Impassible, Lolita Palma soutient son regard.

– Pourquoi devrais-je être intéressée ? Je suis déjà montée à bord d'un cotre.

– Parce que c'est aussi votre bateau. Et cela ferait plaisir à mon équipage de voir qu'un de ses chefs, puisqu'il faut bien trouver un mot, est une femme.

– À quoi cela servirait-il ?

– Eh bien, c'est difficile à exprimer... Disons qu'on ne sait jamais quand certaines choses peuvent être utiles.

– Je préfère ne pas connaître votre équipage.

Il semble que ce *votre* donne à réfléchir au corsaire. Un moment après, il hausse les épaules. Maintenant il sourit, distrait, comme s'il était ailleurs. Ou en chemin pour s'y rendre.

– C'est aussi le vôtre. Et il pourrait vous rendre riche.

– Décidément, vous vous méprenez, monsieur Lobo. Je suis déjà riche. Bonsoir.

Laissant le corsaire derrière elle, elle fait ses adieux aux Sánchez Guinea, à Fernández Cuchillero, à Curra Vilches et au cousin Toño. Celui-ci veut la reconduire chez elle, mais elle ne le lui permet pas. Tu te plais avec tes amis, dit-elle, et j'habite tout près. En récupérant sa cape dans le vestibule, elle retrouve Lorenzo Virués. Le militaire s'en va aussi, car, explique-t-il, il doit être sur l'île de León dès la première heure du jour. Ils descendent ensemble l'escalier illuminé et sortent dans la rue, en passant entre les curieux qui entourent les calèches à la lumière des chandelles et des torches. Lolita a rabattu sur sa tête l'ample capuchon de sa cape de velours noir. Le militaire marche courtoisement à sa gauche, coiffé de son bicorne, la capote sur les épaules et le sabre sous le bras. Ils suivent le même chemin, et Virués manifeste sa surprise de la voir rentrer seule.

– J'habite à trois rues d'ici, répond Lolita. Et je suis dans ma ville.

La nuit est agréable, sereine. Un peu fraîche. Les pas résonnent dans les rues droites et bien pavées. Quelques veilleuses à huile éclairent la Vierge au coin de l'Ancien Consulat, où un vigile nocturne qui porte pique et lanterne ôte son chapeau en reconnaissant Lolita et en voyant l'uniforme militaire.

– Bonne nuit, doña Lolita.

– Merci, Pedro. Et vous de même.

– Depuis les terrasses de Cadix, fait remarquer le capitaine, on pourra voir aujourd'hui la comète qui traverse ces jours-ci le ciel de l'Andalousie et dont tout le monde parle. Grandes calamités et bouleversements en Espagne et en Europe, pronostiquent ceux qui disent connaître ces choses. Pas besoin, pourtant, d'être grand clerc pour de telles prévisions. Avec tout ce qui nous tombe dessus.

– Que s'est-il passé à Gibraltar?

– Pardon?

Suit un bref silence. Juste le bruit des pas. La maison de Lolita Palma est déjà proche, et elle sait qu'elle ne dispose pas de beaucoup de temps.

– Le capitaine Lobo, précise-t-elle.

– Ah.

Quelques pas encore, sans autre commentaire. Maintenant, Lolita marche lentement et Virués se met à l'unisson.

– Vous y étiez ensemble, m'avez-vous dit tout à l'heure. Vous et lui. Prisonniers.

– C'est exact, admet Virués. J'ai été pris au cours d'une sortie des Anglais contre une ligne de tranchées que nous tentions d'établir entre la tour du Diable et le fort de Santa Bárbara. J'ai été blessé et conduit à l'hôpital militaire du Rocher.

– Mon Dieu... C'était grave?

– Pas trop. – Virués lève le bras gauche à l'horizontale et fait pivoter à demi le poignet. – Comme vous pouvez voir, ils m'ont convenablement réparé. Pas de complications, pas d'infection, pas de nécessité d'amputer. En trois semaines, j'étais rétabli et je me promenais dans Gibraltar, prisonnier sur parole, dans l'attente d'un échange.

– Et c'est là que vous avez connu le capitaine Lobo.

– Oui. C'est là que je l'ai connu.

Le récit du militaire est concis: des officiers morts d'ennui qui comptaient les jours en vivant de la charité anglaise et des maigres secours qu'ils recevaient du côté espagnol, dans l'attente de la fin de la guerre ou de l'accord qui leur

permettrait de revenir parmi les leurs. Une classe privi-
légiée, malgré tout, en comparaison du sort des simples
soldats enfermés dans des prisons et des pontons, pour qui la
possibilité d'un échange était beaucoup plus aléatoire. Parmi
la vingtaine d'officiers qui jouissaient de leur liberté de
mouvement pour avoir donné leur parole d'honneur de ne
pas s'évader se trouvaient des gens de l'Armée et de la Flotte,
et aussi des capitaines de bateaux corsaires capturés. Cette
dernière catégorie était réservée aux seuls marins possédant
leur brevet de capitaine et ayant commandé des bâtiments
d'une certaine taille et d'un certain tonnage. Ils étaient deux
ou trois, dont Pepe Lobo. Celui-ci faisait facilement cavalier
seul et ne fréquentait pas les officiers. Il semblait plus à son
aise avec la populace du port.

– Les filles et le reste ? s'intéresse Lolita sur un ton badin.

– Plus ou moins. Des milieux guère recommandables, en
tout cas.

– Mais ce n'est pas pour cela que vous le détestez.

– Je n'ai jamais dit que je le déteste.

– C'est vrai. Vous ne l'avez pas dit. Disons que vous n'avez
pas de sympathie pour lui. Ou que vous le méprisez.

– J'ai mes raisons.

Ils débouchent dans la rue du Bastion. Près de la maison
des Palma. Lolita pose une main sur le bras du militaire.
Elle est décidée à ne pas lâcher prise.

– Ne vous imaginez pas que vous allez partir sans m'avoir
conté ce qui s'est passé à Gibraltar entre vous et le capitaine
Lobo.

– Pourquoi vous intéressez-vous à cet homme ?

– Il travaille avec certains de mes associés… Pour moi,
en quelque sorte.

– Je vois.

Virués fait quelques pas, songeur, regardant le sol devant
ses bottes. Puis il relève la tête.

– Là-bas, il ne s'est rien passé entre nous. En réalité, nous ne nous voyions presque pas... Je vous l'ai dit, il évitait la société des officiers espagnols... À proprement parler, il n'était pas des nôtres.

– Il s'est évadé, n'est-ce pas ?

Le militaire se tait. Il se borne à esquisser un geste ambigu. Mal à l'aise. Lolita en conclut que Lorenzo Virués n'est pas du genre à parler des autres derrière leur dos. Pas trop, en tout cas.

– Malgré la parole donnée, ajoute-t-elle, pensive.

Après un autre court silence, Virués confirme. Lobo avait donné sa parole, en effet. Cela lui permettait de se déplacer librement sur le Rocher, comme les autres. Et il en a profité. Une nuit sans lune, lui et deux de ses hommes qui travaillaient parmi les forçats du port et dont il avait acheté la liberté aux gardiens – un de ces derniers, maltais d'origine, a déserté avec eux – ont gagné à la nage une tartane mouillée dans le port et, profitant d'un fort vent de levant, ils ont levé l'ancre, hissé la voile et se sont laissé porter vers la côte espagnole.

– Fâcheuse histoire, admet Lolita. Surtout quand on pense à la parole d'honneur. Je suppose que ça ne vous a pas trop plu...

– Ce n'est pas seulement cela. Dans leur fuite, ils ont blessé un homme et en ont tué un autre. Le premier, une sentinelle, camarade du Maltais, a été poignardé. Et le matelot qui était de garde sur la tartane quand Lobo et les siens l'ont abordée a été retrouvé dans l'eau, le crâne ouvert... Du coup, tous ceux qui étaient en liberté sur parole se sont vu retirer ce privilège, et nous avons été enfermés dans Moorish Castle. J'y suis resté moi-même sept semaines, jusqu'au jour où j'ai été échangé.

Lolita Palma rejette son capuchon en arrière. Ils sont debout devant le porche de sa maison, éclairé par les lanternes que Rosas, le majordome, a disposées dans l'attente de sa maîtresse. Virués ôte son chapeau et prend congé en joignant les talons. Ce fut un plaisir de vous accompagner, dit-il. Je vous demande la permission de vous rendre visite de temps à autre. Le militaire est un homme agréable, pense de nouveau Lolita. Il inspire confiance. On peut lui faire crédit. S'il était commerçant, je ferais des affaires avec lui.

– Vous étiez-vous revus, depuis ?

Virués, qui allait remettre son chapeau, suspend son geste.

– Non. Mais un jeune camarade, lieutenant d'artillerie, l'a rencontré récemment à Algésiras et a voulu le provoquer en duel… Avec la plus totale impertinence, Lobo lui a ri au nez et l'a envoyé promener. Il a refusé de se battre.

En imaginant la scène, Lolita est bien près, tout en s'en défendant, de la trouver amusante. Un vaudeville.

– Pourtant, il ne semble pas être un lâche.

Elle n'a pu éviter de laisser le sourire intérieur effleurer ses lèvres. Le militaire s'en rend compte, car il fronce les sourcils et s'incline un peu en joignant de nouveau les talons, avec une courtoisie exagérée. Rigide devant la femme, méprisant pour l'homme dont ils parlent.

– Je ne crois pas qu'il le soit. À mon avis, le fait qu'il ne veuille pas se battre n'a rien à voir avec le courage. C'est plutôt une question d'absence d'amour-propre… Pour des individus comme lui, le mot *honneur* n'a aucun sens. Ce sont des gens d'aujourd'hui, je le crains… Tout à fait de ce temps. Et des temps à venir.

*

À deux milles et trois dixièmes de distance, l'œil droit collé à l'oculaire du télescope achromatique Dollond, le capitaine Simon Desfosseux observe les lumières lointaines de l'hôtel particulier où l'ambassadeur anglais donne sa réception. Grâce aux pigeons voyageurs et aux informations qui vont et viennent par la bouche de matelots et de contrebandiers, l'artilleur est au courant que Wellesley, les états-majors anglais et espagnol et la haute société gaditane fêtent ce soir la déconfiture des Français à Chiclana. Les puissantes lentilles de l'appareil optique permettent à Desfosseux de situer facilement l'édifice, illuminé comme un défi sur la ligne obscure des remparts cernés par la mer, où quelques silhouettes noires de navires se découpent vaguement sur la clarté d'une lune très petite.

– Trois points cinq pour compenser, ce sera bon. Élévation, quarante-quatre... Essayez de me la loger là-bas, Bertoldi. Soyez bon garçon.

Près de lui, assis sur une caisse, les tables de tir éclairées par une lanterne sourde, le lieutenant Bertoldi complète les calculs, se lève et descend les échelons de bois pour se rendre dans la redoute, où la lueur de torches qui brûlent à l'autre bout du parapet permet de voir la gueule énorme, cylindrique et noire de Fanfan. L'obusier de 10 pouces est orienté vers son objectif, dans l'attente des dernières corrections que Bertoldi va communiquer à ses servants. Quittant un instant le télescope, Desfosseux lève la tête et jette un regard sur la tache blanche qui se découpe sur le ciel noir : la manche à air en toile accrochée au mât au-dessus du poste d'observation. Elle fait flop, flop. Le vent est relativement faible. La dernière mesure indique une brise un peu fraîche de sud sud-est. D'où la correction estimée de trois points et demi pour compenser l'effet du vent latéral. Naturellement, ce pourrait être pire, mais, cette nuit, un vent plus léger encore aurait été préférable ; ou alors, quitte à souhaiter des conditions vraiment optimales, de celles qui vous font vous frotter les mains de pur plaisir pyrotechnique anticipé, que ce soit un bon est sud-est, fort, franc et constant. Un véritable cadeau du dieu Mars quand il souffle, rendant possibles des droites et des paraboles parfaites ou presque, et des corrections d'à peine zéro virgule quelque chose. Bonheur d'artilleur pur, ivresse de la poudre et des éclairs. La gloire ! Cela supposerait qu'un certain nombre de précieuses toises viendraient s'ajouter pour assurer la portée et la direction du tir à travers la baie. Des facteurs que Desfosseux, artilleur consciencieux s'il en est, souhaite toujours les plus adéquats possibles ; mais qui, en cette nuit particulière, lui permettraient en outre de se joindre à la fête de l'ambassadeur anglais. Et c'est pour cela qu'il est là, empêchant ses hommes d'aller se coucher, à dix heures du soir et sans avoir soupé.

Après un dernier coup d'œil dans le télescope, Desfosseux descend à son tour du poste d'observation pour gagner la redoute. Là, derrière le talus de terre qui protège les pièces d'artillerie de la batterie, l'obusier Villantroys-Ruty de 10 pouces a son espace réservé : un retranchement carré et spacieux au centre duquel trône la pièce, son tube noir menaçant formant angle avec l'énorme affût à roues de fer qui porte 7 371 livres de bronze, pointé sur Cadix suivant les indications que le lieutenant Bertoldi vient de donner aux artilleurs. On voit ceux-ci à la clarté des torches, la peau luisante et le visage ensommeillé. Ce sont un maréchal des logis, deux brigadiers et huit soldats fatigués, sales, pas rasés. Les hommes de Fanfan. Tous, y compris le sous-officier – un Auvergnat moustachu et grincheux nommé Labiche –, sont vêtus de façon négligée : bonnets de police, capotes déboutonnées et sales, guêtres tachées de boue séchée. À la différence des officiers qui peuvent dormir hors de la redoute ou se distraire à Puerto Real et à El Puerto de Santa María, ils mènent une existence de taupes, toujours entre les épaulements, les barbettes et les tranchées, dormant sous des toits de planches recouvertes de terre pour se protéger du feu de contrebatterie des Espagnols qui tirent du fort avancé de Puntales, sur le Récif.

– Juste un moment, mon capitaine, dit Bertoldi. Et à vos ordres.

Desfosseux observe le travail des artilleurs. Ils ont fait cette opération d'innombrables fois, pour l'heure avec Fanfan, avant avec les mortiers Dedon de 12 pouces et les obusiers Villantroys de 8. Pour eux, c'est la routine : anspect, refouloir, boutefeu, un pas en arrière, et bouche ouverte pour que la détonation ne détruise pas les tympans. Ce qui, à la longue, finit par arriver. Que l'objectif de cette nuit soit la fête de l'ambassadeur anglais ou les fesses de sa mère, Labiche et sa troupe crottée s'en moquent comme de leur première chemise. D'ici peu, qu'ils atteignent ou non l'objectif, sous-officier et soldats retourneront à leurs couvertures infestées de punaises et, demain, mangeront la même ration insuffisante arrosée d'un mauvais vin baptisé. Leur seule consolation est d'être dans une position où ils ont pris la mesure de l'ennemi. Les risques sont connus et, jusqu'à un certain point, acceptables, à la différence d'autres endroits d'Espagne où le mouvement des troupes expose à des combats hasardeux ou à de terribles rencontres avec des partis de guérilleros – même si l'on tient compte aussi que, dans de tels cas, les dangers sont compensés à l'occasion par la possibilité de bons butins en profitant des assauts, des marches et des cantonnements pour remplir son sac. Alors qu'autour de Cadix, avec des milliers de Français, Italiens, Polonais et Allemands déployés dans la région comme un nuage de sauterelles – les Allemands sont, comme toujours, particulièrement brutaux avec la population civile –, il ne reste plus rien à piller. Ce serait bien autre chose si la ville assiégée, qui déborde de richesses, finissait par tomber. Mais, sur ce point, personne ne se fait d'illusions.

– Trente livres juste, Labiche ?

Le maréchal des logis, qui s'est mis sans enthousiasme au garde-à-vous à l'arrivée de Desfosseux, arrose le sol du jus de sa chique, se ramone le nez à fond et acquiesce. Les 30 livres de poudre sont dans la chambre et le tube est incliné à quarante-quatre degrés, conformément aux dernières corrections du lieutenant Bertoldi. La bombe en fer creux de 80 livres est chargée de plomb, de sable et seulement, cette fois, d'un tiers de poudre, avec une espolette spéciale en bois et en fer-blanc dont l'étoupe brûle – ou doit brûler – pendant trente-cinq secondes. Un temps suffisant pour que la mèche interne reste allumée jusqu'à l'impact.

– Vous avez résolu le problème du grain de lumière?

Labiche tortille sa moustache et tarde à répondre. Le cylindre de cuivre par où s'enflamme la charge de l'obusier tend à se dévisser à chaque tir, à cause de la force énorme de l'explosion qui projette la grenade hors du tube. Cela finit par élargir la lumière et diminue la portée.

– Je crois que oui, mon capitaine, finit-il par dire après réflexion. Nous avons revissé le cylindre à froid avec beaucoup de précautions. Je suppose que tout ira bien, mais je ne garantis rien.

Desfosseux sourit et promène son regard sur les artilleurs.

– Je l'espère aussi. Cette nuit à Cadix, les manolos font la fête. Nous devons y mettre de l'animation… Pas vrai?

La plaisanterie ne suscite que quelques vagues grimaces fatiguées. Elle glisse sur les peaux graisseuses, les yeux las. Il est clair que Labiche et ses hommes écœurés de tout laissent l'enthousiasme aux officiers. En ce qui les concerne, ça leur est parfaitement égal que la grenade arrive ou non à destination. Qu'elle tue beaucoup, un peu, ou pas du tout. Ce qu'ils veulent, c'est en finir pour cette nuit, manger quelque chose et aller ronfler dans leur baraque.

Le capitaine a tiré sa montre de son gilet et la consulte.

– Feu dans trois minutes.

Bertoldi, qui l'a rejoint, regarde l'heure à sa propre montre.

Puis il acquiesce, dit « à vos ordres » et se tourne vers les artilleurs.

– Prenez le boutefeu, Labiche. Chacun à son poste. Exécution.

Simon Desfosseux rabat le couvercle de sa montre, la remet dans sa poche et retourne au poste d'observation en essayant de ne pas trébucher dans le noir et se casser une jambe. Ça ne serait vraiment pas le moment ! Une fois en haut, il jette sa capote sur ses épaules, colle l'œil droit à l'oculaire du télescope et regarde l'édifice illuminé au loin. Puis il relève la tête et attend. Comme il serait heureux, pense-t-il en tambourinant légèrement des doigts sur le cuivre du tube, si Fanfan jetait cette nuit une jolie note de musique, un *do* de poitrine poussé à fond, en expédiant à l'ambassadeur anglais et ses invités, par les fenêtres, 80 livres de fer, de plomb, de poudre et de sympathie. Avec les salutations du duc de Bellune, de l'empereur et de Simon Desfosseux lui-même pour la part qui lui revient.

Pouououm-bang ! La détonation ébranle la structure en bois du poste d'observation et assourdit le capitaine. De son œil ouvert – il a fermé l'autre pour ne pas rester ébloui par l'éclair –, il voit la grande et brève flamme du tir éclairer les environs, découpant, entre sa lumière crue et l'ombre, les contours de la redoute, les baraques voisines, le mirador et le rivage de l'eau noire de la baie. Tout ne dure qu'une seconde, avant que ne revienne l'obscurité ; à cet instant, Desfosseux est déjà en train de regarder avec l'autre œil dans le télescope qu'il ajuste sur le point qu'il veut observer. Sept, huit, neuf, dix, compte-t-il sans remuer les lèvres. Dans le cercle de la lentille, avec une légère oscillation due à l'effet de la distance, brillent les feux de l'édifice visé par Fanfan, devant lesquels se dessinent les silhouettes de mâts nus de bâtiments mouillés dans la baie. Il en est à dix-sept. Dix-huit. Dix-neuf. Vingt. Vingt et un.

Un panache noir, colonne d'eau et d'écume, s'élève au centre de la lentille à mi-hauteur des mâts des navires, masquant un moment l'édifice éclairé sur la terre. Trop court, constate, désolé, le capitaine, avec la rage d'un joueur qui mise sur une carte et en voit sortir une autre. La bombe, dont le tir était parfaitement ajusté sur sa cible, est tombée dans la mer sans aller au-delà de 2 000 toises, ce qui, après tant de calculs et de travaux, est une distance ridicule. Peut-être le vent souffle-t-il différemment sur l'objectif ; ou alors, comme c'est déjà arrivé en d'autres occasions, le projectile est sorti trop tôt au moment de la déflagration, sans que la poudre soit complètement enflammée. Ou le grain de lumière est de nouveau parti en quenouille. Desfosseux décide de remettre à plus tard la suite de ses réflexions, car une succession d'éclairs aux meurtrières du fort de Puntales indique que les artilleurs espagnols renvoient ce salut nocturne par un feu de contrebatterie sur le Trocadéro. En toute hâte, il descend l'échelle de bois et se presse en direction de la casemate la plus proche – avec moins de précautions, cette fois, qu'à la montée –, juste au moment où le froissement de la première grenade espagnole traverse la nuit au-dessus de sa tête et va éclater 50 toises à droite, entre la Cabezuela et le fort de Matagorda. Trente secondes plus tard, entassé avec Bertoldi, Labiche et les artilleurs à l'intérieur de l'abri, Desfosseux sent trembler le sol et la charpente qui soutient les murs et le plafond sous les tirs espagnols, tandis que, plus près, tonnent en réponse les canons impériaux du fort Luis, dans un intense duel d'artillerie de rive à rive.

À la dérobée, le capitaine voit le maréchal des logis Labiche lâcher un crachat de jus de tabac entre ses guêtres mal rapiécées.

– Franchement, ça ne valait pas la peine, grogne le sous-officier avec un clin d'œil à un camarade. Les réveiller en pleine nuit pour ça…

5

La reine blanche bat en retraite, humiliée, pour chercher la protection d'un cavalier dont la situation – deux pions noirs le guettent avec de mauvaises intentions – n'est pas plus brillante. Quel jeu stupide. Il y a des jours où Rogelio Tizón déteste les échecs, et celui-ci en est un. Avec le roi acculé, le roque impossible, un désavantage d'une tour et de deux pions par rapport à son adversaire, il ne poursuit la partie que par déférence pour Hipólito Barrull, qui semble aux anges et s'amuse beaucoup. Comme d'habitude. Le massacre a commencé sur le flanc gauche après une erreur stupide de Tizón : un pion déplacé sans réfléchir, une brèche tentatrice, et un fou ennemi planté comme une dague en plein dans ses rangs, réduisant à néant en deux coups une défense sicilienne construite aux prix d'intenses efforts et sans aucun résultat pratique.

– Je vais vous mettre en charpie, commissaire, rit Barrull, heureux. Sans miséricorde.

Sa tactique a été celle de toujours : attendre patiemment, comme une araignée au centre de sa toile, l'erreur de l'adversaire et se lancer alors avec délectation, tous crocs dehors et la gueule dégoulinante de sang. Tizón, conscient de ce qui l'attend, se défend mollement, sans espoir. À ce stade de la partie, l'éventualité que le professeur baisse sa garde est illusoire. Toujours précis et cruel pour le coup de grâce. Un bourreau-né.

– Avalez-moi ça !

Un pion noir vient compléter l'encerclement. Le cheval hennit, coincé, cherchant par où sauter et s'échapper. Le visage impitoyable de Barrull, raviné par d'innombrables heures passées à froncer les sourcils devant des centaines de livres, s'élargit derrière les lunettes en un sourire roublard. Comme toujours devant un échiquier, sa politesse habituelle cède le pas à une vulgarité agressive, insolente. Quasi-homicide. Tizón regarde les peintures qui décorent les murs du café de la Poste : nymphes, fleurs et oiseaux. Ce n'est pas de là que lui viendra une aide. Résigné, il prend un pion en acceptant de perdre le cavalier, exécuté illico par l'adversaire avec un grognement de jubilation.

– Arrêtons-nous là, demande le policier.

– Vous ne voulez pas en jouer une autre ? – Barrull semble déçu, sa soif de sang inassouvie. – La revanche ?

– Ça me suffit pour aujourd'hui.

Ils ramassent les pièces et les rangent dans la boîte. Après l'hécatombe, Barrull revient à la vie normale. Sa figure chevaline est de nouveau presque aimable. Encore une minute, et il sera l'homme affectueux et courtois de toujours.

– Le joueur le plus attentif bat le plus habile, déclare-t-il en guise de consolation pour le vaincu. Toute la question est d'être aux aguets. Prudence et patience… N'ai-je pas raison ?

Tizón acquiesce, distrait. Les jambes allongées sous la table, le dos de la chaise contre le mur, il regarde les gens autour de lui. Le soleil en déclin dore la verrière qui couvre la cour. Conversations, journaux ouverts, serveurs qui fendent la fumée des cigares et des pipes, circulant avec des pots de chocolat, des cafetières et des verres d'eau fraîche. Commerçants, députés aux Cortès, militaires, émigrés avec ou sans fortune, tapeurs en quête d'une invitation ou d'un prêt occupent les tables et les guéridons de marbre, entrent et sortent de la salle de billard ou de lecture. La partie masculine de la ville est là pour jouir du repos vespéral qui succède à sa dure journée de labeur. Une ruche bourdonnante, où ne font pas défaut faux bourdons et parasites que l'œil expert du policier identifie d'un regard méthodique, routinier.

– Comment vont vos traces sur le sable ?

Barrull, qui a sorti sa tabatière pour priser une pincée de râpé, suit le regard de Tizón. Loin, désormais, du bruit et de la fureur du combat entre pièces blanches et noires, son expression est bienveillante. Sereine.

– Ça fait longtemps que vous ne parlez plus de l'affaire, ajoute-t-il.

Le policier acquiesce encore, sans quitter les gens des yeux. Il reste un moment sans rien dire. Puis il fourrage dans un de ses favoris d'un air sombre.

– Ça fait aussi trop longtemps que le criminel reste tranquille.

– Peut-être a-t-il renoncé à tuer, risque Barrull.

Tizón s'agite. Dubitatif. Réellement, il ne sait pas.

– Réellement, je ne sais pas, avoue-t-il.

Un long silence. Le professeur l'observe avec une attention extrême.

– Diable, commissaire. Vous semblez regretter qu'il ne se manifeste pas.

Maintenant, Tizón soutient le regard de Barrull. Celui-ci incurve les lèvres comme pour pousser un sifflement admiratif.

– Mon Dieu ! C'est bien de cela qu'il s'agit, n'est-ce pas ?... S'il ne tue pas de nouveau, vous n'aurez pas de nouvelles pistes. Vous craignez que l'assassin de ces pauvres filles n'ait soudain pris peur de ses actes ou qu'il s'en soit lassé... Qu'il reste dans l'obscurité et ne fasse plus jamais parler de lui.

Tizón continue de le contempler, inexpressif, sans rien

dire. Son interlocuteur chasse à petits coups les restes de poussière de tabac avec un mouchoir froissé qu'il a tiré d'une poche. Puis il lève l'index et le pointe comme un pistolet en direction du bouton supérieur du gilet du commissaire.

– On dirait que vous craignez qu'il ne tue pas de nouveau... Que le hasard le maintienne éloigné.

– Il y a quelque chose chez lui de rigoureux, argumente gravement le policier en regardant le doigt braqué sur lui. D'exact. Je ne crois pas qu'il s'agisse de hasard.

Barrull semble réfléchir.

– Intéressant, conclut-il, en se carrant sur sa chaise. Et c'est vrai que l'on peut parler de précision. Peut-être s'agit-il d'un fanatique.

Tizón contemple l'échiquier vide. Les pièces dans leur boîte.

– Ou peut-être joue-t-il?

La question semble naïve dans la bouche d'un homme comme lui. Il en prend soudain conscience et se sent un peu ridicule. Embarrassé. De son côté, Barrull esquisse un sourire prudent. Il lève légèrement une main, comme pour éluder toute responsabilité.

– Peut-être. Je ne saurais le dire. Tous, nous aimons les jeux. Les défis. Mais tuer de cette manière, ça va quand même plus loin... Il y a des gens chez qui, comme c'est le cas pour les animaux, l'instinct se réveille dans certaines occasions: bruit de bombes, sensations... Tout le monde sait ça. Je dirais que ce cas frise la folie, si l'expérience ne nous avait enseigné que les limites de celle-ci ne sont pas toujours claires.

Ils appellent un serveur qui remplit leurs tasses de deux onces de liquide brun et d'un petit doigt d'écume. Le café est bon, brûlant et aromatique. Le meilleur de Cadix. Tout en buvant, Rogelio Tizón observe un groupe qui discute dans la cour. Y figurent un émigré suspect – son père sert à

Madrid le roi usurpateur – et un membre des Cortès dont le commissaire fait ouvrir secrètement le courrier ; précaution qui, sur instructions particulières de l'intendant général, s'étend à tous les députés, sans distinction entre civils et ecclésiastiques. Tizón a plusieurs agents affectés à cette tâche.

– L'assassin peut vouloir défier tout le monde, commente le policier. La ville. La vie. Moi.

Autre regard attentif de Barrull. Le policier se rend compte qu'il l'étudie comme s'il découvrait en lui des angles insoupçonnés.

– Cette façon de vous exprimer comme si vous étiez personnellement concerné m'inquiète, commissaire. Vous... Enfin...

Il laisse la phrase en l'air, en agitant sa chevelure abondante et grise. Maintenant, il joue avec la tabatière. Puis il la pose sur une case noire de l'échiquier comme s'il s'agissait d'une pièce.

– Un défi, avez-vous dit, poursuit-il un moment plus tard. Et de son point de vue, c'en est peut-être un. Mais ce ne sont là que des conjectures. Nous construisons dans l'air... Nous parlons, c'est tout.

Rogelio Tizón observe toujours la clientèle du café. Dans la ville, les espions qui correspondent avec les Français ne manquent pas : on en a garrotté un hier au château de San Sebastián. C'est pourquoi il a ordre de renforcer le contrôle des émigrés, y compris quand ils se présentent comme ayant fui la zone ennemie, et d'arrêter ceux qui arrivent sans papiers en règle. Même si cela implique davantage de travail et de soucis, Tizón s'en réjouit : les familles récemment débarquées, les habitants et les aubergistes qui les accueillent ont vu monter les tarifs officiels et, en conséquence, ceux qu'il perçoit en sous-main. Le propriétaire d'une auberge de la rue Flamands Ivres, qui loge des étrangers sans permis en règle, lui a payé ce matin quatre cents réaux pour éviter une amende se montant au triple ; et un émigré dont le passeport était falsifié avec de l'acide chlorhydrique oxygéné vient d'échapper à la prison et à l'expulsion en alignant deux cents réaux sur la table. Ce qui se traduit aujourd'hui pour le commissaire par un bénéfice de trente pesos qui brillent comme autant de soleils. Une journée bien remplie.

– *Ajax*, dit-il à voix haute.

Surpris, Hipólito Barrull l'observe par-dessus son café.

– Je parle de similitudes avec le manuscrit que vous m'avez prêté, poursuit Tizón. L'autre jour, en le relisant, je suis tombé, presque l'une à la suite de l'autre, sur deux phrases qui m'ont troublé. « *Femme, le silence est la parure des femmes* », dit l'une. Et l'autre parle d'un « *gémissement sourd, sans cris ni lamentations, comme une bête qui mugit* ».

Barrull, qui a reposé sa tasse sur la table, continue de le regarder attentivement.

– Et alors ?

– Ces filles bâillonnées pendant qu'on les torturait... Vous ne voyez pas la relation ?

Le professeur hoche la tête d'un air découragé.

– Ce que je vois, répond-il, c'est que vous allez probablement trop loin. Ça finira par devenir une obsession. *Ajax* est seulement un texte. Une coïncidence.

– Saisissante, quand même !

– Je crois que vous exagérez. Vous y mêlez trop d'idées personnelles. Je vous croyais plus solide... J'en viens à regretter de vous avoir prêté le manuscrit.

Une pause, durant laquelle Barrull semble prendre l'affaire très à cœur. Il est évident qu'il réfléchit sérieusement.

– Ce doit être un hasard, conclut-il. Je ne crois pas que l'assassin l'ait lu. En Espagne, il n'y a pas encore de traduction imprimée... Donc il faudrait que ce soit quelqu'un de très cultivé. Et les personnes de ce genre n'abondent pas ici. Même avec tous ces émigrés et ces gens de passage. Nous le connaîtrions.

– Nous le connaissons peut-être.

On ne peut écarter cette hypothèse, admet le professeur. Mais le plus certain est qu'il s'agit d'un hasard. Cela n'empêche pas que Tizón puisse établir une relation. Nouer entre eux, dans son imagination, des fils réels ou supposés. Parfois, un individu inventif s'avère incapable d'analyser correctement. Comme aux échecs. Son imagination peut lui indiquer le bon chemin, mais souvent elle l'égare. De toute manière, il est bon de se méfier de son excès de connaissances : cela mène à ajouter trop de choses aux faits proprement dits et finit par les masquer. La voie la plus simple est presque toujours la ligne droite.

– La singularité de cette affaire, poursuit-il, n'est pas que ce monstre tue des filles, ou qu'il le fasse à coups de fouet, ou que ce soit sur des lieux où sont tombées des bombes… Ce qui est intéressant, commissaire, c'est que toutes ces circonstances sont réunies en même temps. Vous comprenez ?… Ensemble. Pour en revenir à l'échiquier, c'est comme un paysage où la situation générale est déterminée par la position des différentes pièces. Si nous regardons chaque pièce séparément, nous ne sommes pas capables d'avoir une vue d'ensemble. Être trop près rend difficile l'analyse de ce que l'on observe.

Tizón fait un geste pour indiquer, autour d'eux, la bruyante assistance qui remplit l'enceinte.

– Cette ville est devenue compliquée.

– Ce n'est pas seulement ça. Cadix est un ensemble disparate de personnes, d'objets et de positions. On peut imaginer que l'assassin *voit* la ville comme un lieu dont il a sa propre lecture. Un plan que nous ne voyons pas… Si vous le faisiez, vous pourriez peut-être anticiper ses mouvements.

– Vous voulez dire : comme aux échecs ?

– Par exemple.

Songeur, le professeur récupère sa tabatière et la glisse dans une poche de son gilet. Puis il pose un ongle jauni sur la case vide.

– Peut-être devriez-vous, ajoute-t-il, faire surveiller les lieux où tombent les bombes qui explosent.

– Je le fais, proteste Tizón. Autant qu'il m'est possible, je mets des agents aux endroits qui semblent pertinents. Sans succès. Pour autant que nous sachions, il n'a pas recommencé.

– Il se pourrait que cette surveillance le dissuade.

– Je l'ignore. Mais pourquoi pas ?

– D'accord – Barrull rajuste ses lunettes. – Avançons une théorie, commissaire. Une hypothèse.

Lentement, en s'arrêtant de temps à autre pour mieux ordonner sa pensée, le professeur expose son idée. Lorsque les bombes françaises ont commencé à pleuvoir sur la ville, l'univers mental compliqué de l'assassin a pu se projeter dans une direction insoupçonnée. Il a peut-être été fasciné par le pouvoir de la technique moderne, capable d'expédier des bombes sur des lieux éloignés.

– Cela exigerait une certaine culture, insiste Tizón.

– Pas forcément. Ce n'est pas indispensable pour déterminer certaines intuitions ou certains sentiments. N'importe qui peut en avoir. Votre assassin peut aussi bien être un homme raffiné qu'un parfait analphabète... Imaginez qu'il s'agisse de quelqu'un qui, voyant que certaines bombes ne tuent pas, décide de le faire à leur place... On peut arriver à ce geste par des mécanismes intellectuels très élaborés ou par pure stupidité, avec un résultat identique.

L'expression de Barrull semble s'animer à mesure qu'il parle. Tizón le voit se pencher, les mains à plat sur la table de part et d'autre de l'échiquier.

– À supposer, continue le professeur, que la pulsion

criminelle soit, comment dire… primaire, résoudre l'affaire dépendrait donc davantage du hasard que de l'analyse : de ce que l'assassin tue de nouveau, commette une erreur, soit vu par des témoins, ou qu'un élément fortuit permette de le prendre en flagrant délit… Vous me suivez, commissaire ?

– Je crois que oui. Vous suggérez que plus le coupable serait intelligent, plus cela le rendrait vulnérable.

– C'est une possibilité. Une telle hypothèse a l'avantage de fournir des points d'accroche pour votre enquête. L'affaire, si compliquée et perverse soit-elle, aura toujours de la sorte une motivation explicable, même s'il s'agit d'un esprit dément. Un bout de la pelote que vous pourrez tirer pour commencer à la débobiner.

– Plus l'affaire serait irrationnelle, moins il y aurait de pistes ?

– C'est cela.

La dent en or de Tizón brille. Il commence à comprendre.

– Ce que vous évoquez, c'est une logique de l'horreur.

– Exactement. Imaginez, par exemple, que l'assassin veuille, par calcul ou sous l'effet d'une pulsion irrésistible, laisser un témoignage lié à la chute des bombes. Rendre hommage à la technique, par exemple. En tuant. Vous comprenez ?… Dites-vous que ça n'a rien d'insensé : précision, technique, bombes, et les crimes qui les accompagnent. – Barrull se carre sur sa chaise, satisfait. – Qu'en pensez-vous ?

– Intéressant. Mais improbable. Vous oubliez que vous parlez à un policier stupide et élémentaire. Dans mon monde, un plus un font toujours deux. Sans ces deux un, il n'y a aucun total possible.

– Nous ne faisons que supposer, commissaire. C'est vous qui avez commencé. Ce sont des mots, rien de plus. Des théories de café. Celle-ci en est une parmi d'autres : le criminel tuerait là où sont tombées des bombes qui explosent mais ne tuent pas. Imaginons qu'il ne ferait que restituer à la technique ce qu'elle a de défectueux ou d'imprécis. Ce serait fascinant ! Vous ne croyez pas ?... Réussir là où la science échoue. De cette façon, il ferait coïncider l'impact de la bombe et la vie humaine... Cette hypothèse vous plaît-elle ? Nous pourrions en émettre une demi-douzaine. Certaines du même acabit et d'autres à l'opposé. Et aucune ne vaudrait tripette.

Tizón, qui écoute attentivement, réprime le commentaire qui lui vient aux lèvres. Ces pauvres filles écorchées à coups de fouet étaient réelles, se dit-il. Leur chair à vif saignait et leurs viscères avaient une odeur. Rien à voir avec des arabesques de l'intellect. Avec des philosophies de salon.

– Vous croyez que je ne dois pas écarter les gens instruits... Des hommes de science ?

Barrull esquisse un mouvement vague. Gêné. Trop concret pour moi, indique le geste. Je ne prétendais pas aller si loin. Mais, un moment plus tard, il semble avoir repris le fil de sa réflexion.

– Culture et science ne vont pas toujours de pair, argumente-t-il en regardant l'échiquier vide. L'Histoire montre qu'elles peuvent aussi aller dans des sens opposés... Mais quand même. Il pourrait y avoir un certain vernis technique chez notre assassin. Et qui sait ?... Peut-être joue-t-il aux échecs. – D'un geste large, il balaie l'espace du café. – Peut-être est-il ici en ce moment. Tout près. Rendant hommage à la méthode.

*

Chaleur. Lumière intense. Grouillement de gens pieds nus ou chaussés d'espadrilles qui se connaissent depuis toujours et ignore ce qu'est l'intimité. Yeux noirs, presque arabes. Peaux recuites par l'océan et le soleil. Voix jeunes et joyeuses, avec l'accent particulier, hermétique, des classes les plus humbles de Cadix. Maisons basses, cris de femmes de balcon à balcon, lessive qui sèche, canaris en cage, enfants sales qui jouent à même la terre nue des rues étroites et droites. Croix, christs. Vierges et saints dans des niches et des azulejos à chaque carrefour. Odeur de la mer proche, de graillon, de poisson sous toutes ses formes : cru, frit, grillé, sec, salé, pourri, têtes et arêtes parmi lesquelles farfouillent des chats à la peau pelée par la gale et aux moustaches raidies par la graisse. La Viña.

Tournant à gauche depuis la rue du Palmier, Gregorio Fumagal prend la rue San Félix pour pénétrer dans le quartier des pêcheurs et des matelots. Il avance en se protégeant, guidé par l'odorat, la vue et l'ouïe, en profitant des espaces que ce monde bigarré et fourmillant de vie laisse libres. On dirait un insecte prudent qui agite ses antennes. Plus loin, là où les maisons s'arrêtent, comme une porte ouverte ou le goulot d'une bouteille sans bouchon, le taxidermiste parvient à voir une partie de l'esplanade des Capucins et le rempart, côté Vendaval, avec ses meurtrières et ses canons pointés vers le sud, sur l'Atlantique. Après s'être arrêté un moment pour ôter son chapeau et éponger la sueur, Fumagal poursuit son chemin en se collant aux façades blanches, bleues et ocre pour chercher de l'ombre. La sueur est particulièrement pénible, car une nouvelle teinture anglaise achetée hier chez le marchand de savon Frasquito Sanlúcar dégouline et laisse des taches d'une désagréable couleur noire. Il est également gêné par la redingote trop épaisse et le foulard de soie noué en guise de cravate qui ferme le col de sa chemise plus serré qu'il ne faudrait. Le soleil déjà haut fait sentir sa présence, la brise est infime dans cette partie de la ville, et l'été qui rôde tout proche s'annonce impitoyable. Dans un site entouré d'eau comme Cadix, où beaucoup de rues sont tracées perpendiculairement les unes aux autres pour faire obstacle aux vents, la chaleur humide dans l'air qui stagne peut être dévastatrice.

Le Mulâtre est là où il doit être, arrivant au lieu du rendez-vous en même temps que Fumagal. Plutôt que marcher on dirait qu'il danse à pas légers, très calculés et espacés, au rythme d'une mélopée primitive qu'il serait le seul à entendre. Il porte des espadrilles, sans bas ni chapeau. La culotte est courte, fermée, et la chemise, largement ouverte sur la poitrine, est ceinte d'une large bande rouge sous le gilet court et sans éclat. Sa mise est celle de la plupart des pêcheurs et des contrebandiers du quartier : petit-fils d'esclaves, libre à sa naissance, propriétaire d'une petite barque avec laquelle il fréquente les rives amies et ennemies, le Mulâtre est plus contrebandier qu'autre chose. Sa part de sang africain – plus évidente par les traits du visage que par la peau que l'on devine claire sous le hâle – lui donne cette cadence languide et flexible qui marque ses mouvements. Grand, athlétique, le nez épaté, les lèvres épaisses, des pattes et des cheveux crêpelés qui grisonnent.

– Un singe, dit le Mulâtre. Haut d'une demi-vare. Un bon spécimen.

– Vivant ?

– Pour l'instant.

Ça m'intéresse, répond Fumagal. Les deux hommes se sont arrêtés devant une petite taverne typique de la Viña : débit de vin sous un porche étroit et sombre, avec deux grandes barriques en bois noir au fond, de la sciure au sol, un comptoir et deux tables basses. Ça sent fort le vin et la bassine d'olives éclatées posée sur un tonneau. La conversation se déroule à voix haute pendant que le Mulâtre commande deux verres de rouge et qu'ils s'installent debout devant le petit comptoir – tablette collante, fontaine en marbre, portrait du célèbre guérillero *El Empecinado*, autrement dit « L'Obstiné », au mur. Le singe, explique le Mulâtre, d'une voix forte comme s'il voulait que le tavernier entende tout, est arrivé il y a quatre jours sur un navire américain. Il a une longue queue et il est encore plus laid que sa singesse de mère. Un exemplaire rare, a dit le matelot qui le lui a vendu. Macaque des Indes orientales. Et plutôt triste : il s'était peut-être habitué au bateau et à la mer. Il mange des fruits, boit un peu d'eau, et passe la journée dans sa cage, les cuisses ouvertes à s'astiquer la grande vergue.

– Je le veux mort, dit Fumagal. Sans complications.

– Soyez sans inquiétude, monsieur. Je m'en charge.

Une fois bien établi devant le tavernier l'objet de leur rendez-vous, les deux hommes vident leurs verres et sortent dans la rue pour marcher vers l'esplanade contiguë au rempart et à l'océan, loin des oreilles indiscrètes. Le Mulâtre tient dans une main rendue calleuse par le frottement des rames, des lignes et des cordages une poignée d'olives. Tous les dix ou douze pas, il lève un peu la tête et crache un noyau, loin, avec un puissant claquement des lèvres et de la langue. En arrivant sur l'esplanade, il chantonne entre deux olives une *copla* qui, depuis mars, connaît un grand succès dans Cadix :

> *On a tué trois mille gabachos*
> *sur la colline du Puerco,*
> *et leur bombe pendant ce temps*
> *nous a tué un chien errant.*

Le ton est aussi moqueur que les paroles. Et même si le Mulâtre l'a chantée les yeux tournés vers le bastion des Martyrs d'un air distrait comme s'il pensait à autre chose, Gregorio Fumagal en ressent de l'irritation.

– Épargnez-moi cette niaiserie, dit-il.

L'autre le regarde en arquant les sourcils avec une expression de fausse surprise qui cache mal son insolence.

– Ce n'est pas de votre faute, répond-il avec beaucoup de calme.

– Épargnez-moi aussi ça. Faute ou pas, ce n'est pas votre affaire.

– Dans ce cas, soyons pratiques. Allons droit au but.

– Si vous voulez bien. Nous courons trop de risques pour perdre notre temps.

Le contrebandier inspecte les alentours avec autant de discrétion que de naturel. Il n'y a personne à proximité. Les plus proches sont des forçats qui, à cinquante pas de là, réparent le rempart miné par la mer.

– Vos amis me chargent de vous dire...

– Ce sont aussi les vôtres, rectifie sèchement Fumagal.

– D'accord – le Mulâtre affiche une expression ambiguë.

– Ils me payent, si c'est de ça que vous parlez, monsieur. Ils me graissent les filins. Mais mes vrais amis, je les ai ailleurs.

– Abrégez. Dites ce que vous avez à dire.

L'autre se tourne à demi, en indiquant la rue qu'ils ont laissée derrière eux et l'intérieur de la ville.

– De la Cabezuela, ils veulent tirer plus loin. Au moins jusqu'à la place San Francisco.

– Jusqu'à maintenant, ils n'y sont pas arrivés.

Ça, ce n'est pas mon problème, souligne le contrebandier avec indifférence. Mais c'est leur intention. Puis il décrit le plan prévu : les nouveaux bombardements commenceront dans une semaine, et l'artillerie française a besoin d'une carte des lieux exacts où tomberont les bombes. Information quotidienne, heures et distances, détaillant celles qui éclateront et celles qui n'éclateront pas ; bien que la plus grande partie arrivera sans charge de poudre. Comme repère pour établir les distances, ils veulent que Fumagal se serve du clocher de l'église.

– J'aurai besoin de plus de pigeons.

– J'en ai rapporté plusieurs. Belges, d'un an. Les paniers sont à l'endroit habituel.

Les deux hommes marchent le long de l'esplanade des Capucins. Derrière le bastion, on voit la mer de l'autre côté des meurtrières des canons, avec la ligne de la côte légèrement incurvée, marquée par le rempart qui va jusqu'à la Porte de Terre et le dôme inachevé de la nouvelle cathédrale ; et plus loin, ondulant dans la réverbération de l'air chaud et la distance, la frange de sable blanc du Récif.

– Quand retournez-vous de l'autre côté ? questionne Fumagal.

– Je ne sais pas. Pour dire la vérité, je trouve que ça se complique : trop de nœuds dans ma drisse. Presque chaque semaine, quelqu'un se fait prendre en train de traverser la baie sans permis en règle. L'émigration et l'espionnage tiennent les autorités en alerte... Les pots-de-vin ne suffisent plus pour s'en sortir.

Ils font quelques pas en silence, près des forçats qui travaillent, chiffon noué sur la tête et torse nu, la sueur faisant luire comme un vernis cicatrices et tatouages. Baïonnette au canon, quelques soldats portant la veste courte et le chapeau rond des Volontaires galiciens les surveillent sans zèle excessif.

– Il y a quelques jours, ils ont envoyé au garrot un nouvel espion, dit brusquement le Mulâtre. Un certain Pizarro.

Le taxidermiste acquiesce. Il est au courant, mais n'a pas de détails.

– Vous le connaissiez ?

– Non, heureusement. – Rire cynique. – Si je l'avais connu, nous ne serions pas en train de nous promener tranquillement.

– Il a parlé ?

– En voilà, une question, monsieur ! Ils parlent tous.

– J'imagine que vous aussi vous me dénonceriez, si le cas se présentait.

Un silence bref et significatif. Du coin de l'œil, Fumagal lit un sourire moqueur sur les lèvres épaisses de son interlocuteur.

– Et vous?

Le taxidermiste enlève son chapeau pour essuyer encore une fois la sueur qui ruisselle sur sa peau. Maudite teinture, se dit-il en contemplant le bout de ses doigts.

– Pour moi, c'est plus difficile que je tombe, répond-il. Ma vie est discrète. Mais vous, avec votre barque et vos allées et venues, vous prenez des risques.

– Je suis un contrebandier connu: rien de bien méchant à Cadix, où la crevette et le crabe ont toujours fricoté ensemble. Ici, on ne vous envoie pas au garrot pour ce genre de choses… De là à être soupçonné d'espionnage et se faire mettre le grappin dessus pour ça, la route est longue. C'est pourquoi je ne porte jamais rien d'écrit sur moi. – Le Mulâtre se frappe le front. – Tout est là-dedans.

Et, bien sûr, poursuit-il, il y a d'autres demandes. Les amis du rivage d'en face veulent des informations sur une plate-forme flottante qui pourrait être en préparation pour contre-battre le Trocadéro. Et aussi sur les travaux des Anglais dans les redoutes de Sancti Petri, Gallineras Altas et Torregorda.

– Ça dépasse mes compétences, répond Fumagal.

– À vous de voir, monsieur. Je ne fais que transmettre. Ils sont également très intéressés par toute information concernant des cas de miasmes putrides ou de fièvres dans Cadix… Je suppose qu'ils forment des vœux pour que revienne la fièvre jaune avec des morts à tire-larigot.

– C'est peu probable.

Encore une fois résonne le rire moqueur du contrebandier.

– Ils ne perdent pas espoir. Et puis les chaleurs de l'été peuvent aider… En cas d'épidémie, les bateaux cesseraient de venir approvisionner la ville et les choses pourraient prendre une sale tournure.

– Je n'y crois pas. Les cas de l'an dernier ont immunisé beaucoup de gens. Je doute que la solution vienne de ce côté.

Des mouettes planent en lançant leurs cris stridents au-dessus de la longue esplanade, attirées par les pêcheurs. Munis de cannes en roseau, des habitants des maisons voisines pêchent dans la mer du haut des meurtrières des canons sans que les sentinelles qui s'ennuient à parcourir le rempart ne fassent rien pour les en empêcher. Sars, pageots et pagres frétillent en l'air accrochés aux hameçons ou agonisent, asphyxiés, dans des couffins de sparterie ou des baquets de bois, en éclaboussant les alentours. Fusil sur l'épaule, les soldats viennent regarder si ça mord ou non, tout en échangeant du tabac et du feu avec les pêcheurs. Malgré la guerre, Cadix continue à vivre et laisser vivre.

– Nos amis posent des questions sur la population, continue le Mulâtre : dans quel état elle est, ce qu'elle dit. Si elle est mécontente, et tout ça… J'imagine qu'ils espèrent toujours que des troubles éclateront, mais c'est difficile. Ici, personne n'a faim. Et dans l'Île, où ça va plus mal, avec les bombardements et le front tout près, les militaires gardent la situation bien en main.

Gregorio Fumagal ne fait pas de commentaires. Il se demande parfois dans quel nuage irréel vivent ceux de l'autre côté de la baie. Attendre des manifestations populaires qui bénéficient à la cause impériale, c'est ne pas connaître Cadix. Les petites gens professent un patriotisme exalté, sont en faveur de la guerre à outrance et soutiennent les libéraux des Cortès. Tous, dans la ville, du lieutenant général au plus modeste commerçant, craignent le peuple et le flattent. Personne n'a bougé le petit doigt quand on a traîné le gouverneur Solano au supplice. Et, il y a quelques jours, quand un député du groupe royaliste s'est opposé à la confiscation des domaines appartenant à la noblesse, des hommes et des filles du port ont voulu lui régler son compte, au point qu'il a fallu l'escorter jusqu'à un vaisseau de la Marine royale pour lui sauver la vie. Une des raisons pour lesquelles il est interdit d'assister aux sessions de San Felipe Neri vêtu de cape ou de capote est d'éviter que le public ne porte des armes dessous.

– Je pense à ce pauvre homme, commente le Mulâtre. Le supplicié.

Ils font une vingtaine de pas dans un silence lugubre, ces paroles flottant dans l'air. Le contrebandier se balance sur ses longues jambes, avec cette danse légère qui est sa façon de marcher. Près de lui, mais gardant ses distances, Gregorio Fumagal avance à pas courts, prudents, comme à son habitude. Chez lui, chaque mouvement semble correspondre à un acte délibéré et conscient, jamais mécanique.

– Je n'aime pas du tout, ajoute le Mulâtre, m'imaginer une corde au cou, trois tours pour serrer la gorge, et la langue qui pend… Et vous ?

– Ne dites pas de bêtises.

À la hauteur du couvent des Carmes Déchaux, ils croisent des femmes qui passent en bande joyeuse sur l'esplanade avec des cruches d'eau. L'une d'elles est très jeune. Gêné, Fumagal tâte ses cheveux pour vérifier s'ils déteignent toujours. En retirant les doigts, il constate que oui. Du coup, il se sent encore plus sale. Et grotesque.

– Je crois que je ne continuerai plus longtemps, dit soudain le Mulâtre. Je préfère sortir de la nasse avant qu'ils ne la relèvent avec moi dedans… Tant va la cruche à l'eau…

Il se tait de nouveau, fait quelques pas et observe Fumagal.

– Vraiment, vous prenez ces risques par goût personnel ?… Gratis ?

Le taxidermiste continue de marcher, sans répondre. Quand il ôte encore une fois son chapeau et essuie la sueur avec un mouchoir, il voit que celui-ci reste trempé et sale. L'été qui vient va être dur, pense-t-il. Dans tous les sens...

– N'oubliez pas le singe.

– Quoi ?

– Mon macaque des Indes orientales.

– Ah, oui. – Le contrebandier le dévisage, un peu déconcerté. – Le singe.

– Je l'enverrai chercher cette après-midi. Mort, comme convenu... De quelle manière pensez-vous le tuer ?

Le Mulâtre hausse les épaules.

– Bah... Je ne sais pas... avec du poison, je suppose. Ou en l'étouffant.

– Je préfère la seconde solution, dit froidement le taxidermiste. Certaines substances nuisent à la conservation du corps. Dans tous les cas, faites attention à ne pas abîmer la peau.

– Bien sûr, répond l'autre en suivant des yeux la goutte de sueur noire qui coule sur le front de Fumagal.

*

Vendredi après-midi. Une toile tendue à la hauteur du premier étage filtre la lumière dans le patio de la maison, où les grands pots de fougères, les géraniums, les fauteuils à bascule et les chaises cannées disposés près de la margelle de la citerne créent une atmosphère fraîche et reposante. Lolita Palma boit une gorgée de liqueur de griotte, pose le verre sur la nappe au crochet de la petite table, près du service à liqueurs, et se penche sur sa mère pour arranger les coussins de son fauteuil. Sèche, vêtue de noir, les cheveux pris dans une coiffe en dentelle et son rosaire sur le châle qui couvre ses genoux, Manuela Ugarte, veuve de Tomás Palma, préside, comme toutes les après-midi où elle est d'humeur à quitter son lit, la petite réunion familiale. Dans la maison de la rue du Bastion, c'est l'heure des visites. Sont présents Cari Palma, sœur de Lolita, avec son mari, Alfonso Solé. Également Amparo Pimentel – une voisine veuve et âgée qui est comme de la famille –, Curra Vilches et le cousin Toño qui passe tous les jours à cette heure de même qu'à toutes les autres.

– Vous n'allez pas me croire, dit ce dernier. Écoutez la dernière…

– Quand il s'agit de Cadix, je suis prête à tout croire, réplique Curra Vilches.

Avec son détachement habituel, le cousin Toño raconte son histoire. Le récent appel militaire, qui prévoit l'incorporation dans l'Armée de plusieurs centaines d'habitants constituant la première catégorie à recruter – célibataires et mariés ou veufs sans enfants –, n'a pas été suivi : à peine cinq sur dix se sont présentés. Les autres restent calfeutrés dans leurs maisons, cherchant des certificats et des exemptions, ou s'enrôlent dans les milices locales pour pouvoir se défiler. La récente bataille de La Albuera, en Estrémadure, gagnée sur les Français au prix de terribles pertes – un millier et demi d'Espagnols et trois mille cinq cents Anglais morts ou blessés –, n'encourage pas les nouvelles recrues. De sorte que les Cortès ont eu l'idée d'un stratagème pour résoudre le problème : étendre la conscription à la deuxième et à la troisième catégorie, afin que ces dernières, pour se libérer, dénoncent aux autorités les tire-au-flanc de la première.

– Et ça te concerne, cousin ? demande Cari Palma, ironique, en s'éventant.

– Pas du tout. Loin de moi l'intention de disputer à qui que ce soit les lauriers et la gloire. Je suis exempté en qualité de fils de veuve, et parce que j'ai payé les quinze mille réaux qui dispensent de l'héroïque exercice des armes.

– Pour le paiement, passe encore. Mais l'autre raison… La tante Carmela est morte il y a huit ans !

– Ça n'enlève rien au fait qu'elle est morte veuve. – Un taste-vin dans une main et une bouteille de manzanilla dans l'autre, le cousin Toño contemple à contre-jour la baisse du niveau de celle-ci. – En outre, il n'y a qu'une seule campagne guerrière pour laquelle je suis prêt à me porter volontaire : la reconquête pour la patrie de Jerez et de Sanlúcar.

– Je suis certaine que, dans ce cas, tu te battrais comme un tigre, affirme, amusée, Lolita.

– Ça, tu peux le dire, ma fille. À la baïonnette ou tout ce qu'on voudra. Pied à pied et cave après cave... Sois-en sûre. Vous connaissez l'histoire du roi Joseph qui va là-bas en visite et tombe dans une cuve ?... Tous les Français se mettent à crier : « Jetez-lui une corde ! Jetez-lui une corde ! » Mais le roi Pepe sort la tête et répond : « Noooon !... Jetez-moi du jambon et du fromage ! »

Lolita rit, comme les autres, bien que le rire du cousin Alfonso semble un peu contraint. La seule à rester sérieuse et sèche est la mère. Une expression condescendante, lointaine, où transparaissent les cinq gouttes de laudanum diluées trois fois par jour dans un verre d'eau de fleur d'oranger, afin d'alléger les douleurs causées par le cancer du sein qui la mine très lentement. Manuela Ugarte a soixante-deux ans et ne connaît pas le mal qui l'affecte ; seule sa fille aînée est au courant, après avoir imposé le silence au médecin qui l'a diagnostiqué. Elle sait que le contraire ne l'avancerait à rien. L'évolution de la maladie s'annonce lente, sans fin prévisible à court terme ; sa mère en ressent les effets petit à petit, sous une forme encore tolérable, sans douleurs extrêmes. Hypocondriaque par nature, elle a cessé de sortir bien avant que ne se déclare le mal ; elle passe la journée au lit, dans sa chambre, et ne quitte celle-ci qu'un moment, l'après-midi, appuyée au bras de sa fille aînée, pour s'asseoir et recevoir les visites, l'été dans le patio, l'hiver dans le salon. Son existence se déroule dans les étroites limites de ses caprices domestiques que personne ne discute, de son extrait d'opium et de son ignorance de son état réel. Les ravages causés par la maladie secrète peuvent être facilement imputés au poids des ans, à la fatigue, à la stagnation, jour après jour, dans la routine insipide d'une vie sans objet. Manuela Ugarte a cessé d'être une épouse depuis longtemps et n'a été mère que le strict nécessaire, s'en remettant pour tout aux nourrices, aux bonnes d'enfant et aux maîtresses d'école. Lolita ne se souvient pas d'avoir jamais reçu d'elle un baiser spontané. Seul son frère aîné, le fils disparu, mettait de la lumière dans ces yeux secs. Désinvolte, bon garçon, voyageur, formé chez les correspondants de Buenos Aires, La Havane, Liverpool et Bordeaux, Francisco de Paula Palma était destiné à diriger l'entreprise familiale, en la renforçant par une avantageuse alliance matrimoniale avec la fille d'un autre négociant nommé Carlos Power. L'invasion française l'a obligé à reporter les noces. Enrôlé dès la première heure dans le bataillon des Tirailleurs de Cadix, Francisco de Paula est mort le 16 juillet 1808 en combattant dans les oliveraies d'Andújar, au cours de la bataille de Bailén.

– Rappelez-vous ce qui s'est passé au début des travaux pour fortifier la Coupure, dit Curra Vilches. Tous les habitants de Cadix transformés en maçons, charriant des pierres, au coude à coude. Fête populaire avec musique et casse-croûte. Tous unis, le noble, le commerçant, le moine et le petit peuple… Et puis, en quelques jours, il y en avait déjà qui payaient les autres pour y aller à leur place. À la fin, ils n'étaient plus que quatre chats à se présenter encore au travail.

– Et on a perdu les grilles pour rien, renchérit Cari Palma.

La mère acquiesce sans desserrer les lèvres, visage amer. Dans cette maison, on n'a pas digéré l'histoire des grilles de la Coupure. Pour les travaux de défense de 1810, avec les Français aux portes, la Régence, non contente d'imposer à la ville une contribution d'un million de pesos, a fait démolir toutes les propriétés de plaisance qui se trouvaient sur cette partie du Récif – dont une appartenant à la famille, qui avait déjà perdu sa résidence d'été avec l'arrivée des Français à Chiclana –, demandant en outre aux habitants de Cadix le fer forgé de leurs portails et de leurs fenêtres. Les Palma ont obéi en envoyant le leur, avec une belle grille qui fermait l'entrée du patio : offrande inutile, car le fer a fini pratiquement inemployé quand la stabilisation de la ligne de front a rendu sans objet le chantier de la Coupure. Si quelque chose peut choquer l'esprit commercial des Palma, ce ne sont pas tant les sacrifices imposés par la guerre – dont le plus terrible est la perte du garçon, fils et frère – que les dépenses sans raison, les contributions abusives et le gaspillage des autorités. Surtout quand c'est la classe commerçante qui, en tout temps, guerre ou pas guerre, fait vivre cette ville.

– Ils nous ont pressés comme des citrons, rajoute le beau-frère Alfonso avec sa hargne habituelle.

– Sur la paella, achève le cousin Toño.

Alfonso Solé reste distant, assis très droit sur le bord de son fauteuil d'osier, sans jamais se laisser aller. Pour lui, se rendre dans la maison de la rue du Bastion répond à un devoir familial. Cela se voit, et il fait tout pour ça. Dans le cas d'un négociant de son rang, rendre visite tous les vendredis à sa belle-mère et à sa belle-sœur participe de la même routine qu'expédier son courrier. Il s'agit de se conformer aux règles non écrites du qu'en-dira-t-on gaditan. Dans cette ville, les liens familiaux obligent à respecter certains usages de sa classe. Et puis, s'agissant de Palma & Fils, on n'est jamais trop prudent. Remplir ses obligations est aussi une manière de conserver son crédit financier. Si des problèmes se présentent – la guerre et le commerce sont fertiles en accidents intempestifs –, tout le monde sait que sa belle-sœur ne lui refusera pas son aide pour le remettre à flot. Pas pour lui, naturellement. Pour sa sœur. Mais tout doit rester en famille.

La conversation se poursuit autour de l'argent. Alfonso exprime, entre deux allées et venues de sa tasse de thé – il aime mettre en évidence le temps qu'il a passé à se former à Londres –, la crainte que, au train où vont les choses, les Cortès imposent une nouvelle contribution au commerce gaditan. Décision regrettable, dit-il, alors que la Douane retient plus de cinquante mille pesos appartenant à des individus qui se trouvent en pays occupé. Une somme qui pourrait aller directement dans la trésorerie de la nation.

– Ce serait une spoliation inique, proteste Lolita.

– Appelle ça comme tu voudras. Mais mieux vaut eux que nous.

Cari Palma acquiesce à chacune de ses phrases en ouvrant et en fermant son éventail. Visiblement satisfaite de la fermeté de son mari, elle défie du regard toute velléité d'objection. Bien entendu, mon amour, signifie chaque geste. Il ne manquerait plus que ça. Naturellement, mon chéri. D'un œil critique, Lolita observe sa sœur dont, depuis longtemps, le comportement n'a plus de secrets pour elle. Très ressemblantes physiquement – Cari a plus de charme, grâce à ses yeux clairs et un petit nez harmonieux –, enfants, elles avaient déjà des caractères opposés. Légère et inconstante, rappelant plus la mère que le père, la cadette des Palma a vu très vite ses ambitions satisfaites par un mariage approprié, sans enfants jusqu'à maintenant, et une position sociale honorable. Amoureuse de son mari, ou persuadée de l'être, Cari ne voit que par les yeux d'Alfonso et ne parle que par sa bouche. Lolita y est habituée ; et elle en constate aujourd'hui les signes avec cette sensation familière de vague ressentiment, qui n'est pas due au présent – les histoires domestiques de sa sœur ne l'intéressent pas –, mais au passé : enfance, jeunesse, solitude, mélancolie, vitres embuées par la pluie. Arides après-midi d'études penchée sur les registres de commerce ou les cahiers de comptabilité, apprenant l'anglais, l'arithmétique, le calcul commercial, lisant des livres de voyages ou sur les mœurs étrangères, pendant que Cari, toujours futile et superficielle, arrangeait ses boucles devant un miroir ou jouait avec des maisons de poupées. Puis, le temps passant, sont venus l'absence du frère, la responsabilité, le poids parfois insupportable de la charge familiale, la mère toujours sèche et excessive. L'attitude acrimonieuse à peine dissimulée – y compris au cours des visites hebdomadaires – du beau-frère Alfonso et de Cari, la jolie princesse, la reine du bal. Toujours renfrognée, son petit nez pincé parce que c'est Lolita qui, après avoir renoncé à tant de choses, gère maintenant le patrimoine des Palma et travaille à le faire fructifier en se gagnant le respect de Cadix. Sans permettre au beau-frère de toucher au gâteau.

La cloche de la grille sonne et Rosas, le majordome, traverse le patio avant de réapparaître pour annoncer deux nouvelles visites. Un instant plus tard, le capitaine Virués, en uniforme, chapeau galonné et sabre sous le bras, se présente en compagnie de Jorge Fernández Cuchillero, le créole qui séjourne à Cadix en qualité de délégué aux Cortès de la ville de Buenos Aires : vingt-sept ans, blond, élégant, belle prestance, vêtu d'un habit couleur cendre, cravate à deux pointes, à l'américaine, culotte et bottes hautes. Une cicatrice au visage. C'est un garçon intelligent, aimable, un habitué de la maison Palma, car il descend de commerçants d'origine asturienne avec lesquels existe depuis des années une étroite relation, perturbée à présent par les désordres dans le Río de la Plata. Comme d'autres députés qui représentent des provinces américaines insurgées, Fernández Cuchillero est dans une position politique délicate, caractéristique des temps troublés que traverse la monarchie espagnole : délégué au congrès de Cadix d'une Junte qui se trouve en rébellion armée contre la métropole.

– Il va falloir plus de manzanilla, suggère le cousin Toño.

Rosas débouche une nouvelle bouteille mise à rafraîchir dans la citerne, et les arrivants s'installent en commentant le loyer excessif de quarante réaux par jour que sa logeuse demande au député créole ; à tel point qu'il vient de requérir la protection des Cortès.

– On se croirait chez les brigands de la sierra Morena, conclut-il.

La conversation aborde ensuite les événements du Río de la Plata, les opérations contre les rebelles à partir du port militaire de Montevideo, et la proposition anglaise de médiation pour pacifier les provinces dissidentes d'Amérique. Selon ce que rapporte Fernández Cuchillero, on débat ces jours-ci à San Felipe Neri de la possibilité de concéder à l'Angleterre, en échange de son intervention diplomatique, huit mois de libre commerce avec les ports américains. Mesure dont, avec d'autres députés d'Outre-mer, il se déclare partisan.

– C'est ridicule, argumente, acerbe, le beau-frère Alfonso. Si l'on ouvre ces ports aux Britanniques en leur offrant la franchise, ils n'en repartiront jamais… Ils ne sont pas fous !

– En tout cas, l'affaire est bien avancée, confirme le créole avec beaucoup de flegme. On dit même que, s'ils se voient refuser leur proposition, ils pourraient se retirer du Portugal en abandonnant Badajoz et les plans de la bataille qui se prépare pour battre le maréchal Soult…

– C'est un vrai chantage.

– Sans aucun doute, cher monsieur. Mais, à Londres, ils appellent ça de la diplomatie.

– Dans ce cas, Cadix doit se faire entendre. Une pareille mesure supposerait la fin de notre commerce avec l'Amérique. La ruine de la ville.

Lolita joue avec son éventail – noir, style chinois, paysage avec fleurs d'oranger – qu'elle tient fermé contre elle. Cela l'ennuie d'être pour une fois d'accord avec son beau-frère. Mais elle l'est. Et elle ne se gêne pas pour le dire à voix haute.

– Ça arrivera tôt ou tard, réplique-t-elle. Avec ou sans médiation, l'Amérique en révolte est une proie trop tentante pour l'Angleterre. Tout cet immense marché à sa disposition... Si mal géré par nous. Et si loin. Soumis à tellement d'impôts, de taxes, de restrictions et de bureaucratie... C'est pourquoi les Anglais feront ce qu'ils ont toujours fait : d'un côté ils joueront aux médiateurs, et de l'autre ils souffleront sur le feu, comme en ce moment à Buenos Aires. Ils sont très forts pour pêcher en eaux troubles.

– Tu ne devrais pas parler ainsi de nos alliés, Lolita.

La mère se tait, tête baissée et l'air absent. Elle peut aussi bien entendre la conversation qu'être perdue dans les vapeurs du laudanum. Le reproche est venu d'Amparo Pimentel. Son petit verre d'anis à la main – la voisine en est au troisième, comme si elle voulait rivaliser avec la manzanilla du cousin Toño –, elle se montre scandalisée. Ce que Lolita ne peut savoir avec certitude, c'est si cette remarque répond à son jugement négatif sur la nation anglaise ou au fait qu'une femme ose s'exprimer avec tant de désinvolture sur des questions de politique et de commerce. Son curé de prédilection, celui de San Francisco, critique parfois – en y mettant les formes – dans son sermon dominical certains excès dans l'exercice de telles libertés par des dames de la bonne société gaditane. Cela n'importe guère à Lolita – aucun curé de Cadix n'aurait l'audace d'aller plus loin ; mais la voisine Pimentel, bien qu'habituée de la maison Palma, a toujours fait preuve d'étroitesse de vues et de conscience. Élémentairement classique. Nul doute que Cari Palma ne soit son modèle de femme : mariée, prudente, ne s'occupant que de sa toilette et du bonheur conjugal de son mari. Rien à voir avec un garçon manqué qui a les doigts tachés d'encre et des pots pleins de fougères et de plantes bizarres au lieu des fleurs de tout le monde.

– Nos alliés ?... – Lolita la regarde d'un air gentiment réprobateur. – Vous avez vu la tête de faux jeton de l'ambassadeur Wellesley ?

– Et celle de son frère Ouelligtone ? renchérit joyeusement Curra Vilches.

– Ils ne se connaissent d'alliés qu'eux-mêmes, continue Lolita. S'ils sont dans la Péninsule, c'est parce qu'ils espèrent avoir Napoléon à l'usure... Ils se moquent bien des Espagnols, et ils considèrent nos Cortès comme des foyers de subversion républicaine. Les prendre pour médiateurs en Amérique revient à faire entrer le renard dans le poulailler.

– Jésus, Marie, Joseph ! gémit la Pimentel en se signant.

Lolita n'est pas sans remarquer les regards songeurs et discrets que lui adresse Lorenzo Virués. Ce n'est pas la première fois que le militaire se présente dans la maison de la rue du Bastion. Jamais seul ni de façon inconvenante, bien entendu, en parfait officier qu'il est. Trois fois, depuis la réception de l'ambassadeur anglais : deux avec Fernández Cuchillero, et une autre après avoir rencontré, par hasard, le cousin Toño sur la place San Francisco.

– L'insurrection des Amériques vous affecte donc tous beaucoup ? demande Virués.

Il l'a dit en s'adressant à Lolita avec un intérêt qui paraît sincère, au-delà de la simple politesse qui est le propre de toute conversation. Elle a de quoi nous affecter, répond celle-ci. Plus qu'il ne faudrait. La captivité du roi et les excès autoritaires ont compliqué les choses : la capitainerie générale du Venezuela, les vice-royautés du Río de la Plata et de la Nouvelle-Grenade sont en rébellion ouverte, l'interruption du commerce et le manque de numéraire qui nous arrive ordinairement de là-bas causent à Cadix des problèmes de liquidités, et la guerre avec la France, la disparition du marché espagnol et la contrebande mettent à mal le commerce traditionnel. Certaines firmes gaditanes, comme la maison Palma, tentent de se dédommager en pratiquant une activité locale, entrepôt et spéculation immobilière et financière, revenant au classique recours en temps de crise : agissant ainsi plus en commissionnaires qu'en propriétaires.

– Mais tout cela n'est qu'un emplâtre temporaire, conclut-elle. À long terme, la richesse de la ville est condamnée.

Le beau-frère Alfonso acquiesce, bien qu'à contrecœur. À voir son air vexé, on dirait que Lolita lui vole son argumentation. Et son argent.

– La situation est intolérable. C'est pour cela qu'on ne peut pas faire la moindre concession, ni aux Anglais, ni à personne.

– Au contraire, affirme Fernández Cuchillero, défendant ses compatriotes. Il faut négocier avant qu'il ne soit trop tard.

– Jorge a raison, répond Lolita. Un commerçant encaisse ses revers quand il peut se refaire par d'autres opérations… Si l'Amérique devient indépendante et si ses ports tombent aux mains des Anglais et des Américains du Nord, nous n'aurons même pas cette consolation. Les pertes seront irréparables.

– C'est bien pourquoi il ne faut pas céder d'un pouce, proclame le beau-frère Alfonso. Rappelez-vous que le Chili reste fidèle à la Couronne. Comme le Mexique, malgré la rébellion de ce prêtre fou, et espagnol pour en rajouter dans l'infamie… Et à Montevideo, le général Elío agit comme il faut. Avec une main de fer.

Ces derniers mots sont accompagnés d'un coup d'éventail approbateur de Cari Palma. Lolita hoche la tête pour exprimer son désaccord.

– Voilà justement ce qui m'inquiète. En Amérique, la main

de fer ne conduit nulle part. – Elle pose affectueusement une main sur un bras de Fernández Cuchillero. – Notre ami en est un bon exemple… Il ne cache pas qu'il est partisan de réformes radicales sur sa terre, mais il reste aux Cortès. Il sait qu'il y a là une occasion de combattre l'arbitraire et le despotisme qui ont tout empoisonné.

– C'est bien ça, confirme le créole. Une chance historique, et mon absence au moment de la saisir serait impardonnable… Celui qui vous le dit est un homme qui a combattu à Buenos Aires aux côtés du général Liniers sous les couleurs de l'Espagne.

Lolita connaît cet épisode et sait que le délégué du Río de la Plata est modeste en se limitant à ce rappel. En 1806 et 1807, durant les invasions anglaises du Río de la Plata, Fernández Cuchillero s'est battu contre les troupes britanniques, comme d'autres jeunes patriciens, jusqu'à la capitulation de l'ennemi, dans une dure et double campagne qui a coûté à la Grande-Bretagne plus de trois mille pertes, entre morts et blessés. En témoigne la cicatrice sur sa joue droite, souvenir d'une balle reçue lors de la défense de la maison O'Gorman, Calle de la Paz à Buenos Aires.

– Quand ce sera fini, il faudra affronter un monde nouveau, dit Lolita. Peut-être plus juste, ça je n'en sais rien. Mais différent… Que nous perdions ou non l'Amérique, que Cadix soit sauvé ou ruiné, avec les Anglais ou sans eux, notre lien avec l'Amérique, ce sera des hommes comme Jorge.

– Et le commerce, ajoute rageusement le beau-frère Alfonso.

Lolita sourit : un sourire à fois triste et ironique.

– Naturellement. Le commerce.

Les yeux du capitaine Virués la fixent toujours, et elle ne peut s'empêcher de se sentir flattée. Le militaire est bel homme ; et la veste bleue à revers et col violets lui donne une allure distinguée. Ce que ressent Lolita est intime et agréable :

son orgueil de femme s'en trouve vaguement caressé, sans que cela aille plus loin, ni qu'elle soit disposée à en tolérer davantage. Ce n'est pas la première fois, bien entendu, qu'un homme la regarde de la sorte. Il y eut un temps où on la trouvait jolie et, à son âge, elle peut toujours se dire séduisante : la peau reste blanche et douce ; les yeux sombres et vifs ; les formes agréables. Mains fines, pieds petits, de bonne race. Même si elle s'habille sobrement, toujours de tissus sombres, depuis la mort de son père – teintes bénéfiques pour son apparence à l'heure des négociations commerciales –, elle le fait avec le goût d'une femme de bonne éducation, robes et chaussures à la mode. Elle figure toujours dans la catégorie que l'on qualifie à Cadix de *demoiselle avec possibilités*, encore que le miroir lui rappelle que lesdites possibilités diminuent de jour en jour. Mais elle est aussi consciente de constituer un parti alléchant pour les chasseurs de fortunes. Comme le dit le cousin Toño, plus d'un loup a tourné autour de la brebis ; et, dans ce domaine, Lolita ne se fait pas d'illusions. Elle n'est pas de celles qui défaillent devant un port élégant, des mains fines, un habit à la dernière mode ou un uniforme de héros. Elle a été élevée par son père pour vivre en pleine connaissance de ce qu'elle est ; et cela lui permet d'adopter toujours, devant n'importe quel hommage masculin, une attitude polie mais un peu absente. Une indifférence affectée qui masque sa méfiance. Comme le duelliste accompli qui, sans démonstrations inutiles, se place de profil face à son adversaire pour diminuer le risque d'être touché par le tir de celui-ci.

– On dit que tu as perdu un bateau, dit Alfonso Solé.

Lolita regarde son beau-frère, mal à l'aise. Quel personnage vaniteux, pense-t-elle. Indisposé par le tour qu'a pris la conversation, il veut maintenant se rattraper, avec une rancœur quasi infantile. Lourd comme seul il peut l'être. Chaque jour qui passe, elle remercie davantage son père

– qu'il repose en paix – de ne pas l'avoir accepté comme associé.

– Oui. Et le fret avec.

Ces quelques mots résument tout. Le mauvais coup du sort. Il y a quatre jours, la *Tlaxcala*, une goélette en provenance de Veracruz avec 1 200 lingots de cuivre, 300 caisses de chaussures et 550 sacs de sucre, valeur garantie par la maison Palma, a été capturée par les Français au moment d'entrer dans la baie après un voyage de soixante et un jours. L'auteur de l'arraisonnement est la felouque corsaire qui opère habituellement depuis le golfe de Rota : des pêcheurs l'ont vue en train d'amariner la goélette à deux milles à l'ouest du cap Candor.

– Heureusement, les polices d'assurance ont baissé depuis la paix avec l'Angleterre, ajoute le beau-frère, perfide. Et puis tu te referas vite, avec ton corsaire.

Lolita, qui en cet instant regarde Lorenzo Virués, voit passer une ombre sur le visage du militaire quand celui-ci entend le mot *corsaire*. Après leur conversation lors de la réception de l'ambassadeur anglais, aucun des deux n'a prononcé de nouveau le nom de Pepe Lobo ; mais elle suppose que Virués est au courant des aventures du marin. Depuis son armement par les firmes Sánchez Guinea et Palma, le cotre corsaire a été plusieurs fois mentionné dans les gazettes gaditanes. Parmi ses premières prises figuraient une polacre chargée de 3 000 fanègues de riz et l'heureuse capture d'un brigantin venant de Porto Rico avec une cargaison de cacao, de sucre et de bois de campêche, suffisante à elle seule pour amortir l'investissement initial. Les dernières nouvelles étaient données par *La Vigie de Cadix*, voici exactement une semaine : *Arrivée du mistic français avec l'équipage de prise du corsaire* Culebra. *Il faisait route de Barbate à Chipiona avec de l'eau-de-vie, du blé, des cuirs et du courrier...* Ce que n'a pas dit le journal, c'est que le mistic français, armé de six canons, a résisté à sa capture, qu'en arrivant au port il transportait deux matelots de la *Culebra* gravement mutilés, et que deux autres hommes de Pepe Lobo reposent au fond de la mer.

*

L'énorme brigantine claque en oscillant dans la houle avec des secousses dont la force ébranle le mât et la coque noire du cotre. À l'arrière, près des deux timoniers qui manœuvrent la barre en fer doublée de cuir, Pepe Lobo maintient le navire en panne, face au vent qui fait faseyer le foc largué et se balancer la longue bôme au-dessus de sa tête. Il sent venir jusqu'à lui l'odeur des boutefeux qui fument à tribord, près des quatre canons de 6 livres qui, sous la supervision du maître d'équipage Brasero, visent la tartane immobilisée à portée de pistolet, avec ses deux voiles triangulaires qui faseyent et les écoutes larguées. Lobo sait que, au stade où l'on en est, les canons pointés sur la coque de la proie qu'ils peuvent presque toucher sont surtout là pour imposer le respect. Il serait impossible de tirer sans atteindre du même coup ses propres hommes : l'équipe d'abordage vociférante, armée de piques, de haches, de pistolets et de sabres et commandée par Ricardo Maraña, qui repousse vers la poupe l'équipage de la tartane ; une douzaine et demie d'hommes désorientés, dont le groupe compact recule sur le pont devant la menace des assaillants qui viennent de sauter à bord. Sur tribord, sous les porte-haubans du grand mât, le bordage et une partie du plat-bord ont volé en éclats, indiquant l'endroit où, après la chasse et la manœuvre d'abordage – la tartane tentait de s'échapper, sans tenir compte des signaux –, le cotre corsaire s'est mis bord à bord avec sa proie, le temps nécessaire aux vingt hommes armés pour sauter d'un bateau à l'autre.

Maraña opère parfaitement. Comme personne. En pareille situation, il ne faut pas laisser à l'adversaire le temps de réfléchir; et il s'y applique avec la froide efficacité qui a toujours été la sienne. Les mains posées sur la lisse du cotre, sans perdre de vue la position des voiles et des écoutes par rapport au vent qui permet de maintenir la tartane par le travers, Pepe Lobo observe son second évoluer sur le pont de la proie. Pâle, sans chapeau, vêtu de noir des pieds à la tête, le second de la *Culebra* tient un sabre dans la main droite, un pistolet dans la gauche et en porte un autre à la ceinture. Depuis qu'ils sont passés à bord, ni lui ni ses hommes n'ont eu besoin de tirer un coup de feu ou de se servir de leurs coutelas. Accablés par la violence de l'assaut, par les hurlements et l'aspect des corsaires, les hommes de la tartane ne se décident pas à opposer une résistance. Certains semblent s'y résoudre, mais, tout de suite, ils battent en retraite et vacillent. L'attitude agressive des assaillants, leurs cris et leurs menaces, l'allure intrépide du jeune homme qui les conduit et sa manière insolente, désinvolte, de les désigner un par un de la pointe de son sabre pour exiger qu'ils jettent leurs armes les impressionnent. Ils reculent jusqu'à la barre, qui tourne en tous sens sans personne pour la tenir. Le pavillon à deux bandes rouges et trois jaunes, qu'arborent indifféremment les marchands soumis au roi Joseph et les patriotes, ondoie au bout d'un mât court sur le couronnement de poupe. Au-dessous, un homme qui semble être le patron de la tartane agite les bras comme pour encourager ses hommes à résister, ou peut-être pour les en dissuader. De la *Culebra*, on peut voir un individu corpulent, un grand coutelas ou une machette au poing, faire face à Maraña; mais celui-ci l'écarte d'un coup d'épaule, s'ouvre un passage avec beaucoup de sang-froid parmi les matelots, arrive jusqu'au patron, et sans qu'un trait de son visage ne trahisse la moindre émotion, appuie le canon du pistolet sur sa poitrine, tandis que, de l'autre main, il tranche d'un coup de sabre la drisse du pavillon qui tombe à la mer.

Cet enfant de putain cherche le suicide, murmure entre ses dents Pepe Lobo. Il faut toujours qu'il mette toute la toile, cap sur l'enfer. Le Petit Marquis. Il sourit encore quand il se tourne vers le maître d'équipage Brasero.

– Cessez le combat, ordonne-t-il. Amarrez les canons, et chaloupe à la mer.

Le bosco souffle dans son sifflet et parcourt ensuite les soixante-cinq pieds de long et les dix-huit de large du cotre en donnant les ordres appropriés. Sur la tartane, pendant que les gens de l'équipe d'abordage désarment leurs adversaires et les font descendre dans l'entrepont, Maraña va vers la lisse et, de là, envoie le signal de la reddition du bateau et de sa prise de possession : les bras levés, les poignets croisés. Puis il descend par le rouf et disparaît. Lobo tire sa montre de la poche de son gilet, consulte l'heure – 9 h 48 du matin – et dit à l'écrivain de bord d'en prendre note sur le livre des prises. Puis il regarde à bâbord, vers la forme confuse et obscure que l'on devine à travers la brume grise qui cache la ligne de la côte : ils sont à l'est de la basse de l'Aceitera, environ deux milles au sud du cap Trafalgar. Ainsi s'achève la chasse commencée aux premières lueurs du jour, quand, de la *Culebra*, a été aperçue une voile naviguant vers le nord, sur le point de sortir du Détroit. Bien qu'ils se soient approchés sans pavillon, la tartane a eu des soupçons, forçant la toile dans le vent de levant pour chercher l'abri de Barbate. Mais la *Culebra*, plus rapide, coque doublée de cuivre et mât portant toute sa toile, hunier et flèche compris, lui a donné la chasse pendant une heure et demie. Le corsaire a hissé le pavillon français, la tartane a répondu en hissant le sien sans ralentir l'allure – sur la mer trompeuse, le Christ a dit *frères*, mais non *cousins* –, et le capitaine Lobo a finalement donné l'ordre d'amener le pavillon français et de hisser le pavillon corsaire espagnol, en l'assurant d'un coup de canon. La tartane a alors choqué les écoutes, la *Culebra* a manœuvré pour venir bord à bord, mettre Maraña et ses hommes dedans, et fin de l'histoire. Pour le moment.

– Bosco !

Le maître d'équipage Brasero accourt. Brun, fort, moustache et cheveux gris. Pieds nus, comme presque tous à bord. Son visage, parcouru de sillons semblables à des coups de couteau, exprime sa joie de la capture. L'équipage du cotre corsaire est maintenant un équipage heureux : pendant que les hommes s'activent à mettre la chaloupe à la mer et à désigner ceux d'entre eux qui mèneront la tartane à Cadix ou à Tarifa, ils se livrent à des pronostics sur la cargaison qu'elle peut porter dans ses cales et sur ce que sera la part de chacun, une fois celle-ci transformée en argent après la vente sur terre.

– Mettez deux hommes en haut avec une longue-vue, qu'ils signalent la première voile qu'ils verront. Surtout sur le bord du vent. Pas question que le brigantin de Barbate nous prenne à l'improviste.

– À vos ordres.

Le capitaine Lobo est un marin prévoyant, et il ne veut pas de surprise. Les Français ont tantôt mouillé devant la rivière de Barbate, tantôt à l'abri des récifs de la baie de Sanlúcar, un brigantin de douze canons suffisamment rapide, très vindicatif, qu'ils emploient comme garde-côte. Dans le jeu marin du chat et de la souris, il arrive que les dés se retournent contre le gagnant et que le chasseur devienne le chassé. Tout est question de chance, et aussi d'avoir bon œil et bon instinct marin, dans ce métier où une salutaire incertitude et une perpétuelle méfiance à l'égard du temps, de la mer, du vent, des voiles, de l'ennemi et même de ses propres hommes sont des qualités qui aident à rester libre et vivant. Il y a une semaine, la *Culebra* a dû abandonner, bien malgré elle, une prise qui avait déjà baissé pavillon – une petite goélette, acculée dans l'anse de Bolonia –, quand elle a aperçu les voiles du brigantin français qui s'approchait rapidement, venant du ponant ; ce qui, en outre, a contraint le corsaire à tirer un bord très pénible en pénétrant dans le Détroit pour se mettre sous la protection des batteries espagnoles de Tarifa.

La chaloupe transportant l'écrivain, le quartier-maître chargé de commander la prise et les hommes qui en formeront l'équipage se détache déjà du flanc de la *Culebra*, à grands coups d'avirons dans la houle. Le bateau est toujours à portée de pistolet et de voix. Ricardo Maraña réapparaît sur le pont avec un porte-voix et, en criant, informe Lobo du nom, de la cargaison et de la destination de la prise. Il s'agit de la *Teresa del Palo*, armée de deux canons de 4 livres, immatriculée à Malaga, qui allait de Tanger à l'embouchure du Barbate, chargée de cuirs, d'huile, de jarres d'olives, raisins secs et amandes. Pepe Lobo acquiesce, satisfait. Avec cette cargaison et cette destination, n'importe quel tribunal maritime la déclarera de bonne prise. Il observe la flamme qui indique la direction du vent, puis l'état de la mer et les nuages qui courent hauts dans le ciel gris. Le levant s'est levé cette nuit et se maintiendra ferme, et donc il n'y aura pas de problème pour conduire la tartane à Cadix, escortée par la *Culebra*. Voilà trois semaines qu'ils sillonnent la mer entre Gibraltar et le cap Santa María. Quelques jours au port seront bienvenus pour tout le monde – le baromètre qui n'en finit pas de baisser y invite aussi –, et peut-être le jugement concernant une des prises précédentes sera-t-il déjà rendu, ce qui permettra aux officiers et aux matelots de percevoir ce qui leur est dû en vertu de l'Ordonnance de course et du contrat avec les armateurs : un tiers pour l'équipage, divisé en sept parts pour le capitaine, cinq pour le second, trois pour le maître d'équipage et l'écrivain, deux pour chaque marin et une pour les mousses ou les novices, sans compter huit parts réservées aux blessés graves, aux frais de funérailles, aux veuves et aux orphelins.

– Les canons sont amarrés et les tapes mises, commandant. Aucune voile en vue.

– Merci, bosco. Dès que monsieur Maraña et l'équipe d'abordage seront revenus, nous raidirons les écoutes.

– Destination?

– Cadix.

Le sourire du maître d'équipage s'élargit, et aussi celui du premier timonier – un individu fort et blond surnommé «l'Écossais» bien qu'il s'appelle Machuca et soit de San Roque – qui les a entendus. Puis, pendant que Brasero se dirige vers l'avant en vérifiant que tout est bien rangé sur le pont, les écoutes et les drisses claires pour la manœuvre, les boutefeux éteints, les gargousses remisées dans la sainte-barbe et les boulets dans leurs parcs et recouverts de toile, le sourire se propage dans tout l'équipage. Ces hommes sont loin d'être les pires de ceux qui étaient disponibles, surtout quand on sait que l'Armée et la Marine royale s'efforcent de mettre la main sur tout ce qui peut porter un fusil ou tirer sur un cordage. Vu l'époque, il n'a pas été facile de les recruter. Sur les quarante-neuf hommes qui sont à bord – en incluant un mousse de douze ans et un novice de quatorze ans –, le tiers sont des gens de mer, pêcheurs et matelots attirés par la perspective de bonnes prises et la solde fixe de cent trente réaux par mois – Lobo en touche cinq cents et son second trois cent cinquante – à déduire des futurs butins. Le reste est composé de la faune portuaire habituelle, ex-forçats sans crimes de sang qui se sont soustraits à la levée générale en subornant les fonctionnaires terriens avec leur prime d'enrôlement, et quelques étrangers engagés à la dernière heure à Cadix, Algésiras et Gibraltar pour compléter le rôle et combler les pertes : deux Irlandais, deux Marocains, trois Napolitains, un artilleur anglais et un juif maltais. La *Culebra* opère depuis quatre mois ; et sept prises dans ce laps de temps, sous réserve de ce que décideront les tribunaux sur leur validité, signifient une campagne plus que réussie. Suffisante pour laisser satisfaits tous les hommes, endurcis en outre par la mer et aguerris par les combats.

Pepe Lobo ôte son chapeau et lève la tête vers la hune, au-dessus de l'angle de la voile qui continue de claquer, faisant grincer la retenue de la bôme sous l'effet de la houle qui grossit.

– Quelque chose du côté de Barbate ?

D'en haut, on répond que non, que tout est clair. La chaloupe revient déjà de la tartane, ramenant Ricardo Maraña, ses hommes et l'écrivain qui serre le livre des prises sur son cœur. Lobo sort son briquet d'une poche et, tournant le dos au vent, collé au couronnement de poupe, allume un cigare. Un navire, c'est du bois, de la poix, de la poudre et d'autres substances inflammables, et seuls le capitaine et le second ont le droit de fumer à bord et à toute heure, même si, pour sa part, il use le moins possible de ce privilège. Il n'est pas un grand fumeur, à la différence de Ricardo Maraña ; lequel, malgré ses poumons malades et les mouchoirs tachés de sang, expédie les cigares par paquets entiers. Douze par douze.

Cadix. La perspective d'y mouiller ne déplaît pas non plus au corsaire. Le cotre nécessite des réglages et des réparations, et il compte bien faire un tour du côté du tribunal des prises, pour graisser quelques pattes afin d'accélérer la paperasse ; encore qu'il fasse confiance aux Sánchez Guinea pour s'en être chargés de leur côté. Juges et fonctionnaires mis à part, le capitaine de la *Culebra* ne trouve pas mauvais de se dégourdir les jambes sur la terre ferme. C'est à cela qu'il pense en expulsant la fumée entre ses dents. Parce que ça commence à lui manquer. Se promener dans les rues de

Santa María et les tavernes de la Caleta. Oui. Lui aussi a besoin d'une femme. Ou de plusieurs.

Lolita Palma. Son souvenir dessine sur sa bouche une moue ironique et d'autant plus songeuse qu'il se l'adresse à lui-même. Appuyé à la lisse, avec le cap Trafalgar qui se profile au loin tandis que la brume côtière se lève, Pepe Lobo réfléchit et se remémore. Il y a quelque chose chez cette femme – ça n'a rien à voir, si insolite que ce soit, avec l'argent – qui lui inspire des sentiments inhabituels. Il n'est pas un homme porté sur l'introspection, mais un chasseur résolu, en quête d'une ouverture, du coup de chance rêvé par tout marin, la fortune que la mer rend possible, parfois, pour qui sait prendre les risques qu'il faut. Le capitaine Lobo est corsaire par nécessité et comme une conséquence, non d'une vocation, mais d'un certain mode de vie. Du temps qu'il lui revient de vivre. Depuis qu'il a embarqué à l'âge de onze ans, il a vu trop de déchets humains qui avaient été ce qu'il est. Il ne veut pas terminer dans une taverne à raconter sa vie aux jeunes marins ou à l'inventer, en échange d'un verre de vin. C'est pour cela qu'il poursuit, tenace et patient, un avenir qui le mènera loin de ce paysage incertain, où il est décidé à ne jamais revenir s'il parvient à le laisser derrière lui : une petite rente, une terre à lui, un porche devant lequel s'asseoir au soleil sans autre froid ni humidité que les hivers et la pluie. Avec une femme pour réchauffer son lit et son ventre, sans qu'entendre hurler le vent implique un sombre présage et un regard inquiet au baromètre.

En ce qui concerne Lolita Palma, quand il pense à elle, des idées complexes viennent rôder dans sa tête. Trop complexes, par rapport à ses pensées ordinaires. Bien que sa patronne et associée continue d'être une inconnue avec qui il a échangé quelques mots, le corsaire perçoit chez elle une étrange affinité ; un courant de sympathie qui inclut une certaine chaleur ou une qualité de nature physique. Pepe

Lobo a jeté l'ancre dans suffisamment de ports pour ne pas se tromper. Dans le cas de Lolita Palma, cela le surprend. Et aussi l'inquiète, car il ne faut pas tout mélanger. Il lui est facile d'accéder à des femmes jeunes ou belles, même s'il doit souvent préalablement payer : ce qui, d'ailleurs, peut s'avérer rassurant. Commode. L'héritière des Palma, pourtant, n'est pas vraiment belle. Ou tout au moins elle ne correspond pas aux normes classiques de la beauté féminine. Mais elle n'est pas laide pour autant. Absolument pas. Ses traits sont réguliers et agréables, les yeux intelligents, on devine un corps bien proportionné sous la robe qui le cache. Il y a chez elle, surtout, dans sa manière de parler et de se taire, dans la sérénité de son attitude, un calme insolite, un aplomb qui intrigue et qui, finalement – le corsaire n'est pas très au clair sur cet aspect crucial de la question –, attire. C'est là ce qui ne laisse pas de le surprendre. Et de l'inquiéter.

Il s'en est aperçu pour la première fois lors de la visite qu'a rendue, à la fin de mars, Lolita Palma à la *Culebra*, quand le navire corsaire a été prêt à prendre la mer. Pepe Lobo avait évoqué cette éventualité ; et, à sa grande surprise, elle s'est présentée à bord – quoique tardivement – avec les Sánchez Guinea. Elle est arrivée à l'improviste, une ombrelle à la main, accompagnée de don Emilio et de son fils Miguel, qui avaient choisi le moment où le cotre était en état d'être vu, bien qu'une partie des équipements ne soit pas encore arrimée, avec une des deux ancres de dix quintaux sur le pont, la bôme et le reste du gréement au pied du mât nu et un chaland à couple apportant le lest en fer supplémentaire. Mais tous les cordages étaient lovés à leur place, les manœuvres goudronnées de neuf, la coque venait de recevoir une double couche de peinture noire au-dessus de la ligne de flottaison, la lisse et les passavants sentaient l'huile de teck, et le pont avait été fraîchement nettoyé au faubert et au grès. La journée était ensoleillée et agréable, l'eau ressemblait à un miroir, et quand Lolita Palma est montée à bord – elle avait refusé qu'on la hisse avec une guindoule et était passée bravement, relevant un peu sa jupe, sur les planches reliant par tribord le navire au quai –, le cotre était beau, immobile sur une ancre devant la pointe de la Vaca et la batterie des Corrales, la proue face à la brise légère qui soufflait le long du Récif.

Étrange situation. Après les premiers saluts, Ricardo Maraña, jaquette noire et cravate nouée en hâte, a fait les honneurs du navire avec l'élégance et l'aplomb d'un chenapan incorrigible mais de bonne famille. Les hommes qui travaillaient sur le pont s'écartaient, rigides et souriant d'un air niais, avec cette timidité et cette maladresse que les gens de mer, habitués aux filles du port, montrent devant la femme qui est, ou paraît être, une dame. Pepe Lobo, qui les suivait avec les Sánchez Guinea, observait la visiteuse évoluer avec désinvolture sur le navire, remerciant pour tout avec un doux sourire, une inclination de la tête, une question pertinente sur le pourquoi et le comment. Elle était vêtue de gris foncé, châle de cachemire sur les épaules et chapeau anglais de paille à larges bords légèrement rabattu, encadrant son visage et faisant ressortir ses yeux intelligents. Et elle s'est intéressée à tout : aux huit canons de 6 livres, quatre par côté, avec deux sabords de chasse ouverts à l'avant, prêts à servir ; aux chandeliers destinés à recevoir les espingoles et les perriers de moindre calibre ; aux listeaux cloués en éventail sous la barre pour que le timonier ne perde pas l'équilibre en cas de forte gîte ; à la pompe aspirante placée derrière la claire-voie du carré ; aux étambrais derrière le mât qui servent de passage aux câbles des ancres, et au long beaupré presque horizontal, aligné à bâbord de la coursive. Tout cela étant caractéristique, lui expliquait le second, de cette classe de navires rapides et légers, capables de déployer beaucoup de toile sur un seul

242

mât et parfaits pour la course, le courrier et la contrebande, que les Français appellent *cotres*, les Anglais *cutters*, et nous communément *balandras*. Contre toute attente, Pepe Lobo a trouvé la propriétaire de la maison Palma très à l'aise en matière de mer et de navires, à tel point qu'il l'a entendue s'intéresser également au gréement et aux manœuvres, à l'absence de haubans extérieurs pour plus de résistance à la houle, et surtout au magnifique mât, avec son inclinaison prononcée vers l'arrière : en bois de Riga flexible et résistant, sans nœuds, précédemment grande vergue d'un des vaisseaux français de soixante-quatorze canons ayant appartenu à l'escadre de l'amiral Rosily.

Ils ont eu un aparté – le deuxième, depuis qu'ils se connaissent –, quand Lolita Palma a décliné l'invitation à visiter l'entrepont. Je préfère demeurer ici, a-t-elle dit. La journée est splendide, et l'intérieur des bateaux m'incommode un peu : l'air y est trop irrespirable. Aussi je vous prie, messieurs, de m'excuser. Ricardo Maraña est descendu avec les Sánchez Guinea, dans l'intention de leur offrir un verre de porto dans le carré, et elle est restée adossée dans l'angle formé par le tableau arrière et la lisse en se protégeant du soleil avec son ombrelle ouverte, tout en contemplant, à peu de distance, dans la réverbération de la lumière sur l'eau, l'imposante masse fortifiée de la Porte de Terre, les voiles des grandes et petites embarcations allant et venant de toutes parts. C'est là que Pepe Lobo et l'héritière de la maison Palma se sont parlé pendant un quart d'heure ; et à la fin de la conversation, qui n'a porté sur rien d'extraordinaire ni de profond mais seulement sur les bateaux, la guerre, la ville et le trafic maritime, le corsaire s'est trouvé confirmé dans son idée que cette femme encore jeune, étonnamment instruite et cultivée – sa maîtrise du vocabulaire technique anglais et français l'a surpris –, n'est pas comme celles qu'il a connues jusque-là. Qu'il y a chez elle quelque

243

chose de différent : une tranquille résolution intérieure qui inclut des renonciations disciplinées, quelques certitudes et une intuition naturelle pour juger les hommes sur leurs actions et leurs paroles. S'ajoutant à un charme singulier, indéfinissable – *serein*, c'est le mot qui revient toujours dans les réflexions de Pepe Lobo –, lié à l'agréable texture de sa peau féminine et blanche, aux fines veines bleutées des poignets entre les manches de dentelle et les gants de satin qu'elle portait ce jour-là, à la bouche plaisante qu'elle garde entrouverte en écoutant, même quand celui qui parle est le capitaine corsaire qui ne semble pas jouir de sa plus vive sympathie – c'est du moins ce qu'il a déduit des façons polies et un peu hautaines dont elle ne s'est jamais départie. On dirait que, faisant preuve d'une curiosité à la fois calculée et spontanée pour tout ce qui l'entoure, Lolita Palma n'a pas perdu la faculté d'être surprise devant l'inattendu, dans un monde peuplé d'êtres qui, la plupart du temps, ne la surprennent guère.

– Tout est en ordre, commandant, vient annoncer Ricardo Maraña. Cargaison et destination confirmées, et rien d'autre. J'ai fait clouer et sceller les écoutilles.

Devant l'équipage, il ne tutoie jamais le capitaine et celui-ci lui répond sur le même mode. Toute l'équipe d'abordage est revenue de la tartane. Les hommes déposent les armes dans les paniers d'osier au pied du mât et se dispersent sur le pont, bruyants et contents, en racontant à leurs camarades les péripéties de la capture. Dans un grand grincement des palans d'étai, six marins hissent la chaloupe et l'arriment sur le pont, ruisselante. Pepe Lobo jette le mégot de son cigare et s'écarte du couronnement.

– Bonne prise, donc ?

Maraña tousse en portant à ses lèvres le mouchoir qu'il sort de la manche de sa veste puis remet en place, après avoir regardé avec indifférence les taches de salive rouge.

– J'en ai fait de pires.

Les deux marins échangent un sourire complice. Derrière l'écrivain qui apporte aussi la patente, le rôle et le connaissement de la prise, le patron de la tartane monte sur le pont : un personnage épais, à favoris blancs, le teint couleur brique ; d'un certain âge, il fait la tête d'un homme qui voit le monde s'effondrer sous ses pieds. Il est espagnol, comme la plus grande partie de son équipage où ne figure aucun Français. Maraña lui a permis de rassembler ses affaires dans un petit coffre de cabine apporté par les hommes de l'équipe d'abordage, qui maintenant, abandonné sur le pont, accentue son aspect pathétique.

– Je regrette de devoir retenir votre bateau, lui dit Pepe Lobo en portant la main à son chapeau. Il sera convoyé avec sa cargaison et ses papiers de bord, car je le considère de bonne prise.

Tout en parlant, il sort de sa poche l'étui à cigares et lui en offre un, mais l'autre le refuse d'un geste qui frise le coup de poing.

– C'est une violation du droit des gens, balbutie-t-il, indigné.

Le capitaine de la *Culebra* range l'étui.

– Je possède une lettre de marque en règle, comme a dû vous le dire mon lieutenant. Vous naviguez avec une cargaison consignée dans un port ennemi, et cela signifie se livrer à de la contrebande de guerre. En outre, vous ne vous êtes pas arrêté quand j'ai assuré mon pavillon d'un coup de canon. Vous avez résisté.

– Ne dites pas de stupidités. Je suis espagnol, comme vous. Je ne fais que gagner ma vie.

– C'est ce que nous faisons tous.

– Cet arraisonnement est illégal… De plus, vous m'avez approché avec le pavillon français.

Pepe Lobo hausse les épaules.

– Avant d'ouvrir le feu j'ai hissé l'espagnol, et donc tout est en règle… De toute manière, quand nous serons au port, vous pourrez faire votre réclamation de mer. Mon écrivain est à votre disposition.

Pendant qu'on emmène en bas le patron de la tartane, Pepe Lobo se tourne vers le second qui a assisté, amusé, au dialogue sans ouvrir la bouche.

– Faites border les écoutes. Cap ouest quart sud-ouest pour éviter l'Aceitera. Ensuite, droit en haut.

– À Cadix, donc.

– À Cadix.

Maraña acquiesce, impassible. Avec l'air de penser à autre chose. Il est le seul à bord à ne pas montrer sa satisfaction de descendre à terre, mais cela fait aussi partie du personnage. Pepe Lobo sait que, dans son for intérieur, le second est content de pouvoir renouer avec les risques de ses voyages nocturnes à El Puerto de Santa María. Le problème est qu'à ce jeu-là il peut être surpris à mi-route par les uns comme par les autres. Et que, fidèle à lui-même jusqu'au bout, le Petit Marquis ne se laissera pas prendre vivant – pan! pan! et ensuite le sabre, par exemple –, allant jusqu'aux ultimes conséquences de sa fuite en avant. Tout à fait son genre. Et la *Culebra* se retrouvera sans second.

– Nous irons de conserve avec la tartane, en l'escortant. Je me méfie de la felouque de Rota.

Maraña acquiesce de nouveau. Lui aussi se méfie du corsaire français qui, depuis le début de l'année, capture tout navire imprudent, espagnol ou étranger, qui s'approche trop de la côte entre la pointe Camarón et le cap Candor. Occupée à des actions de plus grande envergure, la marine de guerre, qu'elle soit anglaise ou espagnole, n'a pas réussi à mettre fin à ses exploits. L'audace du Français augmente avec son impunité: voici quatre semaines, par une nuit de faible lune, il a même réussi, au nez et à la barbe des canons du château de San Sebastián, à s'emparer d'une goélette turque qui transportait des noisettes, du blé et de l'orge. Le capitaine de la *Culebra* lui-même a fait directement l'expérience du danger que représente la felouque, commandée, d'après ce qu'on lui a dit à Cadix – toute la baie résonne de bavardages –, par un ancien lieutenant de la flotte impériale qui navigue avec un équipage français et espagnol. C'est ce même corsaire, rapide à remonter le vent avec ses voiles latines, dangereusement armé de six canons de 6 livres et de deux caronades de 12, qui a bien failli lui faire perdre – en le ruinant encore un peu plus – le dernier voyage qu'il a effectué à la fin de février de Lisbonne à Cadix comme capitaine de la polacre marchande la *Risueña*, juste avant de se retrouver sans emploi. C'est peut-être ce qui en rend le souvenir doublement pénible. Les huit canons de 6 livres qu'il porte désormais à son bord changent la donne. Mais il ne s'agit pas seulement de cela. Malgré le temps écoulé, Lobo n'oublie pas le mauvais moment que la felouque lui a fait passer en lui donnant la chasse devant Cadix. Sur la liste de ses griefs personnels, il y a une ligne soulignée d'un trait gras, celle qui concerne ce bateau et son capitaine. Pour grande que soit la mer, tous finissent un jour ou l'autre par se rencontrer quelque part. Navires et hommes. Si ce moment arrive, Pepe Lobo ne sera pas mécontent de régler ses comptes.

6

Comme tous les jours après sa tournée des cafés, Rogelio Tizón fait cirer ses chaussures. Le cireur s'appelle Pimporro. Ou, du moins, on l'appelle ainsi. Cette journée qui commence est calme, et la matinée dessine les premières franges de soleil entre les stores et les voiles de bateau tendues de balcon à balcon pour donner de l'ombre à la rue de la Viande, devant l'échoppe de gravures et d'estampes. Il fait chaud, et l'on peut parcourir la ville entière sans rencontrer un souffle de vent. Chaque fois qu'une goutte de sueur glisse le long du nez penché de Pimporro et tombe sur le cuir luisant des bottes, le cireur – aussi noir que l'évoque son métier – l'enlève d'un mouvement rapide des doigts et poursuit son travail, en frappant de temps en temps le manche de la brosse contre ses paumes, avec des claquements sonores non exempts d'une virtuosité exhibitionniste et caraïbe. Clac, clac. Clac, clac. Comme d'habitude, il s'efforce de se faire bien voir de Tizón, tout en sachant que celui-ci ne le paiera pas. Il ne paye jamais.

– L'autre pied, monsieur le commissaire.

Tizón, obéissant, retire la botte astiquée et pose l'autre sur la caisse en bois du cireur, qui frotte agenouillé par terre. Debout et adossé au mur, le chapeau de paille estival blanc à ruban noir et un peu froissé baissé sur la figure, un pouce dans la poche gauche du gilet et la canne à tête de bronze dans l'autre main, le policier observe les passants.

Bien que les affrontements militaires continuent le long du canal qui sépare l'île de León de la terre ferme, cela fait trois semaines qu'une bombe n'est pas tombée sur Cadix. On le sent à l'attitude détendue des gens : femmes qui bavardent leur panier au bras, domestiques qui récurent les porches, boutiquiers qui, de la porte de leur commerce, regardent avec avidité les étrangers oisifs qui montent et descendent la rue ou s'arrêtent devant l'échoppe des estampes, où l'on vend des gravures de héros et de batailles, gagnées ou présumées telles, contre les Français, avec une profusion de portraits du roi Ferdinand, debout, à cheval, en buste et en pied, accrochés autour de la porte avec des pinces à linge : toute une panoplie patriotique. Tizón suit des yeux une jeune femme en mantille dont les franges de la jupe font ressortir le balancement des hanches tandis qu'elle passe en frappant du talon avec l'élégance d'une *maja*. D'une taverne voisine, un garçon apporte un verre de limonade au policier qui, irrévérencieux, le pose entre deux veilleuses consumées et éteintes dans une niche du mur en carreaux de faïence bleue où se trouve l'effigie sanglante, accablée par la couronne d'épines et la chaleur de la rue, de Jésus de Nazareth.

– Alors comme ça, rien de nouveau, camarade.

– Je vous l'ai dit, monsieur le commissaire. – Le Noir baise le pouce et l'index croisés d'une main. – Rien de rien.

Tizón boit une gorgée de limonade. Sans sucre. Le cireur est un de ses informateurs, rouage minuscule mais utile – il exerce dans le centre de la ville – du vaste réseau de mouchards qu'entretient le policier : maquereaux, prostituées, mendiants, portefaix, garçons de taverne, domestiques, débardeurs du port, matelots, postillons et divers délinquants mineurs, tels que voleurs à la tire dans les cafés et la rue, pilleurs de voitures et de chaises de poste, détrousseurs de montres et autres fouilleurs de poches. Tous gens bien placés pour surprendre des secrets, écouter des conversations, assister à des scènes intéressantes, identifier des noms et des visages que le policier classera et archivera pour s'en servir au moment opportun, dans l'intérêt du service ou dans le sien propre : des intérêts qui ne coïncident pas toujours, mais qui sont tous rentables. Tizón paie certains de ces indicateurs. D'autres, non. La majorité collabore pour les mêmes raisons que Pimporro le cireur. Dans une ville et en un temps où il est souvent nécessaire de gagner sa vie « de la main gauche », un peu de bienveillance policière peut être la plus efficace des mesures de protection. Sans compter qu'une dose d'intimidation joue aussi son rôle. Rogelio Tizón appartient à cette classe d'agents de l'autorité à qui l'expérience du métier a appris que l'on ne doit jamais baisser la garde ni relâcher la pression. Il sait que son travail n'est pas de ceux que l'on peut accomplir avec des bons sentiments et des tapes dans le dos. Il ne l'a jamais été depuis qu'il y a des policiers en ce monde. Lui-même essaye de le confirmer autant qu'il le peut, assumant sans états d'âme jusqu'aux aspects les plus scabreux de sa renommée, dans ce Cadix où tant de gens jurent sur son passage mais toujours – vu la manière dont il les tient – à voix basse. Comme il se doit. Cet empereur romain qui préférait être craint qu'aimé avait raison. Toute la raison du monde et un peu plus encore. Il y a une forme d'efficacité qui ne s'obtient que par la peur.

Tous les matins, entre huit heures et demie et dix heures, le commissaire fait la tournée des cafés pour jeter un coup d'œil sur les nouvelles têtes et vérifier si celles qu'il connaît sont toujours là : le café de la Poste, l'Apollon, le café de l'Ange, celui des Chaînes, le Lion d'or, la pâtisserie de Burnel, celle de Cosí et quelques autres établissements ponctuent ce parcours, avec de nombreuses escales intermédiaires. Il pourrait laisser cette ronde à un subordonné, mais il y a des affaires que l'on ne peut pas confier aux yeux et aux oreilles de tiers. Policier par instinct plus encore que par profession, Tizón renouvelle dans ces promenades quotidiennes sa vision de la ville qui est son terrain de travail, prenant son pouls là où il bat le plus fort. C'est le moment des informations livrées au passage, des conversations rapides, des regards significatifs, des indices apparemment banals qui, confrontés ensuite, dans la solitude du bureau, avec la liste des voyageurs enregistrés dans les auberges et les pensions, orientent l'activité routinière. La chasse de chaque jour.

– Voilà, monsieur. – Le cireur essuie sa sueur du dos de la main. – Deux vrais miroirs.

– Combien je te dois?

La question est aussi rituelle que la réponse.

– C'est déjà réglé.

Tizón lui donne deux petits coups de canne sur l'épaule, vide le reste de la limonade et poursuit son chemin en arrêtant son regard, suivant son habitude, sur les passants que, par leur mise et leur aspect, il identifie comme des étrangers. Sur la place du Palillero, il voit plusieurs députés se diriger vers San Felipe Neri. Presque tous jeunes, portant un habit qui découvre le gilet, un chapeau léger en jonc ou en abaca des Philippines, une cravate aux tons clairs, un pantalon ajusté ou avec des bottes à franges, suivant la mode de ceux qui se désignent comme des libéraux par opposition aux parlementaires partisans à outrance du pouvoir absolu du roi, lesquels s'habillent de façon plus formelle et apprécient davantage les redingotes et les vestes rondes. Les Gaditans ironiques surnomment de plus en plus souvent ces derniers les serviles, mettant ainsi en évidence les préférences populaires dans le débat de plus en plus acerbe sur la question de savoir si la souveraineté appartient au monarque ou à la nation. Un débat dont, il faut bien le dire, le commissaire se moque comme d'une guigne. Libéraux ou serviles, rois, régences, juntes nationales, comités de salut public ou mamamouchis du grand Tamerlan, quiconque régnera en Espagne aura besoin de policiers pour se faire obéir. Pour faire revenir le peuple, après avoir rentabilisé convenablement ses ovations ou sa colère, à la réalité quotidienne.

En croisant les députés, et par simple instinct professionnel devant toute autorité, Tizón tire son chapeau avec le même empressement que si on lui ordonnait – on ne sait jamais ce qui peut arriver – de les mettre tous en prison. Il reconnaît parmi eux les yeux clairs et glauques, semblables à des huîtres crues, du très jeune comte de Toreno ; également l'influent Agustín Argüelles, perché sur ses longues jambes, et les Américains Mexía Lequerica et Fernández Cuchillero. Tizón sort sa montre de son gousset et constate qu'il est dix heures passées. Bien que les réunions quotidiennes des Cortès commencent officiellement à neuf heures précises, il est rare que le quorum soit atteint avant dix heures et demie. Leurs seigneuries – et en cela il n'y a pas de différence entre libéraux et serviles – n'aiment guère se lever tôt.

Tournant à gauche dans la rue de la Véronique, le commissaire entre dans une gargote tenue par un *montañés* – un « montagnard », autrement dit un homme originaire des monts Cantabriques, très loin dans le Nord –, qui fait aussi marchand de vin. Le patron œuvre derrière le comptoir à remplir des flacons pendant que sa femme lave des verres dans l'évier, entre des saucissons pendus à une solive et des tonneaux de sardines salées.

– J'ai un problème, camarade.

L'homme le regarde, soupçonneux, un cure-dent dans la bouche. Il connaît suffisamment Tizón pour savoir que le problème du policier ne tardera pas à être le sien.

– Dites-moi.

Il sort de derrière le comptoir et Tizón l'emmène au fond, près de sacs de pois chiches et d'une pile de caisses de morue séchée. La femme les regarde avec inquiétude, tendant l'oreille, la mine renfrognée.

– Cette nuit, on a vu chez toi des gens à une heure indue. Et en train de jouer aux cartes.

L'homme proteste. C'était un malentendu, dit-il en crachant le cure-dent. Des étrangers se sont trompés d'endroit et il n'a pas dit non à quelques pièces de monnaie. C'est tout. Quant aux cartes, c'est une calomnie. Le faux témoignage d'un salaud de voisin.

– Mon problème, poursuit Tizón, impassible, est que je dois te mettre une amende. Quatre-vingt-huit réaux, pour être exact.

– C'est injuste, monsieur le commissaire.

Tizón regarde le gargotier jusqu'à ce que celui-ci baisse les yeux. Originaire de la sierra de Bárcena, dans la région de Santander, c'est un individu grand et fort, moustachu, qui a passé toute sa vie à Cadix. Plutôt paisible, à ce que sait le policier. Du genre « vivre et laisser vivre ». Son unique faiblesse est celle de tout le monde : il ne résiste pas à la perspective d'empocher quelques pièces de plus. Le policier sait que dans la gargote, une fois la porte de la rue fermée, on joue aux cartes en contrevenant aux ordonnances municipales.

– Pour cet « injuste », répond-il froidement, l'amende vient d'augmenter de vingt réaux.

L'autre pâlit, balbutie des excuses et cherche le regard de sa femme. Il proteste : c'est faux qu'on ait joué ici cette nuit. C'est une maison décente. Vous n'avez pas le droit.

– Nous en sommes à cent vingt réaux. Modère ton langage.

Indigné, le gargotier lâche un « Bon Dieu de merde ! » en assénant sur un sac un coup de poing qui envoie valser au sol une volée de pois chiches. Ce juron restera entre nous, relève Tizón, toujours impavide. Je mets ça sur le compte de tes nerfs et je ne t'accuserai pas de blasphème public. Bien que je devrais. Je ne suis pas non plus pressé. Nous pouvons y passer la matinée, si tu veux. Nous distrairons ta femme et les clients qui entrent : toi en protestant et moi en faisant monter l'amende. Et, à la fin, je fermerai ta boutique. Aussi, ne va pas plus loin, camarade. Tu en as déjà assez fait.

– On peut peut-être s'arranger ?

Le policier se compose une mine délibérément ambiguë. L'air de ne s'engager à rien.

– On m'a dit que les trois de cette nuit ne sont pas des gens d'ici. Un peu particuliers… Tu les connaissais ?

De vue, admet l'homme. L'un loge à l'auberge de Paco Peña, dans la rue des Rémouleurs. Un dénommé Taibilla. Il porte un bandeau sur l'œil gauche et on dit qu'il a été militaire. Il se fait appeler lieutenant, mais le gargotier ne sait pas s'il l'est.

– Il a de l'argent ?

– Plutôt.

– De quoi ont-ils parlé ?

– Ce Taibilla connaît des gens qui font entrer et sortir les étrangers. Ou peut-être qu'il les fait passer lui-même… Ça non plus, je ne le sais pas.

– Par exemple ?

– Un esclave noir, un jeune. En fuite. Ils lui cherchent un bateau anglais.

– Gratis ?… Ça m'étonne.

– Je crois qu'il a emporté l'argenterie de son maître.

– Je comprends mieux. Sinon, tout ce travail pour un nègre…

Tizón prend note mentalement de tout. Il est au courant de l'affaire – le marquis de Torre Pacheco s'est plaint, il y a une semaine, de la fuite de l'esclave et du vol de l'argenterie – et l'information peut lui être utile. Rentable, aussi. Une de ses recettes éprouvées est de ne pas montrer un intérêt excessif pour ce qu'on lui raconte. Cela fait monter le prix de la marchandise, et il aime acheter bon marché.

– Donne-moi quelque chose de plus consistant. Continue.

Le gargotier regarde sa femme qui feint de poursuivre son labeur devant l'évier. Ces gens se sont aussi occupés, dit-il en baissant la voix, d'une famille qui se trouve à El Puerto de Santa María et qui veut entrer dans Cadix : un fonctionnaire de Madrid avec sa femme et leurs cinq enfants, disposé à payer pour la traversée et les lettres de résidence, si on les leur procure.

– Combien ?

– J'ai cru entendre mille réaux et des poussières.

Le commissaire sourit intérieurement. Il aurait arrangé l'affaire du Madrilène pour la moitié de cette somme. D'ailleurs, il le pourrait peut-être encore, s'il lui mettait la main au collet. Un des innombrables avantages par rapport à des chevaliers d'industrie tels que l'homme au bandeau sur l'œil est que, comparés aux prix pratiqués par cette engeance, les siens sont imbattables. Garantis en outre par une respectabilité officielle transparente, avec tampon authentique, et sans le moindre trucage. Puisque c'est Tizón en personne qui certifie la validité de ces papiers.

– Et qu'est-ce qu'ils ont dit aussi ?

– Pas grand-chose d'autre. Ils ont mentionné un mulâtre.

– Allons bon. Ça a été une nuit de moricauds à ce que je vois... Et ce mulâtre ?

– Encore un qui circule beaucoup. Apparemment, il fait l'aller-retour entre ici et El Puerto.

Tizón enregistre le détail, tout en soulevant son chapeau pour éponger la sueur. Il a déjà entendu dire que ce mulâtre, patron d'une barque, faisait de la contrebande entre les deux rives, comme bien d'autres ; mais pas qu'il faisait passer des gens. Il faudra enquêter sur cet individu, conclut-il. Voir avec qui il est de mèche et quels endroits il fréquente.

– Et de quoi s'agissait-il ?

Le gargotier fait un geste vague.

– Quelqu'un veut aller retrouver sa famille de l'autre côté… J'ai cru entendre que c'est un militaire.

– De Cadix?

– C'est ce que j'ai compris.

– Soldat ou officier?

– Officier, je crois.

– Ça, au moins, c'est du solide… Tu as entendu son nom?

– Là, vous m'en demandez trop.

Tizón se gratte la moustache. Un officier disposé à passer à l'ennemi est toujours dangereux. Il arrive là-bas, il parle beaucoup pour se faire bien voir, et de la désertion à la trahison le pas est vite franchi. Et même si les déserteurs relèvent de la cour martiale, tout ce qui concerne l'information et l'espionnage transite par son service. Particulièrement en ce moment, alors que l'on croit voir des espions partout. À Cadix et dans l'Île, les patrons de barques qui transportent des déserteurs sont passibles de lourdes peines, et il est interdit de débarquer un émigré sans l'avoir fait passer au préalable par le bateau de la Douane mouillé dans la baie. À terre, tout propriétaire d'une pension, d'une auberge ou d'une maison particulière est tenu d'informer de l'arrivée de nouveaux hôtes; et pour circuler dans la ville, il faut être porteur d'une lettre délivrée par les autorités. Tizón sait que le gouverneur Villavicencio tient prêt un arrêté de police encore plus énergique, prévoyant la peine de mort pour les infractions graves, mais qu'il en retarde la publication. Dans les circonstances présentes, une rigueur portée à l'extrême signifierait exécuter la moitié de la ville et expédier l'autre moitié en prison.

– Bien, camarade. S'ils reviennent, tends l'oreille et tiens-moi au courant. D'accord?… En attendant, ferme à l'heure à laquelle tu dois fermer. Occupe-toi de tes affaires, et plus question de cartes.

– Et l'amende?

– C'est ton jour de chance. Nous la laisserons à quarante-huit réaux.

Il fait aussi chaud à l'ombre qu'au soleil quand le commissaire sort et traverse la place San Juan de Dios pour gagner son bureau du commissariat aux Quartiers : une vieille bâtisse avec des grilles en fer forgé, collée au couvent de Santa María, près de la Prison royale. Bien que la matinée soit déjà avancée, les étals de fruits, de légumes et de poissons fourmillent de monde sous les stores qui s'étendent de l'Hôtel de Ville au Boquete et aux portes du quai. Attirés par les denrées exposées à la chaleur, des essaims de mouches montent à l'assaut. Tizón desserre la cravate qui ceint son cou et s'évente avec son chapeau. Il ôterait bien sa veste pour rester en gilet et manches de chemise – bien que celle-ci soit en toile fine, elle est trempée de sueur –, mais il y a des choses que les monsieurs bien élevés, commissaires de police de surcroît, ne peuvent se permettre. Il n'a pas la prétention de faire partie des premiers ; mais être des seconds impose une certaine retenue. Tout n'est pas qu'avantages dans son métier et sa position.

Quand il tourne en passant devant le porche de pierre de Santa María, Rogelio Tizón aperçoit de loin Cadalso, son adjoint, accompagné de son secrétaire. Ils doivent l'attendre depuis un bon moment, car ils viennent à sa rencontre avec l'air de gens qui apportent des nouvelles importantes. Et il faut qu'elles le soient, estime le commissaire, pour que le secrétaire, rat de bureau et ennemi juré de la lumière du soleil, sorte dans la rue par une journée comme celle-là.

– Que se passe-t-il ? demande-t-il quand ils arrivent à sa hauteur.

En toute hâte, les deux hommes le mettent au courant. On a découvert une fille morte. La chaleur quitte Tizón d'un coup. Quand il finit par articuler un mot, il sent que ses lèvres sont glacées.

– Morte, comment ?

– Bâillonnée, monsieur le commissaire. Et le dos déchiqueté à coups de fouet.

Il les regarde, désorienté, tentant de digérer la nouvelle. Cela ne se peut pas. Il essaye de réfléchir à toute allure, mais il n'y parvient pas. Les idées se bousculent.

– Où cela ?

– Tout près d'ici. Dans la cour d'une maison en ruine qui se trouve au bout de la rue du Vent, presque au coin. Ce sont des enfants qui l'ont trouvée en jouant.

– Impossible.

Le secrétaire et l'adjoint regardent leur chef avec une curiosité inhabituelle. L'un remonte ses lunettes sur son nez et l'autre fronce son front obtus.

– Pourtant ça ne fait aucun doute, dit Cadalso. Elle a seize ans et habitait le quartier… Sa famille la cherchait depuis hier soir.

Tizón hoche négativement la tête, bien qu'ignorant encore pourquoi. La rumeur de la mer qui bat au pied du rempart lui semble maintenant assourdissante, comme si elle était juste sous les chaussures fraîchement cirées par Pimporro. Le froid insolite se répand dans tout son corps et le pénètre jusqu'à la moelle.

– Je vous dis que c'est impossible.

Il a frissonné et il voit que ses subordonnés l'ont remarqué. Soudain, il sent le besoin de s'asseoir, n'importe où. De réfléchir tranquillement. En prenant son temps et seul.

– Elle a été tuée comme les autres ? Vous en êtes sûrs ?

– Exactement pareil, confirme Cadalso. Je viens de voir le cadavre. Ça fait un bon moment que je vous cherche… J'ai dit qu'on ne laisse pas les gens approcher et que personne ne touche à rien.

Tizón n'écoute pas. Impossible, répète-t-il de nouveau

entre ses dents. Complètement impossible. L'autre l'observe sans comprendre.

– Pourquoi répétez-vous ça, monsieur le commissaire ?

Tizón regarde son adjoint comme si c'était un imbécile.

– Il n'est jamais rien tombé dans les parages.

Il a dit cela sans pouvoir s'en empêcher, comme s'il formulait une protestation. Et bien sûr, dit comme cela, ça semble absurde. Lui-même, en entendant sa voix, en est conscient. Aussi n'est-il pas étonné de voir Cadalso et le secrétaire échanger un regard inquiet.

– Pas une bombe, ajoute-t-il, n'est tombée dans la ville depuis des semaines.

*

Le petit convoi, quatre voitures grises tirées par des mules, traverse en cahotant le pont de bateaux et avance le long de la rive gauche du San Pedro, en direction du Trocadéro. Assis à l'arrière de la dernière voiture – la seule qui soit munie d'une capote pour protéger du soleil –, les jambes pendantes, le sabre entre elles et un foulard sur la figure pour ne pas respirer la poussière soulevée par les mules, le capitaine Desfosseux perd de vue les dernières maisons blanches d'El Puerto de Santa María. Le chemin décrit un arc qui suit le tracé de la côte, entre l'étendue désertique avoisinant la rivière et la marée basse qui découvre, en rétrécissant l'embouchure de celle-ci, un large bras de vase verdâtre, avec, au second plan, la barre de San Pedro et, dans le fond, tapi dans le bleu de l'eau immobile, Cadix derrière ses remparts.

Simon Desfosseux a quelques raisons d'être satisfait. Le chargement des voitures est celui qu'il espérait, et il vient de passer deux jours paisibles à El Puerto, en profitant des diverses commodités de l'arrière – un bon lit, une nourriture convenable en place du pain noir, de la demi-livre de viande dure et du quart de vin rance de la ration quotidienne – pendant qu'il attendait l'arrivée du convoi venant lentement de Séville, escorté par un détachement de dragons et d'infanterie. Ce qui n'a pas préservé pour autant ledit convoi des attaques de la guérilla : une près de l'auberge du Biscayen au pied de la sierra de Gibalbín, et l'autre près de Jerez, au gué du Valadejo. Les voitures et leur chargement sont finalement parvenus à destination hier sans autre perte qu'un mort et deux blessés, avec cette triste circonstance que le mort était un jeune cornette, disparu en allant remplir des gourdes dans un ruisseau et retrouvé au petit matin nu et attaché à un arbre, avec l'aspect d'un homme qui a mis beaucoup trop longtemps à mourir.

Le lieutenant Bertoldi, qui était dans la voiture de tête, apparaît sur un côté de la route, en train de fermer sa braguette après s'être soulagé dans les broussailles. Il ne porte ni chapeau ni sabre, sa veste est ouverte et son gilet déboutonné sur son ventre, et la terrible chaleur le fait suffoquer. Sa peau est rouge comme celle d'un Indien des prairies américaines.

– Tenez-moi compagnie, lui dit Desfosseux.

Il lui tend la main et l'aide à s'asseoir près de lui à l'arrière de la voiture, à l'ombre. Après l'avoir remercié, Bertoldi se couvre le nez et la bouche avec le foulard sale qu'il portait noué autour du cou.

– Nous ressemblons à des bandits de grands chemins, remarque le capitaine, la voix étouffée par son propre foulard.

Le lieutenant éclate de rire.

– En Espagne, admet-il, c'est le cas de tout le monde.

Il jette vers l'arrière un regard nostalgique, car il a profité sans retenue des deux jours d'oisiveté. Sa présence n'était pas nécessaire, mais Desfosseux a exigé de l'avoir avec lui, certain qu'un repos loin du feu de contrebatterie espagnol, sans autre souci que celui de réussir à marcher droit avec le contenu de plusieurs bouteilles dans le corps, ne pourrait lui faire que du bien. Et, d'après ses informations, il en a été ainsi. De ces deux nuits, Bertoldi en a passé une dans une taverne et l'autre dans un bordel : celui qui est réservé aux officiers sur la place de l'Embarcadère.

– Ah, ces Espagnoles…, commente-t-il, rêveur. *Gabacho cabrón*, disent-elles pendant qu'elles se déshabillent, comme si elles allaient vous arracher les yeux. Quelle race ! Tellement primitives, avec leurs éventails et leurs rosaires. Elles ressemblent à des Gitanes, mais elles vous font payer comme si elles étaient des marquises… Fichues putains !

Desfosseux regarde, distrait, le paysage. Il pense à ses problèmes. De temps en temps, avec l'expression amoureuse d'une poule qui surveille ses poussins favoris, il se retourne pour contempler le chargement de la voiture, couvert de bâches et soigneusement arrimé sur de la paille avec des coins de bois. Son adjoint jette un regard et plisse les yeux en souriant sous le foulard.

– Tout arrive, dans la vie, dit-il.

Le capitaine d'artillerie acquiesce. L'attente en valait la peine, ou du moins l'espère-t-il. En route pour le Trocadéro, cinquante-deux bombes spéciales de la Fonderie de Séville, expressément fabriquées pour Fanfan : des projectiles sphériques pour obusier Villantroys-Ruty de 10 pouces, sans poignées ni chevilles, calibrés et polis en deux modèles distincts, dénommés Alpha et Bêta. Les voitures en transportent dix-huit du premier et trente-quatre du second. Le modèle Alpha est une bombe conventionnelle du type grenade, pesant 72 livres, avec un orifice pour l'espolette, chargée de lest de plomb soigneusement équilibré et de poudre. La bombe Bêta, totalement sphérique et sans espolette ni charge explosive, ne contient à l'intérieur qu'une masse inerte de plomb avec les interstices remplis de sable

– ce qui lui permet d'éclater en mille morceaux au moment de l'impact –, son poids s'élevant ainsi à 80 livres. Ces nouvelles bombes sont le résultat final des travaux et des essais que Desfosseux a menés durant les derniers mois à la batterie de la Cabezuela ; fruit de longues observations, de nuits blanches, d'échecs et de succès partiels qui se matérialisent maintenant dans ce que transporte le convoi. S'y ajouteront cinq nouveaux obusiers de 10 pouces, que, sur le modèle de Fanfan et avec diverses modifications techniques, on est en train de fondre à Séville.

– Nous utiliserons de la poudre légèrement humide, dit soudain le capitaine.

Bertoldi le regarde, surpris.

– Est-ce que votre cerveau ne se repose jamais ?

Desfosseux désigne la poussière du chemin. C'est de là que lui est venue l'idée. Il a baissé le foulard qui lui couvrait la figure et sourit d'une oreille à l'autre.

– Faut-il que je sois stupide pour ne pas y avoir pensé plus tôt.

Son adjoint fronce les sourcils en considérant sérieusement la question.

– C'est sensé, conclut-il.

Bien sûr que oui, répond le capitaine. Il s'agit d'augmenter l'explosion initiale de la poudre dans les huit pieds de longueur que mesure l'âme du canon. Si celle-ci était plus courte, il y aurait peu de différence : mieux vaudrait, en tout cas, la poudre sèche. Mais avec des obusiers longs en bronze et de gros calibre, comme c'est le cas de Fanfan et de ses futurs frères, la combustion moins violente de la poudre un peu humide peut donner plus de force à la propulsion du projectile.

– Ça vaut la peine d'essayer, non ?... À défaut de mortiers, de la poudre mouillée.

Ils rient comme des collégiens dans le dos du professeur.

Personne ne convaincra jamais Simon Desfosseux qu'en employant des mortiers au lieu d'obusiers on ne pourrait pas obtenir de meilleurs résultats et atteindre toute la superficie de Cadix. Mais le mot *mortier* continue d'être interdit à l'état-major du maréchal Victor. Pourtant, le capitaine sait que, pour réaliser ce qu'on exige de lui, il aurait besoin d'un plus grand diamètre de bouche à feu que celui des obusiers. Il n'en peut plus de répéter qu'avec une douzaine de mortiers de 14 pouces dotés d'une chambre cylindrique et un nombre égal de canons de 40 livres, il pourrait écraser Cadix et sa population, et contraindre le gouvernement rebelle à chercher refuge ailleurs. Avec ces moyens à sa disposition, il est prêt à garantir sous serment une débandade générale en seulement un mois d'opérations qui couvriraient la ville de bombes. Et avec des grenades normales, pourvues d'espolettes, de celles qui éclatent en arrivant sur l'objectif. Des bombes telles qu'on en fabrique tous les jours. Mais on continue à ne pas vouloir en entendre parler. Victor, sur instructions directes de l'empereur et des parasites de l'État-Major impérial, incapables de discuter une idée ou un caprice, quels qu'ils soient, de Napoléon, exige d'utiliser des obusiers contre Cadix. Et cela, insiste le maréchal à chaque réunion qui traite de la question, signifie des projectiles qui doivent absolument tomber sur la ville, qu'ils éclatent ou non. En échange de quelques lignes bien tournées dans les journaux de Madrid et de Paris – « *Nos canons tiennent le centre de Cadix sous un bombardement incessant* » ou quelque chose dans ce genre –, le duc de Bellune continue de préférer beaucoup de bruit et peu de résultats. Mais Simon Desfosseux, pour qui la seule chose qui importe dans cette vie est de tracer des paraboles d'artillerie, a dans l'idée que même le bruit n'est pas garanti. Il n'est pas non plus convaincu que Fanfan et ses frères, dût-on les charger avec l'alphabet grec tout entier, suffiront pour contenter ses chefs. Même avec le nouveau matériel sévillan, la portée idéale de 3 000 toises est difficile à obtenir. Le capitaine calcule qu'avec un fort vent de levant, une température appropriée et d'autres conditions favorables, il pourrait couvrir les quatre cinquièmes de cette distance. Atteindre le centre de Cadix serait déjà extraordinaire. Fanfan se trouve à exactement 2 870 toises du clocher de la place San Antonio : Desfosseux l'a calculé au pied près sur le plan de la ville et garde ce chiffre gravé comme une obsession dans son cerveau.

*

Rogelio Tizón semble possédé par mille diables. Il ne cesse d'aller d'un endroit à l'autre, s'arrêtant pour revenir sur ses pas. Il scrute chaque porche, chaque coin et chaque parcelle de la rue qu'il parcourt depuis des heures. Il est dans l'apparente indécision d'un homme qui a perdu quelque chose et regarde partout, fouillant des dizaines de fois ses poches et ses tiroirs, repassant constamment sur les mêmes lieux, dans l'espoir de découvrir une trace de l'objet perdu ou de se rappeler comment il l'a perdu. Le soleil va bientôt se coucher et les recoins les plus bas et les plus étroits de la rue du Vent commencent à se remplir d'ombre. Une demi-douzaine de chats paressent sur un tas de décombres et d'immondices, devant une maison où des armoiries, rongées par les intempéries, sont encore visibles sous le linge qui pend des fenêtres supérieures. Le quartier est maritime et pauvre. Situé dans la partie haute et ancienne de la ville, près de la Porte de Terre, il a connu en d'autres temps une splendeur dont on ne trouve plus guère de souvenirs : quelques petits commerçants et quelques maisons nobles transformées en immeubles d'habitation où s'entassent des familles pauvres accablées d'enfants ; et aussi, depuis le début du siège, des soldats et des émigrés dépourvus de ressources.

La maison où l'on a trouvé la fille morte est au bout de la rue, presque au coin de celle-ci et de la petite place qui lui fait suite en s'élargissant, près de la rue Santa María et des murs du couvent du même nom. Tizón revient en arrière et marche lentement, regardant de nouveau à gauche et à droite. Toutes ses certitudes se sont effondrées lamentablement, et il lui est maintenant impossible de mettre de l'ordre dans ses idées. Il a passé la moitié de l'après-midi à vérifier la consternante réalité : aucune bombe n'est jamais tombée dans ces parages. Les chutes les plus proches ont été relevées à 300 vares, dans la rue de la Tour et près de l'église de la Merced. Cette fois, il n'est pas possible de supposer, même en forçant les choses au maximum, une relation entre la mort d'une fille et le point d'impact des bombes françaises. Rien de surprenant, se reproche-t-il avec amertume. En fait, il n'y a jamais eu d'indices solides qu'une telle relation existe. Rien que des traces dans le sable, comme tout le reste. Des pirouettes de l'imagination, laquelle n'est jamais en mal de farces stupides. Un tissu d'absurdités. Tizón pense à Hipólito Barrull, ce qui augmente encore sa mauvaise humeur. Son adversaire du café de la Poste va se tordre de rire quand il lui racontera tout.

Le policier entre dans la maison, qui pue l'abandon et la crasse. La lumière du soir se retire rapidement, et le couloir d'entrée est obscur. Il reste un rectangle de lumière dans la cour, sous les deux étages de fenêtres sans vitres et de galeries dont on a depuis longtemps arraché les balustrades de fer. Là, sur le dallage brisé, quelques taches brunâtres, du sang séché, indiquent l'endroit où la fille a été découverte. On l'a emportée à midi, quand Tizón a eu fini d'inspecter le corps et de se livrer aux investigations pertinentes. Elle était dans l'état des trois précédentes : les mains attachées par-devant, la bouche bâillonnée, le dos nu et lacéré à coups de fouet qui ont mis la chair à vif et découvert les os de la colonne vertébrale, de la taille aux cervicales, les omoplates et les attaches des côtes. En cette occasion, l'assassin s'est particulièrement acharné : on dirait qu'un animal sauvage a dévoré la peau et la chair du dos. La fille a dû beaucoup souffrir. En enlevant le bâillon, on a constaté qu'elle s'était brisé les dents à force de les serrer dans les convulsions de l'agonie. Insoutenable spectacle. Près de la croûte séchée sur le sol, une tache jaune empeste encore. Un des hommes de Tizón – individus pourtant habitués aux atrocités routinières –, en voyant cela, a vomi tripes et boyaux.

Vierge, a confirmé la Persil. Comme les autres. Cette fois encore, ce n'était pas ce que cherchait le criminel. Selon l'enquête de Tizón, la fille a disparu à la première heure de la nuit, alors qu'elle revenait chez elle, rue du Figuier, après avoir rendu visite à une parente malade, rue Sopranis, et acheté une dame-jeanne de vin pour son père. Le crime ne semble pas improvisé : la fille quittait la maison de sa parente tous les jours à la même heure. L'assassin a dû l'épier un certain temps et, hier, il a décidé de la suivre à courte distance, de l'aborder à la hauteur de la maison abandonnée et de la faire entrer de force dans la cour – la dame-jeanne a été retrouvée cassée sous le porche. Il connaissait sans doute les lieux et les avait étudiés pour préparer son forfait. Bien que l'extrémité de la rue du Vent ne soit pas très passante, il y a des gens qui entrent et qui sortent. L'action de l'assassin démontre une audace peu commune, car il était à la merci d'un passant de hasard ou d'un voisin un peu curieux. Et un sang-froid extraordinaire. Attacher et bâillonner la victime pour ensuite la déchiqueter de la sorte, coup de fouet après coup de fouet, a exigé au moins dix ou quinze minutes.

Il y a quelque chose dans l'air qui intrigue le policier, même s'il lui faut du temps pour en prendre conscience. Il s'agit de l'atmosphère, ou plutôt de l'absence de celle-ci, ou de son altération. C'est comme s'il y avait un point dans l'espace où la température, le son et jusqu'aux odeurs resteraient en suspens, se transformant en vide. Quelque chose qui se déplacerait subitement d'un lieu à un autre en passant par un point demeuré immobile. Étrange sensation, dans un endroit qui se nomme, et ce n'est pas un hasard – la partie du rempart exposée à la mer et aux tempêtes est proche –, la rue du Vent. Les chats, qui ont suivi Tizón à l'intérieur de la maison, viennent le distraire dans ses réflexions. Ils s'approchent, silencieux et prudents, leurs yeux de chasseurs aux aguets. C'est leur territoire, et les rats y abondent ; le cadavre de la fille portait des traces de leurs morsures. Un chat veut se frotter contre les bottes du policier qui le fait fuir d'un coup de canne. L'animal rejoint ses camarades qui lèchent la tache de sang séché. Tizón s'assied sur les marches ébréchées d'un escalier de marbre en ruine et allume un cigare. Quand il veut retrouver cette sensation, celle-ci a disparu.

Quatre morts et pas un seul indice qui tienne le coup. De plus, les choses semblent devoir se compliquer. Même s'il parvient à empêcher la famille de la fille de parler – dans les autres cas, Tizón s'en est tiré avec de l'argent –, cette fois trop de voisins ont vu le corps. La nouvelle aura circulé dans le quartier. Et comme si ça ne suffisait pas, un personnage indésirable vient d'entrer en scène : Mariano Zafra, propriétaire, directeur et unique rédacteur d'un des nombreux journaux qui sont apparus à Cadix depuis la proclamation – néfaste, au jugement du commissaire – de la liberté de la presse. Ce Zafra est un publiciste aux idées radicales, dont l'activité ne s'explique que par l'épais climat politique qui règne dans la ville. Son journal, *El Jacobino Ilustrado*, « Le Jacobin éclairé », sort une fois par semaine et combine des informations sur les séances des Cortès avec des nouvelles et des rumeurs rassemblées, sans la moindre rigueur, dans une section appelée *Calle Ancha* – par analogie avec la

rue principale de Cadix – qui est aussi fouille-merde, indiscrète et peu crédible que son auteur. Partisan en d'autres
temps de Godoy, laudateur exalté de Ferdinand après la
chute du ministre, défenseur du trône et de l'Église jusqu'il
y a peu, libéral de plus en plus convaincu à mesure que les
députés de cette tendance gagnent le soutien de la population gaditane, Zafra est de ceux qui passent sans rougir
de l'opportunisme au cynisme. L'influence de ses pamphlets
sur l'opinion publique ne va pas plus loin que les deux ou
trois tavernes du quartier de mauvaise réputation où il vit,
près du Boquete, les quelques cafés où on lit la totalité de
ce qui paraît, et les délégués constituants qui dévorent tout
ce qui s'écrit sur eux, prêts à applaudir ou à s'indigner selon
l'appartenance de l'auteur, coreligionnaire ou adversaire.
Mais la littérature du *Jacobino*, même si elle est aux anti-
podes de publications sérieuses comme le *Diario Mercantil*,
El Conciso ou *El Semanario Patriótico*, n'en est pas moins
imprimée avec les mêmes caractères et la même encre.
La prose journalistique est la nouvelle déesse du siècle qui
commence. Et les autorités – le gouverneur Villavicencio
et l'intendant général García Pico, par exemple – préfèrent
composer avec elle, y compris quand il s'agit de libelles
grossiers comme celui que rédige ce Zafra. Lequel, du fait
de son extrémisme forcené – rare est désormais la semaine
où il n'exige pas qu'on guillotine des nobles, qu'on fusille
des généraux et que l'on réunisse une assemblée du peuple
souverain –, a été surnommé par les blagueurs des cafés,
qui ont pris depuis longtemps la mesure du personnage,
« le Robespierre du Boquete ».

Toujours est-il que, dès la première heure de l'après-midi,
alors que le corps de la fille était encore dans la cour et que
Tizón cherchait une quelconque piste exploitable, son adjoint
Cadalso est venu lui dire que Mariano Zafra était à la porte
pour s'informer des événements. Le commissaire est sorti,

a fait reculer les curieux pour prendre le publiciste à part et lui a dit sans ménagement de se mêler de ses oignons.

– Une fille a été assassinée, a répliqué l'autre, impavide. Et ce n'est pas la seule. Je me souviens qu'il y en a déjà eu au moins une ou deux autres.

– Celle-là n'a rien à voir avec elles.

Tizón l'a pris par le bras d'une façon presque amicale, en lui faisant descendre la rue pour l'éloigner des gens rassemblés près du porche. Une déférence apparente, cette façon de lui prendre le bras, mais qui ne trompait personne. Et, bien entendu, encore moins Zafra. Après quelques efforts, il a réussi à se dégager pour faire face au policier.

– Eh bien, figurez-vous que je crois le contraire. Qu'elle a tout à voir avec elles.

Tizón l'a toisé: taille médiocre, bas reprisés, chaussures crottées avec des boucles en fer-blanc. Une topaze – sûrement fausse – comme épingle de cravate. Le chapeau froissé planté de travers, de l'encre aux ongles et des papiers dépassant des poches de la redingote vert bouteille. Des yeux délavés. Peut-être intelligents.

– Et sur quoi vous fondez-vous pour inventer ça?

– C'est mon petit doigt qui me l'a dit.

Sans se troubler, comme toujours, Tizón a considéré le problème. Les différentes options présentées par l'échiquier. Aucun doute, quelqu'un a bavardé. Tôt ou tard, il fallait bien que ça arrive. Par ailleurs, Mariano Zafra n'est pas, en soi, particulièrement dangereux – son crédit en tant que journaliste est proche de zéro –, mais, en revanche, les conséquences de ce qu'il publie peuvent l'être. La seule chose qui manque encore à Cadix est l'annonce qu'un assassin de jeunes filles sévit depuis longtemps en toute impunité, suivie de la description de sa manière de procéder. La panique se répandra et le premier malheureux venu, soupçonné de tout et de rien, finira assommé par la foule en furie. Sans parler qu'on exigera que soient désignés des responsables : qui donc a gardé tout cela secret ? Qui donc est incapable de découvrir l'assassin ?... Et quelques etcetera de plus. Les journaux sérieux ne tarderont pas à s'emparer de l'histoire.

– Nous allons essayer de nous conduire en gens responsables, mon cher Zafra. Et discrets.

Ce n'était pas le bon ton, s'est-il dit tout de suite en observant l'expression hautaine de son interlocuteur. Erreur de tactique. Le Robespierre du Boquete était de ceux qui grandissaient avec la faiblesse de leur interlocuteur. De plusieurs pouces au moins.

– Ne vous moquez pas de moi, commissaire. Le peuple de Cadix a le droit de connaître la vérité.

– Laissez tomber le droit et autres foutaises. Soyons pratiques.

– Quelle autorité avez-vous pour me parler ainsi ?

Tizón a regardé des deux côtés de la rue, comme s'il espérait que quelqu'un vienne lui donner un certificat prouvant ladite autorité. Ou pour vérifier que leur conversation n'avait pas de témoins.

– Celle de quelqu'un qui peut vous causer de sérieux ennuis. Voire transformer votre vie en cauchemar.

Un haut-le-corps. Quelques pas en arrière. Un regard inquiet, rapide, aux alentours, comme celui qu'avait déjà jeté Tizón. Et un silence.

– Vous me menacez, commissaire.

– Tout de suite les grands mots !

– Je vous dénoncerai.

Là, Tizón s'est permis un petit rire. Bref, sec. Aussi sympathique que l'éclat de sa canine en or.

– À qui ? À la police ?... Mais voyons, la police c'est moi !

– Je parle de la Justice.

– Je suis souvent aussi la Justice. Ne me fatiguez pas.

Cette fois, le silence a été plus long, le commissaire

attendant et le journaliste réfléchissant. Quelque quinze secondes.

– Raisonnons un peu, camarade, a dit enfin Tizón. Vous me connaissez bien. Et moi je vous connais encore mieux.

Le ton était conciliateur. Un muletier offrant une carotte à la mule qu'il vient de rouer de coups. Ou qu'il va rouer de coups. C'est ainsi, du moins, que Zafra a paru l'interpréter.

– Il y a la liberté de la presse, a-t-il dit. Je suppose que vous êtes au courant.

C'était prononcé d'une manière qui ne manquait pas de fermeté. Ce rat, a pensé Tizón, n'est pas un lâche. Après tout, a-t-il conclu, il y a des rats qui ne le sont pas. Capables de vous bouffer un homme tout cru.

– Arrêtez de dire n'importe quoi. D'accord, nous sommes à Cadix. Votre journal est protégé par le gouvernement et les Cortès, comme tous les autres… Je ne peux pas vous empêcher de publier ce que vous voulez. Mais je peux aussi vous en faire regretter les conséquences.

L'autre lève un doigt maculé d'encre.

– Vous ne me faites pas peur. D'autres avant vous ont essayé de faire taire la voix du peuple, et vous voyez où nous en sommes. Le jour viendra où…

Il en était presque à se dresser sur ses ergots, ou plutôt ses chaussures mal cirées. Tizón l'a interrompu d'un geste écœuré. Ne me faites pas dépenser de la salive pour rien, a-t-il dit. Et économisez la vôtre. Je veux vous proposer un accord. En entendant ce dernier mot, le publiciste l'a dévisagé comme s'il n'en croyait pas ses oreilles. Puis il a posé la main sur son cœur.

– Je ne passe pas d'accord avec des instruments aveugles du pouvoir.

– Ne me cassez pas les pieds, écoutez plutôt. Ce que je vous offre est raisonnable.

En peu de mots, le commissaire a exposé ce qu'il avait en

tête. En cas de besoin, il était disposé à livrer au directeur du *Jacobino Ilustrado* les informations adéquates. Et à lui seul. Il lui rapporterait fidèlement ce qu'il pouvait lui conter, en se réservant les détails susceptibles d'entraver l'enquête s'il les rendait publics.

– En échange, vous me soignerez. Un peu.

L'autre l'étudiait, méfiant.

– Ça veut dire quoi, exactement ?

– Chanter mes louanges : notre commissaire chargé des Quartiers, etc., est perspicace, indispensable pour la paix dans la ville, etcetera. L'enquête est en bonne voie et nous aurons bientôt des surprises… Que sais-je, moi. C'est vous l'écrivain. La police veille nuit et jour, Cadix est entre de bonnes mains et des choses comme ça. La routine.

– Vous vous fichez de moi.

– Pas du tout. Je vous dis ce que nous allons faire.

– Je préfère ma liberté d'imprimer. Ma liberté de citoyen.

– Je n'ai pas l'intention de me mêler de votre liberté d'imprimer. Mais si nous n'arrivons pas à un accord, l'autre va passer un mauvais quart d'heure.

– Expliquez-vous.

Songeur, le policier regardait la tête de bronze de sa canne : une boule ronde en forme de grosse noix. Suffisante pour ouvrir un crâne d'un seul coup. Le publiciste suivait la direction de ce regard, impassible. Un individu coriace, a admis mentalement Tizón. On devait reconnaître que s'il était capable de changer de principes suivant les nécessités du marché, au moins tant qu'il les soutenait, et quels qu'ils soient, il savait les défendre toutes griffes dehors. Pour qui ne l'aurait pas connu, il semblait presque respectable. L'avantage de Tizón était qu'il ne le connaissait que trop.

– Je vous dis la chose en l'enrobant, ou je vais droit au but ?

– Droit au but, si vous voulez bien.

Une brève pause. Juste ce qu'il fallait. Après quoi, Tizón a avancé son fou.

– Le petit Maure de quatorze ans, votre domestique dont vous défoncez l'oignon de temps en temps, pourrait vous valoir un désagrément. Ou deux.

Ce fut comme si, d'un coup, tout le sang s'était retiré du corps du publiciste. Blanc comme une feuille de papier avant d'être introduite dans la presse à imprimer. Dans les yeux délavés, les pupilles se sont rétrécies au point de presque disparaître. Deux points noirs minuscules.

– L'Inquisition est suspendue, a-t-il fini par murmurer avec effort. Et sur le point d'être abolie.

Mais cela manquait de fermeté. Rogelio Tizón s'y connaissait. Le ton de son interlocuteur était celui de quelqu'un qui n'a rien mangé depuis le matin et risque de rester sans souper. L'estomac trop vide et la tête trop pleine. Frôlant l'évanouissement. À cet instant, la dent en or a émis un autre éclat. Moi, l'Inquisition, je m'en fous, a répondu le commissaire. Mais voyez-vous, il y a plusieurs options. L'une est d'expulser de Cadix ce garçon qui a moins de papiers qu'un lapin de garenne. Une autre est de l'arrêter sous un prétexte quelconque et de faire en sorte que les détenus vétérans de la Prison royale lui élargissent un peu l'horizon. J'en vois encore une troisième : demander une expertise médicale à un juge de confiance et l'obliger ensuite à vous accuser de sodomie. Le péché infâme, comme vous savez. C'est ainsi que nous l'appelions avant toute cette chienlit des Cortès et de la Constitution. Dans le bon vieux temps.

Maintenant, le publiciste bafouillait. Carrément et sans chercher à dissimuler.

– Depuis quand ?… C'est incroyable… Depuis quand savez-vous tout ça ?

– Le petit Maure ? Ça fait un bail. Mais chacun mène sa vie comme il l'entend ; et moi, vous savez, je ne me mêle pas de la vie privée des autres… Ce qui ne m'empêche pas, camarade, de me torcher le cul avec le journal que vous publiez.

Assis dans l'escalier de la maison déserte, Tizón jette son cigare sans l'achever. C'est peut-être à cause de l'odeur du lieu, mais la fumée a un goût amer. Sur le ciel nu de la cour, la dernière lumière du couchant décroît, et le rectangle de clarté s'éteint au sol où les chats continuent de lécher la tache de sang séché. Il n'y a plus rien à faire ici. Rien qui pourrait l'éclairer. Toutes ses prévisions sont parties en quenouille, laissant un vide aussi désolé que les ruines de cette maison. Le commissaire pense au morceau de plomb tordu qu'il conserve dans le tiroir de son bureau, et hoche la tête. Des mois durant, il a attendu l'indice insolite, l'inspiration clef qui lui permettrait d'avoir enfin une vision du jeu dans toute son étendue. Du possible et de l'impossible. Il sait aujourd'hui que cette idée lui a fait perdre trop de temps, en le maintenant dans une passivité dangereuse dont la nouvelle fille morte est la triste conséquence. Rogelio Tizón n'a pas de remords ; mais l'image de la fille de seize ans avec son dos déchiqueté, ses yeux écarquillés par l'horreur et ses dents qu'elle a brisées à force de les serrer dans sa longue agonie, le met dans un état de rage d'une intensité quasi physique. S'y superpose le souvenir des précédentes filles assassinées. Cela le renvoie aux fantômes qui hantent la pénombre permanente de sa propre demeure. À la femme silencieuse qui erre dans celle-ci comme une ombre, et au piano dont plus personne ne joue.

Il reste tout juste un soupçon de lumière. Le commissaire se lève, jette un dernier coup d'œil aux chats qui lèchent le sol et s'éloigne par le couloir obscur en direction de la rue. Finalement, le gouverneur Villavicencio avait raison. Le temps est venu de dresser une liste d'individus indésirables, en prévision du moment où Cadix commencera à réclamer une tête d'assassin. Pour l'instant, quelques aveux soigneusement ambigus peuvent maintenir les choses sous contrôle, dans l'attente d'un coup de chance ou du résultat de son patient travail. Sans écarter l'éventualité de nouveaux et opportuns événements liés à la guerre et à la politique : une agitation, des troubles qui, au bout du compte, vous remettent de l'ordre dans le désordre. De telles pensées, cependant, n'atténuent pas son sentiment de défaite. D'impuissance devant la porte qui vient de se fermer : obscure, incertaine, à peine une fente ; mais qui, jusqu'aujourd'hui, lui laissait l'espoir de distinguer, tout au fond, une étincelle de lumière. De trouver la combinaison maîtresse qui permet au joueur patient d'enfoncer ses pièces au plus profond de l'échiquier.

Le bruit qui se répand soudain dans l'air, semblable à celui d'une toile qu'on déchire, fait sursauter le policier au moment où il rejoint la rue plongée dans l'ombre. Il se retourne pour voir d'où vient ce bruit, et, à cet instant, le couloir de la maison projette au-dehors un éclair de couleur orange qui illumine brièvement le porche et la rue, charriant avec lui une pluie de poussière et de gravats. La détonation résonne immédiatement, ébranlant tout. Commotionné par l'onde d'expansion – les tympans le font souffrir comme s'ils étaient crevés –, Tizón titube et lève les bras en tentant de se protéger des fragments de plâtre et de verre qui ricochent de tous côtés. Au bout de quelques pas, il tombe à genoux dans la poussière épaisse qui le fait suffoquer. Le temps de recouvrer sa lucidité, il sent quelque chose de chaud et de visqueux collé à son cou, et il le détache violemment, avec, à la dernière seconde, la subite appréhension qu'il puisse s'agir d'un lambeau de son propre corps. Mais ce qu'il a dans la main est un morceau d'intestin collé à la queue d'un chat.

Il y a des petits points rouges dispersés par terre aux alentours : des fragments tordus et incandescents qui s'éteignent rapidement en refroidissant. Des tire-bouchons en plomb. Encore étourdi, Tizón se penche machinalement pour en cueillir un, mais le lâche aussitôt, car le métal lui brûle la main. Quand ses oreilles cessent de siffler et qu'il scrute l'obscurité autour de lui, ce qui l'impressionne le plus, c'est le silence.

*

Le lendemain, en manches de chemise avec son tablier en toile cirée et tenant un pigeon à deux mains, Gregorio Fumagal va vers le côté de la terrasse qui donne au levant et promène un regard prudent sur les alentours. Avec le beau temps et la surpopulation, les terrasses de nombreuses maisons sont devenues des lieux de campement où, sous des tentes faites de toiles et de voiles de bateau, des familles entières vivent à la façon des nomades. C'est, comme ailleurs, le cas de la rue des Écoles, où Fumagal est propriétaire de l'étage supérieur de la maison qu'il habite. Pour des raisons élémentaires de discrétion, le taxidermiste ne loue pas sa terrasse ; mais sur certaines des plus proches où vivent des émigrés, il est fréquent de voir des gens désœuvrés exercer leur curiosité à toutes les heures de la journée. Cela oblige à la prudence ; cette même prudence qui, lorsqu'il a commencé à entretenir une correspondance clandestine avec l'autre rive, l'a fait se séparer de la domestique qui s'occupait de la maison. Désormais, il se livre lui-même aux tâches ménagères, déjeune le matin d'un bol de lait avec de la mie de pain et mange tous les jours à la taverne de la Perdrix, rue des Carmes Déchaux, ou à celle de la Terrasse, entre le coin de rue de la Balle et l'arc de la Rose.

Personne en vue. Protégé des regards indiscrets par le linge tendu, et après avoir vérifié que le petit tube du message est bien fixé avec un cordonnet de soie à une plume de la queue,

Fumagal lâche le pigeon qui tourne un moment en gagnant de la hauteur et s'éloigne entre les tours, en direction de la baie. D'ici quelques minutes, le message qui détaille les lieux de chute des dernières cinq bombes tirées depuis la Cabezuela sera dans des mains françaises. Ces mêmes lieux se trouvent déjà marqués sur le plan de Cadix où s'épaissit un peu plus chaque jour la trame de lignes au crayon qui, en forme d'un éventail dont la base est orientée vers l'est, se déploie sur la ville. Sur ce plan, les points qui indiquent la portée maximale des bombes ont avancé d'un pouce vers l'ouest : il y en a un sur la côte de la Murga et un autre au carrefour des rues San Francisco et de l'Ancienne Douane. Cela, sans les vents forts qui rallongeraient la trajectoire. Les choses doivent pouvoir s'améliorer avec l'arrivée du levant, plus rude. Peut-être.

Gregorio Fumagal nourrit les pigeons, verse de l'eau dans un récipient et ferme soigneusement le pigeonnier. Puis il franchit le seuil de la porte vitrée de la terrasse en la laissant ouverte, descend les marches du bref escalier et revient dans le cabinet de travail. Là, cernée par les regards immobiles des animaux disposés sur des perches et dans des vitrines, sa nouvelle pièce, le macaque des Indes orientales, commence à prendre forme sur la table de marbre : l'aspect est superbe, et sa vision réjouit le taxidermiste. Après avoir écorché l'animal et nettoyé les os, il a laissé la peau baigner pendant plusieurs jours dans une solution d'alun, de sel marin et de crème de tartre achetée chez le marchand de savon Frasquito Sanlúcar – en même temps qu'une nouvelle teinture pour les cheveux qui ne déteint pas avec la transpiration –, avant de commencer l'armature interne en combinant fil de fer épais, liège et rembourrage d'étoupe avec la structure osseuse méticuleusement reconstituée et replacée, petit à petit, à l'intérieur de la peau préparée.

La matinée est chaude. La lumière qui entre par la porte

de la terrasse et éclaire les marches et le cabinet devient plus zénithale et plus intense, faisant briller les yeux de verre des animaux empaillés. La cloche de bronze de l'église de Santiago proche sonne l'angélus, relayée par les douze coups de la pendule posée sur la commode. Puis le silence revient, troublé seulement par le bruit léger des instruments que manie Fumagal. Il travaille habilement avec des aiguilles, des alènes et du gros fil, remplissant et cousant les cavités, tout en consultant les instructions posées près de la table. Il s'agit d'études préalables sur l'attitude qu'il entend donner au singe : debout sur une branche d'arbre sèche et vernie, la queue tombante et le plus possible en spirale, la face légèrement tournée vers l'épaule gauche, regardant le futur spectateur. Pour fixer le corps du macaque dans la bonne position, le taxidermiste fait appel à des estampes d'histoire naturelle, des gravures de sa collection et des dessins qu'il a lui-même exécutés. Il ne néglige aucun détail, car il en est au moment le plus délicat : la recherche d'une posture qui mette en valeur le corps de l'animal, en apportant tous ses soins à la finition des paupières, des oreilles, de la bouche ou de la texture du pelage. De cela dépend, dans une grande mesure, l'apprêt final, le point exact qui donnera ou ôtera sa crédibilité au travail, soulignant sa perfection ou la détruisant. Fumagal est conscient qu'une déformation négligée, une griffure sur la peau, une suture mal faite, un insecte minuscule oublié dans le rembourrage défigureront la pièce qui, le temps passant, pourra finir par se décomposer. Après presque trente ans de métier, il sait que tout animal empaillé reste en quelque sorte vivant, qu'il vieillit à sa façon sous les effets de la lumière, de la poussière, du passage des années, et des subtiles transformations physiques et chimiques qui se produisent en lui. Dangers contre lesquels doit se prémunir la dextérité d'un bon taxidermiste en faisant appel au meilleur de son art.

Une explosion sourde, amortie par la distance et les maisons interposées, arrive jusqu'au cabinet un instant après qu'une légère ondulation de l'air a fait vibrer les vitres de la porte ouverte sur la terrasse. Fumagal, qui était en train de coudre au point de surjet la naissance de la queue de l'animal, interrompt son travail et reste immobile, attentif, laissant en suspens dans l'air la main qui tient l'aiguille où est passé le fil. Celle-là a vraiment éclaté, conclut-il en reprenant sa tâche. Et pas trop loin : vers l'église du Pópulo, sûrement. À cinq cents pas. La possibilité qu'une bombe finisse par atteindre sa maison, voire lui-même, lui vient parfois à l'esprit. N'importe lequel de ses pigeons peut lui apporter en retour un message dangereux, ou mortel. Parmi les projets que le taxidermiste nourrit pour sa vieillesse – probable ou improbable – ne figure pas celui de s'immoler comme Samson dans le temple des Philistins, mais tout jeu a ses règles et celui-là ne fait pas exception. À vrai dire, cela ne le dérangerait pas outre mesure qu'une bombe vienne à tomber plus près : exactement sur l'église voisine de Santiago, en faisant taire les cloches qui, jour après jour et avec une particulière insistance les dimanches et jours de fête, accompagnent les heures qu'il passe chez lui. S'il y a quelque chose qui ne manque pas dans Cadix – Espagne en miniature, et toujours pour le pire –, ce sont bien les couvents et les églises.

Malgré ses affinités avec ceux qui assiègent la ville – ou plutôt avec la tradition française des Lumières du siècle passé, dont la Révolution et l'Empire sont les héritiers –, il y a des détails que Gregorio Fumagal accepte difficilement : la restauration napoléonienne du culte religieux en est un. Le taxidermiste n'est qu'un modeste commerçant et un artisan qui a lu des livres et étudié des êtres vivants et morts. Mais il estime que, par son ignorance de la Nature et son manque de courage pour en accepter les lois, l'homme a renoncé à l'expérience en échange de systèmes imaginaires, inventant des dieux, ainsi que des prêtres et des rois qui sont leurs représentants sur terre. Se soumettant sans restriction à des êtres qui sont ses semblables et qui en ont profité pour faire de lui un esclave privé de raison et incapable de comprendre ce qui est la clef de tout : seul existe l'ordre naturel, et le désordre lui-même en fait partie. Après avoir lu ce que les philosophes ont écrit sur la question et étudié la mort de près, Fumagal pense que la Nature ne peut pas agir différemment. C'est elle, et non un Dieu impossible, qui distribue ordre et désordre, plaisir et douleur. C'est elle qui répand le bien et le mal sur un monde où ni les cris ni les supplications ne peuvent rien contre les lois immuables de la vie et de la destruction. Contre leur terrible nécessité. Il est dans l'ordre des choses que le feu brûle, puisque telle est sa propriété. Il est dans ce même ordre des choses que l'homme tue et dévore d'autres animaux dont la substance lui est indispensable. Et aussi que l'homme fasse le mal, puisque souffrir entre dans sa condition. Il n'y a pas d'exemple plus édifiant que la mort accompagnée de souffrances sous un ciel incapable de les alléger d'un gramme. Rien ne révèle mieux le caractère du monde ; rien n'est plus réconfortant, face à l'idée d'une intelligence supérieure dont les intentions, si elles existaient, seraient injustes jusqu'au désespoir. Voilà pourquoi le taxidermiste considère que l'on trouve une certitude morale consolatrice, presque jacobine, même dans les plus grands désastres et les pires atrocités : tremblements de terre, épidémies, guerres, massacres. Dans les grands crimes qui, mettant chaque chose à sa place, renvoient l'homme à la froide réalité de l'Univers.

*

– C'est à la physique et à l'expérience qu'il faut faire appel, dit Hipólito Barrull. Chercher le surnaturel est absurde, à notre époque.

Rogelio Tizón écoute attentivement tout en marchant lentement, tête baissée, les yeux rivés sur les pavés de la place San Antonio. Il tient sa canne et son chapeau dans ses mains croisées dans le dos. La promenade lui libère la tête après les trois parties d'échecs au café de la Poste : deux gagnées par le professeur et la dernière nulle.

– Questionner la raison, résume Barrull.

– La raison éclate de rire quand on la questionne.

– Analysez le monde visible, dans ce cas. N'importe quoi, plutôt que de vous en remettre à des abracadabra.

Le commissaire regarde les environs. Le soleil s'est couché et la température devient plus agréable à mesure que le ciel s'obscurcit au-dessus des tours de vigie et des terrasses des maisons. Quelques voitures et chaises à porteurs stationnent devant la pâtisserie de Burnel et le café d'Apollon, et beaucoup de gens se promènent là et dans la Calle Ancha en profitant des dernières lueurs du jour : familles cossues des maisons voisines, habitants des quartiers populaires proches, enfants qui courent et jouent au cerceau, prêtres, militaires, réfugiés sans ressources qui cherchent en catimini des mégots de cigares sur la chaussée. La ville se détend, tranquille et confiante, entre les demi-colonnes, les orangers et les bancs de marbre de sa place principale, en profitant du long crépuscule d'été. Comme d'habitude, la guerre semble très loin. Presque irréelle.

– Le monde visible, proteste Tizón, me dit que tout ce que je viens de vous rapporter est vrai.

– Et donc, ça l'est. À moins que le monde visible ne vous trompe, ce qui peut aussi arriver. Tenez compte de ce que, parfois, il peut se produire des coïncidences fortuites. Des effets avec des causes apparentes qui, en réalité, leur sont parfaitement étrangères.

– Nous avons déjà quatre cas concrets, professeur. Ou trois et un. Les liens sautent aux yeux et la relation est évidente. Mais je n'arrive pas à déchiffrer la clef.

– Il doit quand même y en avoir une. Il n'y a pas de mouvements spontanés dans ce genre de choses. Les corps agissent les uns sur les autres. Chaque altération est due à des raisons visibles ou cachées… Rien n'existe sans elles.

Ils quittent la place, toujours lentement, pour se diriger vers le Mentidero. Les lumières commencent à s'allumer derrière les jalousies des fenêtres et dans des boutiques encore ouvertes. Barrull, qui vit seul et soupe de peu, a envie de manger un morceau de tortilla aux aubergines dans la gargote de la rue du Voyer. Ils entrent et s'accoudent au comptoir, près d'une chandelle allumée qui dégage une fumée grasse, entre les caisses de salaisons et les barriques. Le professeur avec un petit verre de vin de Jerez et le policier avec une cruche d'eau fraîche.

– En termes généraux, votre assassin n'est pas un cas isolé, poursuit Barrull en attendant qu'on lui apporte son assiette. Chaque être humain se meut par sa propre énergie et par celle qui se dégage des corps dont il reçoit les impulsions. Il y a toujours une cause qui en active une autre. Des chaînons.

La tortilla arrive, juteuse et fumante. Le professeur en offre à Tizón qui refuse d'un mouvement de la tête.

– Pensez aux hommes des anciens temps, ajoute Barrull. Ils voyaient des planètes et des étoiles se mouvoir dans le ciel, et ils ne savaient pas pourquoi. Jusqu'au jour où Newton a parlé de la gravitation que les corps célestes exercent les uns sur les autres.

– La gravitation…

– Oui. Des forces d'attraction, ou des causes qui, pendant

des siècles, peuvent échapper à notre entendement. Comme la relation entre ces bombes et l'assassin. Leur gravitation criminelle.

Le professeur déguste une bouchée de tortilla avec l'air de réfléchir à ses propres paroles. Puis il a un vigoureux hochement de tête affirmatif.

– Si un corps a une masse, il tombe, continue-t-il. S'il tombe, il heurte d'autres corps et leur communique un mouvement. S'il y a analogie, il agit avec eux. Tout est régi par les lois de la physique. Y compris les hommes et les bombes.

Une gorgée de vin. Barrull étudie avec satisfaction le contenu de son verre que la flamme de la chandelle rend transparent, et boit de nouveau. Quand il écarte le verre de ses lèvres, un demi-sourire se dessine sur son visage chevalin.

– Matière et mouvement, comme le voulait Descartes. Donnez-les-moi, et je construirai le monde… Ou je le détruirai.

– Dans ce qui vient de se produire, fait remarquer Tizón, le crime a précédé la bombe.

– Ce n'est arrivé qu'une fois. Et nous ne savons pas pourquoi.

– Écoutez. L'assassin a tué pour la quatrième fois. De façon identique. Et voilà que, peu après, la bombe tombe sur l'endroit exact. Vous croyez vraiment que le hasard a quelque chose à voir là-dedans ?… C'est justement la raison qui me dit que le rapport existe.

– Il faudra attendre une deuxième constatation.

Après cela, ils gardent tous les deux le silence. Tizón s'est mis de côté, regardant la porte de la rue. Quand il se retourne vers Barrull, il voit que celui-ci l'observe d'un air songeur. Derrière le reflet de la chandelle dans les verres de ses lunettes, les yeux mi-clos brillent d'un intérêt extrême.

– Dites-moi une chose, commissaire… Si, en ce moment, vous pouviez choisir entre capturer l'assassin ou lui donner une nouvelle occasion de confirmer votre théorie, que feriez-vous ?

Tizón ne répond pas. Soutenant son regard, il plonge la main dans la poche de sa redingote, sort un havane de l'étui en cuir de Russie et se le plante entre les dents. Puis il en offre un au professeur qui refuse d'un signe de la tête.

– Au fond, vous êtes un homme de science, constate Barrull, amusé.

Il laisse quelques pièces sur le comptoir et ils sortent dans la rue où s'évanouit la dernière clarté. D'autres ombres cheminent sans hâte, comme eux. Ni l'un ni l'autre ne desserre les lèvres avant d'arriver au Mentidero.

– Le problème, dit enfin Tizón, est que, maintenant, la possibilité de le prendre sur le fait est beaucoup plus réduite. Avant, nous pouvions espérer l'attraper en surveillant les points de chute des bombes. Désormais, c'est impossible de rien prévoir.

Soyons logiques, argumente Barrull après avoir un peu réfléchi. L'assassin a tué quatre fois, et en trois occasions la bombe est tombée avant. La dernière, en revanche, est arrivée après. Il est impossible d'établir si l'association que vous avez faite depuis le début est fausse, erreur ou simple hasard, ce qui l'invaliderait définitivement. Une deuxième possibilité est qu'il s'agit d'une constante réelle : une série ininterrompue ou altérée par le hasard ou les circonstances. La troisième est qu'il s'est produit un changement dans la norme, sans que nous sachions ce que cela signifie. Une nouvelle phase de l'affaire dont l'origine échappe pour le moment à l'analyse, mais qui devrait avoir quelque part son explication logique. Ou qui, au moins, ne s'opposerait pas au système naturel du monde dans lequel vivent policier et assassin.

– Attention au mot *hasard*, professeur, prévient Tizón. Vous-même, vous avez l'habitude de dire que c'est une excuse trop courante.

– Oui, c'est vrai. Elle est celle qui demande le moins d'efforts. Souvent, ou peut-être toujours, nous y recourons pour camoufler notre ignorance des causes naturelles. De la loi immuable dont la stratégie déplace les pièces sur l'échiquier… Pour justifier des effets visibles dans lesquels nous sommes incapables de voir un ordre ou des systèmes.

Tizón s'est arrêté pour gratter une allumette sur un mur. Il applique la flamme à l'extrémité du cigare.

– *Tout peut arriver quand un dieu y travaille*, murmure-t-il en soufflant de la fumée pour éteindre l'allumette.

Dans l'obscurité, il ne voit pas l'expression de Barrull, mais il entend son rire.

– Eh bien, commissaire ! À ce que je vois, vous ne lâchez pas Sophocle.

Ils parcourent le Mentidero sur toute sa longueur en direction du rempart et de la mer, au milieu des silhouettes obscures de gens qui forment des groupes assis sur des bancs, des chaises et des couvertures étendues sur le sol, à la lueur de chandelles, lanternes et veilleuses qui brûlent dans des pots en céramique ou en verre. Depuis que le beau temps est arrivé, des familles des zones les plus exposées viennent passer la nuit en plein air dans ce quartier, sur la place et sur l'esplanade du Ballon, sans que manquent jamais vin, guitares et conversations jusqu'aux petites heures du matin.

– Voyons cela, donc, déclare Barrull. Comme la raison refuse d'admettre que quelqu'un soit capable de prédire de manière consciente et avec exactitude le lieu où tombera la bombe et de s'arranger pour tuer précisément là, il ne reste qu'une possibilité : l'assassin a eu *l'intuition* du point de l'explosion… Ou, pour exprimer ça en termes scientifiques, il a agi poussé par des forces d'attraction et des probabilités dont la formulation nous échappe.

– Vous voulez dire qu'il ne serait qu'un élément d'une combinaison.

Cela se pourrait, répond le professeur. Le monde est plein d'ingrédients isolés, en apparence sans relation entre eux. Mais quand certains mélanges en approchent d'autres, la force qui en résulte peut produire des effets surprenants. Ou terribles. Des combinaisons dont on n'a pas découvert la clef. L'homme primitif resterait sûrement sidéré en voyant surgir le feu là où, aujourd'hui, il suffit de mélanger de la limaille de fer avec du soufre et de l'eau. Les mouvements composés ne sont rien d'autre que le résultat d'une combinaison de mouvements simples.

– Votre assassin, conclut Barrull, serait dans ce cas un facteur physique, géométrique, mathématique… que sais-je. Un élément en relation avec d'autres : victimes, localisation topographique, trajectoire des bombes, peut-être contenu de celles-ci. Poudre, plomb. Certaines explosent, d'autres non, et lui n'agit que lorsqu'elles explosent, ou vont exploser.

– Mais seulement aussi quand les bombes ne tuent pas.

– Et cela complique les questions que nous nous posons. Pourquoi les unes et pas les autres ? Est-ce qu'il choisit, ou pas ? Qu'est-ce qui le pousse à agir seulement dans certains cas ? Bien sûr, il serait instructif de l'interroger. Je suis sûr que lui-même serait incapable de répondre à ces questions. À une peut-être, mais pas à toutes. Je suppose que personne ne pourrait le faire.

– Vous m'avez dit, il y a quelque temps, que nous ne pouvions pas écarter l'hypothèse d'un homme de science.

– J'ai dit ça ?… Bon. Maintenant que nous avons affaire à une mort anticipée, je n'en suis plus sûr. Ce pourrait être n'importe qui. Même un monstre stupide et analphabète réagirait devant des stimulus déterminés complexes ; pourtant, il doit bien y avoir dans sa tête quelque chose qui agit de façon scientifique.

Une légère clarté crépusculaire coupe l'espace entre le parc d'artillerie et la caserne de la Candelaria, au bout de la place. On perçoit déjà les éclats lointains du phare de San Sebastián qui vient de s'allumer. Le policier et le professeur arrivent à la petite gloriette de la promenade du Persil, près de la noria, et tournent à gauche. Des gens se tiennent immobiles le long du rempart, regardant disparaître la mince frange rougeâtre qui dessine encore la ligne de la côte de l'autre côté de la baie.

– Il serait intéressant d'étudier ce que contient cette tête, dit Barrull.

La braise du cigare brille au centre du visage du policier.

– Je le ferai tôt ou tard. Je vous le garantis.

– J'espère que vous ne vous tromperez pas de personne. Dans le cas contraire, je prévois de bien tristes moments pour le malheureux.

Ils poursuivent leur chemin en silence, au-delà du bastion, en pénétrant sous les arbres de l'Alameda. L'église du Carmel est dans l'obscurité, portes fermées, ses deux flèches s'élançant au-dessus de l'imposante façade enveloppée d'ombre.

– Souvenez-vous, en tout cas, ajoute le professeur sarcastique, que la torture vient d'être abolie par les Cortès.

Ils peuvent toujours causer, est sur le point de répondre Tizón. Mais il se tait. L'après-midi même, il a interrogé comme il l'a fait toute sa vie – la seule manière efficace – un étranger surpris la veille en train d'épier les jeunes couturières qui sortaient des ateliers de confection de la rue Juan de Andas. Il a fallu plusieurs heures d'application rigoureuse, beaucoup de sueur de l'adjoint Cadalso et beaucoup de cris du patient, étouffés par les murs du cachot, pour établir que l'éventualité que l'individu soit responsable des assassinats était minime. Néanmoins, Tizón a l'intention de le garder quelque temps au frais, au cas où les choses se compliqueraient et où l'on aurait besoin de présenter quelqu'un à la foule. Qu'il soit réellement coupable ou seulement en apparence ne compte guère, quand il s'agit d'avoir un suspect sous la main. Et des aveux devant un greffier sourd à tout ce qui n'est pas le tintement de l'argent qu'il reçoit seront toujours des aveux. Le commissaire n'en est toutefois pas encore arrivé à cette extrémité avec son prisonnier – un employé sévillan d'âge mûr, célibataire et réfugié à Cadix –, mais on ne sait jamais. Cela lui est bien égal que les députés de San Felipe Neri aient passé des mois à débattre de l'opportunité d'imiter la loi de l'habeas corpus de l'Angleterre ou de rénover celle de l'Aragon, les deux empêchant d'envoyer quelqu'un en prison sans investigations préalables prouvant qu'il peut être soupçonné d'un délit. Son opinion – et ce ne sont pas les discours à la tribune ni les autres balivernes libérales qui l'en feront démordre – est que toutes les bonnes intentions du monde ne valent pas tripette face à la réalité concrète. Avec de nouvelles lois ou sans elles, l'expérience prouve que pour arracher la vérité aux hommes il n'existe qu'une manière, vieille comme Hérode ; ou aussi vieille, en tout cas, que le métier de policier. Et que la marge d'erreur, inévitable dans ce genre d'affaire, ne compte guère face au pourcentage de réussites. Que ce soit dans la gargote de la rue du Voyer ou ailleurs, cachots inclus, on ne peut pas faire d'omelette sans casser des œufs. Tizón en a cassé beaucoup dans sa vie. Et il a bien l'intention de continuer.

– Avec les Cortès ou sans elles, j'entrerai dans cette tête, professeur. Soyez-en sûr.

– Avant, il faudra l'arrêter.

– Je le ferai. – Tizón regarde autour de lui, méfiant et hargneux. – Cadix est une petite ville.

– Et pleine de monde. Je crains que cette affirmation ne soit risquée. Un volontarisme compréhensible, y compris dans votre métier et votre situation, mais qui manque de rigueur… Il n'existe aucune raison concrète qui vous permette d'affirmer que vous finirez par l'attraper. Ce n'est pas une question de flair. La solution, si elle existe, sera due à l'emploi de moyens plus complexes. Plus scientifiques.

– Le manuscrit d'*Ajax*…

– Écoutez, cher ami. Ne retombez pas dans les mêmes erreurs. Ce texte, c'est moi qui l'ai traduit. Je le connais bien. Il s'agit de poétique, pas de science. Vous ne pouvez pas analyser cette affaire en vous fondant sur un texte écrit au ve siècle avant Jésus-Christ… Tout cela est intéressant pour s'échauffer le cerveau avec des images et des métaphores, ou pour enjoliver un de ces romans fantastiques que lisent les dames. Mais ça ne mène nulle part.

Ils se sont arrêtés près de la demeure de Tizón, adossés à un contrefort du rempart situé entre deux guérites. Près de la plus proche, on peut voir bouger de temps en temps la forme d'une sentinelle, couronnée par le léger scintillement d'une baïonnette. En face, on devine les silhouettes noires, coques et mâts, des navires espagnols et anglais ancrés à peu de distance. La nuit est si sereine que même la mer est immobile. La masse obscure et liquide reste silencieuse, immense, dans son odeur de rochers dénudés, de sable et d'algues de la marée basse.

– Parfois, poursuit Barrull, quand nos sens ne parviennent pas à pénétrer certaines causes et leurs effets, nous recourons à l'imagination, laquelle est le plus suspect des guides. Mais il n'y a rien dans le monde qui sorte de l'ordre naturel. Chaque mouvement, j'insiste, répond à des lois constantes et nécessaires… Acceptons, donc, ce fait rationnel : l'univers à des clefs que nous ignorons.

Tizón jette le mégot de son cigare dans la mer.

– *Les mortels*, dit-il, *peuvent connaître beaucoup de choses quand ils les voient, mais nul ne devine comment seront les choses à venir…*

Barrull émet un petit soupir de réprobation. Ou de lassitude.

– Vous et Sophocle, vous commencez à m'échauffer les oreilles. Même dans le cas peu probable, encore que pas impossible, où le meurtrier connaîtrait le texte et où celui-ci lui aurait donné des idées, cette quatrième fille assassinée *avant* la bombe en ferait un détail secondaire. De la menue monnaie, dans cette tragédie... Si j'étais vous et si j'étais si sûr de ce que vous affirmez, je consacrerais mon temps à établir où et quand tomberont les prochaines bombes.

– Oui, mais comment ?

– Ça, je ne sais pas. – Le rire de Barrull résonne dans l'obscurité. – Peut-être en demandant aux Français ?

7

Ite missa est. La messe de huit heures à San Francisco s'achève. À cette heure, les fidèles ne sont pas nombreux : quelques hommes debout ou sur les bancs latéraux, et une vingtaine de femmes agenouillées sur des coussins ou des carrés d'étoffe posés à même le sol. Sur ces dernières paroles et la bénédiction du prêtre, Lolita Palma ferme son missel, gagne la porte, trempe ses doigts dans l'eau du bénitier accolé au mur couvert d'ex-voto en cire et en laiton, se signe une dernière fois et sort de l'église. Elle ne va pas à la messe tous les jours, mais aujourd'hui aurait été l'anniversaire de son père : un homme pieux, quoique sans excès, qui assistait à cette messe avant de commencer sa journée de travail. Lolita Palma sait qu'il aimerait la voir là pour se souvenir de lui en ce jour particulier. Quant au reste, elle obéit convenablement aux préceptes de base de son éducation catholique : messe dominicale, communion de temps en temps après s'être confessée à un vieux prêtre ami de la famille, qui ne pose pas de questions dérangeantes et dont les pénitences restent légères. Cela s'arrête là. Habituée depuis l'enfance à beaucoup lire, fruit d'une éducation moderne, comme celle d'autres femmes de la bourgeoisie gaditane, l'héritière des Palma a une vision libérale du monde, des affaires et de la vie. Cela s'avère compatible avec la pratique formelle – sincère en ce qui la concerne – de la religion catholique, mais en modère les formes extrêmes, en la tenant à l'écart de la bigoterie habituelle de son sexe et de son temps.

La place est animée. Le soleil n'est pas encore très haut et la température estivale est agréable. Quelques étrangers d'une auberge voisine – celle de Paris, rebaptisée de la Patrie – prennent leur petit déjeuner autour de tables installées dans la rue, en regardant les passants. Les boutiquiers des commerces voisins ouvrent leurs portes et enlèvent les volets de leurs vitrines pour exhiber leurs marchandises. Des femmes agenouillées lavent les entrées des maisons et les trottoirs qui sont devant. D'autres aspergent d'eau les pavés ou arrosent les plantes des balcons. Retirant la mantille de sa tête pour la laisser tomber sur ses épaules – ses cheveux sont coiffés en arrière, rassemblés dans une natte enroulée et serrée sur la nuque, retenue par un court peigne en nacre –, Lolita range le missel dans la bourse de satin noir, laisse pendre l'éventail au bout du cordon attaché à son poignet droit et se dirige vers les boutiques situées entre les coins des rues San Francisco et de l'Ancien Consulat, où il y a des marchands de livres anciens et des étals de gravures et d'estampes. Avant de rentrer chez elle, elle a l'intention de descendre jusqu'à la place San Agustín pour retirer quelques livres et commander des journaux étrangers. Puis elle retournera au bureau, comme tous les jours.

Elle ne voit Pepe Lobo qu'au dernier moment, quand, juste devant elle, il sort d'une librairie un paquet sous le bras. Le corsaire porte une veste à boutons dorés, un pantalon de nankin qui descend jusqu'aux chevilles et des souliers à boucle. En la voyant, il s'arrête net et ôte son bicorne de marin.

– Madame, dit-il.

Lolita Palma lui rend son salut, un peu déconcertée.

– Bonjour, capitaine.

Elle ne s'attendait pas à cette rencontre. Lui non plus,

visiblement. Il semble indécis, chapeau à la main, comme s'il hésitait entre le remettre ou non, poursuivre son chemin ou échanger quelques mots polis. Il en est de même pour elle. Mal à l'aise.

– Vous vous promenez ?

– Je sors de la messe.

– Ah.

Il la regarde avec intérêt, comme s'il s'était attendu à une autre réponse. Pourvu qu'il ne me prenne pas pour une punaise de sacristie, pense fugacement Lolita. L'instant d'après, elle s'en veut d'avoir eu cette pensée. Qu'est-ce que ça peut me faire, décide-t-elle. Ce que cet individu croit ou non.

– Vous fréquentez les librairies ? demande-t-elle, délibérément.

Le corsaire ne paraît pas percevoir le ton ironique. Il se tourne et regarde derrière lui, vers la boutique dont il vient de sortir. Puis il indique le paquet qu'il porte sous le bras. Il sourit pour minimiser la chose. Comme une brèche d'une blancheur d'ivoire dans le visage hâlé.

– Pas beaucoup, en dehors de mon métier, répond-il avec simplicité. Ça, c'est le *Naval Gazetteer* en deux volumes. Un capitaine anglais est mort des fièvres et ses affaires ont été vendues aux enchères. J'ai su que quelques livres avaient atterri ici.

Lolita acquiesce. Ce genre de ventes est fréquent sur le petit marché proche de la Porte de Mer, quand des navires reviennent de voyages dont la longueur s'est révélée fatale pour la santé d'un membre de l'équipage. Des condensés de vies exposés sur des bâches, à même le sol, semblables aux restes d'un naufrage : une sculpture en os de baleine, des vêtements, une montre, un couteau au manche noirci, un pichet d'étain avec des initiales gravées, un portrait de femme dans un médaillon, et parfois quelques livres. C'est bien peu de chose, que le contenu d'un coffre de marin.

– Comme c'est triste, dit-elle.

– Pour l'Anglais, à coup sûr. – Lobo donne de petites tapes sur le paquet. – Pour moi, c'est une chance. C'est un livre qu'il est bon d'avoir à bord…

Le corsaire se tait, laissant mourir le dernier mot. On dirait qu'il hésite entre conclure ici la conversation ou la prolonger encore un peu. Cherchant à établir la juste mesure entre la politesse et les circonstances particulières de la rencontre. Lolita aussi hésite. Et elle commence à s'amuser vaguement de la situation.

– Couvrez-vous, capitaine. Je vous en prie.

Il reste découvert, comme s'il se demandait s'il doit vraiment obéir, puis finit par remettre son chapeau. Il porte toujours la même veste, usée aux coudes, mais la chemise est neuve et propre, de fine batiste, avec une cravate blanche nouée à deux pointes. La gêne qu'elle devine chez lui finirait presque par l'attendrir. Cette maladresse diffuse, si masculine, jointe au regard tranquille qui parfois l'intrigue. Et je n'en vois pas la raison, se dit-elle ensuite. Ou en réalité, si, je la vois. Un homme de son métier, fait à des femmes d'un autre genre. Je suppose qu'il n'est pas habitué à nous traiter en patronnes ou en associées. À ce que ce soit nous qui lui donnions un emploi, ou que nous le lui enlevions.

– Vous connaissez la langue anglaise ?

– Je me défends, madame.

– Vous l'avez apprise à Gibraltar ?

Elle l'a dit sans réfléchir. Ou presque. En tout cas, elle se demande pourquoi. Il l'observe, songeur. Curieux, peut-être. Les yeux verts, si pareils à ceux d'un chat, soutiennent maintenant son regard. Sur ses gardes. Un chat prudent.

– Je parlais déjà anglais avant. Un peu, au moins. Mais c'est vrai. À Gibraltar, j'ai amélioré ma pratique.

– Évidemment.

Ils se regardent encore un moment, de nouveau silencieux.

En s'étudiant. Dans le cas de Lolita, c'est plus sur elle-même qu'elle s'interroge que sur l'homme qui lui fait face. Elle éprouve une curieuse sensation de curiosité mêlée de méfiance, à la fois pénible et agréable. La dernière fois qu'elle s'est trouvée en compagnie du corsaire, le ton de la conversation était différent. Professionnel et devant des tiers. Cela s'est passé il y a une semaine, pour une réunion de travail dans son bureau. Les Sánchez Guinea étaient présents, et il s'agissait de la liquidation du mistic français *Madonna Diolet* qui, après deux mois de formalités au tribunal maritime – en laissant un peu d'argent entre les griffes avides des fonctionnaires judiciaires –, avait enfin été déclaré de bonne prise avec sa cargaison de cuirs, blé et eau-de-vie. Une fois réglée la part du roi au Trésor royal, Pepe Lobo a pris en charge le tiers revenant à l'équipage : sur lequel, en plus des vingt-cinq pesos qu'il reçoit par mois comme avance sur les prises, lui revenaient sept parts. Il s'est chargé également des sommes dues aux familles des matelots morts ou blessés au cours des captures ; deux parts pour chacun, en plus de ce qui est versé par la caisse de secours destinée aux mutilés, veuves et orphelins. Dans le bureau, le comportement du capitaine a été rapide et efficace, très attentif à l'état des comptes : pas un seul chiffre des sommes dues à ses hommes n'a échappé à son attention. Il vérifiait tout, méthodique, avant d'apposer sa signature, page après page. Son attitude, a constaté Lolita Palma, n'était pas celle d'un homme soupçonneux qui craint que les armateurs ne trahissent sa confiance. Il se bornait à contrôler minutieusement le résultat : la somme pour laquelle lui et ses hommes jouaient leur vie, entassés dans l'espace confiné du cotre : vent, lames et ennemis au-dehors, promiscuité, odeurs et humidité au-dedans, avec une petite cabine à l'arrière pour le capitaine, une autre avec des couchettes séparées par un rideau pour le second, le maître d'équipage et l'écrivain, des hamacs de toile partagés par le reste de l'équipage au rythme des tours de quart, aucune protection contre le vent et la mer sur le pont découvert et toujours en mouvement, au gré des fortunes de mer et de guerre sans jamais pouvoir relâcher la vigilance, selon le vieil adage marin : « Une main pour toi et l'autre pour le roi. » Ainsi, en observant le corsaire pendant qu'il lisait et signait les papiers dans le bureau, Lolita Palma a pu avoir la confirmation qu'un bon capitaine ne l'est pas seulement sur mer mais aussi sur terre. Elle a également compris pourquoi les Sánchez Guinea estimaient tant Pepe Lobo et pourquoi, en un temps où l'on manque cruellement d'équipages, il y a toujours des matelots pour s'inscrire sur le rôle de la *Culebra*. « Il est de cette sorte d'individus, avait dit une fois Miguel Sánchez Guinea, pour qui les filles des ports deviennent folles et les hommes donneraient jusqu'à leur chemise. »

Ils restent debout dans la rue, près de la librairie d'ancien. Ils se dévisagent. Le corsaire porte la main à son chapeau en faisant mine de poursuivre son chemin. Soudain, Lolita découvre qu'elle ne souhaite pas qu'il s'en aille. Du moins, pas encore. Elle souhaite prolonger cette étrange sensation. L'inhabituel picotement de crainte ou de méfiance qui excite doucement sa curiosité.

– Pourriez-vous m'accompagner, capitaine ?... Je dois prendre des paquets. Des livres, justement.

Elle a dit cela avec un aplomb dont elle est la première surprise. Sereine, ou du moins est-ce l'impression qu'elle espère donner. Mais une légère pulsation s'intensifie dans ses poignets. Tump. Tump. Tump. L'homme l'observe un instant, un peu déconcerté, puis sourit de nouveau. Un sourire subit, franc. Ou qui semble l'être. Lolita s'arrête sur la ligne anguleuse et ferme de la mâchoire, où la barbe noire, bien que rasée ce matin très tôt, commence déjà à repousser. Les pattes basses, à la mode, qui arrivent jusqu'au milieu des joues, sont châtain sombre et fournies. Pepe Lobo n'est en rien un homme raffiné. Pas le genre capitaine Virués ou fils de bonne famille habitué des cafés gaditans et des promenades sur l'Alameda. Rien à voir. Il y a quelque chose en lui de fruste, accentué par l'insolite clarté des yeux félins. Quelque chose de type élémentaire, ou peut-être dangereux. Dos large, mains fortes, présence solide. Un homme, en somme. Oui : dangereux est le mot. Il n'est pas difficile de l'imaginer, les cheveux emmêlés, en manches de chemise, souillé de sueur et de sel. Hurlant des ordres et proférant des jurons dans la fumée des coups de canon et le vent qui siffle dans le gréement, sur le pont du cotre qui est son gagne-pain. Pas difficile non plus de l'imaginer froissant des draps sous le corps d'une femme.

Le dernier tour qu'ont pris ses pensées trouble Lolita Palma. Elle cherche quelque chose à dire pour masquer son état d'esprit. Elle et le corsaire descendent la rue San Francisco sans se regarder ni parler. À un pas l'un de l'autre.

– Quand reprenez-vous la mer ?

– Dans onze jours. Si la Marine nous livre les fournitures nécessaires.

Elle tient sa bourse dans ses mains, devant elle. Ils passent le coin de la rue du Bastion et le laissent derrière eux. Lentement.

– Vos hommes doivent être contents. Le mistic français a été une bonne affaire. Et nous avons une autre prise en cours de règlement.

– Oui. Mais, en fait, certains ont vendu par anticipation leur part de prise à des commerçants de la ville. Ils préfèrent avoir l'argent tout de suite, même si ça en fait moins, qu'attendre le jugement de la Marine… Et ils l'ont déjà dépensé, naturellement.

Lolita imagine sans effort les matelots de la *Culebra* dépensant leur argent dans les ruelles du Boquete et les bouges de la Caleta. Pas difficile non plus d'imaginer Pepe Lobo dépensant le sien.

– Je suppose que ce n'est pas mauvais pour notre affaire, avance-t-elle. Ils voudront retourner en mer pour se refaire et en avoir plus.

– Certains oui, d'autres moins. La vie n'est pas commode, au large.

Il y a des jardinières à tous les balcons et des grilles en fer forgé au-dessus d'eux. Comme un jardin suspendu qui s'étendrait le long de la rue. Devant une boutique de jouets, des gamins sales, coiffés de casquettes effilochées, contemplent avec convoitise les figurines et les chevaux en papier mâché, les tambours, les toupies et les carrioles accrochés aux montants de la porte.

– Je crains de vous avoir distrait de vos occupations, capitaine.

– Ne vous inquiétez pas. Je retournais au port. Au bateau.

– Vous n'avez pas de logement en ville ?

Non, répond le corsaire. Quand il était à terre, évidemment, il avait besoin d'un toit. Mais plus maintenant. Surtout avec les prix de Cadix. Garder un logement ou une chambre fixe coûte très cher, et tout ce qu'il possède tient dans sa cabine. À bord.

– C'est vrai. Mais vous êtes solvable, désormais.

De nouveau la brèche blanche qui s'ouvre dans le visage brûlé par le soleil.

– Un peu, oui. Comme vous dites… Mais on ne sait jamais. La mer et la vie sont de vraies garces… – il touche machinalement une corne de son chapeau. – Si vous me pardonnez cette dernière expression.

– Don Emilio m'a dit que vous lui avez laissé tout votre argent en dépôt.

– Oui. Lui et son fils sont d'honnêtes gens. Ils donnent un bon intérêt.

300

– Me permettez-vous une question personnelle ?

– Bien sûr.

– Qu'est-ce qui vous a conduit à la mer ?

Pepe Lobo tarde un moment à répondre. Comme s'il avait besoin de réfléchir.

– La nécessité, madame. Comme presque tous les marins que je connais... Seul un imbécile choisirait la mer par goût.

– Peut-être aurais-je été un de ces imbéciles, si j'étais née homme.

Elle a dit cela tandis qu'elle marche en regardant droit devant elle. Puis elle se rend compte que Pepe Lobo la contemple fixement. Quand elle lui rend son regard, elle lit dans les yeux du marin des traces d'étonnement.

– Vous êtes une femme étrange, madame. Permettez-moi de vous le dire.

– Pourquoi ne le permettrais-je pas ?

Au coin de la rue de la Viande et de l'église du Rosaire, un groupe d'habitants du quartier et de passants discute devant une affiche collée au mur du couvent. Il s'agit d'un avis de la Régence concernant les dernières opérations militaires, y compris l'échec de l'expédition du général Blake dans le comté de Niebla et l'annonce de la reddition de Tarragone aux Français. Près de l'affiche officielle en a été collée une autre, précisant en termes acerbes que la perte de la ville catalane est due à l'inaction du général anglais Graham qui n'a pas jugé bon de secourir la garnison espagnole. À part Cadix qui reste sauf derrière ses fortifications et ses canons, il ne vient du reste de la Péninsule que des mauvaises nouvelles : incompétence des généraux, indiscipline militaire, les Britanniques opérant à leur guise, et limites peu claires entre les guérillas et les bandes de brigands et d'assassins. De défaite en défaite, comme dit ironiquement le cousin Toño, jusqu'à la victoire finale. Quitte à boire la coupe jusqu'à la lie.

– Savez-vous que vous n'avez pas bonne réputation, capitaine ? Je ne parle évidemment pas de vos qualités de marin.

Un silence prolongé. Ils parcourent ainsi une vingtaine de pas, l'un près de l'autre, jusqu'à la petite place San Agustín. Qu'est-ce qui m'autorise à lui dire ça ? s'interroge Lolita, confuse. De quel droit ? Je ne reconnais pas cette idiote qui ose parler à ma place. Irritée et insolente envers un homme qui ne m'a rien fait et que je n'ai vu qu'une demi-douzaine de fois dans ma vie. Un moment après, en arrivant devant la librairie de Salcedo, elle s'arrête brusquement pour regarder le corsaire en face, dans les yeux. Sûre d'elle et décidée.

– Certains disent que vous n'êtes pas un homme d'honneur.

Elle est intriguée de n'observer aucun embarras, aucune contrariété chez Pepe Lobo qui demeure immobile, le paquet du *Naval Gazetteer* sous le bras. Son expression est sereine, mais cette fois il ne sourit pas.

– Je ne sais pas qui a dit ça, mais il a raison… Je n'en suis pas un. Et je ne prétends pas en être un.

Ni excuses, ni arrogance. Il a répondu avec naturel. Sans détourner le regard. Lolita penche légèrement la tête de côté. Elle pèse cette réponse.

– C'est étrange de vous entendre parler ainsi. Tous les hommes prétendent en être un.

– Eh bien, vous voyez. Pas tous.

– Votre cynisme me choque… Dois-je l'appeler ainsi ?

Un cillement rapide. Cette fois, enfin, il semble pris de court par le mot. Cynisme. Peut-être ne le connaît-il même pas, se dit-elle. Peut-être tout cela est-il naturel, dans sa condition. Dans sa vie, si différente de la mienne. Sur les lèvres du corsaire se dessine maintenant un fin sourire. Songeur.

– Appelez-le comme vous voudrez, mais ça présente certains avantages, dit Pepe Lobo. L'époque n'est pas aux politesses du genre « tirez le premier ». Ce n'est pas ça qui vous donne à manger… Même si ce n'est que le biscuit trempé dans l'eau, le lard rance et le vin baptisé d'un bateau.

Il se tait et s'attarde sur les alentours : le porche de l'église sous la statue du saint, le sol en terre battue de cette place tranquille où marchent des colombes, les boutiques ouvertes, la vitrine et les caisses de la librairie de Salcedo et de celles, voisines, des rues Hortal, Murguía et de Navarre avec leurs livres exposés. Il contemple tout comme quelqu'un qui ne fait que passer et regarde de loin, ou de l'extérieur.

– C'est agréable de converser avec vous, madame.

Aucune ironie dans le commentaire. Lolita s'en étonne.

– Pourquoi ?… Sûrement pas pour ce que je viens de dire. Je crains que…

– Il ne s'agit pas de ce que vous avez dit.

Elle réprime l'envie d'ouvrir son éventail et de s'en servir. Une envie intense.

– J'aimerais…

Le corsaire ne termine pas sa phrase. Un nouveau silence s'installe. Bref, cette fois.

– Je crois qu'il est temps que vous continuiez votre route, capitaine.

Il acquiesce, d'un air distrait. Ou absorbé.

– Naturellement.

Puis il touche une corne de son chapeau, murmure « Avec votre permission » et fait mine de partir. Lolita déplie l'éventail et l'agite quelques instants. Juste avant de s'en aller, Pepe Lobo fixe le paysage peint à la main. Elle remarque la direction de son regard.

– C'est un dragonnier, dit-elle. Un arbre exotique… Vous en avez déjà vu ?

Il reste immobile, la tête penchée légèrement de côté. Comme s'il n'avait pas bien entendu.

– À Cadix, ajoute-t-elle, il en existe quelques spécimens extraordinaires. Son nom latin est *Dracaena draco*.

Vous vous moquez de moi, disent les yeux du corsaire. En analysant son expression – confusion, curiosité –, Lolita voit se confirmer le secret plaisir que l'on éprouve à entraîner un homme dans un monde d'improbabilités.

– L'un d'eux est dans le patio de San Francisco, près de chez moi… Je vais l'admirer de temps en temps, comme on rend visite à un vieil ami.

– Et que faites-vous, une fois là ?

– Je m'assieds sur un banc qui est placé devant, pour le regarder. Et je pense.

Pepe Lobo change le paquet de bras, sans cesser de l'observer. Il reste ainsi un moment comme s'il contemplait une énigme, et elle sent que c'est très agréable d'être regardée ainsi. Cela lui rend un certain empire sur ses actes et ses paroles. C'est rassurant. Tout passe mieux, de cette façon.

– Vous vous y connaissez aussi en arbres ? finit-il par demander.

– Un peu. La botanique m'intéresse.

– La botanique, répète le corsaire dans un murmure presque inaudible.

– C'est ça.

Intrigués, les yeux félins continuent d'étudier les siens.

– Une fois, risque finalement Pepe Lobo avec précaution, j'ai participé à une expédition botanique…

– Pas possible !

Il confirme, visiblement satisfait de la surprise qu'il lit sur son visage. L'air amusé, il esquisse un léger sourire.

– En 1788, j'étais déjà deuxième officier sur le vaisseau qui a ramené ces gens avec leurs pots, leurs plantes, leurs graines et tout le reste. – Là, il marque une pause délibérée. – Et savez-vous le plus curieux ?… Devinez comment s'appelait le vaisseau en question.

L'enthousiasme de Lolita est sincère. C'est tout juste si elle ne bat pas des mains.

– En 1788 ? Mais bien sûr : le *Dragón* !... Comme l'arbre !

– Vous voyez. – Le sourire du corsaire s'élargit. – Le monde tient dans un mouchoir. Dragonniers et dragons.

Elle n'en finit pas de s'étonner. Étranges coïncidences, se dit-elle. La vie en est pleine.

– Je n'arrive pas à y croire... Il y a vingt-trois ans, vous avez ramené de Callao en Espagne don Hipólito Ruiz !

– Ça, je ne me rappelle pas comment s'appelaient ces messieurs. Mais vous savez sûrement de quoi vous parlez.

– Évidemment... L'expédition du Chili et du Pérou a été très importante : ces plantes sont aujourd'hui au Jardin botanique de Madrid. Et j'ai chez moi plusieurs livres publiés par don Hipólito et son compagnon Pavón... Tout y est consigné, même le nom du navire !

Ils s'étudient mutuellement encore une fois. C'est elle qui finit par rompre le silence.

– Comme c'est intéressant. – Son ton est à présent plus serein. – Il faudra me raconter tout ça, capitaine. J'aimerais beaucoup.

Une nouvelle pause. Très brève. Une lueur fugace dans le regard du corsaire.

– Aujourd'hui ?

– Non, pas maintenant. – Elle hoche doucement la tête. – Un autre jour, peut-être... Quand vous serez de retour au port.

*

Sérieux, rudes, virils, trois hommes sont assis sur des chaises de paille à l'ombre de la treille. Ils roulent le tabac de la blague qui passe de main en main, font jaillir des étincelles de la pierre du briquet pour enflammer l'amadou et allumer le cigare. Le cruchon en verre à moitié plein de vin a déjà circulé quatre fois.

– Deux mille douros, dit Curro Panizo. À répartir entre nous.

Panizo est un saunier voisin et ami de Felipe Mojarra, qui le regarde d'un air pensif. Tenté par l'idée. Cela fait un moment qu'ils discutent les détails de l'affaire.

– Les nuits sont courtes, mais ça nous laisse le temps, insiste Panizo. Nous pouvons nous approcher par l'étier en nageant sans faire de bruit, comme mon fils et moi l'autre nuit.

– Jusqu'où vous êtes allés ?

– Jusqu'à la Matilla, près du quai. Là, nous avons vu deux autres chaloupes, mais plus loin. Plus difficiles à attraper.

Mojarra s'empare du cruchon, rejette la tête en arrière et boit un long trait de vin rouge. Puis il le passe à son beau-frère Bartolo Cárdenas – très maigre, noueux, les mains comme des sarments – qui boit à son tour et le donne à Panizo. Le soleil se reflète sur l'eau immobile des salines proches et estompe au loin les bois de pins et les contours arrondis des hauteurs de Chiclana. Le logis de Mojarra – une humble masure de deux pièces et une cour avec des treilles, des géraniums et un minuscule potager – se trouve à la sortie du bourg de l'île de León, entre celui-ci et l'étier Saporito tout proche, au bout de la longue rue qui part de la place des Trois Croix.

– Redis-moi ça encore une fois, demande Mojarra. En détail.

Une chaloupe canonnière, répète patiemment Panizo. Environ quarante pieds de long. Amarrée dans l'étier Alcornocal, près du moulin de Santa Cruz. Gardée par un caporal et cinq soldats qui tuent le temps en dormant, parce que le coin est tranquille pour les gabachos. Lui et son fils sont tombés sur la chaloupe en faisant une reconnaissance pour savoir si les autres continuaient à tirer du sable pour leurs fortifications. Ils sont restés toute la journée cachés dans

les broussailles en étudiant les lieux pour préparer le coup.
Et ce n'est pas difficile. Au-delà de l'étier du Camarón, par
les marais et les étiers secondaires jusqu'au grand étier,
en évitant d'être vus de la batterie anglaise de San Pedro.
Ensuite, jusqu'à l'Alcornocal, tout doucement et à la nage. Le
reflux et les rames aideront pour le retour. Et si, là-dessus,
un bon vent vient souffler, je ne te dis pas.

– Ça ne va pas plaire à nos militaires, objecte Mojarra.

– Ils n'osent pas s'enfoncer si loin. Et s'ils le faisaient, ils
garderaient la prime pour eux sans nous en filer un réal...
C'est beaucoup d'argent, Felipe.

Curro Panizo a raison, Mojarra le sait. Plutôt deux fois
qu'une. Les autorités espagnoles paient vingt mille réaux
d'argent de récompense pour la capture d'une chaloupe
canonnière, obusière ou bombardière ennemie, ou pour une
felouque ou une barque armée d'un canon. Elles donnent
également dix mille réaux pour une embarcation armée de
moindre importance et deux cents pour chaque marin ou
soldat ennemi prisonnier. Et précision importante : afin d'inciter à ce genre de captures, elles paient vite et comptant. Ou
c'est du moins ce qu'elles disent. En ces temps de pénuries,
quand presque tous les marins et nombre de militaires
ont vingt soldes de retard et que toutes les réclamations
se heurtent à un laconique « nous n'avons pas les moyens
de vous aider », empocher en une nuit deux mille douros
en bonne monnaie serait faire fortune. Surtout pour des
pauvres comme eux : ex-braconniers et sauniers de l'Île, dans
le cas de Mojarra et de son ami Panizo ; ouvrier à la corderie
de la Carraca, dans celui du beau-frère Bartolo Cárdenas.

– Si les *mosiús* nous prennent, nous sommes cuits.

Panizo a un sourire de convoitise. Il est chauve, le crâne
brûlé par le soleil et la barbe semée de poils gris. Couteau
à écorcher glissé dans la large ceinture – qui fut noire et est
maintenant d'un gris passé – et chemise rapiécée et pleine

de reprises. Culotte de toile marine jusqu'aux jarrets et pieds nus, aussi calleux que ceux de Mojarra.

– Pour ce prix-là, je veux bien qu'ils essayent, dit-il.

– Et moi de même, renchérit le beau-frère Cárdenas.

– Qui ne risque rien n'a rien.

Ils sourient tous les trois en laissant voguer leur imagination. Aucun d'eux n'a vu, dans sa vie, une telle quantité d'argent réunie d'un coup. Ni d'un coup, ni de plusieurs.

– Ça serait pour quand ? demande Mojarra.

On entend au loin une détonation, et tous trois regardent au-delà du Saporito, vers l'est et les étiers qui pénètrent dans les terres en direction de Chiclana. Ordinairement, les Français ne bombardent pas à cette heure-là, mais on ne sait jamais. En général, ils tirent sur l'Île quand il y a un combat sérieux sur un point du front ou, fréquemment, la nuit. Beaucoup de gens vivent terrés dans les celliers ou les caves des maisons qui en disposent. Celle des Mojarra n'en fait pas partie ; quand les bombes tombent à proximité, le seul moyen d'être en sécurité est de se réfugier dans le couvent du Carmel, à San Francisco ou dans l'église paroissiale qui a d'épais murs de pierre. Cela, quand on a le temps. Si les bombes arrivent à l'improviste, il n'y a plus qu'une solution, se coller contre un mur en serrant les enfants dans ses bras et prier.

La femme de Mojarra – chignon noir mal ajusté, peau abîmée, seins affaissés sous la chemise de toile grossière – a entendu, elle aussi, le lointain coup de canon. Elle apparaît à la porte en s'essuyant les mains à son tablier et regarde du côté de Chiclana. Elle ne montre pas de peur, juste de la résignation et de la fatigue. D'un coup d'œil muet, son mari la fait rentrer.

– On pourrait faire ça dans cinq jours, dit Curro Panizo en baissant la voix. Quand il n'y aura pas de lune et qu'il fera nuit noire.

– Ils l'auront peut-être changée de place.

– Elle y est à demeure, amarrée au petit môle. Ils s'en servent pour prendre l'étier en enfilade et tirer contre la batterie anglaise de San Pedro… C'est un déserteur que nous avons cueilli en revenant qui nous l'a dit : il s'était caché dans la lagune de la Pelona en attendant qu'il fasse nuit pour passer de ce côté à la nage.

– Et tu dis que la chaloupe a un canon ?

– Nous l'avons vu. Un gros. De 6 à 8 livres, a dit le gabacho.

Fumée de tabac roulé, nouveau tour du cruchon. Ils s'observent mutuellement, graves. Tous savent de quoi ils parlent.

– Trois, c'est peu.

– Je viendrai avec mon garçon, dit Panizo.

Le garçon a quatorze ans. Il s'appelle Francisco, comme son père : et avec les mêmes diminutifs, Curro, Currito. Intelligent et vif comme un écureuil des pinèdes. Trop jeune pour s'enrôler dans les chasseurs, il accompagne son père de temps en temps en reconnaissance dans les étiers. Pour l'heure, il est assis à trente pas, sur la berge du Saporito, une ligne à la main, en tâchant de pêcher quelque chose. Panizo lui a dit de rester là et de ne pas les déranger avant qu'on l'appelle. Même s'il est assez âgé pour risquer sa vie, il ne l'est pas assez pour assister à des conversations d'hommes. Ni pour avoir droit au cruchon et au tabac.

– En plus, nous serions trop repérables, fait valoir le beau-frère Cárdenas. Les Anglais pourraient nous tirer dessus depuis la batterie de San Pedro, ou les nôtres depuis Maseda… Ou au retour, s'ils nous prennent pour des gabachos.

– Quatre, c'est bien, conclut Mojarra. Nous, et le gamin.

Panizo compte sur ses doigts.

– Et puis ça fait un compte rond : cinq cents douros pour chacun.

Le beau-frère Cárdenas jette un regard interrogateur à Mojarra, mais celui-ci ne bronche pas. Le garçon prendra les mêmes risques que les autres, et c'est donc bien ainsi. Entre Curro Panizo et lui, le mot *ami* n'est pas seulement un mot.

– On doit pouvoir le faire, dit-il.

Le dernier tour a vidé le cruchon. Le saunier se lève, le prend par le col et entre dans la maison pour le remplir. Le vin est mauvais, âpre ; mais c'est le seul qu'il y a. Il réchauffe le ventre et stimule l'esprit. Près du foyer éteint sous la hotte de la cheminée, Manuela Cárdenas, la femme, prépare le repas, aidée par une fille de onze ans : un sobre gaspacho avec une gousse d'ail, des morceaux de piment séché pilés dans un mélange d'huile, de vinaigre, d'un peu d'eau et de pain. Deux autres filles – une de huit ans et une de cinq – jouent par terre avec des bouts de bois et une pelote de ficelle, à côté de la belle-mère, une vieille à demi impotente qui somnole sur une chaise près de la jarre d'eau. L'aînée, Mari Paz, est toujours femme de chambre à Cadix, chez les dames Palma. Avec ce qu'elle apporte et les rations que son père reçoit de la compagnie de chasseurs, dans cette maison on peut manger et boire.

– Ce sont cinq mille réaux, chuchote Mojarra quand il est près de sa femme.

Il sait qu'elle a tout entendu. Elle le regarde en silence, de ses yeux fatigués. Sa peau fanée et les rides précoces autour des yeux et de la bouche trahissent les ravages du temps, les fatigues domestiques, la pauvreté perpétuelle, sept accouchements en quelques années, dont trois ont mal tourné. Pendant qu'il remplit le cruchon avec le vin d'une dame-jeanne doublée d'osier, le saunier devine dans ce regard ce que les mots ne disent pas. C'est aller bien loin, mon mari, avec les gabachos qui sont là-bas, presque au bout du monde, et personne ne nous paiera s'ils te tuent. Personne ne rapportera plus de quoi manger si tu restes pour toujours dans les étiers. Tu prends déjà trop de risques, chaque jour, pour aller encore défier le sort de cette manière.

– Cinq mille réaux, insiste-t-il.

La femme détourne le regard, inexpressive. Fataliste, comme son époque, sa condition, sa race exploitée. Le beau-frère Cárdenas, qui sait écrire et compter, a déjà fait le calcul : 3 000 pains de froment de 2 livres, 250 paires de chaussures, 300 livres de viande, 800 de café moulu, 2 500 chopines de vin… Voilà les choses que, parmi bien d'autres, ils pourront acheter si Felipe Mojarra ramène en remorque, à la rame ou comme Dieu voudra, cette chaloupe canonnière française du moulin de Santa Cruz à travers une demi-lieue d'étiers, de marais et de désert. De la nourriture, de l'huile pour la lampe, du bois pour cuisiner et chauffer la maison en hiver, des habits pour les filles qui vont à moitié nues, un toit pour la maison, des couvertures neuves pour la paillasse de la pièce aux murs enfumés où ils dorment tous ensemble, parents et enfants. Un adoucissement de cette misère que seuls soulagent un poisson pêché dans les étiers ou un oiseau des salines abattu à coups de fusil, avec toujours plus de difficultés : même le braconnage, qui permettait auparavant de se débrouiller, est parti au diable à cause de la guerre, avec toute une armée retranchée dans l'Île.

Le saunier retourne dehors, plissant les yeux devant le scintillement du soleil sur les eaux tranquilles des étiers et des marais. Il passe le cruchon à son ami et à son beau-frère qui boivent à la régalade, le jet de vin coulant directement dans leur gorge. Ils font claquer leur langue, satisfaits. Les couteaux ouverts hachent le tabac dans les paumes calleuses. Ils roulent d'autres cigares. La longue file des forçats qui reviennent lentement de travailler aux fortifications de Gallineras, escortés par des fusiliers marins, se découpe à contre-jour sur le chemin qui longe l'étier Saporito et mène à l'arsenal de la Carraca.

– Nous partirons dans cinq jours, dit Mojarra. À la nuit noire.

*

Du quai de la Jarcia de Puerto Real, Simon Desfosseux observe la côte ennemie proche. Son œil professionnel, habitué à calculer des distances réelles ou à l'échelle des cartes, agit avec la précision minutieuse d'un télémètre : il est à trois milles tout juste de la pointe de la Cantera, un mille et six dixièmes de la pointe de la Clica, un mille et demi de la Carraca et de la puissante batterie qui défend l'angle nord-ouest de l'arsenal, celle de Santa Lucía, située autour de l'ancien bagne, bien armée par les Espagnols de vingt bouches à feu, y compris des canons de 24 livres et des obusiers de 9 pouces. Tout ce déploiement qui se prolonge en croisant les angles de tir avec d'autres batteries rend inexpugnable la ligne ennemie dans ce secteur, car il tient en enfilade les canaux que pourraient emprunter les attaques françaises, et permet en outre d'appuyer les incursions des canonnières qui harcèlent périodiquement les troupes impériales. C'est ce qui s'est passé il y a trois jours, quand une flottille de bateaux mouillés devant Puerto Real, très près du quai, a été attaquée par des chaloupes parties de la côte ennemie pendant la nuit. Le lever du jour a révélé dix chaloupes canonnières, quatre obusières et trois bombardières espagnoles déployées en ligne de combat et, tout le temps que la marée leur a été favorable, elles ont tiré plus de vingt grenades et deux cents boulets rasants en causant beaucoup de dégâts aux bateaux, aux équipages et aux constructions proches du rivage, avant de se replier sur leur base. À elle seule, celle que l'on appelle la Grande Maison ou Maison des Rosa, qui sert de magasin de munitions et de corps de garde, a été touchée onze fois. Bref, un petit désastre. Avec des morts et des blessés. C'est la raison pour laquelle le maréchal Victor, fou de rage jusqu'à la pointe de ses favoris, a abreuvé de noms d'oiseaux, dans son langage de soudard, le général Menier actuellement à la tête de la division responsable de Puerto Real, en le traitant de parfait inutile, et a fait venir en toute hâte Simon Desfosseux, avec les pleins pouvoirs et l'ordre d'étudier la situation pour faire en sorte qu'une *saloperie pareille* – ce sont les mots du maréchal transmis tels quels de vive voix – ne puisse jamais se reproduire.

Le maréchal des logis Labiche, que Desfosseux a pris avec lui pour l'aider, le rejoint. Le sous-officier n'est certes pas un prodige d'efficacité ni d'esprit combatif, mais il est le seul dont puisse disposer le capitaine en ce moment. Labiche présente au moins l'intérêt de sauver les apparences. Comme si le changement d'air lui avait insufflé une énergie nouvelle – ou peut-être se soulage-t-il sur des têtes inconnues de l'ennui et de la grogne accumulés au Trocadéro –, l'Auvergnat ne cesse depuis hier de hurler ses ordres comme un contremaître de chantier et d'insulter la garnison locale en proférant d'horribles jurons.

– Les canons sont là, mon capitaine.

– Alors dégagez-les, je vous prie. Faites préparer les affûts.

On sent l'odeur de la marée basse. Les taches blanches des mouettes posées près des bateaux échoués dans la vase – il ne reste de certains que des membrures calcinées – parsèment la frange verdâtre laissée à découvert, face au quai qu'arpente Desfosseux au milieu d'une foule de soldats qui vont et viennent avec des voitures et des chariots. Le capitaine a étudié la situation hier matin, dès son arrivée au village ; l'après-midi, il a mis les hommes au travail, et il a continué toute la nuit et toute la matinée sans se reposer. Il est maintenant plus de quatre heures, et une section de sapeurs assistés – avec beaucoup de mauvaise volonté, vu la chaleur – de fantassins et d'artilleurs de marine finit d'empiler les derniers sacs remplis de boue et de sable pour protéger le nouveau bastion : une demi-lune, d'où six canons de 8 livres pourront couvrir tout le front maritime du village. En principe.

Desfosseux s'approche pour jeter un coup d'œil aux tubes de fer qui attendent sur la place, sur des chariots attelés à des mules. Ce sont de vieilles pièces d'artillerie de six pieds de long et pesant plus d'une demi-tonne amenées d'El Puerto de Santa María et destinées à être adaptées aux affûts de type Gribeauval qui ont été solidement arrimés sur leurs emplacements. La hâte du duc de Bellune obligera les canons à tirer à barbette, sans meurtrières ni autre protection pour les artilleurs que le mur de sacs et de boue étayé par des planches et des pieux plantés dans la terre, de trois à cinq pieds de haut, qui forme le bastion. Cela suffira pour tenir à distance les canonnières espagnoles, estime Desfosseux, en tout cas pendant le jour ; bien que certaines nouveautés dans le dispositif de l'artillerie ennemie le préoccupent, comme il l'a manifesté à ses supérieurs. Un officier anglais, qui vient de passer aux lignes françaises à la suite d'un duel, a mis les informations à jour : canons de plus grande portée dans la batterie du Lazareto, renforcement des redoutes britanniques de Sancti Petri et de Gallineras Altas, davantage de Portugais à Torregorda et d'artillerie dans cette position, avec des pièces de 24 livres et des caronades de 36, anglaises. Tout cela est en dehors du territoire de Desfosseux et ne l'inquiète pas trop ; en revanche, il y a cette nouvelle menace directe contre le Trocadéro : le projet d'utiliser le ponton du vaisseau *Le Terrible* comme batterie flottante pour tirer par élévation sur le fort Luis et la Cabezuela, afin de faire taire le feu de Fanfan sur Cadix. Ou d'essayer. Dans cette combinaison du jeu des quatre coins, de châteaux de cartes et de dominos qu'est le siège de la baie, chaque nouveauté ou chaque mouvement, même minime, peut entraîner des conséquences infinies. Et l'artillerie impériale, avec Simon

Desfosseux au centre de l'écheveau, joue le triste rôle du pompier qui doit affronter un incendie avec juste un baquet d'eau et qui court en tous sens sans y parvenir.

Ôtant sa veste d'uniforme, sans souci de son grade, le capitaine prête main-forte aux hommes qui, dirigés par le maréchal des logis Labiche, déchargent les canons dans un grand concert de grincements de câbles et de poulies, et les installent sur les affûts de bois peint en vert olive. Ceux-ci ont leur base en forme de plan incliné, avec un châssis de roues sur une plate-forme de rails qui limite le recul du tir. Le poids de chacun des longs tubes de fer rend l'installation lente et pénible, aggravée par le manque d'expérience des hommes : une telle maladresse, estime Desfosseux, leur mériterait d'être passés sur-le-champ par les baguettes. Mais il ne leur en veut pas. Parmi les six régiments qui couvrent le front du Trocadéro jusqu'à Sancti Petri, usés par la pénurie et les pertes inhérentes à la guerre, il y a une alarmante insuffisance d'artilleurs. Dans ce contexte, même un Labiche, avec toute sa mauvaise volonté, est un luxe : au moins, il connaît son métier. Dans les batteries qui tirent sur le périmètre urbain de Cadix, Desfosseux s'est vu obligé de compléter les effectifs avec de l'infanterie de ligne. Et ici même, sur le quai de Puerto Real, hormis deux brigadiers, cinq soldats et trois artilleurs de marine qui sont venus avec les canons d'El Puerto de Santa María – les liserés rouges de leurs vestes bleues les distinguent des plastrons blancs de l'infanterie –, tous ceux qui serviront les pièces appartiennent également aux régiments de ligne.

Cric, croc, grince l'affût. Le capitaine se jette en arrière, évitant à quelques pouces près qu'une roue ne lui écrase le pied. Qu'ils aillent tous au diable ! pense-t-il. Lui-même, les canonnières espagnoles, le maréchal Victor avec ses coups de gueule irraisonnés. N'importe quel officier aurait pu s'occuper d'installer des canons à Puerto Real ; mais, ces derniers mois, dès qu'une bombe passe en l'air, quelle qu'en soit la direction, le duc de Bellune et son état-major considèrent que c'est l'affaire exclusive de Simon Desfosseux. Je vous donne tout ce que vous me demandez, mon petit capitaine, a dit Victor la dernière fois. Ou tout ce que je peux vous donner. Donc, débrouillez-vous et ne me cassez pas les pieds, sauf si c'est pour m'annoncer une bonne nouvelle. La conséquence en est que tous les officiers artilleurs et chefs supérieurs du Premier Corps sans exception, y compris le général commandant l'arme, d'Aboville – qui a remplacé Lesueur –, vouent à Desfosseux une haine sauvage à peine dissimulée par le respect des manières et de la discipline : ils l'appellent « l'œil du maréchal ». Le génie de la balistique, le prodige de Metz, etc. Pour s'en tenir au plus courant. Le capitaine sait que n'importe lequel de ses chefs et collègues donnerait un mois de sa solde pour qu'un de ses Villantroys-Ruty lui explose à la figure ou qu'une bombe espagnole leur fasse la joie de l'expédier dans un monde meilleur. Bref, pour qu'il passe l'arme à gauche, comme on dit par euphémisme dans l'armée impériale.

Desfosseux tire sa montre de la poche de son gilet : cinq heures moins cinq. Il ne souhaite qu'une chose, terminer et revenir à la redoute de la Cabezuela, près de Fanfan et de ses frères qu'il a laissés sous la garde du lieutenant Bertoldi. Il a beau savoir qu'ils sont en de bonnes mains, il s'inquiète de ne pas avoir entendu le moindre coup de canon venant de ce côté. Ils avaient prévu qu'avant le coucher du soleil, si le vent n'était pas contraire, ils exécuteraient huit tirs sur Cadix : quatre bombes inertes remplies de plomb et de sable, et quatre pourvues de charges explosives.

Ces derniers temps, le capitaine est satisfait. L'arc qui, sur la carte de la ville, indique le rayon d'action des impacts se déplace petit à petit vers la partie occidentale du périmètre urbain, couvrant plus d'un tiers de sa surface. D'après les informations reçues, trois des dernières bombes lestées de plomb sont tombées près de la tour Tavira, dont la hauteur fait un excellent repère pour orienter le tir. Cela signifie que les impacts ne sont plus distants que de 190 toises de la place principale de la ville, la place San Antonio, et de 140 de l'oratoire de San Felipe Neri où se réunissent les Cortès insurgées. Avec ces données, Desfosseux voit l'avenir avec optimisme : il a la certitude que, très vite, dans des conditions climatologiques favorables, ses bombes dépasseront les 2 700 toises. Pour le moment, le tir orienté vers la partie de la baie contiguë à la ville où mouillent les navires de guerre anglais et espagnols a permis d'en toucher quelques-uns. Sans beaucoup de précision et sans grands dommages, c'est vrai, mais en forçant les bateaux à lever l'ancre et à mouiller un peu plus loin, face aux forts de la Candelaria et de Santa Catalina.

Presque tous les canons de 8 livres sont désormais sur leurs affûts. Les soldats tirent sur les cordes et poussent, suants et sales. Imposants comme toujours, les sapeurs travaillent consciencieusement et en silence. Les artilleurs leur laissent le plus dur du travail et essayent de ne faire que le strict nécessaire. Quant aux hommes de l'infanterie, ils traînent autant qu'ils le peuvent. Labiche en gifle un, avec une méchanceté appliquée. Puis il lui botte le cul.

– Je vais t'apprendre à vivre, canaille !

Desfosseux appelle le sous-officier pour le prendre à part. Ne les battez pas devant moi, lui dit-il à voix basse pour ne pas le désavouer devant ses hommes. Labiche hausse les épaules, crache par terre, retourne à son affaire et, cinq minutes plus tard, distribue de nouveaux horions.

– Je vais vous massacrer !... Bande de fainéants ! Minables !

L'absence de brise rend la chaleur plus épaisse. Desfosseux essuie la sueur de son front. Puis il ramasse sa veste et s'éloigne du quai, en direction d'une jarre pleine d'eau placée à l'ombre au coin de la rue de la Croix Verte, près de la guérite de la sentinelle. Presque toutes les maisons de Puerto Real ont été abandonnées par leurs habitants espagnols, de gré ou de force. Le village est un immense campement militaire. Les grandes grilles de fer forgé des maisons qui descendent jusqu'au sol sur les façades de la rue laissent voir des intérieurs dévastés, vitres cassées, portes et meubles en mille morceaux, paillasses et couvertures par terre. Partout des tas de cendres des feux de bivouac. Les cours transformées en écuries puent le crottin de cheval et des essaims de mouches bourdonnent, insupportables.

Le capitaine boit dans une louche, puis s'assied à l'ombre pour tirer d'une poche une lettre de sa femme – la première en six mois – qu'il a reçue hier matin avant de quitter la batterie de la Cabezuela. C'est la cinquième fois qu'il la lit, et elle continue à ne pas susciter en lui de réelles émotions. *Mon cher mari*, écrit-elle. *J'élève vers Dieu mes prières pour qu'il te conserve en vie et en bonne santé.* La lettre a été rédigée il y a quatre mois et contient une relation minutieuse et monotone des événements familiaux, naissances, mariages et enterrements, petits incidents domestiques, échos d'une ville et de vies lointaines que Simon Desfosseux parcourt avec indifférence. Même la rumeur que vingt mille Russes s'approchent des frontières de la Pologne et que l'empereur prépare une guerre contre le tsar ne réveille pas son intérêt : Pologne, Russie, France, Metz, tout cela est trop loin. Autrefois, cette indifférence l'inquiétait. Beaucoup. Elle s'accompagnait même de quelques remords. C'était surtout au début, quand il descendait avec l'armée vers le sud dans un paysage inconnu et incertain, en s'éloignant de plus en plus d'un monde en apparence équilibré. Mais c'est fini. Installé depuis longtemps dans la certitude routinière et géométrique de l'espace limité qu'il habite désormais, ce manque d'intérêt pour tout ce qui se passe au-delà des 3 000 toises de portée s'avère extrêmement utile. Presque confortable. Il l'exonère de mélancolies et de nostalgies.

Desfosseux plie la lettre et la remet dans sa poche. Puis il observe un moment les travaux de la demi-lune du quai et regarde en direction du Trocadéro. Il continue d'être soucieux de ne pas entendre Fanfan et ses frères. Pendant quelque temps, il s'abîme dans des calculs, trajectoires et paraboles, se laissant emporter comme on s'enfonce dans les vapeurs de l'opium. La tour Tavira, se souvient-il, heureux : presque à l'intérieur, enfin, de leur rayon d'action. Magnifique nouvelle. Le centre de Cadix à portée de main. Le dernier pigeon voyageur qui a traversé la baie a apporté un minuscule plan de cette partie de la ville, avec les points exacts d'impact : deux dans la rue de Recaño, un dans celle du Vestiaire. Le lieutenant Bertoldi en sautait de joie. Comme cela lui arrive souvent, Desfosseux pense à l'agent qui envoie toutes ces informations : l'individu dont le travail plein de risques aide à marquer de points victorieux le plan de la ville. Il le suppose espagnol d'origine, ou français naturalisé de longue date. Il ne sait rien de son aspect, de son nom et de son travail. Il ignore si c'est un militaire ou un civil, un enthousiaste désintéressé ou un simple mercenaire, un traître à sa patrie ou le héros d'une cause noble. Ce n'est même pas lui qui le paye : l'état-major s'occupe de tout. Son seul lien direct, ce sont les pigeons voyageurs et les traversées secrètes qu'un contrebandier espagnol, que l'on appelle le Mulâtre, exécute entre les deux rives. Mais ce Mulâtre en dit le moins possible. Il doit s'agir en tout cas d'un agent qui obéit à de puissantes raisons. Très courageux et solide, à voir ce qu'il fait. Vivre à l'ombre de la potence ruinerait les nerfs de n'importe quel homme normalement constitué. Desfosseux sait que lui-même serait incapable de rester ainsi, seul en terrain ennemi, sans pouvoir faire confiance à personne, avec constamment la peur des pas de soldats ennemis ou de policiers dans l'escalier, exposé jour et nuit au soupçon, à la délation, à la torture et à la mort ignominieuse réservée aux espions.

Les canons sont maintenant installés sur leurs affûts et pointés sur la baie au-dessus du parapet. Le capitaine se lève, quitte l'ombre protectrice et revient au quai pour superviser les ajustements définitifs. En chemin, il entend une détonation qui vient de l'ouest. Il s'agit d'un pououm-bang ! puissant, qu'il connaît très bien. Son oreille exercée ne le trompe pas sur la distance : le tir a retenti à deux milles et demi. Il s'arrête pour regarder dans cette direction, au-delà de la rive proche du Trocadéro, et, trente secondes plus tard, lui parvient un autre coup de canon semblable, suivi d'un troisième. Debout sur le terre-plein du quai, mettant une main en visière, Desfosseux sourit, réjoui. Les tirs des Villantroys-Ruty de 10 pouces sont absolument impossibles à confondre : parfaits, compacts, l'explosion de leur charge est nette, l'écho qui suit est clair. Pououm-ba ! Encore un autre, le quatrième. Un brave garçon, ce Maurizio Bertoldi. Il sait faire son devoir.

Pououm-bang ! Le cinquième coup remplit de fierté le capitaine que parcourt une agréable onde de satisfaction. C'est la première fois qu'il écoute de loin tirer les obusiers de la Cabezuela, sans être présent dans la batterie et attentif à chaque détail. Mais tout ce qu'il entend semble parfait. Merveilleusement bien. Le dernier tir est venu de Fanfan : il se différencie par une certaine nuance dans la phase initiale de la détonation, plus grave et plus sèche que les autres. Le reconnaître de si loin émeut Simon Desfosseux, qui ressent une étrange tendresse. Comme un père qui verrait son enfant marcher pour la première fois.

*

– Quoi ? Il a disparu ?… Vous vous moquez de moi ?

– Oh non, monsieur. Dieu m'en garde !

Un silence tendu. Prolongé. Rogelio Tizón soutient, imperturbable, le regard furieux de l'intendant général et juge du Crime et de la Police, Eusebio García Pico.

– Cet homme était détenu, Tizón. Il était sous votre responsabilité.

– Il s'est évadé, je vous dis. Ce sont des choses qui arrivent.

Ils sont dans le bureau de García Pico, celui-ci assis derrière sa table étincelante – elle est nette de tout papier –, près d'une fenêtre par laquelle on voit la cour de la Prison royale. Tizón est debout, un portefeuille de documents dans les mains. Avec l'envie d'être partout sauf là.

– Évadé dans des circonstances étranges, murmure enfin García Pico comme pour lui-même.

– C'est vrai, monsieur l'intendant. Nous menons une enquête approfondie.

– Hum… Approfondie, jusqu'où ?

– Je vous l'ai dit. Approfondie.

C'est une manière de résumer l'affaire qui en vaut une autre. En réalité, l'individu dont ils parlent – celui qui épiait les jeunes couturières de la rue Juan de Andas – repose depuis une semaine au fond de la mer, roulé dans une toile à sac et lesté de deux vieux boulets de canon et d'un grappin. Pressé par la nécessité d'obtenir une confession préventive, Tizón a commis l'erreur de confier le travail à son aide Cadalso et à deux sbires peu subtils au jeu des questions et des réponses. Le prisonnier ne devait pas être en bonne santé, et les interrogateurs ont eu la main trop lourde.

– Ce n'est pas trop grave, monsieur. Personne n'est au courant… Ou si peu.

García Pico l'invite à s'asseoir, d'un geste rogue.

– Ça, c'est ce que vous voudriez, dit-il pendant que Tizón s'installe sur une chaise et pose le portefeuille sur la table. L'assassinat de la dernière fille n'est pas passé inaperçu.

– Une rumeur que rien n'est venu confirmer, précise le commissaire.

– Mais il y a eu des demandes d'explications. Deux ou trois députés aux Cortès se sont même intéressés à l'affaire.

Seulement pendant quelques jours, objecte Tizón. Et en la voyant comme une mort de plus, isolée. Après, on a tout oublié. Il y a trop de choses qui attirent les questions, dans cette ville. Sans compter les bombes. Avec tous ces étrangers et ces militaires, les incidents sont légion. Pas plus tard qu'hier, un marin anglais a étranglé une prostituée dans le Boquete. Sept morts violentes depuis le début du mois, dont trois de femmes. Par chance, pratiquement personne n'a fait le rapprochement entre la dernière fille et les précédentes.

– Nous avons pu, dit-il pour conclure, fermer les bouches qu'il fallait.

García Pico contemple le portefeuille comme s'il était bourré de responsabilités qui ne le regardaient en aucune façon.

– Bon Dieu ! Vous avez dit que vous teniez un suspect. Bien au chaud, ce sont vos propres paroles.

– Et c'était le cas, admet Tizón. Mais il s'est enfui, comme je vous l'ai dit. Nous allions le libérer sous surveillance et l'arrêter de nouveau, afin de ne pas contrevenir aux nouvelles lois…

L'intendant lève une main, évasif. Son regard glisse sur le commissaire pour se perdre dans l'infini : un lieu indéterminé, entre la porte fermée et l'inévitable tableau du haut duquel Sa Majesté Ferdinand VII – tendre martyr de la patrie dans les geôles françaises – les observe avec des yeux globuleux qui n'inspirent pas vraiment confiance.

– Épargnez-moi les détails.

Tizón hausse les épaules.

– Deux de mes hommes l'ont emmené, pour les besoins de l'enquête, sur la scène du dernier crime, et il leur a échappé. Hélas.

– Grave négligence, non ? – L'intendant continue de fixer le néant, le plus loin possible. – Il s'est évadé en profitant de leur négligence... Vite fait bien fait.

– Exact, monsieur. Les agents ont été sanctionnés.

– Avec une extrême dureté, j'imagine.

Tizón décide de ne pas relever le sarcasme.

– Nous sommes toujours à sa recherche, précise-t-il, impassible. Priorité absolue.

– Absolue ?... Vraiment absolue ?

– Enfin presque.

– Je n'en doute pas non plus.

García Pico récupère son regard perdu dans le vide et le reporte lentement sur le commissaire. Maintenant, il a l'air épuisé. On dirait que tout concourt à l'accabler : Tizón, les circonstances, la chaleur qui sort de partout, même des murs, Cadix, l'Espagne. Et la détonation de la bombe qui, juste à ce moment, retentit aux abords immédiats de la Porte de Terre et leur fait tourner la tête vers la fenêtre ouverte.

– Laissez-moi vous lire quelque chose.

Il ouvre un tiroir, sort un document imprimé et lit à voix haute les premières lignes : «*Est abolie pour toujours la question dans tous les territoires et possessions de la Monarchie espagnole et la pratique reconnue d'affliger et de molester les accusés par les moyens désignés illégalement et abusivement sous le nom de contrainte, sans qu'aucun juge, tribunal ou jury puisse commander ni imposer la torture.*»

Arrivé à ce point, il s'arrête, lève les yeux et regarde de nouveau Tizón.

– Qu'en dites-vous ?

Celui-ci ne cille même pas. Qu'est-ce que tu viens m'embêter avec tes lectures du soir, murmure-t-il intérieurement. Moi, Rogelio Tizón, commissaire de police dans une ville où le pauvre est déclaré innocent pour quatre-vingts réaux, l'artisan pour deux cents et le riche pour deux mille.

– Je connais cette disposition, monsieur l'intendant. Elle a été publiée il y a cinq mois.

L'autre a reposé le papier sur la table et l'étudie en cherchant quelque chose à ajouter à sa lecture. Finalement, il semble avoir réfléchi et le remet dans son tiroir. Puis il pointe l'index de sa main droite sur Tizón.

– Écoutez. Évitez un nouveau faux pas, sinon tout peut nous tomber dessus. Y compris les journaux, avec l'habeas corpus et le reste… C'est une question qui touche un grand nombre d'âmes sensibles. Même les députés conservateurs les plus respectables s'accommodent des nouvelles idées. Ou font semblant. Personne n'ose se dire contre.

Il est évident que García Pico regrette des temps meilleurs. Plus clairs et plus efficaces. Tizón fait un geste de prudente approbation. Lui aussi les regrette. À sa façon.

– Je ne crois pas que cela nous affecte beaucoup, monsieur. Voyez le *Jacobino Ilustrado*… Il défend le comportement du commissariat aux Quartiers. Impeccable rigueur humaniste, disait-il la semaine dernière. Une police moderne, et tout le reste. Un exemple pour les nations.

– C'est une plaisanterie ?

– Non.

L'intendant regarde autour de lui comme si quelque chose sentait mauvais. Puis il s'arrête sur Tizón. Glacial.

– Je ne sais pas ce que vous fricotez avec ce ver de terre de Zafra, mais le *Jacobino Ilustrado* est un tas d'immondices. Je m'inquiète davantage des journaux sérieux, le *Diario Mercantil* et les autres… Et le gouverneur les déchiffre à la loupe.

– J'ai les choses bien en main, monsieur.

– Vous en êtes sûr ? Vraiment ? Écoutez-moi bien. Si les journaux exigent des responsables, je vous livrerai aux chiens.

Les journaux ont d'autres chats à fouetter, le rassure, impavide, le commissaire. Les derniers cas de fièvres putrides ont alarmé la population qui craint de voir se répéter l'épidémie de fièvre jaune. Même aux Cortès, on parle d'un possible déplacement hors de la ville, que l'entassement de la population et les chaleurs de l'été rendent insalubre. Les nouvelles de la guerre détournent également l'attention de l'opinion publique. Entre le désastre du général Blake à Niebla, la reddition de Tarragone, la peur de perdre tout le Levant et la montée du prix du tabac de La Havane, il y a dans les cafés et les groupes de badauds de la Calle Ancha suffisamment matière à occuper les langues. De plus, il y a la prochaine expédition contre les Français sous les ordres du général Ballesteros.

– Comment êtes-vous au courant ? – García Pico a sursauté sur sa chaise. – C'est un secret militaire de la plus haute importance.

Le commissaire regarde son chef avec l'air d'être vraiment surpris par son haut-le-corps.

– Vous êtes au courant, monsieur l'intendant. Je suis au courant. C'est normal. Mais, en outre, tout le monde est au courant… Nous sommes à Cadix.

Ils se regardent silencieusement. García Pico n'est pas un mauvais bougre, juge impartialement Tizón. En tout cas, pas pire que les autres, y compris lui-même. L'intendant veut seulement conserver sa place et s'adapter aux temps nouveaux. Survivre à ces jeunes prétentieux et ces philosophes visionnaires de San Felipe Neri, qui, sans aucun sens des réalités, prétendent faire marcher le monde sur la tête. Le pire, dans cette guerre, ce n'est pas la guerre en soi. C'est la pagaille.

– Pour laisser de côté l'affaire de ces pauvres filles, dit García Pico, autre chose m'inquiète. Il y a trop de gens qui vont et viennent entre Cadix et la côte ennemie... Trop de contrebande, et trop du reste.

– Le reste ?

– Vous savez bien. L'espionnage.

Le commissaire hausse les épaules, à la fois résigné et sûr de lui.

– C'est normal, dans une situation de guerre. Et ici, plus encore.

L'intendant ouvre un autre tiroir, mais il n'en sort finalement rien. Il le referme, songeur.

– J'ai un rapport du général Valdés... Ses forces légères de la baie ont capturé deux espions au cours des trois dernières semaines.

– Nous aussi, monsieur. Les marins et les militaires ne sont pas les seuls à s'occuper de cela.

García Pico a un geste d'impatience.

– Je sais. Mais le rapport contient un détail curieux. Par deux fois, il est question d'un nègre, ou d'un mulâtre, qui circule beaucoup trop entre les deux rives.

Rogelio Tizón n'a pas besoin de solliciter sa mémoire : il garde le Mulâtre bien présent à l'esprit. C'est une autre des affaires dont il s'occupe depuis que le gargotier de la rue de la Véronique l'a mis sur la piste. Rien n'est encore tout à fait clair : ses hommes ont seulement pu confirmer qu'il fait passer des gens d'un bord à l'autre. Le mot *espionnage* est nouveau dans l'histoire, mais ce n'est pas Tizón qui va le reconnaître devant son supérieur.

– Il doit s'agir d'un patron de barque que nous surveillons depuis un certain temps, répond-il prudemment. Il a été mentionné à plusieurs reprises par nos indicateurs comme douteux... Pour la contrebande, c'est une certitude. Pour l'espionnage, nous sommes en train de vérifier.

– Mais ne le lâchez pas. Et tenez-moi informé... Même chose pour les filles assassinées, bien sûr.

– Naturellement, monsieur l'intendant. Nous mettons en œuvre tout notre art.

L'autre le dévisage comme s'il cherchait quelque ironie cachée dans ce dernier mot, et Tizón soutient l'inspection avec une innocence impavide. Finalement, García Pico se détend un peu. Il connaît bien l'homme qu'il a devant lui. Ou il croit le connaître. C'est lui-même qui l'a confirmé dans sa charge en accédant, voici deux ans, au poste d'intendant général, et il ne l'a jamais regretté. Jusqu'à ce jour, en tout cas. Les méthodes du commissaire constituent une digue qui maintient ses supérieurs à l'abri de situations gênantes. Efficace, discret, sans ambitions politiques, Rogelio Tizón est un homme utile en des temps difficiles. Et en Espagne, tous les temps le sont. Difficiles.

– En ce qui concerne le problème de ces filles, je dois reconnaître que vous avez les choses bien en main, commissaire. Sous contrôle... C'est vrai que personne n'établit encore de relation entre les quatre morts.

Tizón se permet un léger sourire, respectueux. Avec juste ce qu'il faut de complicité.

– Et si quelqu'un le fait, il se tait. Ou on le fait taire.

L'intendant se redresse sur sa chaise, de nouveau prêt à bondir.

– Épargnez-moi la méthode.

Après une hésitation, il regarde la pendule accrochée au mur près de la fenêtre. Interprétant ce mouvement, Tizón ramasse son portefeuille et se lève. Son supérieur contemple ses mains.

– Rappelez-vous ce que nous a dit le gouverneur, insiste-t-il. Si un scandale éclate autour de ces morts, nous aurons besoin d'un coupable.

Tizón s'incline légèrement : un bref mouvement de la tête,

et pas un pouce de plus que ne l'exigent les convenances. Chacun à sa juste place.

– Nous nous en occupons, monsieur. Nous l'aurons... Tous mes agents des quartiers et du guet passent au crible les registres et les inscriptions d'étrangers ; et tous les gens que je peux mobiliser ratissent la rue.

– Je veux parler d'un vrai coupable. Je ne sais si je m'explique bien.

Tizón ne cille même pas. Il ressemble à un chat paisible assis près d'une cage vide. S'appliquant à faire disparaître toute trace de plumes sur ses moustaches.

– Naturellement, monsieur. Un vrai coupable. C'est très clair.

– Et qu'il ne s'évade pas, cette fois ! Compris ?... Rappelez-vous ce que je viens de vous lire, bon Dieu ! Faites en sorte que *ce ne soit pas nécessaire* qu'il s'évade !

*

Des torches plantées dans le sable sous le rempart éclairent par intermittence la Caleta et permettent de deviner les formes proches des petites embarcations qui flottent dans la marée haute, près de la rive silencieuse que vient lécher l'eau noire et calme. La nuit est limpide. Le mince croissant de lune, qui dans peu de temps montera comme une faucille d'or dans le champ des étoiles, n'a pas encore paru. Pas un souffle de brise, pas une ondulation sur la mer. Les flammes verticales des torches projettent leur lueur rougeâtre sur les gargotes et les cabarets adossés au mur en calcaire coquillier où, à cette époque de l'année, on mange du poisson et des fruits de mer durant le jour, on fait de la musique et l'on danse durant la nuit. Sur la demi-lune de sable ferme et plat, ouverte sur l'Atlantique dans la partie occidentale de la ville entre le récif de San Sebastián et le fort de Santa

Catalina, les ordonnances de la police sont appliquées sans trop de rigueur. La Caleta se trouvant hors de l'enceinte fortifiée, les restrictions nocturnes n'y ont pas cours : la porte de la ville qui donne sur le récif et la plage voit passer une foule de gens nantis de laissez-passer ou d'assez d'argent pour contenter les sentinelles. Sous les auvents résonnent le choc des cruches, les fandangos et les boléros, le cliquètement des castagnettes, les chants des *cantaores* et des *tonadilleras* ; s'y côtoient marins, militaires, étrangers à la bourse pleine ou en quête de quelqu'un qui leur paiera une bouteille, jeunes gens encanaillés de la bonne société, Anglais et patrons de barques qui vont et viennent. La proximité des navires de guerre, mouillés tout près pour se protéger des bombes françaises, donne encore plus d'animation au lieu avec la présence de bandes d'officiers et de matelots. De toutes parts fusent les conversations bruyantes, les rires des femmes faciles, le tintamarre des guitares, des chants, des beuglantes d'ivrognes, des bruits de rixes. C'est dans les nuits de la Caleta que vient se distraire, en ce second été de siège français, le Tout-Cadix noctambule et canaille.

– Bonsoir… M'accorderiez-vous un moment de conversation ?

Pepe Lobo, assis à une table faite de simples planches clouées, échange un rapide regard avec Ricardo Maraña, puis dévisage l'inconnu aux traits aquilins qui, chapeau de paille rond et canne à la main, s'est arrêté devant eux, se découpant par intervalles sur les éclats lointains du phare de San Sebastián. Il porte une redingote grise ouverte sur le gilet, un pantalon froissé, le tout négligé et sans élégance. De longs favoris épais qui rejoignent la moustache. Des yeux que la nuit rend très noirs. Peut-être dangereux. Comme la tête de la canne, qui ne passe pas inaperçue : une grosse boule de bronze en forme de noix, parfaite pour ouvrir un crâne.

– Qu'est-ce que vous voulez ? demande le marin sans se lever.

L'autre sourit un peu. Un sourire bref, courtois et qui se limite aux lèvres. Une politesse peut-être empreinte de lassitude. À la lueur des torches plantées dans le sable, la mimique découvre l'éclair fugace d'une dent en or.

– Je suis commissaire de police. Mon nom est Rogelio Tizón.

Les corsaires échangent un nouveau coup d'œil : intrigué chez le capitaine de la *Culebra* ; indifférent, comme toujours, chez Maraña. Pâle, mince, élégant, vêtu de noir de la cravate aux bottes, allongeant la jambe qui accuse une légère claudication, le jeune homme est bien carré sur le dossier de sa chaise. Il a devant lui un verre d'aguardiente – la demi-bouteille qui remplit déjà son estomac n'affecte en rien son comportement –, un cigare fume au coin de sa bouche, et il se tourne lentement, à contrecœur, vers le nouveau venu. Pepe Lobo sait que, comme lui-même, son second n'aime pas les policiers. Ni les douaniers. Ni les marins de guerre. Ni ceux qui interrompent les conversations d'autrui à la Caleta à onze heures du soir, quand l'alcool alourdit les langues et les idées.

– Nous ne vous avons pas demandé qui vous êtes, mais ce que vous voulez, précise sèchement Maraña.

Pepe Lobo, que le mot *police* a dégagé des vapeurs de l'alcool, observe que l'intrus encaisse calmement l'affront. Apparemment, il a le cuir épais. Un autre bref sourire fait briller de nouveau la dent en or. Il s'agit, décide le corsaire, d'une mimique mécanique, professionnelle. Aussi potentiellement dangereuse que la tête massive de la canne ou les yeux sombres et immobiles, pas plus accordés au mouvement des lèvres que s'ils en étaient distants de vingt pas.

– Ça concerne mon travail… J'ai pensé que vous pourriez peut-être m'aider.

– Vous nous connaissez ? demande Lobo.

– Oui, capitaine. Vous et votre second. C'est normal, dans mon métier.

– Et pourquoi avez-vous besoin de nous ?

L'autre semble hésiter un instant, peut-être sur la façon d'aborder l'affaire. Finalement, il se décide.

– C'est avec votre officier que je souhaite parler... Il se peut que le moment ne soit pas bien choisi, mais je sais que vous allez reprendre la mer. En le voyant ici, j'ai pensé que, de la sorte, je pourrais éviter de l'incommoder demain...

J'espère, pense Pepe Lobo, que le second ne s'est pas fourré dans une sale histoire. Fasse le Ciel qu'il n'en soit rien, à deux jours de lever l'ancre. En tout cas, lui-même ne semble pas concerné. En principe. Réprimant sa curiosité, il fait mine de se lever.

– Dans ce cas, je vous laisse seuls.

Il interrompt le mouvement à peine amorcé. Maraña a posé une main sur son bras pour le retenir.

– Le capitaine a toute ma confiance, dit-il au policier. Vous pouvez parler devant lui.

Toujours debout, le commissaire hésite. Ou peut-être fait-il juste semblant.

– Je ne sais si je dois...

Il les observe alternativement, comme s'il réfléchissait. Dans l'attente, qui sait, d'un mot ou d'un geste. Mais aucun des deux corsaires ne dit ou ne fait quoi que ce soit. Pepe Lobo reste assis, dans l'expectative, lorgnant son second du coin de l'œil. Maraña, toujours impassible, regarde le policier avec le même calme que pour choisir la carte qu'il placerait à côté d'un valet. Lobo connaît bien la vie que mène son second en brûlant la chandelle par les deux bouts : un jeu avide où, chaque jour, le jeune homme parie avec une désinvolture suicidaire.

– L'affaire est délicate, messieurs, explique le policier. Je ne voudrais pas...

– Sautez le prologue, suggère Maraña.

L'autre désigne une chaise libre.

– Est-ce que je peux m'asseoir ?

Il n'obtient pas plus de réponse affirmative que négative. Il prend donc la chaise en la soulevant par le dossier et s'assied un peu en retrait de la table, canne entre les jambes et chapeau sur les genoux.

– Je résumerai donc l'affaire. Je suis informé que, lorsque vous êtes à Cadix, vous faites des voyages de l'autre côté…

Maraña continue de le regarder sans qu'un trait de son visage ne bouge. Les yeux que, par moments, la fièvre fait briller intensément au milieu de leurs cernes noirs, restent sereins. J'ignore de quels voyages vous parlez, dit-il d'un ton maussade. Le policier demeure un instant silencieux, penche la tête, puis se tourne à demi vers la mer comme pour indiquer une direction. À El Puerto de Santa María, dit-il enfin. La nuit, et sur des barques de contrebandiers.

– Hier soir, conclut-il, vous êtes allé là-bas. Un aller et retour.

Une légère toux, rapidement étouffée. Le jeune homme lui rit au nez avec une parfaite insolence.

– Je ne sais pas de quoi vous parlez. Et même si c'était vrai, ça ne vous regarderait pas.

Pepe Lobo voit luire de nouveau la dent en or à la lueur rougeoyante des torches.

– C'est exact, bien entendu. Encore que pas tout à fait… Mais la question n'est pas là. J'ai des raisons de croire que vous avez fait la traversée sur la barque d'un homme qui m'intéresse… Un contrebandier mulâtre.

Inexpressif, Maraña croise les jambes, tire longuement sur son cigare et exhale la fumée avec une lenteur délibérée. Puis il hausse les épaules avec nonchalance.

– Bien. Ça suffit. Bonsoir.

La main qui tient le cigare désigne le chemin de la plage

et de la porte de la ville. Mais l'autre reste assis. Un homme patient, constate Lobo. C'est vrai que, dans son sale métier, la patience est une qualité utile. On imagine facilement – les yeux noirs et durs qu'il a devant lui sont sans équivoque – que le policier se débarrassera de toute cette affabilité purement technique à l'heure de régler les comptes. Par les temps qui courent, nul n'est assuré de ne pas se retrouver de l'autre côté des barreaux et de la loi. Le capitaine corsaire est sûr que Maraña, en dépit de sa jeunesse, de son insolence et de l'aguardiente qui aiguise son arrogance, en est aussi conscient que lui, habitué à reconnaître les hommes à leur manière de regarder et de se taire, et, comme dit le proverbe, l'oiseau à son caca.

– Vous me comprenez mal, monsieur... Je ne suis pas là pour vous questionner sur des affaires de contrebande.

Une vague de rires fait tourner la tête à Pepe Lobo vers le cabaret voisin où une danseuse accompagnée par un guitariste frappe vigoureusement de ses pieds nus le sol de planches, sa jupe relevée sur ses jambes également nues. Un groupe d'officiers espagnols et anglais vient d'arriver et se joint à la fête. En les voyant s'installer, le corsaire fait la grimace. Parmi les Espagnols, il y a un visage qu'il connaît : le capitaine du génie Lorenzo Virués. Rappel désagréable du passé et antipathie du présent. L'image de Lolita Palma passe un instant devant ses yeux, aiguisant un ressentiment vif, précis, à l'encontre du militaire. Cela contribue encore à assombrir la tournure pénible qu'a prise cette nuit.

– La chose est plus grave, dit pendant ce temps le policier à Maraña. Il y a des raisons de supposer que certains patrons de barques et contrebandiers passent des informations aux Français.

En entendant cela, Pepe Lobo oublie d'un coup Lolita Palma et Lorenzo Virués. J'espère que non, se dit-il, avec un sursaut de tout son être. Qu'ils aillent tous au diable :

333

Ricardo Maraña, la femme qu'il va voir à El Puerto et ce chien qui vient fouiner avec son sale museum. Le capitaine corsaire veut croire que les aventures nocturnes de son second ne se termineront pas en lui compliquant la vie. D'ici deux jours, si le vent est favorable pour quitter la baie de Cadix, la *Culebra* doit être fin prête, équipage au complet, canons parés et toute la toile dehors pour commencer la chasse.

– Je ne suis au courant de rien, répond sèchement Maraña.

Le pouls du jeune homme, observe Pepe Lobo, n'a pas varié, inaltérable comme celui d'un serpent en pleine sieste. Il a bu une longue gorgée et remet le verre juste sur le cercle d'humidité qu'il a laissé en le prenant sur la table. Calme comme quand il joue son butin de prise aux cartes, quand il provoque un homme en duel ou qu'il saute sur le pont d'un autre navire dans le craquement des charpentes et la fumée de la mousqueterie. Avec toujours cette moue dédaigneuse qu'il adresse à la vie. Et à lui-même.

– Il arrive que l'on sache des choses sans savoir qu'on les sait, insiste le policier.

– Je ne peux pas vous aider.

Suit un silence embarrassé. Au bout duquel le commissaire se lève. Dégoûté.

– Cadix est Cadix, dit-il avec force. Et la contrebande y est un mode de vie. Mais l'espionnage, c'est autre chose… Aider à le combattre, c'est servir la patrie.

Maraña ricane avec insolence. La lumière des torches et le passage des éclairs du phare accentuent les cernes sous ses paupières dans la pâleur de son visage. Le rire se termine en toux mouillée, déchirée, qu'il dissimule prestement en portant à sa bouche le mouchoir qu'il sort d'une manche de sa jaquette tout en laissant tomber le cigare par terre. Après quoi il remet le morceau de tissu à sa place avec indifférence, sans même y jeter un coup d'œil.

– Je tiendrai compte de ce que vous dites. Surtout concernant la patrie.

Le policier l'observe avec intérêt, et Pepe Lobo a la désagréable impression qu'il grave son second dans sa mémoire. Sale petit morveux de merde, peut-il lire sur ses lèvres serrées. J'espère bien que nous aurons l'occasion de nous retrouver pour te régler ton compte. Quoi qu'il en soit, le dénommé Tizón semble être un homme au tempérament bien trempé, froid comme un poisson. Et j'espère bien, conclut le capitaine corsaire, ne jamais avoir à jouer aux cartes avec ces deux-là. Impossible de lire leur jeu sur leur visage.

– Si vous avez un jour quelque chose à me conter, je suis à votre disposition, tranche le policier. Et même chose pour vous, capitaine… Mon bureau se trouve rue du Mirador, en face de la nouvelle prison.

Il met son chapeau et balance sa canne, sur le point de quitter les lieux ; mais il s'arrête de nouveau un instant.

– Encore une chose, ajoute-t-il à l'intention de Maraña. À votre place, je me méfierais des promenades nocturnes… Elles vous exposent à de mauvaises rencontres. À des conséquences.

Le jeune homme le regarde dans les yeux avec une nonchalance manifeste. Puis il fait, à deux reprises, un faible signe d'acquiescement, avant de reculer un peu sur sa chaise pour soulever le pan gauche de sa veste. Laissant ainsi apparaître le métal de la crosse en bois verni d'un pistolet de marine à canon court.

– Depuis qu'on a inventé ça, les conséquences vont dans les deux directions.

Inclinant légèrement la tête, le policier paraît méditer sur les pistolets, les directions et les conséquences, tandis qu'il gratte le sable avec sa canne. Finalement, après un bref soupir, il fait le geste d'écrire dans l'air.

– J'en prends note, dit-il avec une douceur suspecte. Et

je vous rappelle, au passage, qu'à Cadix l'usage des armes à feu est interdit aux particuliers.

Maraña sourit, presque songeur, soutenant son regard. Les torches et les arpèges des guitares font danser des ombres sur son visage.

– Je ne suis pas un particulier, monsieur. Je suis un officier corsaire avec patente du roi… Nous sommes hors des remparts de la ville et votre compétence ne s'étend pas jusqu'ici.

Le policier acquiesce, exagérément formel.

– J'en prends également note.

– Dans ce cas, quand vous aurez terminé, allez au diable.

La dent en or luit pour la dernière fois. Promesse non équivoque de désagréments futurs, estime Pepe Lobo, si son second vient un jour à faire un faux pas sur le chemin de la loi et de l'ordre. Sans autres commentaires, les deux marins observent le commissaire leur tourner le dos et s'éloigner sur le sable de la plage vers le récif et la porte du rempart. Maraña contemple avec mélancolie son verre vide.

– Je vais commander une autre bouteille.

– Reste. C'est moi qui irai. – Lobo suit encore le policier des yeux. – Est-ce vrai que tu es allé à El Puerto avec le Mulâtre ?

– Ça se pourrait.

– Tu savais qu'il est suspect ?

– Foutaises. – Le jeune homme esquisse une moue de mépris. – En tout cas, ce n'est pas mon affaire.

– C'est que ce salaud semblait bien informé. C'est son travail, j'imagine. S'informer.

Les deux corsaires se taisent un moment. Les accents des guitares des cabarets continuent de leur arriver. Le policier a disparu dans l'ombre, sous la voûte de la Porte de la Caleta.

– S'il y a des histoires d'espionnage là-dedans, commente Pepe Lobo, tu peux avoir des problèmes.

– Tu ne vas pas t'y mettre, toi aussi, capitaine. Ça suffit pour aujourd'hui.

– Tu penses sortir cette nuit ?

Maraña ne répond pas. Il a saisi le verre vide et le fait tourner entre ses doigts.

– Ça change les choses, insiste Lobo. Je ne peux pas prendre le risque qu'on t'arrête à la veille d'appareiller.

– Ne t'inquiète pas… Je ne pense pas bouger de Cadix.

– Donne-moi ta parole.

– Pas question. Ma vie privée m'appartient.

– Ce n'est pas ta vie privée. C'est l'engagement que tu as pris. Je ne peux pas perdre mon second deux jours avant de lever l'ancre.

Taciturne, Maraña regarde la lumière lointaine du phare. Pepe Lobo sait que sa parole d'honneur est une des rares choses qu'il respecte. Le second de la *Culebra* fait passer avant tout ce que d'autres – et l'on peut sans hésitation inclure le capitaine corsaire dans le lot – considèrent comme une simple formule tactique ou un stratagème qui n'engage à rien. Tenir mordicus la parole donnée est une conséquence de plus de sa nature sombre et provocante. Une forme de désespoir comme une autre.

– Tu as ma parole.

Pepe Lobo vide le fond de son verre et se lève.

– Je vais chercher l'aguardiente. J'en profiterai pour pisser un coup.

Il marche sur le sable jusqu'au plancher du cabaret voisin et demande qu'on leur apporte une autre bouteille. Ce faisant, il passe près d'un groupe d'officiers parmi lesquels est assis le capitaine Virués et constate que celui-ci l'a reconnu et le regarde. Le corsaire poursuit sa marche pour se diriger vers un coin obscur du rempart, sous l'esplanade de San Pedro, qui pue l'urine et l'ordure. Il se déboutonne et se soulage en s'appuyant d'une main contre le mur, puis rajuste son pantalon et revient sur ses pas. Quand il passe de nouveau sur les planches du cabaret, certains compagnons de Virués l'observent avec curiosité. Il est probable que celui-ci a émis une remarque à son sujet, et la présence parmi eux de deux vestes rouges laisse soupçonner à Pepe Lobo qu'il a été question de Gibraltar. Ce ne serait pas la première fois, et cela inclut Lolita Palma. Ce souvenir le rend furieux. Difficile de tenir pour nul et non avenu ce « certains disent que vous n'êtes pas un homme d'honneur » de leur dernière conversation. Il n'a jamais prétendu en être un, mais il n'admet pas que Virués en fasse des gorges chaudes dans les soirées mondaines. Ni qu'il suscite les sourires sournois qu'il remarque en passant devant les officiers.

Le corsaire continue son chemin tandis que lui reviennent par rafales les souvenirs de la nuit de Gibraltar, l'obscurité du port et la tension de l'attente, le danger et les chuchotements, la sentinelle poignardée gisant à terre, l'eau glacée avant d'aborder la tartane, la lutte sourde avec le marin de garde, le clapotis du corps tombant dans l'eau, la voile déployée après avoir tranché les amarres, et le bateau dérivant sur l'eau noire de la baie, vers l'ouest et la liberté. Tout cela pendant que Virués et ses semblables dormaient à poings fermés en attendant l'échange qui les rendrait à l'Espagne, l'honneur intact, l'uniforme bien repassé, et arborant leur air de supériorité habituel. Tous de la même caste, comme ce jeune blanc-bec qui a prétendu se battre en duel après l'échange, à Algésiras, et que Pepe Lobo a envoyé se faire voir en lui riant au nez. La chose se serait peut-être passée autrement s'il s'était agi de Virués et non de ce petit-maître imberbe. S'il avait eu devant lui ce fils de pute prétentieux et stupide.

Sans prendre le temps de réfléchir à son acte ou à ses conséquences, le corsaire fait demi-tour et revient près de la table des officiers. Qu'est-ce que je suis en train de faire, se dit-il en chemin. Mais c'est trop tard pour virer de bord. Virués est accompagné de trois Espagnols et de deux Anglais. Ces derniers, un capitaine et un lieutenant, portent les vestes rouges de l'infanterie de marine britannique. Les trois Espagnols sont des capitaines : l'un est vêtu de l'uniforme d'artilleur, et les deux autres de celui, bleu clair à revers jaunes, du régiment d'Irlande. Tous lèvent la tête, surpris de le voir arriver.

– Nous nous connaissons, monsieur ?

La question s'adresse à Virués, qui le regarde, déconcerté. Le groupe se tait. Dans l'expectative. On entend seulement la musique du cabaret. Il est évident que le capitaine du génie ne s'attendait pas à ça. Pas plus d'ailleurs que Pepe Lobo. Mais foutredieu, qu'est-ce que je fais, se dit-il de nouveau. Ici. À chercher querelle, comme un ivrogne.

– Je crois que oui, répond l'interpellé.

Pepe Lobo rend justice au menton bien rasé à cette heure de la nuit, à la moustache châtain et aux favoris à la mode. Un beau garçon, conclut-il, une fois de plus. Capitaine du génie, rien de moins. Un homme qui a de l'instruction et un avenir avec ou sans guerre, de ceux qui vont dans le monde en ayant déjà fait la moitié du chemin. Un homme d'honneur, dirait Lolita Palma – ou, plutôt, a-t-elle dit. Idéal pour offrir un mouchoir blanc et parfumé à une dame, ou l'eau bénite à la sortie de la messe.

– C'est bien ce que je pensais. Vous étiez de ceux qui étaient à Gibraltar, à vous la couler douce en attendant un confortable échange…

Il laisse la suite en suspens. L'autre cille légèrement, en se redressant un peu sur sa chaise. Comme on pouvait s'y attendre, personne ne sourit plus parmi les autres officiers. Les Espagnols, bouche bée. Les Anglais ne comprenant rien pour l'instant. *What ?*

– J'étais prisonnier sur parole, monsieur. Comme vous.

Virués détache les deux derniers mots, avec hauteur. Le corsaire affiche un sourire insolent.

– Oui. Sur parole, et en bonne compagnie avec ces messieurs les Anglais… Pour qui, je le constate, vous gardez toujours autant de sympathie.

Le militaire fronce les sourcils. Sa surprise du début tourne à l'irritation. Le bref regard qu'il adresse à son sabre, posé contre la chaise, n'échappe pas à Pepe Lobo. Mais celui-ci ne porte pas d'armes. Jamais à terre, et encore moins quand il boit. Pas même son couteau de marin. Il a appris la leçon très jeune, de port en port, à force de voir pendre des gens.

– Vous me cherchez querelle, monsieur ?

Le corsaire réfléchit un moment, semblant même y mettre de la bonne volonté. Une question intéressante, en tout cas. Opportune, étant donné les circonstances. Finalement, après l'avoir sérieusement soupesée, il hausse les épaules.

– Je ne sais pas, répond-il, sincère. Ce que je sais, c'est que je n'aime pas votre manière de me regarder. Ni ce que vous dites ou ce que vous insinuez hors de ma présence.

– Je n'ai rien dit derrière votre dos que je ne puisse vous répéter en face.

– Par exemple ?

– Qu'à Gibraltar vous ne vous êtes pas comporté comme il se doit… Que votre fuite, en enfreignant les règles, nous a tous placés dans une situation humiliante.

– Vous parlez, je suppose, de vous et des imbéciles de votre espèce.

Rumeur indignée autour de la table. Le sang afflue d'un coup au visage de Virués. Il se lève tout de suite, mais comme l'homme bien élevé qu'il est : sans hâte, sans trahir d'émotion, feignant le calme. Cependant Pepe Lobo observe ses mains crispées. Cela lui cause une jouissance féroce. Les autres officiers restent assis et se regardent entre eux. Particulièrement les Anglais : de toute évidence, ils ne comprennent pas un mot d'espagnol mais n'en ont pas besoin. La scène est désormais internationale. Elle se traduit d'elle-même.

Virués touche la cravate noire qu'il porte autour du col immaculé de sa chemise, comme pour l'ajuster. Ses efforts pour se contrôler sont visibles. Il tire sur les pans de sa veste, pose une main sur la hanche et regarde le corsaire de haut : il mesure au moins six pouces de plus que lui.

– C'est une infamie, dit-il.

Pepe Lobo n'ouvre pas la bouche. Les paroles sont ce qu'elles sont, et il n'est pas né de la dernière pluie. Il se borne à étudier son vis-à-vis de haut en bas d'un œil vigilant – comme s'il portait sur lui le couteau qu'il n'a pas –, calculant où frapper dès que Virués bougera le petit doigt, si tant est qu'il le fasse. Comme s'il devinait son intention, le militaire demeure immobile, le regard interrogateur. Courtoisement menaçant. Mais menaçant quand même.

– J'exige une solution honorable, monsieur.

Au mot *honorable*, le corsaire esquisse une grimace. À la limite du ricanement. Laisse tomber ton honneur militaire, pense-t-il. Rentre-moi plutôt dans le lard, pauvre type.

– Trêve de bavardages et de simagrées. Nous ne sommes pas à la Cour ou dans la salle des Drapeaux.

À la table, les officiers ne perdent pas une parole. Pepe Lobo a la veste déboutonnée et les bras séparés du corps, à la manière des lutteurs. Et c'est bien cela qu'il semble être en ce moment : épaules larges, mains puissantes. Son instinct de marin, combiné à sa longue expérience des bouges portuaires et de leurs habituels incidents, le maintient en alerte, prêt à affronter tout mouvement probable ou improbable. Calculant les risques. Cette même expérience lui permet de deviner derrière lui la présence silencieuse de Ricardo Maraña. Le Petit Marquis, flairant des problèmes, s'est approché et se tient prêt en cas de bagarre. Dangereux, comme toujours. Et fasse le Ciel, pense Lobo, que l'idée ne lui vienne pas de mettre la main sur ce qu'il porte à son côté gauche, sous le pan de sa veste. Parce que l'alcool peut conduire à des plaisanteries qui n'en sont pas. Comme celle dans laquelle je me suis embarqué, par exemple. Cette impulsion idiote qui m'a mis devant ce type, incapable d'aller plus loin s'il ne bouge pas, et incapable de reculer sans avoir l'air de me dégonfler, pour avoir enfreint cette règle de base : ne jamais sonner le branle-bas à la mauvaise heure ni au mauvais endroit.

– J'exige réparation, insiste Virués.

Le corsaire regarde en direction du récif qui se prolonge au-delà du fort de Santa Catalina. C'est le seul lieu proche qui offre suffisamment de discrétion, mais, par chance, la marée basse ne le découvrira complètement que dans deux heures. Il éprouve une immense envie de tomber sur le capitaine à bras raccourcis, mais pas de se battre dans les règles, avec témoins et tout le saint-frusquin de protocoles ridicules. L'idée est absurde. Le duel est interdit par la loi. Dans le meilleur des cas, il pourrait perdre sa lettre de marque et le commandement de la *Culebra*. Ce que les Sánchez Guinea ne manqueraient pas de prendre fort mal. Et Lolita Palma aussi.

– Je lève l'ancre dans deux jours, précise-t-il d'une voix neutre.

Il l'a dit sur le ton adéquat, la tête bien droite. Comme s'il réfléchissait à voix haute. Personne ne peut dire qu'il recule. L'autre regarde ses compagnons. L'un d'eux, un capitaine d'artillerie à moustache grise et d'allure respectable, fait un léger signe négatif de la tête. Maintenant Virués hésite, et le corsaire s'en rend compte. Voilà ma chance, se dit-il. On peut remettre l'affaire à un autre jour. Plus discrètement.

– Don Lorenzo prend son service demain très tôt, confirme Moustache Grise. Nous retournons dès l'aube à l'île de León. Lui, moi-même, et ces messieurs.

Imperturbable en apparence, Pepe Lobo continue de regarder fixement Virués.

– Dans ces conditions, c'est difficile.

– Il semble.

Indécision des deux côtés, à présent. Soulagement dissimulé chez le corsaire. Laissons faire le temps, conclut-il, et puis on verra bien. Il se demande si l'adversaire ressent la même chose. Bien que son flair lui dise que oui. Qu'il est, lui aussi, soulagé.

– Reportons cette conversation, dans ce cas.

– J'espère vous revoir bientôt, monsieur, précise Virués.

– Épargnez-vous le « monsieur ». Ça vous fait mal à la langue... Et moi aussi, je l'espère, l'ami. Pour effacer ce sourire de vos lèvres.

Nouvel afflux de sang au visage du militaire. Un instant, Lobo croit qu'il va se jeter sur lui. S'il essaye de me gifler, pense-t-il, je casse une bouteille et je lui éclate la figure. Après, advienne que pourra.

– Je ne suis pas votre ami et je ne l'ai jamais été, rétorque Virués, indigné. Et si, cette nuit, je n'étais pas...

– C'est ça. Si vous n'étiez pas.

Le corsaire rit grossièrement. Insolent. Ce faisant, il glisse les doigts dans une poche de son gilet, en sort deux pièces d'argent qu'il lance au patron du cabaret, et tourne le dos à Virués en quittant les lieux. Derrière lui résonnent les pas irréguliers de Ricardo Maraña, d'abord sur les planches, puis sur le sable.

– Incroyable... Tu me sermonnes en prêchant la prudence, et cinq minutes plus tard tu cherches un duel...

Pepe Lobo éclate encore une fois de rire. Il rit de lui-même, avant tout.

– C'est l'alcool, je suppose.

Ils marchent sur le sable rougeâtre de la plage, vers les barques échouées près de la passerelle du récif de San

Sebastián. Maraña a rejoint son capitaine et boite à côté de lui, en l'observant à la lueur imprécise des torches plantées dans le sable. Il le fait avec curiosité, comme s'il le voyait cette nuit pour la première fois.

– C'est sûrement ça, insiste Lobo, au bout d'un moment. L'alcool.

8

L'aube n'est plus loin. Le levant souffle avec violence, sans rencontrer d'obstacles sur le paysage plat des salines, entraînant des tourbillons de poussière et de sable qui cachent les étoiles. Mille coups d'épingles invisibles piquent les quatre hommes – trois adultes et un adolescent – qui, depuis plusieurs heures, se déplacent dans l'obscurité en pataugeant dans la vase. Ils sont armés de sabres, de haches, de navajas et de couteaux, et avancent lentement, le visage recouvert de chiffons ou de mouchoirs pour se protéger des attaques impitoyables du vent. Celui-ci est si fort que, chaque fois qu'ils font un bout de chemin en dehors d'un étier ou d'un de ses embranchements, l'air sèche sur-le-champ l'eau salée et la boue sur leurs vêtements.

– Voilà le grand étier, murmure Felipe Mojarra.

Il s'est arrêté pour s'accroupir, tendant l'oreille, entre les rameaux de salicorne qui lui fouettent le visage. On n'entend que le bruit du vent dans les broussailles et celui du courant de la marée descendante dans le canal voisin : un ruban obscur dans le paysage noir, avec des reflets mats qui permettent de le distinguer dans les ténèbres.

– Il va falloir encore se mouiller.

Trente vares, se souvient le saunier : c'est la largeur approximative de l'étier à cet endroit. Par chance, formés dès l'enfance à la vie dans les marais, lui et ses compagnons savent ce qu'ils doivent faire. L'un après l'autre, ils se rejoignent sur la rive : Curro Panizo, son fils Currito, le beau-frère Cárdenas. Silhouettes silencieuses et résolues. Ils sont partis ensemble de l'Île à la tombée de la nuit et, à la faveur des tourbillons de poussière, ils ont traversé les lignes espagnoles par le sud de l'île du Vicario, passant en rampant sous les canons de la batterie de San Pedro. De là, peu avant minuit, ils ont traversé à la nage l'étier du Camarón pour s'enfoncer sur presque une demi-lieue dans un désert total, suivant dans l'obscurité le dédale des marais et des étiers secondaires.

– Où on est ? demande le beau-frère Cárdenas dans un chuchotement.

Felipe Mojarra n'est pas sûr. La poussière soulevée par le levant le désoriente. Il craint d'avoir mal compté les étiers secondaires qu'ils ont laissés derrière eux, de s'être aventuré trop avant et de tomber en plein sur les retranchements français. Du coup, il se lève, écarte les buissons noirs et scrute l'obscurité, paupières à demi fermées pour tenter de se protéger du vent saturé de sable. Finalement, à quelques pas, ses yeux de braconnier habitués à voir dans la nuit reconnaissent la forme sombre de quelque chose qui ressemble aux côtes d'un énorme squelette : les membrures pourries d'un bateau à moitié enfoncé dans la vase.

– Nous y sommes, dit-il.

– Et il n'y a pas de gabachos devant ? demande le beau-frère.

– Les plus proches sont à l'entrée de l'étier du moulin. On peut passer par ici.

Il descend, plié en deux, la courte pente qui mène à la rive, suivi des autres. Au moment de poser le pied dans la vase, il s'arrête pour vérifier que le sabre court qu'il porte attaché par une corde dans le dos est toujours à sa place et que la navaja – fermée, elle mesure une paume et demie – glissée dans sa ceinture ne le gêne pas pour nager. Puis il entre lentement dans l'eau noire, tellement froide qu'elle lui coupe le souffle. Quand il perd pied, il commence à mouvoir bras et jambes en gardant la tête dehors, pour se diriger vers l'autre rive. La distance à parcourir ne présente pas de difficultés : mais le vent fort qui ride l'eau et la marée descendante qui commence à se manifester le déportent sur le côté. Il faut économiser son souffle. Derrière, il sent barboter Cárdenas, qui est le plus maladroit des quatre, car Panizo et son fils nagent comme des poissons ; mais le beau-frère a pris la précaution de s'attacher deux calebasses vides qui lui permettent de ne pas couler. Dans d'autres circonstances, il aurait fallu s'occuper de lui pour que le bruit qu'il fait – plaf, plaf, plaf – ne dénonce pas leur présence aux Français, mais cette nuit, par chance, le levant recouvre tout.

Felipe Mojarra et ses camarades ont bien choisi leur jour. Quand le vent d'est souffle fort sur les salines, il finit par brouiller la vue. Il y a quelque temps, au retour d'une de ses premières reconnaissances avec le capitaine Virués, le saunier a assisté à une discussion entre celui-ci et un officier anglais qui s'obstinait à vouloir entourer la batterie de San Pedro avec des fascines traditionnelles. Virués a insisté sur le fait qu'il valait mieux le faire avec les agaves dont on se sert en Andalousie pour clôturer les vergers. Le rouget n'a pas voulu en démordre, il a fortifié le poste avec des fascines, suivant le règlement à la lettre, et, après cinq jours de levant, le fossé était comblé par le sable et le parapet enterré. L'Anglais ayant été enfin convaincu des bienfaits des agaves – même le diable ne sait pas tout ce que sait un saunier, a dit le capitaine en clignant de l'œil à Mojarra –, le périmètre extérieur de San Pedro ressemble désormais moins à un fort qu'à un verger.

Mojarra émerge de l'étier en grelottant et rampe comme un serpent boueux sur la vase de la rive. Quand les autres se rassemblent près de lui, une faible clarté bleutée commence à dessiner, 600 vares plus loin, les hauteurs et les pins noirs de Chiclana. Le village, fortifié par les Français, est à un peu plus d'une demi-lieue en suivant la berge de l'étier.

– L'un après l'autre, chuchote le saunier. Et tout doucement.

Il marche le premier, remontant le bref talus de terre, pataugeant ensuite dans l'eau froide du marais salant abandonné qui se trouve derrière. Un peu plus loin, quand ils sont sûrs de ne pas être repérables dans la clarté de l'aube, les quatre se redressent et avancent, de l'eau jusqu'à la ceinture. Le fond boueux entrave la marche, et parfois un clapotis soudain, un juron proféré à voix basse les obligent à se prêter mutuellement main-forte pour échapper au piège visqueux où s'enfoncent leurs pieds. Par chance, ils ont le levant de face, et celui-ci emporte tous les bruits loin des oreilles inopportunes. Le courant de la marée descendante vers le canal et la baie se fait sentir avec une plus grande intensité, découvrant le lit du marais dont personne ne recueille plus le sel depuis l'arrivée des Français. Mojarra comprend qu'ils ont pris du retard. Entre les tourbillons de sable et de poussière que le vent continue à soulever en rafales, la lumière qui monte derrière les pins de Chiclana s'étire déjà en une étroite frange qui vire lentement du bleu sale à l'ocre. Nous arrivons de justesse, se dit-il. Mais grâce à Dieu, nous arrivons.

– Ils sont là, indique Curro Panizo tout bas. À l'entrée du petit étier, près du môle en planches.

Mojarra passe avec précaution la tête par-dessus le talus, écartant les rameaux de salicorne et d'asperges sauvages qui le couvrent. Un reflet de la clarté naissante dessine l'étier Alcornocal et ses embranchements comme des rubans de plomb fraîchement fondu, s'élargissant près du moulin de Santa Cruz que l'on devine proche, encore dans l'ombre. Et sur la gauche, à la jonction avec l'étier qui va jusqu'à Chiclana, près d'un petit môle en planches et d'un hangar que le saunier connaît bien – ils étaient déjà là avant la guerre –, il voit l'ombre noire, longue et plate d'une chaloupe canonnière qui se découpe sur le reflet plombé de l'eau.

– Où se tient la sentinelle ? lui demande Panizo.

– Au bout du môle... Nous pouvons approcher par les carreaux du marais, de mur en mur. Les autres dorment dans le hangar.

– Alors allons-y. Il se fait tard.

Les pins proches commencent à prendre forme quand les quatre hommes passent le dernier carreau et s'enfoncent dans la fange visqueuse. Une clarté grise et ocre découvre déjà, entre les tourbillons de vent sale, le hangar en planches, le petit môle et la silhouette de la canonnière qui y est amarrée. Mojarra respire, soulagé de voir qu'elle n'est pas échouée sur la vase, mais qu'elle flotte, le mât un peu incliné vers l'avant et la voile latine enverguée sur l'antenne basse. Voilà qui aidera à naviguer avec le levant, en descendant le grand étier, au lieu de ramer à en cracher ses poumons avec les gabachos aux fesses.

– Je ne vois pas la sentinelle.

Panizo s'avance pour jeter un coup d'œil. Il revient en rampant.

– Elle est à droite, à côté du môle. À l'abri du vent.

Mojarra, qui identifie enfin la forme noire et immobile – pourvu qu'il soit en train de ronfler, pense-t-il –, a détaché le sabre qu'il porte dans son dos et entend les bruits que font les autres en agissant de même : hache d'abordage pour Panizo ; cimeterres aiguisés pour le beau-frère Cárdenas et pour le petit Currito. Il sent monter de ses aines un frisson déplaisant. Avec les armes blanches, il ressent toujours la même chose.

– Prêts ?

Chuchotements de confirmation. Mojarra respire profondément. Trois fois.

– Alors, à Dieu vat !

Ils se relèvent tous les quatre, se signent et avancent avec précaution dans les rafales de poussière et de sable, un peu courbés pour ne pas se découper à contre-jour, sentant crisser sous leurs pieds nus les cristaux de sel qui tapissent la rive. Vingt mille réaux, pense encore Mojarra, si cette canonnière arrive dans les lignes espagnoles. Cinq mille pour chacun, si nous revenons tous vivants. Ou pour les familles. Les visages de sa femme et de ses filles traversent ses pensées avant de se perdre dans le battement fort de son cœur, dont la pulsation assourdissante remplit maintenant ses oreilles par-dessus le hurlement du vent qui glace ses vêtements trempés.

Tunc… La sentinelle ne crie même pas. Elle dormait. Sans s'arrêter à penser à la forme noire qu'il vient de sabrer, Mojarra poursuit son chemin jusqu'au hangar, cherche la porte, l'ouvre d'un coup de pied. Aucun des quatre ne prononce une parole. Se bousculant presque, ils se précipitent à l'intérieur, où la faible clarté qui filtre du dehors permet de distinguer cinq ou six silhouettes noires étendues sur le sol. Cela pue le renfermé, la sueur, le tabac refroidi, les vêtements humides et sales. Tunc… Zass… Tunc… Zass. Systématiquement, comme s'ils taillaient des branches d'arbre, les sauniers frappent avec leurs lames et leurs haches. Les dernières silhouettes, réveillées, ont le temps de crier. L'une d'elles parvient à se dégager violemment, tente de gagner la porte à quatre pattes en émettant un hurlement de terreur désespéré qui sonne comme un reproche. Tunc, tunc, tunc. Zass, zass, zass. Mojarra et ses compagnons s'acharnent sur elle, pour en finir au plus vite. Ils ne savent pas s'il y en a d'autres à proximité. Si quelqu'un a pu entendre les cris. Puis ils ressortent en respirant avec avidité l'air du vent sale qui les crible de piqûres de sable. Essuyant sur leurs habits mouillés le sang qui poisse leurs mains et barbouille leurs figures.

Ils courent vers le petit môle en planches sans regarder derrière eux. La chaloupe française se balance dans le vent, toujours à flot. La marée descend maintenant avec plus de force, découvrant les berges boueuses des étiers et de leurs embranchements, dans la lumière matinale qui se fait de plus en plus franche. Si les choses ne se compliquent pas, ils ont le temps. Juste le temps, se répète Mojarra. Mais ils l'ont.

– Petit, va ramasser toutes les armes que tu trouveras !

Currito Panizo part comme un boulet de canon en direction du hangar, pendant que son père, le beau-frère Cárdenas et Mojarra sautent du môle dans la canonnière, libèrent l'antenne et tirent sur la drisse pour hisser celle-ci après avoir pris des ris au tiers de la voile. Celle-ci se déploie dans le vent avec un claquement, faisant gîter l'embarcation vers la berge de l'étier juste au moment où Currito revient chargé de quatre fusils et de deux buffleteries avec leurs cartouchières, baïonnettes et sabres.

– Vite, petit !… On s'en va !

Un coup de sabre à l'avant et un autre à l'arrière pendant que le garçon saute à bord, dans un grand fracas de tout son chargement qui se répand sur les bancs de la chaloupe. Celle-ci est longue, large et de faible tirant d'eau, parfaite pour la guerre de canonnières dans le labyrinthe de canaux qui entoure l'Île. Elle doit mesurer dans les quarante pieds, confirme Mojarra. C'est une belle barque. Elle porte un canon à la proue – de 6 livres, semble-t-il, une très bonne pièce – sur un affût coulissant, et deux petits perriers de bronze à la poupe, un sur chaque bord. Voilà qui vaut bien les vingt mille réaux de prime. Et bien pesés, encore. À condition, bien entendu, de revenir à bon port pour les toucher.

Libérée de ses amarres, poussée par le vent et la voile gonflée du bon côté, la chaloupe s'écarte du môle, dérive d'abord lentement, puis à une vitesse inquiétante au milieu de l'étier Alcornocal. À l'arrière, tenant la barre franche pour se maintenir dans la partie profonde du lit de l'étier qui va se rétrécissant – s'échouer serait leur perte assurée –, Mojarra calcule l'intensité de la marée descendante et la forme que doit prendre le coude précédant la jonction avec l'entrée du grand étier, cherchant toujours à garder assez de profondeur. Currito et le beau-frère Cárdenas s'occupent de l'écoute et du réglage de la voile tandis que Panizo, à l'avant, oriente la manœuvre. Il fait à présent assez clair pour qu'ils puissent voir leurs visages : pas rasés, cernes d'insomnie, peau grasse avec des traînées de boue et de sang de gabachos. Crispés par ce qu'ils viennent d'accomplir, mais sans avoir encore le temps d'y penser.

– Nous la tenons ! s'écrie Cárdenas, exultant, comme s'il venait tout juste de s'en rendre compte.

– À nous la fortune ! lui fait écho Panizo depuis l'avant.

Mojarra s'apprête à ouvrir la bouche pour leur dire de ne pas vendre trop tôt la peau de l'ours, quand les ennemis lui épargnent cette peine. Une voix crie en français, dans l'ombre qui couvre encore le talus de la berge proche et, immédiatement, deux éclairs brillent coup sur coup. Pan, pan… Les balles n'arrivent pas jusqu'à la chaloupe, qui atteint l'embouchure de l'étier de Chiclana. D'autres tirs retentissent, venant aussi, maintenant, de la rive opposée – quelques balles isolées, tirées au jugé, soulèvent des gerbes dans l'eau –, pendant que Mojarra pèse de tout son corps sur la barre pour la pousser sur un bord et faire que la chaloupe se dirige vers l'ouest pour entrer dans le cours du grand étier. Le poids du canon à l'avant du mât aide à maintenir une direction fixe, mais gêne les manœuvres. Vent et marée finissent par converger, et l'embarcation file dans le sens du courant, passe au grand largue, puis plein vent arrière, l'antenne presque à l'horizontale. Mojarra scrute avec inquiétude le paysage plat et les talus bas des berges. Il sait qu'il y a un poste avancé français au prochain confluent ;

et que, quand ils passeront devant, la clarté cendreuse qui filtre à travers les nuages de poussière aidera les ennemis à ajuster leur tir. Mais il n'y a pas d'autre solution que de les affronter, en espérant que la mauvaise visibilité due au levant gênera les gabachos.

– Préparez les rames. Il faudra s'en servir en arrivant à l'étier de San Pedro.

– On n'en aura pas besoin, objecte Panizo.

– Il faut tout prévoir. Nous allons trouver beaucoup de vase à découvert autour des îlots. Je ne veux pas prendre de risques avec la voile, vu le courant et ce vent. Nous devrons peut-être passer cette partie à la rame... Et le drapeau?

Tandis que Panizo père et le beau-frère Cárdenas ajustent les rames à leurs tolets, Currito Panizo sort de sa ceinture un morceau de tissu plié, le montre à Mojarra avec un clin d'œil, et le dépose entre les bragues et les amarrages du canon. C'est sa mère qui l'a cousu, l'avant-dernière nuit, à la lumière d'une chandelle de suif. Comme ils n'ont pas pu trouver de toile jaune, la bande centrale est blanche, découpée dans un drap. Les deux bandes rouges viennent de la doublure grenat d'une vieille cape du beau-frère Cárdenas. Le tout mesure quatre empans sur trois. Hissé au mât de la chaloupe, ce pavillon semblable à celui qui est en usage sur les canonnières de la Marine royale empêchera les Espagnols et les Anglais de tirer sur eux quand ils les verront apparaître par l'étier de Chiclana. Pour le moment, le mieux est de laisser le morceau de tissu là où il est, car les tireurs sont les Français. Et ils vont tirer, se dit Mojarra, plein d'appréhension, en voyant approcher à toute allure sur bâbord l'entrée de l'étier où se trouve la position avancée ennemie. Il leur restera ensuite à franchir 500 vares de no man's land avant de déboucher dans l'étier principal, près des lignes espagnoles : la batterie de San Pedro et l'île du Vicario. Mais ça, c'est pour plus tard. Avant, et tout de suite, il va falloir traverser la fournaise. À cette heure, prévenus par les tirs, les Français du poste avancé auront tout loisir de les tirer à trente pas comme des lapins. Presque à bout portant.

– Baissez-vous !… Nous y sommes !

La position française est à peine visible depuis cette partie de l'étier ; mais dans la lumière grise qui dévoile désormais tout, au milieu des tourbillons de sable qui courent le long des talus de la rive gauche, Mojarra voit apparaître des silhouettes de mauvais augure qui les observent. Pesant sur la barre, le saunier essaye de maintenir la chaloupe éloignée de la berge, en la dirigeant vers l'autre côté de l'étier, tout en gardant un œil posé sur le lit de vase que la marée descendante découvre de plus en plus.

Les Français tirent déjà. Les balles sifflent en passant au-dessus de la chaloupe, et celles qui sont trop courtes soulèvent de nouvelles gerbes dans le courant de l'étier. Ploc. Ploc. Des claquements liquides qui semblent inoffensifs, comme quand on lance des galets dans l'eau. Cramponné à la barre, Mojarra baisse la tête autant qu'il le peut, en tentant de ne pas perdre de vue la boue noire de la berge. À ce qu'il sait, le poste des gabachos est tenu par une vingtaine de soldats. Ce qui signifie que, durant la longue minute où la chaloupe se trouvera à portée de leurs fusils – si la vase ne l'immobilise pas, le temps qu'ils soient tous criblés de balles –, les Français peuvent leur expédier une cinquantaine de coups de fusil. Ce qu'ils sont déjà en train de faire. Ça tire vraiment trop, conclut le saunier, lugubre. C'est comme ça que doit se sentir, pense-t-il, un colvert quand il vole désespérément en pleine partie de chasse. Mort de trouille au point de ne même plus faire coin-coin.

– Attention ! crie Curro Panizo.

Nous y voilà, confirme Mojarra. La chaloupe est juste en face du poste, les gabachos ajustent le tir, et les balles crépitent comme de la grêle tandis que, sur la rive, le vent balaie la fumée blanche des coups de feu. Grand concert de ziaaang! et de ploc! auquel se joint une série de claquements plus sinistres : l'impact des balles sur le bordage de la chaloupe. L'une d'elles arrache des éclats de bois au plat-bord, à trois paumes de Mojarra. D'autres traversent la voile ou frappent le mât, au-dessus des corps recroquevillés de Panizo, Cárdenas et Currito. Obligé de gouverner l'embarcation et d'empêcher que les rafales de vent ne la dévient de la bonne route, le saunier ne peut que serrer les dents, se courber autant qu'il le peut – tous les muscles de son corps lui font mal, contractés par l'attente d'une balle – et se raccrocher à l'espoir qu'aucune de ces billes de plomb ne porte son nom écrit.

Clac, clac, clac, clac. Les tirs des gabachos arrivent maintenant presque par salves. Bien serrées. Mojarra se relève un instant pour vérifier la distance qui le sépare de la rive droite et la hauteur de l'eau, corrige un peu le cap et, quand il regarde de nouveau dans la canonnière, il voit le beau-frère Cárdenas qui se tient la tête à deux mains tandis qu'un flot de sang coule entre ses doigts et goutte le long de ses bras jusqu'aux coudes. Il a lâché l'écoute, la voile se met de travers sous une rafale de vent, et la chaloupe fait une auloffée qui risque de la jeter en plein sur la berge.

– L'écoute! Par Dieu et par la Vierge!... Bordez l'écoute!

Les balles crépitent de tous côtés. Sautant par-dessus le blessé, Currito tente d'attraper le filin que plus rien ne retient, et qui fouette l'air entre les claquements de la voile. Mojarra pèse de tout son corps sur la barre, d'abord d'un côté puis d'un autre, dans une tentative désespérée de se maintenir loin des bancs de vase. Finalement, depuis l'avant, Curro Panizo réussit à attraper l'écoute, la tire vers l'arrière, et la voile – trouée en huit ou dix endroits – reprend le vent.

Les derniers tirs arrivent sur le côté et restent derrière,

l'embarcation s'éloignant du poste français, sur le point de s'engager dans la douce et double courbe qui conduit à l'étier de San Pedro. Une ultime balle atteint la contre-étrave, au-dessus de la barre, et arrache des éclats de bois qui frappent Mojarra au cou et à la nuque, sans conséquences. Mais il a eu terriblement peur. Salauds de *mosiús*, avec Napoléon et tous ses morts, marmonne-t-il sans lâcher la barre. D'un coup, lui viennent en mémoire le bruit des sabres et des haches dans le hangar, l'odeur de la chair taillée à vif, le sang dont il porte encore des croûtes séchées sur les mains et sous les ongles. Il décide de penser à autre chose. Aux vingt mille réaux pour eux quatre. Parce que finalement, si rien ne vient plus se mettre en travers, ils seront quatre : les Panizo s'occupent de soigner le beau-frère Cárdenas, étendu ventre à l'air sur l'affût du canon, la peau blafarde et la face couverte de sang. Une estafilade, l'informe Panizo père. Ça ne semble pas très grave. La chaloupe file à présent au milieu du courant, prenant de nouveau de la vitesse, et l'on aperçoit au loin les îlots de vase que la marée basse commence à découvrir à la sortie de l'étier. Dans une centaine de vares, l'embarcation sera visible depuis la batterie anglaise qui se trouve de l'autre côté ; c'est pourquoi Mojarra dit à Currito de préparer le drapeau. Il ne manquerait plus, ajoute-t-il, que les rougets de San Pedro se mettent à nous mitrailler.

Les îlots laissent encore un passage assez large, observe-t-il de loin. Ils n'auront pas besoin des rames. De sorte qu'il manœuvre la barre pour pointer la proue vers l'espace d'eau libre, que frisent le vent et le courant entre les deux surfaces planes de boue noire qui émergent, pouce après pouce, à mesure que descend la marée. D'un dernier coup d'œil, le saunier observe entre les tourbillons de poussière et de sable le paysage plat, les entrées des étiers principaux et secondaires qu'il laisse derrière eux, sur les deux bords. Des bandes d'avocettes – cette année, elles tardent à partir vers le nord, comme si elles aussi se méfiaient des gabachos – agitent les rayures noires de leurs ailes en arpentant sur leurs fines échasses la berge envasée, à l'abri d'un talus couvert d'arbustes.

– Hisse ce pavillon, petit… Que les rougets le voient!

Arrivés où ils sont, calcule-t-il, la voile doit être visible de la batterie, où l'on aura également entendu les tirs. Mais mieux vaut prendre ses précautions. En un clin d'œil, Currito Panizo, qui avait déjà frappé le pavillon bicolore sur une drisse, le hisse au-dessus de l'antenne, à la pointe du mât. Un instant plus tard, d'un mouvement ferme de la barre, Mojarra fait passer la chaloupe entre les îlots et la dirige ensuite vers la large embouchure du grand étier, au nord.

– Affalez!… Aux rames!

Adossé à l'affût, une main sur sa blessure, le beau-frère Cárdenas se plaint. Aïe, ma mère, gémit-il. Aïe, aïe, aïe. Curro et Currito Panizo choquent l'écoute, font descendre l'antenne et serrent la voile n'importe comment, une partie de la toile claquant dans le vent et traînant dans l'eau. Puis ils prennent chacun une rame, s'assoient face à la poupe, et commencent à ramer désespérément, leurs pieds calés sur les bancs de nage. Entre leurs têtes, au loin, Mojarra distingue déjà dans le gris sale du paysage les parapets d'agaves, les murs bas et les meurtrières garnies de canons du fort anglais. À ce moment, une rafale de levant déchire la brume de poussière; et un premier rayon de soleil horizontal, rougeâtre, éclaire le morceau de tissu rouge et blanc qui flotte avec force au mât de la canonnière capturée.

*

Le sexe mâle ou fluide spermatique devait exister à l'intérieur même de l'utérus féminin en contact avec les embryons pour les féconder subrepticement, car il est impossible d'expliquer autrement la fécondité des semences, qui suppose toujours le concours des deux sexes…

Lolita Palma demeure immobile, relisant ces lignes. Puis elle ferme la *Description des plantes* de Cavanilles et reste à contempler la reliure de cuir sombre du livre posé sur le bureau du cabinet botanique. Très calme, et songeuse. Après quoi elle se lève, remet le volume sur son rayon et baisse complètement la persienne de la fenêtre ouverte par où pénétrait la lumière de la rue. Elle n'est vêtue que d'une légère robe d'intérieur en soie de Chine qui descend jusqu'aux sandales sans talons, et ses cheveux sont retenus par des épingles. Il est impossible de se concentrer par cette chaleur, et la clarté nécessaire pour travailler ou lire s'accompagne de l'air chaud et humide de l'extérieur. C'est l'heure de la sieste; à la différence de presque tout Cadix, elle ne la passe jamais à dormir. Elle préfère consacrer ce moment aux plantes, ou à la lecture, profitant de la paix de la maison silencieuse. Sa mère repose sur ses oreillers, dans les vapeurs du laudanum. Même les domestiques se sont arrêtés. Ces heures sont, avec la nuit, celles que Lolita réserve pour elle-même, dans une journée de travail qui, depuis qu'elle gouverne Palma & Fils, est réglée par les usages locaux du commerce: bureau de huit heures à deux heures et demie, repas, lavage des dents avec de la poudre de corail et de l'eau de myrrhe, brossage et peignage des cheveux par les soins de la femme de chambre Mari Paz, retour au bureau de six à huit, promenade avant le souper par la Calle Ancha, la place San Antonio et l'Alameda, avec quelques achats et des rafraîchissements à la pâtisserie de Cosí ou celle de Burnel. Parfois, rarement, une réunion dans une maison amie ou dans le patio ou le salon de la sienne. La guerre et l'occupation françaises ont mis fin aux séjours d'été dans la maison familiale de Chiclana, dont Lolita regrette le paysage avec une certaine mélancolie : les pinèdes, la plage voisine, les vergers et les arbres sous lesquels on se promenait à la tombée du jour, les goûters à l'ermitage de Santa Anna et les excursions en calèche à Medina Sidonia. Les tranquilles promenades dans la campagne, identifiant et cueillant des plantes avec le vieux maître Cabrera qui fut son professeur de botanique. Et, la nuit venue, la lune inondant tout par les fenêtres ouvertes, si claire et argentée que l'on pouvait presque lire ou écrire à sa lumière, pendant que résonnaient la stridence incessante des grillons dans le jardin et le coassement des grenouilles dans les canaux d'irrigation voisins. Mais ce monde familier, avec ses longs étés de l'enfance et de la jeunesse, a depuis longtemps disparu. Ceux qui sont allés à Chiclana racontent que la maison et ses alentours ont été terriblement dévastés, tout ce qui n'est pas en ruine transformé en casernes et en retranchements, et que les Français ont tout consciencieusement pillé. Dieu seul sait ce qui restera de cet ancien monde heureux, si lointain déjà, quand s'achèveront ces temps d'incertitudes.

L'or des livres et des herbiers s'insinue dans la pénombre. À l'autre bout de la pièce, sur le mur opposé à la fenêtre qui donne sur la rue, les fougères couvrent de gouttes minuscules les vitres de la galerie fermée qui, à la manière d'une serre, donne sur le patio. Et dehors règne toujours le silence de la ville. Pas même l'explosion plus ou moins éloignée d'une bombe française – les tirs du Trocadéro se rapprochent de plus en plus du quartier – pour troubler la paisible chaleur de l'après-midi. Cela fait quatre jours que les assiégeants ne tirent pas ; et, sans bombes, la guerre semble de nouveau trop lointaine. Comme étrangère à la pulsation quotidienne et régulière du Cadix de toujours. Le dernier fait guerrier a eu lieu hier matin, quand les gens sont montés sur les terrasses et les observatoires avec des télescopes et des longues-vues pour suivre le combat d'un brigantin français accompagné d'une felouque portant le même pavillon, sortis du golfe de Rota, contre un petit convoi de tartanes venant d'Algésiras escorté par deux canonnières espagnoles et une goélette anglaise. Le bleu de la mer s'est couvert de fumées et de détonations ; et pendant presque deux heures, tandis que la brise de ponant déplaçait lentement les voiles dans le lointain, la foule a pu jouir du spectacle, tantôt applaudissant, tantôt manifestant sa désolation quand les choses semblaient tourner mal pour les alliés. Elle aussi, accompagnée du regard sagace du vieux Santos – « La tartane qui est au vent est perdue, madame Lolita ; ils vont la prendre comme une brebis qui s'est écartée du troupeau » –, a suivi depuis sa tour de vigie les évolutions des bateaux, le grondement lointain et la fumée de la canonnade ; jusqu'à ce que les Français, favorisés par le ponant qui prenait la goélette anglaise de face et empêchait d'approcher une corvette espagnole qui avait quitté son mouillage, puissent se retirer avec deux prises capturées sous les canons mêmes du château de San Sebastián.

Trois semaines auparavant, de la même tour, la longue-vue anglaise posée sur la petite balustrade, et seule en cette occasion, Lolita Palma avait vu la *Culebra* sortir de la baie pour une nouvelle campagne. Maintenant, dans la pénombre du cabinet, elle se souvient très bien du vent d'est nord-est qui soufflait par risées vers le large pendant que le cotre corsaire, frôlant les rochers des Puercas et la basse du Fraile pour se tenir loin des batteries françaises, naviguait d'abord au largue puis avec le vent de travers, contournant les remparts de la ville jusqu'au récif de San Sebastián. Et une fois là, larguant plus de toile – il semblait avoir hissé la voile de flèche et le troisième foc sur le long beaupré –, elle l'a vu mettre cap au sud, s'éloignant dans l'immensité infinie et bleue : une tache blanche de voiles minuscules diminuant jusqu'à disparaître de la lentille de la longue-vue. Quelque temps plus tard, la tombée du jour avec ses tons violets sur le ciel lointain du levant a trouvé Lolita encore sur la tour, contemplant l'horizon vide. Immobile, comme en ce moment dans son cabinet. Concentrée sur la dernière image du cotre s'éloignant, et surprise elle-même de se tenir toujours là. Elle se rappelle n'avoir vécu qu'une seule fois dans sa vie une telle situation, regardant pareillement la mer vide : l'après-midi du 20 octobre 1805, quand les derniers vaisseaux de l'escadre de Villeneuve et de Gravina ont quitté le port après une très pénible et très lente sortie en tirant des bords infinis dans l'absence de vent, tandis qu'une foule de familles, enfants, frères, épouses et parents, se pressant sur les terrasses, les tours et les remparts, demeurait silencieuse, les yeux rivés sur la mer, même après que la dernière des voiles qui naviguaient vers le funeste rendez-vous du cap de Trafalgar eut cessé d'être visible.

Lolita Palma continue de faire défiler les souvenirs, adossée au mur du cabinet. La tour de vigie, la mer. Le même cuivre doublé de cuir de la longue-vue entre ses doigts. La griffure que lui causent un confus sentiment d'absence, tout à fait inexplicable, et la tristesse insolite d'étranges pressentiments. Puis, l'instant d'après, fâchée contre elle-même, elle se demande ce que tout ça a à voir avec la *Culebra*. Et, soudain, comme l'éclair d'un coup de feu, le sourire prudent et songeur de Pepe Lobo vient la frapper au point de la faire violemment sursauter. Ses yeux de chat aux aguets la dévisageant, sereins, comme des pensées. Habitués à regarder la mer, et aussi les femmes. Certains disent que vous n'êtes pas un homme d'honneur, capitaine Lobo. Voilà ce qu'elle a dit, ce jour-là ; et jamais elle n'oubliera sa réponse tranquille, simple, sans détourner les yeux. Je n'en suis pas un. Et je ne prétends pas en être un.

Lolita ouvre la bouche comme un poisson qui suffoque, et aspire l'air chaud. Une, deux, trois fois. Introduisant une main sous le col humide de la robe de soie, elle la pose sur sa poitrine nue et retrouve le même battement dans les veines de ses poignets que ce jour de leur rencontre sur la place San Francisco. La conversation sur le dragonnier peint sur l'éventail et ces paroles qui, dans sa mémoire, semblent avoir été prononcées par une autre bouche que la sienne. Il faudra me raconter tout ça, capitaine. Un autre jour, peut-être… Quand vous serez de retour au port. Lolita n'oublie pas les mains brunes et fortes, le menton, où malgré le passage récent du rasoir pointait déjà dès le matin la barbe noire et fournie. Les cheveux drus, les pattes basses, épaisses et bien taillées. Mâles. Le sourire comme un trait blanc sur la peau hâlée. Elle l'imagine de nouveau, maintenant, en cet instant précis, debout sur le pont incliné du cotre corsaire, les cheveux volant au vent, les yeux mi-clos sous le rayonnement aveuglant du soleil. Cherchant des proies à l'horizon.

Elle reste près de la fenêtre, écoutant le silence de la ville. Même avec la persienne baissée, l'air chaud de l'extérieur s'infiltre par les fentes. Les jours de fort levant sont terminés, et Cadix ressemble à un navire endormi dans l'eau tiède et calme, encalminé dans sa propre mer des Sargasses. Un vaisseau fantôme dont Lolita Palma serait à elle seule tout l'équipage. Ou l'unique survivante. C'est ainsi qu'elle se sent en ce moment, dans le silence et la chaleur qui l'entourent, adossée au mur, pensant à Pepe Lobo. Son corps est mouillé, la peau de sa nuque humide. De minuscules gouttes de sueur glissent sur la naissance de ses cuisses nues sous la soie.

*

La haute et lourde masse de la Porte de Terre se découpe dans la nuit, sous la voûte fourmillant d'étoiles. Suivant les murs blanchis à la chaux du couvent de Santo Domingo,

Rogelio Tizón tourne à gauche. Une lanterne à huile éclaire le coin de la rue de la Goulette, dont l'angle intérieur est plongé dans l'ombre. Au moment où les pas du policier résonnent à cet endroit, une forme en émerge.

– Bonsoir, monsieur le commissaire, dit la Persil.

Tizón ne répond pas au salut. La matrone vient d'ouvrir une porte, découvrant la lueur d'une chandelle allumée qui brûle de l'autre côté. Elle entre, suivie de Tizón, prend la chandelle et éclaire un étroit couloir aux parois écaillées, qui pue la crasse humide et le poil de chat. Malgré la chaleur de la rue, ce couloir produit une sensation de froid. Comme s'il pénétrait dans une autre saison de l'année.

– Mon amie dit qu'elle fera ce qu'elle peut.

– Je l'espère.

La vieille écarte un rideau. Derrière, se trouve un réduit dont les murs sont tapissés de couvertures de Jerez où pendent des images religieuses, des estampes de saints, des ex-voto en cire et en laiton. Sur un buffet d'une élégance insolite, est disposé un petit autel avec une reproduction du Christ de l'Humilité et de la Patience dans une urne de verre, éclairée par des petites veilleuses qui flottent dans une écuelle d'huile. Le centre de la pièce est occupé par une table couverte d'une grande nappe sur laquelle est posé un bougeoir en laiton avec un cierge dont la mèche allumée dessine des lumières et des ombres sur les traits de la femme qui attend, assise, les mains sur la table.

– La voici, monsieur le commissaire. La Caracole.

Tizón n'ôte pas son chapeau. Il s'installe sans cérémonie sur une chaise vide devant la table, la canne entre les genoux, et regarde la femme. Laquelle, de son côté, l'observe, immobile. Âge indéfinissable, entre la quarantaine et la soixantaine. Cheveux teints en rouge cuivré, visage de Gitane, peau lisse. Des bras nus et bien en chair: celui qu'elle appuie sur la table porte des bracelets en or. Au moins une douzaine, estime le policier. Sur la poitrine, un énorme crucifix, un reliquaire et un scapulaire avec une Vierge brodée qu'il ne parvient pas à identifier.

– J'ai déjà expliqué à mon amie ce qui vous préoccupe, monsieur le commissaire, dit la Persil. Donc je vous laisse seuls.

Tizón acquiesce et se tait, occupé à allumer un cigare, pendant que le bruit des pas de la matrone s'éloigne dans le couloir. Puis il contemple l'autre femme dans un halo de fumée que disperse la flamme du cierge.

– Que peux-tu me dire ?

Un silence. Tizón a entendu parler de la Caracole – son travail consiste à entendre parler de tout le monde –, mais il ne l'a encore jamais vue. Il sait qu'elle est arrivée dans la ville il y a six ou sept ans et qu'elle a été marchande de beignets à Huelva. À Cadix, elle a la réputation d'être très pieuse et d'avoir le don de voyance. Les petites gens viennent lui demander des conseils ou des remèdes. Elle en vit.

La femme a fermé les yeux et marmonne quelque chose d'inaudible. Peut-être une prière. Ça commence mal, se dit Tizón. Le coup classique de la Gitane.

– Il tuera encore…, murmure la voyante au bout d'un moment. Cet homme recommencera.

Elle a une voix étrange, constate Tizón. Torturée et un peu grinçante, qui met mal à l'aise. Ça rappelle le gémissement d'un animal malade.

– Comment sais-tu que c'est un homme ?

– Je le sais.

Tizón tire sur son cigare, pensif.

– Je n'avais pas besoin de venir te voir pour apprendre ça, conclut-il. Je l'avais déjà trouvé tout seul.

– Mon amie m'a dit…

– Écoute, Caracole – le policier a levé une main, impératif –, ne me raconte pas d'histoires. Je suis ici parce que je ne veux rien négliger… Parce qu'on ne sait jamais. Et que je ne perds rien à essayer.

C'est vrai. À force de tout retourner dans sa tête, il a eu cette idée de consulter la voyante. Sans se faire beaucoup d'illusions, naturellement. Il a suffisamment roulé sa bosse pour que ce ne soit pas la première diseuse de boniments qu'il rencontre dans sa vie. Mais il vient de le dire : il ne perd rien à essayer. Ce n'est pas plus déraisonnable ni moins illogique que de constater que l'assassin a tué la dernière fois *avant* que la bombe ne tombe. Après ça, Tizón est convaincu qu'il ne doit négliger aucune possibilité. Aucune idée, si absurde soit-elle. Consulter la Caracole, c'est un tir en aveugle. Un de plus parmi bien d'autres qu'il a faits – et qu'il fera encore, il le craint – depuis le dernier assassinat.

– Vous croyez à la grâce que j'ai reçue de Dieu ?

– Moi ?… Tu veux que je croie à quoi ?

La femme l'observe avec méfiance. Sans répondre. Tizón avive la braise de son cigare en tirant longuement dessus.

– Je ne crois pas à ta grâce ni à celle de personne.

– Alors pourquoi êtes-vous là ?

C'est une bonne question, se dit le policier.

– Je travaille, résume-t-il. J'essaye de vérifier des choses difficiles… Mais attention ! Ton amie a dû te prévenir : avec moi, on ne joue pas.

Un chat noir sort de l'obscurité, contourne les pieds de la table et vient se frotter contre ses bottes. Sale bête.

– Dis-moi seulement si tu vois pour de bon quelque chose qui pourrait m'aider. Sinon, tant pis. Je me lève et je m'en vais… Tout ce que je te demande, c'est de ne pas me faire perdre mon temps.

La Caracole fixe son regard sur un point de l'espace derrière le policier et demeure immobile, sans ciller. Puis elle ferme les yeux – Tizón en profite pour écarter le chat d'un coup de pied – et, un peu plus tard, elle les rouvre. D'un air absent, elle regarde tour à tour le chat qui miaule lamentablement à côté d'elle, et le policier.

– Je vois un homme.

Le commissaire se penche, les coudes sur la table, hargneux. Le cigare fumant au coin de la bouche.

– Ça, tu l'as déjà dit. Ce qui m'intéresse, c'est la relation avec les endroits sur lesquels tirent les Français.

– Je ne comprends pas ce que vous voulez dire.

– Est-ce qu'il y a un rapport entre les deux?... Entre les filles mortes et les bombes?

– Quelles bombes?

– Mais, bon Dieu de merde, celles qui tombent sur Cadix!

La femme semble l'étudier de haut en bas. D'abord déconcertée, ensuite critique.

– Vous êtes un esprit fort, dit-elle au bout d'un instant. Trop incrédule. Alors il est difficile que la grâce de Dieu m'éclaire.

– Fais un effort. Je dois bien croire à quelque chose, puisque je suis ici.

Le regard de la voyante se perd de nouveau derrière Tizón. Maintenant, elle a croisé les mains sur la croix et le scapulaire qu'elle porte sur la poitrine. Le temps approximatif de deux Ave Maria. Après quoi, elle cligne des yeux et hoche la tête.

– Impossible. Je ne peux pas me concentrer.

Tizón ôte son chapeau et se frotte le crâne. Découragé et réprimant l'envie de partir. Puis il se recouvre. Le chat passe de son côté avec d'extrêmes précautions, en décrivant un demi-cercle qui le tient éloigné de ses bottes.

– Essaye encore un peu, Caracole.

La femme soupire et se tourne légèrement vers l'image du Christ sur la commode, comme pour le prendre à témoin de sa bonne volonté. Puis elle recommence à contempler le vide. Trois Ave Maria, cette fois, calcule Tizón.

– Je vois quelque chose. Attendez.

Une brève pause. Elle a fermé à demi les paupières et lève une main, celle des bracelets, dont l'or tinte brièvement.

– Une cave, dit-elle. Un lieu obscur.

Le policier se penche un peu sur la table. Il a ôté le cigare de sa bouche et regarde fixement la Caracole.

– Où?… Ici, dans la ville?

La femme garde les yeux fermés et la main en l'air. Puis elle la déplace en indiquant une direction.

– Oui. Une cave. Un lieu saint.

Tizón fronce les sourcils. Finissons-en, pense-t-il.

– Tu parles de la Sainte Crypte?

Il s'agit d'une église souterraine qui se trouve près du Rosaire. Il la connaît parfaitement, comme tout Cadix : un oratoire consacré au culte. Impossible d'imaginer lieu plus respectable. Si c'est à ce lieu que se réfère la Caracole, conclut le policier, je lui arrache la tête à coups de canne. Et après je le lui brûle, son taudis de merde.

– Tu te fous de moi, ou quoi?

La femme soupire, accablée. Elle se jette en arrière sur sa chaise et regarde le policier d'un air de reproche.

– Je ne peux pas. Vous n'avez pas la foi. Je ne peux pas vous aider.

– Sorcière de pacotille… Qu'est-ce que c'est encore que ce boniment?

Le violent coup de canne qu'il assène sur la table fait sauter le bougeoir qui tombe par terre et s'éteint.

– Je vais te foutre en taule, vieille truie!

La femme s'est levée, apeurée, et recule en levant les mains, craignant un second coup qui lui serait destiné. Les veilleuses du buffet éclairent, faiblement, ses traits décomposés par la panique.

– Si tu parles de ça à quelqu'un, je te jure que je te tue!

Réfrénant son envie de la rouer de coups, le policier fait

demi-tour, se dirige presque en aveugle vers le couloir – il trébuche sur le chat, auquel il expédie un coup de pied sauvage – et sort dans la rue de la Goulette, malade de déception. Après quelques pas, il éclate en jurons qu'il profère dents serrées, avec une férocité systématique, plus honteux et furieux contre lui-même que contre la voyante. Crétin crédule et superstitieux, se répète-t-il en marchant d'un pas rapide dans les ruelles obscures du quartier de Santa María, comme si cette hâte l'aidait à tout laisser derrière lui. Comment as-tu pu imaginer ça un seul instant. Comment as-tu pu. Quelle façon plus absurde, stupide, grotesque, infâme, de te rendre ridicule.

Il ne se calme pas avant le coin de la rue du Figuier, où il s'arrête dans le noir. Une musique confuse de guitares sort des bouges voisins. Des ombres se déplacent ou attendent sous les porches et dans les coins, on entend des bruits de voix masculines, des rires de femmes, des conversations à voix basse. Cela pue la vomissure et le vin. Tizón a jeté son cigare ou l'a perdu en chemin, il ne se souvient plus. Il en tire un autre de l'étui en cuir de Russie, gratte une allumette contre le mur et l'allume en abritant la flamme dans ses mains. « *Les mortels peuvent connaître beaucoup de choses quand ils les voient, mais nul ne devine comment seront les choses à venir* »… Le fragment d'*Ajax* – il sait presque par cœur la traduction du professeur Barrull – lui trotte dans la tête tandis qu'il parcourt les rues étroites du quartier du port, en tirant de longues bouffées de son cigare pour essayer de recouvrer son calme. Il ne s'était jamais senti aussi désorienté, incapable de trouver le moindre signe pour le guider. Jamais non plus il n'avait éprouvé cette amère impuissance qui paralyse sa pensée, en lui donnant l'envie de mugir comme un taureau furieux et tourmenté qui cherche un ennemi invisible – impossible, peut-être – sur qui se venger de sa frustration et de sa colère. C'est comme se heurter à un mur : un mur de mystère, de silence, contre lequel ne peuvent rien son expérience, sa raison, ses vieilles recettes de policier. Depuis que tout a commencé, Cadix n'est plus pour Rogelio Tizón le terrain familier, le domaine connu sur lequel il s'est toujours déplacé avec aisance, impunité et cynisme. La ville s'est transformée en un échiquier hostile, plein de cases étranges, d'angles ténébreux jusque-là inconnus. Un casse-tête fait de traits géométriques dont il n'a pas la clef, avec une multitude de pièces insoupçonnées qui défilent sous ses yeux comme un défi ou une insulte. Quatre pièces perdues, jusqu'à maintenant. Et pas un seul indice. Cela signifie une gifle qui se répète chaque jour, tandis que le temps passe et qu'il continue à rester cloué sur place, perplexe. Dans l'attente d'un éclair de lucidité, d'un signal, d'une vision du jeu qui n'arrivent jamais. Qu'il ne voit jamais.

Il marche un bon moment, en balançant sa canne. Sur une petite place, face à la tour de la Merced, brille une lanterne de carton et de papier vert, sous laquelle une femme fait les cent pas ; elle a la tête nue, une petite cape sur les épaules. Quand le policier passe près d'elle, elle s'arrête, provocante, pour rajuster sa cape en montrant du même coup son corsage échancré et sa taille. La lumière verte éclaire ses traits. Elle est jeune. Très. Seize ou dix-sept ans. Tizón ne la connaît pas ; il s'agit sans doute d'une fille arrivée dans la ville parmi le flot des réfugiés, poussée par la faim et la guerre. L'utilité d'être une femme dans une époque comme celle-là, se dit-il cyniquement, est que ça vous procure toujours de quoi manger.

– Vous voulez passer un bon moment, monsieur ?

– Tu as tes papiers ?

La fille change d'expression ; au ton et à la manière, elle devine le policier. D'un geste las, elle glisse une main sous sa robe et sort un certificat portant le timbre officiel qu'elle exhibe à la lumière de la lanterne. Tizón ne le regarde même pas. C'est elle qu'il observe : peau claire, plutôt blonde, formes agréables. Des cernes de fatigue sous les yeux. Le plus probable est que c'est lui-même, ou un de ses subordonnés, qui a tamponné le papier, après perception du tarif en vigueur ou en paiement de quelque service de sa maquerelle ou de son souteneur. Vivre, se faire payer et laisser vivre, telle est la norme. La fille range le papier et regarde la rue en attendant que le policier la laisse tranquille. Celui-ci la contemple calmement. C'est bien possible qu'elle n'ait pas plus de quinze ans.

– Où fais-tu ça ?

Un geste résigné. Las. La fille continue de regarder le bout de la rue. Elle indique à contrecœur un porche voisin.

– Là-bas.

– Allons-y.

Rogelio Tizón ne paie pas les putes. Il couche avec elles quand il en a envie. Gratis. C'est là un de ses privilèges dans la ville : l'impunité officielle. Parfois il débarque dans le bordel de la veuve Madrazo – une maison élégante de la rue Cobos –, dans celui de Madame Rosa ou d'une Anglaise d'âge mûr qui tient commerce derrière le Mentidero. Il fait aussi des incursions sporadiques, selon son humeur, dans des lieux plus sordides de la ville, Santa María ou une des rues obscures face à la Porte de la Caleta. Le commissaire n'est pas homme à faire preuve de la moindre gentillesse envers ce genre de femme. Ni envers aucune autre. Tout ce qu'il y a de chair à louer sur le marché de Cadix sait que Rogelio Tizón n'est pas de ceux qui laissent un bon souvenir. Toutes les femmes qui ont quelque rapport avec lui, qu'elles soient putains ou non, le regardent avec méfiance quand elles croisent son chemin. Mais il s'en moque bien. Pour lui, les putes sont faites pour être putes. Ou pour découvrir qu'elles le sont, quand elles ne le savent pas. Il y a aussi diverses manières d'imposer le respect. La peur en est une. Bonne alliée, souvent, de l'efficacité.

Une pièce sordide, au rez-de-chaussée. Une vieille en deuil à la porte, qui disparaît comme un fantôme dès qu'elle reconnaît – et elle, sans hésitation – le policier. Une paillasse, oreiller et draps, une cuvette avec un broc d'eau, un méchant bougeoir avec une seule chandelle allumée. Et aussi une obscène odeur de lieu clos. De tous les corps nus qui ont précédé cette visite.

– Qu'est-ce que vous voulez que je fasse, monsieur ?

Tizón est debout, immobile, il l'observe. Il a gardé son chapeau sur la tête et sa canne à la main, le mégot de cigare qu'il tient dans ses doigts fume encore. Une fois de plus, il essaye de comprendre, sans y parvenir. Son attitude rappelle celle d'un musicien qui cherche à capter une note étrangère et dissonante, totalement déplacée. D'un chasseur qui regarde un paysage où il devine un battement d'ailes proche, ou l'agitation d'un buisson. Le commissaire reste ainsi sans quitter la fille des yeux. Tentant de lire en elle des clefs et des horreurs auxquelles même lui est incapable d'avoir accès. Confronté, une fois de plus impuissant, au mur de mystère et de silence.

Elle enlève sa robe, indifférente. Mécanique. Cela saute aux yeux que, malgré son extrême jeunesse, elle a l'habitude. Lacets du corsage, jupon, bas, chemise longue qui lui tient lieu de la culotte qu'elle ne porte pas. Après quoi, elle reste immobile, nue, à la lueur de la chandelle qui éclaire de côté son corps gracile et bien formé, les seins jumeaux petits et blancs, la courbe d'une hanche et les jambes fines. Plus fragile encore. Elle fixe le policier comme si elle attendait des instructions. Comme si elle était déconcertée par tant de passivité et de silence. Tizón aperçoit de la méfiance et de l'appréhension dans ses yeux. Un type bizarre, mon Dieu aidez-moi, semblent-ils exprimer. Un détraqué, peut-être.

– Allonge-toi sur le lit. À plat ventre.

Le soupir qu'elle émet est presque inaudible. Elle imagine, ou elle sait, ce qui l'attend. Obéissante, elle va à la paillasse, s'étend dessus, les jambes jointes et les bras écartés. Enfonçant le visage dans l'oreiller. Ce n'est pas la première fois qu'ils la font crier, en déduit Tizón. Et pas de plaisir. Quand il jette le mégot et s'approche, il constate des traces violacées, des bleus sur une cuisse et sur une hanche. Un client particulièrement ardent, sans doute. Ou son maquereau pour bien mettre les choses en place.

« *Attachée debout contre une colonne avec une courroie de cheval, la frappant d'un fouet double et l'accablant de paroles insultantes qu'un démon seul, et non un homme, lui a enseignées* »… Les paroles d'*Ajax* défilent avec une précision sinistre dans l'esprit du policier. Voilà comment ça se passe, se dit-il, en regardant le corps nu de la fille. C'est comme ça qu'il les tient quand il les fouette jusqu'à leur arracher la chair des os et qu'il les tue. Il a levé sa canne et, de la pointe, parcourt le dos de la pute depuis la nuque. Il le fait très lentement, attentif à chaque pouce de peau. Essayant de comprendre, en franchissant l'abîme de l'horreur, ce que peuvent être les motivations et les pensées de l'homme auquel il prétend donner la chasse.

– Écarte les jambes.

La fille obéit en frissonnant. La canne suit son lent trajet. Jusqu'aux fesses. Le bois transmet à la tête de bronze la vibration de plus en plus violente qui secoue le corps de la fille. Elle continue d'enfouir son visage dans l'oreiller. Ses mains crispées froissent les draps en les serrant dans leurs doigts. Maintenant, elle tremble de peur.

– Non, s'il vous plaît, finit-elle par gémir, suppliante, d'une voix étouffée… S'il vous plaît !…

Un étrange frisson d'horreur parcourt Tizón en lui hérissant la peau et le secoue de la tête aux pieds comme s'il venait de se pencher réellement sur le bord d'un abîme. Il a l'impression d'avoir reçu un coup qui l'étourdit : une vision d'une noirceur insondable, terrifiante, qui le bouleverse et le fait reculer en titubant. Il heurte la cuvette et le broc qui roulent par terre à grand fracas en se vidant de leur eau. Le bruit le fait revenir à lui. Un instant, il reste immobile, la canne à la main, regardant avec stupeur le corps nu à la lueur de la chandelle. Puis il sort un doublon de deux écus de la poche de son gilet – ses doigts sont plus froids que l'or de la pièce – et le lance sur les draps, près de la fille. Après quoi, dans un silence presque total, il fait demi-tour, sort de la maison et s'éloigne lentement dans la nuit.

*

Des colonnes de fumée noire s'élèvent du Trocadéro jusqu'à Puntales, suivant le contour de la baie. Cela fait trente-deux heures que Simon Desfosseux ose à peine passer la tête par-dessus les parapets, car on se bat sur toute la ligne. Il ne s'agit pas cette fois de bombardements précis sur Cadix ou des positions avancées comme Puntales, la Carraca et le pont de Zuazo, mais d'un duel d'artillerie de tous calibres qui oppose batteries et fortifications espagnoles et françaises. Un échange furieux où chacun reçoit autant qu'il donne. Il a commencé hier très tôt, quand, mettant fin aux rumeurs adverses d'un débarquement espagnol à Algésiras et d'actions de bandes irrégulières entre la côte et Ronda, les guérillas ont traversé le canal de l'île de León et attaqué les positions avancées françaises proches de Chiclana. L'action, dirigée surtout contre l'auberge de l'Olivar et la maison de la Soledad, a été appuyée par les chaloupes canonnières de Zurraque, Gallineras et Sancti Petri, qui se sont enfoncées dans les étiers en entretenant un feu nourri. Celui-ci s'est répandu le long de la ligne à mesure que, des deux côtés, se déclenchaient les tirs de contrebatterie sur les positions ennemies et s'est terminé en bombardement généralisé, y compris après le repli des Espagnols ; lesquels, après avoir détruit et tué tout ce qu'ils pouvaient, sont repartis en emmenant prisonniers et armements, en enclouant les canons et en faisant sauter les dépôts de matériel et de munitions. Les guérillas, d'après ce que rapportent les éclaireurs qui ont ordre de patrouiller le long du front, ont repassé le canal ce matin au lever du jour, en attaquant les retranchements avancés de la saline de la Polvera et les moulins d'Almansa et de Montecorto ; et, à cette heure, on s'y bat toujours, pendant que toute la partie orientale de la baie poursuit la canonnade. La situation est si critique que le capitaine Desfosseux lui-même, exécutant les ordres supérieurs, a dû s'occuper de diriger le feu des batteries conventionnelles de la Cabezuela et du fort Luis sur le fort espagnol de Puntales, qui se trouve à moins de 1 000 toises, sur la barrière de récifs qui ferme la baie dans sa partie la plus étroite, face au Trocadéro.

Les détonations font trembler le sol et ébranlent les parapets de planches, de sacs de sable et de fascines. Accroupi derrière, regardant avec une longue-vue par une meurtrière, Desfosseux maintient la lentille à une distance raisonnable de son œil droit, depuis qu'un impact d'artillerie qui a tout fait vaciller a failli la lui enfoncer dans le globe oculaire. Cela fait un jour et demi qu'il n'a pas dormi, qu'il n'a mangé que du pain de munition rassis et dur, et qu'il n'a bu que de l'eau boueuse : car avec le bombardement qui a couché plusieurs soldats, les tripes à l'air, aucun fourrier ne prend le risque de se déplacer à découvert. Le capitaine est sale, suant, et une couche de poussière soulevée par les explosions lui couvre les cheveux, le visage et les vêtements. Il ne peut pas se voir, mais il lui suffit de jeter un coup d'œil sur n'importe lequel de ceux qui l'entourent pour savoir qu'il a le même aspect hâve, affamé et misérable, les yeux rougis pleurant de la poussière liquide qui laisse des sillons sur les faces transformées en masques de terre.

Le capitaine dirige la longue-vue sur Puntales, petit et compact derrière ses murs assis sur les rochers noirs du récif que la marée descendante commence à découvrir. Vu de ce côté de la frange d'eau, flanqué à un mille et demi à droite de l'énorme fortification de la Porte de Terre et à gauche de la non moins solide et impressionnante Coupure, le fort espagnol ressemble à la proue d'un navire obstiné et immobile, avec les six meurtrières de la partie frontale et leurs canons orientés vers le point d'où Desfosseux les observe. Par intervalles, avec une régularité méthodique, une de ces meurtrières crache un éclair et, quelques instants après la détonation, arrive l'explosion d'un projectile ennemi, grenade ou boulet de fer massif, frappant la batterie française. Les artilleurs français ne restent pas non plus les bras croisés, et le feu régulier des canons de siège de 24 et 18 livres, et des obusiers de 8 pouces fait voler de la terre et des pierres à chaque impact sur le fort espagnol, voilant par moments le drapeau qui flotte au sommet comme un défi – les défenseurs en hissent un nouveau tous les quatre ou cinq jours, quand le précédent n'est plus qu'une loque déchiquetée par la mitraille. Ce n'est pas d'aujourd'hui que le capitaine admire, de professionnel à professionnel, le solide savoir-faire des artilleurs de l'autre bord. Forts de dix-huit mois de bombardements réciproques, ils ont acquis une adresse et une ténacité à toute épreuve. Cela semble naturel à Desfosseux chez les Espagnols : paresseux, indisciplinés et manquant de fermeté en terrain découvert, ils sont audacieux quand la colère ou la passion de tuer les emporte, et leur caractère obstiné et fier les rend terribles dans la défense. Ils oscillent ainsi continuellement entre leurs revers militaires, leurs absurdités politiques et leurs aberrations religieuses d'une part, et le patriotisme aveugle et sauvage, la constance quasi suicidaire et la haine de l'ennemi d'autre part. Le fort de Puntales en est un exemple évident. Sa garnison vit enterrée sous un bombardement français continu, mais ne cesse pas pour autant de rendre, implacable, bombe pour bombe.

À cet instant, il en tombe une dans le retranchement contigu, près des canons de 18 livres. C'est une grenade noire – on l'a presque vue arriver dans l'air – qui frappe le bord du parapet supérieur et roule au pied d'un épaulement de terre et de sacs, en laissant derrière elle la traînée de fumée de son espolette sur le point d'exploser. Le capitaine, qui s'est légèrement redressé pour voir où elle tombait, entend les cris des artilleurs de la pièce la plus proche, qui se jettent à plat ventre sur le plancher supportant les affûts ou s'abritent où ils peuvent. Puis, tandis qu'il baisse la tête et se recroqueville à côté de sa meurtrière, l'explosion de la charge fait trembler le retranchement, et une volée de terre, de débris et d'éclats se répand de toutes parts. La terre retombe encore quand il perçoit un hurlement déchirant et interminable. Relevant la tête, le capitaine voit des hommes courir vers celui qui crie : un artilleur dont le moignon d'une cuisse – le reste de la jambe s'est volatilisé – répand un flot de sang.

– Pas de pitié pour ces bandits ! crie le lieutenant Bertoldi, qui se jette au milieu des artilleurs pour les stimuler. Œil pour œil !… Vengeons notre camarade !

Les braves garçons, se dit Desfosseux, en voyant les soldats se presser autour des canons, charger, pointer et tirer de nouveau. Avec tout ce qu'ils endurent ici et tout ce qui les attend, ils sont encore capables de s'encourager les uns les autres, forts de la résignation stoïque devant l'inévitable qui caractérise le soldat français. Même après un an et demi d'enlisement dans ce pourrissoir destructeur de vies et d'espérances qu'est Cadix, trou du cul de l'Europe et ulcère de l'Empire, avec cette maudite Espagne rebelle réduite à une île imprenable.

La canonnade est maintenant furieuse dans le retranchement, augmentant sa cadence – il faut garder constamment la bouche grande ouverte pour ne pas avoir les tympans crevés –, et Puntales est à peine visible dans les nuées que soulèvent les impacts qu'il reçoit, l'un après l'autre, et qui rendent son feu muet pendant un moment.

– On fait ce qu'on peut, mon capitaine.

Secouant la terre de sa veste, tête nue et un sourire sceptique coincé entre les favoris blonds et sales, le lieutenant Bertoldi s'est arrêté près de la meurtrière où se tient Desfosseux avec sa longue-vue. Il se hausse sur la pointe des pieds pour observer les positions ennemies, puis s'adosse au parapet et regarde des deux côtés.

– C'est idiot... Tout ce vacarme et cette poudre pour rien.

– L'ordre est de bombarder les manolos sur toute la ligne, répond Desfosseux, fataliste.

– Et on s'y emploie, mon capitaine. Mais nous perdons notre temps.

– Un jour, vous vous ferez arrêter par les gendarmes, Bertoldi. Pour défaitisme.

Les deux militaires se regardent en échangeant une mimique désolée et complice. Puis Desfosseux s'informe de la situation, et le lieutenant, qui vient de rentrer d'une inspection en risquant sa peau dans le tonnerre des bombardements – la précédente a été faite par le capitaine, aux premières lueurs du jour –, présente son rapport : un mort et trois blessés à la Cabezuela. Au fort Luis, cinq blessés, dont deux à l'agonie, et un canon de 16 hors d'usage. Quant à la situation dans les positions ennemies, il n'en a pas la moindre idée.

– Je suppose que, tous autant qu'ils sont, ils nous font des bras d'honneur, conclut-il.

Desfosseux regarde de nouveau dans la longue-vue. Sur le chemin du Récif, entre Puntales et la ville, il aperçoit un mouvement de voitures et de gens à pied. Il s'agit sûrement d'approvisionnements pour l'Île, avec une escorte nombreuse. Ou de renforts. Il passe l'instrument à Bertoldi en lui indiquant la direction, et celui-ci, fermant un œil, colle l'autre à l'oculaire.

– Faites tirer sur eux, lui dit le capitaine. Je vous prie.

– À vos ordres.

Bertoldi rend la longue-vue et s'éloigne en direction des canons de 24 livres. Délibérément, Simon Desfosseux laisse en dehors de toute cette folie bruyante – et absurde, pense-t-il à l'instar de son adjoint – les précieux Villantroys-Ruty. Comme un géniteur attentionné qui tiendrait ses enfants à l'écart des dangers et des embûches du monde, le capitaine maintient en marge du duel d'artillerie Fanfan et les autres obusiers de 10 pouces qu'il utilise pour tirer sur Cadix. Ces pièces superbes et délicates, spécialisées dans leur fonction concrète d'allonger leur portée, toise après toise, vers le cœur de la ville, ne peuvent gaspiller leur bronze bien fondu, leurs capacités et leur durée de vie – dans des engins d'un tel calibre, celle-ci est limitée, constamment exposée à une faille imperceptible ou à un minuscule défaut dans l'alliage – à des efforts qui n'ont rien à voir avec la mission pour laquelle ils ont été conçus. C'est pourquoi, dès le début de la canonnade générale, le sergent Labiche et ses hommes se sont occupés, avant toute chose, d'exécuter les instructions de Desfosseux pour ce type de situation : empiler davantage de sacs de terre et de fascines autour des obusiers et les couvrir de bâches épaisses pour les protéger de la poussière, des pierres et des éclats. Et chaque fois qu'une bombe s'écrase à proximité, menaçant de tomber en plein sur la redoute et de démonter les pièces de leurs affûts, le capitaine sent son cœur tenaillé par l'angoisse à l'idée que l'une d'elles pourrait être mise hors de service. Il souhaite que cesse ce bombardement chaotique et absurde, que la vie des assiégés et des assiégeants retrouve son train-train habituel, et qu'il puisse continuer à s'occuper de la seule chose qui lui importe : gagner les 200 toises qui, sur le plan étalé dans sa baraque, séparent encore la portée maximale des bombes tombées sur Cadix – jusqu'à maintenant sur la tour Tavira et la rue San Francisco – du clocher de l'église de la place San Antonio.

9

Ciel gris, plombé. Température convenable. Sur les tours de vigie de la ville, l'automne déchiquette les nuages sales du vent de ponant.

– J'ai un problème, dit le Mulâtre.

– Moi aussi, répond Gregorio Fumagal.

Ils s'observent en silence, chacun pesant la gravité de ce qu'il vient d'entendre. Les conséquences pour sa propre sécurité. Telle est, tout au moins, l'impression de Fumagal. Il ne goûte guère la manière dont le contrebandier sourit pendant qu'il tourne la tête pour regarder d'un côté puis de l'autre les gens qui circulent au milieu des étals du marché de la place San Juan de Dios. Un sourire qui n'annonce rien de bon, un rien ironique. Si tu crois avoir des problèmes, semble-t-il signifier, attends un peu de connaître les miens.

– Parlez le premier, dit enfin le Mulâtre, d'un ton las.

– Pourquoi ?

– Ce que j'ai à dire sera long.

Un autre silence.

– Les pigeons, risque prudemment le taxidermiste.

– Qu'est-ce qu'ils ont, les pigeons ? – L'autre semble surpris.

– La dernière fois, je vous en ai livré douze, dans trois paniers.

– Il fait un geste discret en direction de la Porte de Mer voisine et de l'autre rive de la baie. – Des pigeons de race belge, comme toujours. Élevés là-bas… Ils devraient suffire, je suppose.

– Vous supposez mal. Un chat est entré dans le pigeonnier. Je ne sais pas comment, mais il l'a fait. Résultat : un vrai carnage.

Le contrebandier regarde Fumagal, incrédule.

– Un chat ?

– Oui. Il n'en a laissé que trois vivants.

– Brave chat !... Un vrai patriote !

– Je ne trouve pas ça drôle.

– Il doit déjà être empaillé, à cette heure. Ou en bonne voie de l'être.

– Je ne l'ai pas attrapé à temps.

Fumagal se rend compte que le Mulâtre le regarde d'un air bizarre, comme s'il se demandait s'il parle sérieusement, pendant que tous deux font quelques pas sans ouvrir la bouche. Lui aussi se pose la question. C'est le milieu de la matinée, et les bruits de voix qui remplissent l'espace entre le port et l'Hôtel de Ville mêlent tous les accents de la Péninsule, de l'Outre-mer et de l'étranger : réfugiés de diverses conditions, Gaditanes paniers au bras qui grignotent des cornets de crevettes, portefaix qui coltinent couffins et paquets, majordomes qui font leurs achats quotidiens, individus portant bonnets, calottes, larges chapeaux de paille ou foulards sur la tête, vêtements bleus et bruns de marins.

– Je ne comprends pas pourquoi nous nous voyons ici, proteste le taxidermiste, de mauvaise humeur. Ce n'est pas un endroit discret.

– Vous auriez préféré me voir chez vous ?

– Évidemment pas. Mais ce lieu...

Le Mulâtre hausse les épaules. Il est vêtu comme toujours : espadrilles et chemise ouverte sur la poitrine, pantalon délacé sur le côté et sans bas. Il porte à la main un grand sac de toile grossière. Sa mise négligée contraste avec le chapeau et la redingote marron de Fumagal.

– Vu la façon dont les choses se présentent, c'est ce qu'il y a de mieux.

– Les choses ? – Le taxidermiste se tourne à demi, inquiet. – Que voulez-vous dire ?

– Ça : les choses.

Ils font quelques pas sans que le Mulâtre parle davantage. Il se borne à se mouvoir à sa manière africaine, sur un rythme balancé et indolent. Fumagal, mal à l'aise – il a toujours détesté le contact physique avec ses semblables –, essaye d'esquiver les chalands qui se pressent devant les étals. Cela sent la fumée de l'huile des vendeurs de poisson frit, voisins de ceux qui proposent sous des stores en vieilles voiles des fruits de mer encore mouillés. Plus loin, collés aux façades des maisons, se trouvent les étals de légumes et de viande, surtout du porc, lard, saindoux, ainsi que des poules vivantes et des quartiers de bœuf importés du Maroc. Tout vient de l'extérieur, en bateau, déchargé sur le port et les plages atlantiques du Récif ; à Cadix, il n'y a pas un empan de sol cultivé, ni une seule bête de boucherie. L'espace manque.

– Vous m'avez parlé d'un problème, dit enfin le taxidermiste.

Les lèvres épaisses de l'autre se contractent pour dessiner une moue désagréable.

– La nasse se resserre.

– Pardon ?

Le Mulâtre fait un geste derrière lui, vers la Porte de Mer, comme si quelqu'un le collait de près.

– Je veux dire qu'ils me tiennent plus à l'œil qu'un crabe caillou.

Fumagal baisse la voix.

– Ils vous tiennent à l'œil ?… Qu'est-ce que vous voulez dire ?

– Ils rôdent autour de moi, en posant des questions.

– Qui ?

Pas de réponse. Le Mulâtre s'est arrêté devant un étal où

les poissons roulent des yeux blancs et les sardines ont la tête écarlate. Il fronce son nez camus comme s'il en respirait l'odeur.

– C'est pour ça que j'ai préféré vous voir ici, dit-il enfin. Pour montrer que je n'ai rien à cacher.

– Vous êtes fou?... Ils sont peut-être en train de vous suivre.

Le contrebandier penche la tête d'un côté, considérant cette possibilité, puis acquiesce avec beaucoup de calme.

– Je ne dis pas non. Mais nous pouvons nous voir de façon innocente. Vous m'avez commandé une bestiole pour votre collection, par exemple... Voyez. Je vous apporte un perroquet américain de toute beauté.

Il a ouvert le sac et en montre le contenu, qu'il sort pour bien l'exhiber devant d'éventuels regards inopportuns : bec jaune moyen et quinze pouces de haut, le plumage couleur vert jardin et les plumes latérales rouges. Fumagal reconnaît un chrysotis de l'Amazone ou du golfe du Mexique, il en est presque sûr. Un beau spécimen.

– Mort, comme vous l'aimez. Sans poison pour l'abîmer. Je lui ai planté ce matin une aiguille dans le cœur, ou pas loin.

Il remet le volatile dans le sac et le lui donne. C'est un cadeau, ajoute-t-il. Cette fois, je ne demande rien. Le taxidermiste regarde autour de lui à la dérobée. Personne de suspect ne les surveille, dans la foule. Ou ne semble le faire.

– Vous auriez pu me prévenir par écrit, objecte-t-il.

Le Mulâtre ne se gêne pas pour esquisser un ricanement.

– Vous oubliez que je sais seulement écrire mon nom et pas grand-chose de plus... Et puis ça ne me viendrait pas à l'idée de laisser traîner des papiers. On ne sait jamais.

Maintenant Fumagal regarde derrière lui, là où le marché se transforme, près de la Porte de Mer et du rétrécissement du Boquete, en lieu de vente de vêtements usagés et d'objets venant des bateaux, porcelaine ébréchée des Indes orientales, terres cuites ou étains, instruments de marins et babioles de toutes sortes. De l'autre côté de la place, à la porte d'une taverne située au coin de la rue Neuve que fréquentent consignataires et capitaines marchands, des hommes bien habillés lisent des journaux ou contemplent le va-et-vient des passants.

– Vous me mettez en danger.

Le Mulâtre fait claquer sa langue. Il n'est pas d'accord.

– Vous êtes en danger depuis longtemps, monsieur. Comme moi… Ça fait partie du métier.

– Et pour quelle raison m'avez-vous donné ce rendez-vous ?

– Pour vous dire que je mets les voiles.

– Comment ?

– Je m'en vais… Vous n'aurez plus de messager pour l'autre bord.

Le taxidermiste fait plusieurs pas avant de digérer la nouvelle. Soudain, la pénible certitude le prend que quelque chose de sinistre est en train de se refermer sur lui. Une solitude supplémentaire, inattendue et périlleuse. Même avec sa redingote boutonnée jusqu'au cou, il a froid.

– Nos amis le savent ?

– Oui. Et ils sont d'accord. Ils me chargent de vous dire qu'ils prendront contact… Que vous continuiez à les informer, si vous pouvez.

– Et comment savent-ils que je ne suis pas surveillé, moi aussi ?

– Ils ne le savent pas. En tout cas, si j'étais à votre place, je brûlerais tous les papiers compromettants. Au cas où.

Fumagal pense à toute vitesse, mais ce n'est pas facile de calculer les risques et les probabilités. De mesurer ce que seront ses forces dans l'avenir. Le Mulâtre a été jusqu'aujourd'hui son seul contact avec le monde extérieur. Sans lui, il restera pour une bonne part muet et aveugle. Privé d'instructions et abandonné à son sort.

– Envisagent-ils la possibilité que je puisse moi aussi quitter Cadix ?

– Ils vous laissent décider. Évidemment, ils préféreraient que vous continuiez à prendre le vent. Que vous demeuriez ici tant que vous le pourrez.

Le taxidermiste réfléchit en regardant l'Hôtel de Ville – sur lequel flotte le pavillon rouge et jaune de la Marine royale que presque tout le monde a désormais adopté à terre. Il peut se tenir tranquille, c'est vrai. Hiberner comme un ours, sans bouger le petit doigt jusqu'à ce qu'on lui envoie une autre liaison. Se terrer en attendant que tout redevienne normal. La question est de savoir combien de temps ça durera. Et ce qui se passera à Cadix pendant cela. Il n'est sûrement pas le seul agent sur place, mais ça ne lui sert à rien. Il a toujours fonctionné comme s'il l'était.

– Et vous croyez, vous, que je vais rester ?

Nouveau claquement de langue, indifférent. Le Mulâtre s'est arrêté devant un petit étal où sont exposés, pêle-mêle, des papillons cubains, des savons à barbe, des mèches d'amadou, des miroirs de poche et autres bimbeloteries.

– Ce que vous faites n'est pas mon affaire, monsieur. Chacun suit ses envies. Les miennes sont de partir d'ici avant de me retrouver avec le cou dans un collier de fer.

– Sans pigeons, je ne peux pas communiquer. Toute autre solution est lente et dangereuse.

– Je verrai si je peux arranger ça. Sur ce point, je ne pense pas qu'il y ait de difficultés.

– Quand pensez-vous partir ?

– Dès que possible.

Laissant la place derrière eux, les deux hommes font halte au coin de la rue Sopranis, sous la tour de la Miséricorde. À la porte de l'Hôtel de Ville, une sentinelle de la milice urbaine, baïonnette au canon, chapeau rond et guêtres blanches, est adossée à une colonne des arcades, l'air peu martial, occupée à bavarder avec deux jeunes femmes.

– Bien, dit le Mulâtre. Il ne reste qu'à nous dire adieu.

Il observe le taxidermiste avec un intérêt inhabituel, et celui-ci devine aisément ce qu'il pense. Que peut-il comprendre à ses idées ? Quel genre de fidélités peut-il professer ? Du point de vue du Mulâtre, pratique et mercenaire, tout ça ne vaut pas un clou.

– Si j'étais vous, je partirais sans hésiter, ajoute brusquement le contrebandier. Cadix devient dangereux. Et vous connaissez le proverbe : tant va la cruche à l'eau… Le pire des dangers n'est pas d'être attrapé par les militaires, ou la police. Rappelez-vous ce qu'a subi ce pauvre type, il y a quelques jours, battu à mort et pendu par les pieds.

À ce souvenir récent, le taxidermiste a la bouche sèche. Un malheureux étranger a été accusé à grands cris dans la rue d'être un espion français. Poursuivi par la foule, sans trouver où se réfugier, il a été roué de coups et son cadavre a été exposé devant les Capucins. On n'a même pas réussi à savoir son nom.

Maintenant, le Mulâtre se tait. Le demi-sourire qui se dessine sur ses lèvres n'est plus insolent, comme d'habitude. Plutôt songeur. Ou curieux.

– À vous de voir. Mais si vous voulez mon avis, n'attendez pas trop longtemps le coup de tabac.

– Dites-leur que je reste ici pour le moment.

Pour la première fois depuis qu'ils se connaissent, l'homme regarde Fumagal avec une expression qui ressemble à du respect.

– Bien, conclut-il. Après tout, monsieur, c'est de votre cou qu'il s'agit.

*

387

Solennel est bien le mot. Derrière la table présidentielle, flanqué de deux soldats impassibles des Gardes du corps et au-dessus d'un fauteuil vide, le jeune Ferdinand VII préside l'assemblée – avec, de l'avis de Lolita Palma, une inquiétante nonchalance – sous la forme d'un portrait accroché sous le dais de l'oratoire de San Felipe Neri, entre des colonnes ioniques de stuc et de carton doré. Le grand autel et les autels latéraux sont recouverts de voiles. Aux deux tribunes situées dans l'amphithéâtre, entourées de bancs et de canapés disposés en deux demi-cercles, les interventions des députés se succèdent. Même si alternent soie et drap, soutane et vêtement séculier, habit à la mode et coupe datant de temps révolus, la sobriété du noir et du gris domine chez ces gens respectables qui représentent, aux Cortès constituantes de Cadix, l'Espagne de la Péninsule et de l'Outre-mer.

C'est la première fois que Lolita Palma assiste à une séance. Vêtue de violet très sombre, châle fin de cachemire, chapeau anglais de toile attaché sous le menton par un ruban et dont les bords encadrent le visage. L'éventail est chinois, noir, avec un paysage de fleurs peintes. D'ordinaire, l'entrée des dames dans l'enceinte de l'oratoire n'est pas autorisée ; mais cette journée est exceptionnelle et, de plus, elle est invitée par des députés amis : l'Américain Fernández Cuchillero et Pepín Queipo de Llano, comte de Toreno. Elle est émue par la solennité passionnée qui régit les débats, le ton ardent de ceux qui interviennent et la gravité avec laquelle le président dirige la séance. Celle-ci est consacrée non seulement au texte constitutionnel que prépare l'assemblée, mais également à la guerre et aux autres affaires de gouvernement ; car les Cortès sont – prétendent être – la représentation du roi absent et la tête de la nation. On débat aujourd'hui du libre commerce que la Couronne britannique exige avec les ports d'Amérique. C'est ce qui a décidé Lolita à accepter l'invitation dans l'espoir de satisfaire sa curiosité ; la question la touche de près. Elle est accompagnée, entre autres connaissances du monde gaditan des affaires, des Sánchez Guinea, père et fils. Tous occupent des sièges dans la tribune des invités, face au corps diplomatique où figurent l'ambassadeur Wellesley, le ministre plénipotentiaire des Deux-Siciles, l'ambassadeur du Portugal et l'archevêque de Nicée, nonce du pape. Il n'y a pas beaucoup de public dans les galeries supérieures de l'oratoire, destinées au petit peuple : celle du haut est vide et l'autre est occupée par une trentaine de personnes, en majorité des gens du commun à l'air oisif, quelques étrangers, et des rédacteurs de journaux qui, attentifs, prennent tous les discours en note par le procédé moderne et rapide de la tachygraphie.

Ce qui se dit dans la salle est que la loyauté due a des alliés de bonne foi est une chose, mais que se livrer aveuglément à des intérêts commerciaux rivaux en est une autre. Pour l'instant, la parole est au député valencien Lorenzo Villanueva – Miguel Sánchez Guinea donne à Lolita Palma les noms de ceux qu'elle ne connaît pas –, un prêtre aux idées réformistes modérées, dont les manières sont aussi affables que la vue est courte. L'ecclésiastique dit partager la préoccupation, déjà exprimée par son ami monsieur Argüelles, face aux libertés du commerce de contrebande que, en échange de l'aide apportée à l'Espagne dans sa guerre contre Napoléon et sous prétexte de collaborer à la pacification des provinces rebelles d'Amérique, l'Angleterre pratique depuis un certain temps dans les ports de ce continent. Villanueva craint que les traités commerciaux exigés par Londres ne portent un préjudice irréparable aux intérêts espagnols de l'Outre-mer. Etcetera.

Lolita qui écoute avec attention constate que, comme elle s'y attendait, les ecclésiastiques sont nombreux dans l'assemblée ; et que beaucoup d'entre eux, malgré leur état religieux, sont partisans de la souveraineté nationale face à l'absolutisme royal. De toute manière, tout Cadix sait que, en dehors d'un nombre réduit de convaincus des deux bords – réformistes radicaux d'un côté et monarchistes intransigeants de l'autre –, la position du gros des députés est flexible : selon les questions à débattre, surgissent entre eux des attitudes diverses et mêlées, parfois de surprenants paradoxes idéologiques. En général, la majorité se montre favorable aux réformes, malgré sa filiation originelle, catholique et monarchique. D'ailleurs, dans le climat libéral qui est le propre de Cadix, les partisans de la nation souveraine jouissent de plus de sympathies que les défenseurs du pouvoir absolu du roi. Cela permet aux premiers – plus brillants, en outre, en matière d'art oratoire – d'imposer facilement leurs points de vue, et met leurs adversaires sous une forte pression de l'opinion publique dans une ville radicalisée par la guerre, dont les classes populaires peuvent se transformer, si l'on en perd le contrôle, en éléments dangereux.

Telle est la raison, aussi, pour laquelle certaines questions délicates sont débattues en séances secrètes, sans public. Lolita sait que le problème des Anglais et de l'Amérique est de ceux qui sont traités à huis clos. Ce qui n'est pas sans susciter des rumeurs et des inquiétudes auxquelles on tente très politiquement de mettre un terme, comme aujourd'hui, par une séance publique. Néanmoins, tout se révèle plus polémique qu'on ne l'avait prévu. Le comte de Toreno vient de prendre la parole pour montrer un libelle affiché sur certains murs de la ville, dont le titre est *La Ruine des Amériques occasionnée par le libre commerce avec les étrangers*. On y critique les facilités accordées aux négociants et navires anglais, et l'on y attaque les députés américains présents aux Cortès qui demandent l'ouverture de tous les ports et la liberté de commerce. Mais, y est-il dit aussi, les villes espagnoles qui seraient les principales lésées doivent faire entendre leur voix. Leurs intérêts sont différents.

– Elles en ont le droit, termine le jeune homme en brandissant bien haut le libelle. Parce que c'est notre commerce qui paiera, comme il le paie déjà, le prix insupportable de nos hésitations en Amérique.

Ses paroles soulèvent des applaudissements dans la galerie et chez quelques invités. Lolita, elle aussi, a envie d'applaudir, mais elle se retient ; et elle se félicite de sa prudence quand le président, agitant sa clochette, rappelle le public à l'ordre et menace de faire évacuer les galeries.

– Regarde la tête de sir Henry, chuchote Miguel Sánchez Guinea.

Lolita observe l'ambassadeur anglais. Wellesley est immobile sur son siège, ses favoris plongeant dans le col de sa veste de velours vert, la tête penchée vers son interprète qui lui traduit à voix basse les expressions qu'il ne comprend pas bien. Le visage est maussade, comme d'habitude ; mais non sans raison cette fois, suppose-t-elle. Il n'y a rien d'agréable à s'entendre critiquer par les alliés dont l'aile conservatrice, opposée aux réformes politiques et à l'idée de régénération patriotique, bénéficie en sous-main de tous ses efforts et de l'or de son gouvernement. Le boycott de Londres de toute initiative des Cortès qui renforce la souveraineté nationale en Espagne, son influence à l'extérieur ou le contrôle de l'insurrection américaine, frise souvent l'impudence.

– Il n'a pas pu tous les acheter.

Ce sont maintenant des députés américains qui interviennent, et parmi eux Jorge Fernández Cuchillero. Lolita, qui n'avait jamais vu son ami discourir en public, suit son exposé avec intérêt. Il défend avec éloquence l'urgence de modifier le système commercial des Amériques face à une triple nécessité : contenter les alliés britanniques, satisfaire ceux qui réclament des réformes indispensables Outre-mer, et donner des arguments de poids à ceux qui, loyaux envers l'Espagne, s'opposent là-bas à l'insurrection indépendantiste.

Pour cela, ajoute-t-il, il est nécessaire de révoquer certaines lois des Indes incompatibles avec les libertés que réclament les temps nouveaux.

– Si ces Cortès, termine le représentant du Río de la Plata, proclament le principe d'égalité entre Espagnols européens et américains, une évidence s'impose : dès lors que les Européens sont autorisés à commercer librement avec l'Angleterre, nous devons, nous les Américains, et pour la même raison, l'être aussi… Il ne s'agit de rien d'autre, messieurs, que de garantir par des lois ce qui est déjà là-bas une pratique quotidienne et clandestine.

Un autre député américain prend la parole pour appuyer son collègue : le représentant de la vice-royauté de la Nouvelle-Grenade, José Mexía Lequerica – bel homme, cultivé et perspicace, étiqueté franc-maçon –, qui se livre à une sombre description de la manière dont l'intransigeance de la métropole face aux intérêts des créoles alimente l'état de guerre qui sévit sur sa terre, comme au Río de la Plata, au Venezuela et au Mexique, où la capture du prêtre rebelle Hidalgo – on attend d'un jour à l'autre à Cadix la nouvelle de son exécution – ne garantit en rien, à son avis, la fin des troubles. Au contraire.

– Le remède pour empêcher ou pour reporter la rupture des liens, conclut-il, est de donner du mou à la corde et non de tirer dessus jusqu'à ce qu'elle se rompe.

– Et nous, il ne nous restera plus qu'à pourrir sur place, murmure, irrité, Miguel Sánchez Guinea.

Très intéressée, Lolita Palma s'évente sans perdre un mot du débat. Elle trouve naturel que Fernández Cuchillero, Mexía Lequerica et les autres Américains prêchent pour leur chapelle. Et tout autant, que les députés réactionnaires ou tièdes soutiennent sans condition les Anglais qu'ils considèrent comme une garantie de l'autorité royale et de la religion face aux divagations révolutionnaires. Mais elle sait aussi que, du point de vue gaditan, Miguel Sánchez Guinea a raison : l'égalité commerciale apportera la ruine aux ports espagnols de la Péninsule. Elle réfléchit à la question pendant qu'elle écoute un autre député, l'Aragonais Mañas, qui intervient pour demander si de telles propositions incluent l'accès libre aux commerces américain et philippin, rappelant au passage la concurrence que les soies chinoises peuvent faire aux valenciennes, malgré la meilleure qualité de ces dernières. Fernández Cuchillero demande la parole et insiste avec beaucoup de véhémence sur le fait qu'il y a déjà longtemps que les Anglais et les Américains du Nord commercent là-bas clandestinement.

– Il s'agit seulement, résume-t-il, de transformer la contrebande qui existe en une activité légale. De normaliser l'inévitable.

D'autres députés américains interviennent successivement pour appuyer le représentant du Río de la Plata, suivis du conservateur catalan Capmany, qui est considéré comme le porte-parole officieux de l'ambassadeur anglais aux Cortès. Un autre encore vient suggérer que l'on pourrait autoriser l'Angleterre à commercer en Amérique pour un temps limité, et Mañas lui répond, avec un regard appuyé en direction de la tribune des diplomates, que les mots *temps limité* sont inconnus des Anglais. Il n'y a qu'à voir Gibraltar, sans aller plus loin. Ou se souvenir de Minorque.

– Notre commerce, affirme-t-il catégoriquement, notre industrie, notre marine ne se rétabliront jamais si l'on permet aux étrangers d'apporter leurs produits avec leurs propres navires dans nos possessions d'Amérique et d'Asie... Chaque concession que nous ferons dans ce sens sera un clou de plus planté sur le cercueil des ports espagnols... Souvenez-vous de ce que je vous dis, messieurs : des villes comme Cadix seront effacées de la carte.

Au milieu des applaudissements – cette fois, Lolita Palma

ne peut s'empêcher d'y joindre les siens –, Mañas ajoute que des lettres en provenance de Montevideo prouvent que l'Angleterre prête son appui aux insurgés de Buenos Aires – en entendant cela, l'ambassadeur Wellesley s'agite, mal à l'aise, sur son siège –, qu'à Veracruz les Anglais exigent des échanges commerciaux pour un montant de cinq millions de pesos d'argent mexicains, et que, avec la guerre contre Napoléon ou sans elle, le gouvernement britannique ne cessera jamais d'encourager le démantèlement des provinces d'Outre-mer, dont il est résolu à contrôler les marchés. Pour finir, au milieu des murmures de « Oui ! Oui ! » et de « Non ! Non ! », l'Aragonais conclut son intervention en qualifiant l'affaire de *chantage intolérable*, mots qui déclenchent une clameur sur les bancs des députés et dans le public et qui frôlent le scandale quand l'ambassadeur anglais, d'un geste plein d'arrogance, se lève d'un coup et s'en va. Le président ramène le calme à coups de clochette et suspend la séance pour une pause, en annonçant qu'elle reprendra à huis clos. Public et députés sortent dans un grand brouhaha de conversations, et les gardes ferment les portes.

Dans la rue, parmi les groupes qui discutent avec animation des péripéties du débat, Lolita et les Sánchez Guinea rejoignent Fernández Cuchillero qui est en compagnie de Mexía Lequerica et d'autres députés américains. Pour ou contre, chacun fait valoir son point de vue.

– Votre nouveau système sera notre ruine, monsieur, lance au représentant du Río de la Plata un Miguel Sánchez Guinea ulcéré. Si nos compatriotes américains ont directement accès aux ports étrangers, les commerçants espagnols ne pourront pas lutter avec leurs prix. Vous ne vous rendez pas compte ?… Cela nous obligerait à des complications ruineuses, avec plus de risques et plus de dépenses… Ce que vous proposez, vous et vos amis, c'est le coup de grâce pour notre commerce, la fin du peu de marine qui nous reste, la ruine définitive d'une Espagne en guerre, sans industrie et sans agriculture.

Fernández Cuchillero nie énergiquement. Lolita Palma a bien du mal à reconnaître le jeune homme aimable, presque timide, qu'elle reçoit dans son salon. La question lui confère dignité et assurance. Une gravité, une fermeté inhabituelles.

– Ce n'est pas moi qui le propose, répond-il. Vous parlez à quelqu'un qui, malgré son lieu de naissance, est fidèle à la couronne d'Espagne. Je n'approuve pas la rébellion de la Junte de Buenos Aires, vous le savez... Mais c'est le temps et c'est l'Histoire qui le veulent ainsi. L'Amérique espagnole a des besoins, mais elle est impuissante à les satisfaire. Les créoles exigent leur légitime et libre bénéfice, et les pauvres veulent sortir de leur misère. Or nous sommes ligotés par un système péninsulaire qui ne résout plus rien.

La rue Santa Inés est pleine de gens qui discutent des péripéties de la séance et vont d'un groupe à l'autre, entrant et sortant d'une auberge qui se trouve à proximité, où certains députés profitent de la pause pour prendre une collation. Le groupe qui entoure les Américains reste debout sur les marches de l'oratoire. C'est le plus nombreux, composé dans sa plus grande part de commerçants locaux. Leurs traits traduisent de l'inquiétude et, chez certains, une hostilité ouverte. Lolita elle-même n'éprouve guère de sympathie pour ce qu'elle a entendu ce matin concernant le commerce et les Anglais, dans la mesure où elle se sent largement concernée. C'est aussi l'avenir de la maison Palma & Fils qui se joue ici.

– Vous voulez seulement ne plus payer d'impôts, affirme quelqu'un. En gardant le commerce.

Avec beaucoup de calme, une main dans la poche de sa redingote, Fernández Cuchillero se tourne vers celui qui vient de l'interpeller.

– De toute manière, ce serait légitime. C'est ce qui s'est

passé dans les treize colonies anglaises de l'Amérique du Nord. Chacun prétend améliorer sa situation selon ses intérêts, et l'intransigeance est mauvaise conseillère… Mais ne vous faites pas d'illusions. On n'arrête pas la marche de l'avenir. Il est significatif que certaines juntes loyales américaines, qui, auparavant, se proclamaient espagnoles et protestaient contre leur représentation trop réduite dans ces Cortès, se définissent maintenant elles-mêmes comme des colonies. D'ici à ce qu'elles réclament aussi leur indépendance, il n'y a qu'un pas à franchir. Mais on dirait que vous ne vous en rendez pas compte… Ma propre terre est un bon exemple. Je n'entends parler ici que de *reconquérir* Buenos Aires, et non de s'occuper des raisons du soulèvement.

– Mais il y en a qui restent fidèles, monsieur. Comme l'île de Cuba, la vice-royauté du Pérou et bien d'autres.

C'est maintenant José Mexía Lequerica qui intervient. Lolita Palma le connaît, car ils partagent tous les deux la même passion pour la botanique. Ils se sont rencontrés à plusieurs reprises au domicile du vieux maître Cabrera, dans le jardin du Collège de chirurgie ou dans les librairies de San Agustín. Connu pour être un philosophe gagné aux idées françaises des Lumières, partisan de l'égalité entre habitants des Amériques et de la Péninsule, le député – toute la ville est au courant – vit dans la rue du Feu avec Gertrudis Salanova, une jolie Gaditane qui n'est pas son épouse. Lolita les a vus se promener, bras dessus bras dessous et sans souci des préjugés, sur la place San Antonio et l'Alameda. Du fait des prises de position politiques du personnage, les commentaires piquants sur sa vie vont bon train dans les conversations de salon.

– Ne vous y trompez pas, objecte Mexía, avec son doux accent de Quito. Beaucoup, en Amérique, sont encore retenus par la peur d'une révolution des Indiens et des esclaves noirs. Ils voient la monarchie espagnole comme la garantie de l'ordre... Mais s'ils se sentent assez forts pour régler seuls la question, chez eux aussi les choses changeront.

– Ce qu'il nous faut, c'est une main de fer, tranche quelqu'un. Obliger les rebelles à respecter l'autorité légitime... Profiter de l'invasion française et de la détention du roi pour se donner l'indépendance, c'est une forfaiture et une infamie !

– Non, excusez-moi, dit l'Américain. C'est simplement une occasion qui se présente. Car c'est le chaos qui règne en Espagne qui est à l'origine de cette situation... Même ici, on n'est pas d'accord sur la manière de conduire la guerre, avec nos généraux, la Régence et les juntes qui se marchent mutuellement sur les pieds !

Silence général. Embarrassé. Lolita les voit se regarder entre eux. Mexía lui-même semble conscient d'être allé trop loin : il lève une main comme pour effacer ses dernières paroles.

– Et c'est vous, des députés aux Cortès, qui parlez ainsi, remarque amèrement Miguel Sánchez Guinea.

L'Américain se tourne vers lui, tandis que le père donne des petites tapes sur le bras de son fils pour l'empêcher de poursuivre.

– C'est justement pour cela, monsieur, réplique-t-il non sans hauteur. Parce qu'un jour l'Histoire nous jugera.

Quelqu'un, dans le cercle, hausse le ton. Lolita le connaît. Il se nomme Ignacio Vizcaíno : un importateur de cuirs ruiné par le soulèvement du Río de la Plata.

– Tout ça n'est qu'une conspiration des Anglais pour nous chasser d'Amérique !

Avec un sourire dédaigneux, Mexía lui tourne le dos comme si cela ne méritait pas de réponse. C'est Jorge Fernández Cuchillero qui s'adresse à l'exalté.

– Même pas, corrige-t-il avec calme. En réalité, peu de gens, là-bas, avaient l'intention d'aller si loin. C'est seulement une absence de système… Le désastre d'une administration archaïque, incapable et définitivement disloquée par la guerre, qui menace de rompre les liens de la fraternité qui doivent unir les Espagnols des Deux Mondes.

L'homme fusille le créole du regard.

– Vous osez encore vous dire espagnol ?

– Naturellement !… C'est pour cela que je suis à Cadix avec mes collègues, en représentant de ma double patrie. C'est pour cela que je travaille à une Constitution qui soit bonne pour les deux rives, qui fasse les hommes libres ici et là-bas. Qui mette un terme aux privilèges d'une aristocratie oisive, d'une administration inutile et d'un clergé pléthorique et souvent ignare. C'est pour cela que j'accepte de bonne grâce de discuter avec vous… En essayant de vous faire comprendre que, si le lien se rompt, ce sera pour toujours.

Les portes de San Felipe Neri s'ouvrent pour la reprise de la séance, cette fois sans public dans les tribunes. Miguel Sánchez Guinea lève un doigt, décidé à ajouter quelque chose avant que les députés américains ne s'en aillent ; mais une explosion sèche, proche, fait vibrer le sol et les édifices, interrompant les conversations. Comme tout le monde, Lolita Palma se tourne dans la direction de la tour Tavira. Un peu au-delà, au-dessus des maisons, s'élève un nuage de poussière ocre.

– Celle-là n'est pas tombée loin, dit l'importateur de cuirs.

Les groupes se dispersent et les gens évitent le milieu de la rue, pressés, cherchant la protection des maisons voisines. Quelqu'un annonce que la bombe est tombée rue du Vestiaire et qu'elle a démoli une maison. Doublant le pas, Lolita s'éloigne dans le sens opposé, au bras de don Emilio Sánchez Guinea et escortée de Miguel. En regardant derrière elle, elle voit les députés, dignes et sans rien perdre de leurs bonnes manières, se diriger avec une lenteur délibérée vers les marches de l'oratoire.

*

– Je crois que vous devriez descendre un moment, monsieur le commissaire.

Rogelio Tizón laisse sur la table les papiers qu'il était en train de lire et regarde son adjoint : six pieds de chair respectueusement arrêtée sur le seuil.

– Qu'est-ce qui se passe ?

– Le numéro huit. Ce qu'il dit peut vous intéresser.

Le commissaire aux Quartiers, Vagabonds et Étrangers de passage se lève et sort dans le couloir, où Cadalso s'écarte avec déférence pour lui permettre de le précéder. Ils marchent ainsi, en faisant craquer le plancher maltraité, jusqu'à l'escalier du fond, qui s'ouvre à côté d'un œil-de-bœuf poussiéreux donnant sur la rue du Mirador. L'escalier est en colimaçon et sa spirale obscure plonge dans les souterrains où sont les cachots. En arrivant en bas, Tizón, indisposé, boutonne sa redingote. L'air est humide et froid. La lumière qui entre par les deux soupiraux étroits et grillagés, situés près du plafond, ne suffit pas pour effacer la sensation de lieu clos. Désagréable.

– Qu'est-ce qu'il a dit ?

– Il admet les voyages, monsieur le commissaire. Mais il y a encore quelques détails.

– Importants ?

– C'est bien possible.

Tizón hoche la tête, sceptique. Cadalso, avec ses façons de molosse stupide et sans imagination, est en toutes circonstances d'une fidélité canine. Cela garantit une application scrupuleuse des instructions qu'on lui donne, mais comporte aussi des limitations. L'adjoint n'a rien d'une lumière, quand il s'agit de faire le tri entre ce qui est important et ce qui ne l'est pas. Enfin, on ne sait jamais.

– Vous poursuivez la conversation ?

– Depuis presque deux heures.

– Merde alors. Il est coriace, le bougre.

– Il commence à mollir.

– J'espère que, cette fois, vous saurez mieux vous y prendre qu'avec celui de la rue Juan de Andas… Parce que, si ça se répète, je te jure que toi et tes compères vous êtes bons pour aller casser des cailloux au bagne de Ceuta.

– Ne vous en faites pas, monsieur le commissaire. – Cadalso baisse la tête, l'air contrit, comme un gros dogue fidèle qui vient de recevoir une raclée. – Avec la table, c'est un peu lent, mais il n'y a pas de problème.

– Ça vaut mieux pour toi.

Ils parcourent un couloir bordé de cellules dont les portes en bois sont fermées – sauf celle qui porte le numéro huit – par d'énormes cadenas, puis traversent une grande salle, nue, où un gardien assis sur un tabouret se lève en sursaut quand il voit arriver le commissaire. Au-delà, le bruit des pas résonne dans un couloir plus étroit, aux murs sales écaillés et couverts de griffures. Il mène à une porte que Cadalso ouvre avec un empressement servile, et, en la franchissant, Rogelio Tizón se trouve dans une pièce sans fenêtres, avec une table et deux chaises, éclairée par une chandelle qui brûle dans une lanterne pendue au plafond. Dans un coin sont posées une bassine pleine d'eau souillée et une serpillière.

– Laisse la porte ouverte, pour aérer un peu.

Sur la table il y a un homme à qui l'on a laissé ses culottes, étendu sur le dos de manière à ce que ses reins coïncident exactement avec le bord. Le torse nu pend dans le vide, arqué en arrière, la tête à quelques pouces du sol. Le prisonnier a les mains menottées dans le dos, et deux sbires taillés comme des armoires s'occupent de lui. L'un, assis sur la table, lui tient les cuisses et les jambes. L'autre est debout, supervisant l'opération. Ces messieurs des Cortès devraient voir ça, pense Tizón en ricanant intérieurement. Avec leur habeas corpus et tout le tralala. Ce qu'il y a de bien, avec la table, c'est qu'elle ne laisse pas de traces. Dans cette position, l'intéressé s'asphyxie tout seul. C'est juste une question de temps, avec les poumons comprimés, les reins broyés et le sang se concentrant dans la tête. À la fin, on le remet debout, et il semble propre comme un sou neuf. Pas la moindre de ces cochonneries de marques.

– Quoi de nouveau?

– Il admet ses relations avec les Français, dit Cadalso. Des voyages à El Puerto de Santa María, à Rota et Sanlúcar. Il est allé une fois jusqu'à Jerez où il a rencontré un officier supérieur.

– Pourquoi?

– Pour l'informer de la situation ici. Et aussi remettre des paquets et des messages.

– De qui? Pour qui?

Une pause. Les sbires et l'adjoint de Tizón échangent des regards inquiets.

– Nous ne l'avons pas encore établi, monsieur le commissaire, explique prudemment Cadalso. Mais nous nous y employons.

Tizón étudie le prisonnier. Ses traits négroïdes sont crispés par la douleur, et les paupières à demi fermées laissent seulement voir le blanc des yeux. Le Mulâtre a été attrapé hier dans la nuit à Puerto Piojo, au moment où il s'apprêtait à faire voile vers l'autre bord. Et, à voir tout ce qu'il emportait, sans intention de retour.

– Il a des complices à Cadix?

– Sûrement, affirme Cadalso avec conviction. Mais on ne lui a pas encore tiré de noms.

– Bon. Un dur, à ce que je vois.

Tizón se rapproche du prisonnier et s'accroupit pour se mettre à la hauteur de sa tête. Il observe de près les cheveux crépus, le nez épaté, la barbe rare sur le menton. La peau est sale et grasse. Le Mulâtre a la bouche grande ouverte, comme un poisson qui suffoque hors de l'eau, et la respiration qui en sort est rauque, entrecoupée, laborieuse : le râle de l'asphyxie causée par la position du corps. D'une tache humide par terre monte jusqu'à Tizón une odeur âcre de vomissure récente. Il en déduit que Cadalso a eu la délicatesse de l'éponger avant d'aller chercher son chef.

– Et ces détails qui pourraient m'intéresser, qu'est-ce que c'est ?

Cadalso le rejoint après un nouveau regard aux deux sbires. Celui qui est sur la table tient toujours les jambes du prisonnier.

– Il y a une ou deux choses qu'il a dites… enfin, qu'on lui a fait dire. À propos de pigeons.

– Des pigeons ?

– C'est ce que j'ai entendu.

– Des pigeons qui volent ?

– Je n'en connais pas d'autres, monsieur le commissaire.

– Et alors ?

– Des pigeons et des bombes. Je crois qu'il parlait de pigeons voyageurs.

Tizón se relève lentement. Une sensation étrange trouble son esprit. Une idée imprécise. Fugace.

– Et ?

– Eh bien, à un moment, il a dit : « Demandez ça à celui qui sait où tombent les bombes. »

– Et c'est qui ?

– Nous en sommes là.

L'idée lui apparaît maintenant comme un couloir long et obscur derrière une porte à demi ouverte. Tizón recule de deux pas pour s'écarter de la table. Il le fait avec d'extrêmes précautions, car il a l'impression que tout mouvement brusque, inadéquat, pourrait éteindre cette lueur qu'il entrevoit.

– Mettez-le sur une chaise, ordonne-t-il.

Avec l'aide de Cadalso, les sbires soulèvent sans ménagement le prisonnier en lui arrachant un cri de douleur. Tizón observe qu'il ouvre et ferme beaucoup les yeux, hébété, comme s'il se réveillait d'un cauchemar, tandis qu'ils le portent, les pieds traînant par terre. Quand ils l'assoient, les mains menottées dans le dos et un homme de chaque côté, Tizón approche l'autre chaise, la fait pivoter et s'y installe, les bras croisés posés sur le dossier.

– Je vais te dire les choses franchement, Mulâtre. En ce qui concerne ceux qui travaillent pour l'ennemi, c'est le garrot… Et ton cas est clair.

Il se tait un moment afin de laisser au prisonnier le temps de s'habituer à sa nouvelle position et au sang de refluer dans son corps. Et aussi pour qu'il assimile ce qu'il vient d'entendre.

– Tu peux collaborer, dit-il ensuite, et peut-être que tu sauveras ta peau.

L'autre est pris d'une violente quinte de toux. Il s'étouffe encore. Ses gouttes de salive arrivent jusqu'aux genoux de Tizón, qui ne bronche pas.

– Peut-être ?

Le timbre de la voix est grave, propre à sa race. Et la couleur de sa peau est bizarre, se dit Tizón. Un nègre blanc. On dirait qu'on lui a enlevé sa couleur avec du savon et une éponge.

– C'est ce que j'ai dit.

Un éclair dédaigneux passe dans le regard de l'homme. Ce taureau, en déduit le commissaire, n'a pas été assez travaillé. Mais mieux vaut en rester là. Il ne veut pas avoir l'intendant et le gouverneur sur le dos. Pas besoin de nourrir une deuxième fois les poissons.

– À d'autres, lâche le Mulâtre.

Tizón lui assène une gifle. Forte, sèche, efficace, la main

ouverte et les doigts joints. Il attend trois secondes et en expédie une autre. Elles claquent comme des coups de fouet.

– Ta gueule.

Un filet de morve coule d'un des larges orifices du nez du Mulâtre. Il a encore la force de tordre un peu les lèvres pour une grimace hautaine, insolente, qui cherche à ressembler à un sourire et manque de peu d'y parvenir.

– Je suis paré pour le grand voyage, commissaire. Ne vous fatiguez pas, et ne me fatiguez pas.

– C'est de ça qu'il s'agit, admet Tizón. De nous fatiguer le moins possible tous les deux… Je te propose donc de me raconter ce que tu sais, et on te foutra la paix jusqu'à ce que le juge te règle ton sort.

– Un juge, rien de moins. Quel luxe.

Une autre gifle, sèche comme un coup de feu. Cadalso fait un pas en avant, prêt à intervenir aussi, mais Tizón l'arrête d'un geste. Il peut très bien se débrouiller seul. Il connaît son affaire.

– On va tout te faire cracher, Mulâtre. On n'est pas pressés, comme tu vois. Mais je peux t'offrir quelque chose. En ce qui me concerne, je suis disposé à abréger les formalités… Bombes et pigeons… Tu me suis ?

L'autre se tait, le regard indécis. Fini de crâner. Tizón qui connaît son métier sait que ce ne sont pas les gifles la cause du changement. Celles-ci sont seulement une fioriture, comme avec les taureaux vicieux. La *faena* se passe ailleurs. Dans ce genre d'affrontement, montrer certaines cartes peut faire des miracles, selon l'individu que l'on a en face de soi. Et il n'y a pas de carte plus évidente, pour quelqu'un de moyennement intelligent, que de le regarder droit dans les yeux.

– Qui est celui qui, d'après toi, sait où tombent les bombes ?… Et pourquoi le sait-il ?

Une autre pause. Celle-ci est très longue, mais Tizón est

un professionnel patient. L'homme regarde la table, puis le commissaire : il réfléchit. Il est clair qu'il pèse le peu d'avenir qui lui reste. En faisant des calculs.

– Parce qu'il se charge, dit-il enfin, de vérifier les endroits où elles tombent, et de transmettre les informations... C'est lui qui tient les comptes.

Tizón ne veut prendre aucun risque : surtout ne gâcher aucune possibilité, ne négliger aucune probabilité. Mais ne pas non plus se faire d'illusions excessives. Pas dans cette affaire. Son ton est aussi prudent que si les paroles qu'il aligne étaient en cristal de Bohême.

– Est-ce qu'il sait aussi où elles vont tomber ? Ou bien il l'imagine ?

– Je ne sais pas. C'est possible.

Trop beau pour être vrai, pense le commissaire. Un tir en aveugle avec un pistolet inconnu. De la fumée, sûrement. Le professeur Barrull ne manquerait pas de partir tout de suite en courant, mort de rire. Des conjectures de jeu d'échecs, commissaire. Comme d'habitude, échafaudées en l'air. Trop cousu de fil blanc, tout ça.

– Dis-moi son nom, camarade.

Il l'a suggéré avec une douceur, un détachement qui laisseraient penser que, réellement, il s'agit d'une bagatelle. Les yeux noirs du prisonnier fixent les siens. Puis ils s'en écartent, de nouveau indécis.

– Écoute, Mulâtre... Tu as dit qu'il utilise des pigeons voyageurs. Il me suffit de chercher qui détient des pigeons, et l'affaire sera résolue en deux jours. Mais si je dois me débrouiller sans ton aide, je ne te devrai rien... Tu comprends ?

L'autre avale sa salive, deux fois. Ou il essaye. Peut-être parce qu'il ne lui en reste plus une goutte. Tizón donne l'ordre qu'on lui apporte de l'eau, et un sbire va en chercher.

– Et quelle sera la différence ? demande finalement le Mulâtre.

– Pas grande. Juste que je te devrai une faveur ou que je ne t'en devrai pas.

L'homme réfléchit en prenant de nouveau son temps. Il ne regarde plus le commissaire mais le sbire qui revient avec une cruche d'eau. Puis il penche la tête de côté, et sur ses lèvres Tizón voit affleurer le sourire que, tout à l'heure, il n'a pas réussi à matérialiser. On dirait que le Mulâtre, dans son for intérieur, est en train de goûter une plaisanterie désespérée et secrète, particulièrement amusante.

– Il s'appelle Fumagal… Il habite rue des Écoles.

*

Une livre de savon blanc, deux de vert, encore deux de savon minéral et seize onces d'huile de romarin. Pendant que Frasquito Sanlúcar enveloppe la commande dans du papier gris et verse l'huile aromatique dans une petite bouteille, Gregorio Fumagal aspire avec délices les odeurs de la boutique. Pénétrante senteur de savons, d'essences et de pommades ; entre les caisses de produits vulgaires alternent les couleurs agréables et les articles raffinés, protégés par des pots en verre. Au mur, le baromètre long et étroit indique un temps variable.

– Vous me garantissez que ce vert ne contient pas de sel de cuivre ?

La figure grêlée du marchand de savon affiche une grimace offensée, sous le poil rare couleur carotte.

– Pas une goutte, don Gregorio. Soyez sans inquiétude. Vous êtes dans une maison honnête… Il est fabriqué avec de l'extrait d'acacia, c'est ce qui lui donne cette jolie couleur. C'est un article qui part très fort, et les dames en sont enchantées.

– J'imagine qu'avec tout ce monde dans Cadix, le commerce doit bien marcher.

Le marchand répond qu'il ne se plaint pas. La vérité, ajoute-t-il, c'est que tant que les gabachos resteront autour, la clientèle ne devrait jamais manquer. C'est comme si les gens étaient plus attentifs à leur aspect. Même les pommades pour messieurs s'arrachent littéralement : œillet, violette, héliotrope. Sentez-moi celle-là, je vous prie. Exquise, non ? Pour ne pas parler des savons de dames et des eaux de toilette. Imbattables.

– Je vois. Vous ne manquez de rien.

– Comment manquerais-je de quelque chose ?… Avec les Anglais comme alliés, il nous arrive des produits de partout. Voyez cette racine de bourrache, pour teindre le savon : avant on la faisait venir de Montpellier, maintenant elle vient d'Anatolie. Et moins cher.

– Toujours autant de clientèle féminine ?

– Ah, ça, vous n'avez pas idée ! De toutes les classes. Aussi bien des femmes de la rue que des dames huppées. Et des émigrées riches, à la pelle.

– Cela semble incroyable, par les temps qui courent.

– Eh bien, j'y ai beaucoup réfléchi, et je pense que ce doit être lié. On dirait que les gens ont davantage envie de vivre, de se fréquenter les uns les autres et de se présenter sous leur meilleur jour… Moi, je vous l'ai dit, je ne m'en plains pas. Il est vrai aussi que je soigne bien mon commerce. Les produits de toilette doivent non seulement plaire à l'odorat et être agréables au toucher, mais être bien présentés. J'y fais très attention.

Frasquito Sanlúcar termine le paquet, le donne à Fumagal par-dessus le comptoir et essuie ses mains sur sa blouse grise. Ça fait dix-neuf réaux, dit-il. Tandis que le taxidermiste ouvre sa bourse et en sort deux douros d'argent, les doigts du marchand de savon marquent sur le bois du comptoir le rythme d'une musique joyeuse : tiritití pan-pan, tiritití pan-pan. Ils s'interrompent au moment où l'on entend une explosion lointaine, étouffée. Tout juste audible. Les deux hommes regardent vers la porte, devant laquelle défilent des passants qui ne semblent pas troublés. Celle-là est tombée de l'autre côté de la ville, déduit Fumagal pendant que le marchand de savon lui rend la monnaie et fait de nouveau aller ses doigts sur le comptoir, tirititi pan-pan, tirititi pan-pan. Il est normal que l'on ne se soucie guère par ici de l'artillerie française. Le quartier du Mentidero reste hors de la portée des tirs de la Cabezuela. Et selon les calculs du taxidermiste, cela durera encore longtemps. Trop long-temps, hélas.

– Prenez garde, don Gregorio. Même si les gabachos tirent au petit bonheur la chance, on ne sait jamais… Comment ça se passe, dans votre quartier ?

– Il en tombe quelques-unes. Mais, comme vous dites, au petit bonheur la chance.

Tirititi pan-pan, tirititi pan-pan. Fumagal sort dans la rue, son paquet sous le bras. Il est encore tôt, le soleil laisse cette partie dans l'ombre. La gelée blanche couvre les pavés, les balustrades, les grilles et les pots de fleurs. En dépit de l'explosion que l'on vient d'entendre, la guerre paraît aussi lointaine que d'habitude. Vers le Carmel et l'Alameda passe un marchand d'olives avec un bourricot chargé de jarres, en criant qu'il en a des vertes, des noires et des sévillanes. Il croise un porteur d'eau avec son tonnelet sur le dos. Au balcon du premier étage, une jeune servante aux bras nus secoue une natte de jonc, observée du coin de la rue par un homme de haute taille qui fume adossé au mur.

Le taxidermiste marche dans la rue de l'Huile en direction du centre de la ville, plongé dans ses pensées. Lesquelles, ces derniers jours, ne sont pas rassurantes. En passant devant un marchand de charbon, il descend du trottoir afin d'éviter les gens qui font la queue pour acheter du poussier. L'hiver frappe à la porte, l'humidité devient de plus en plus forte, et l'on commence à allumer les braseros sous les jupes des *mesas camilla*. En changeant de côté, Fumagal jette un coup d'œil derrière lui et constate que l'homme qui fumait au coin de la rue le suit. Il peut s'agir d'une coïncidence, et le plus probable est que c'en est une ; mais la sensation de danger s'accentue, démoralisante. Depuis que la guerre est arrivée jusqu'à la ville et qu'il a commencé ses relations avec le camp français, l'incertitude a été une constante naturelle, tolérable ; mais ces derniers temps, surtout après la conversation finale avec le Mulâtre sur la place San Juan de Dios, l'inquiétude est devenue permanente. Gregorio Fumagal ne reçoit plus d'instructions ni de nouvelles. Désormais, il travaille en aveugle, sans savoir si les messages qu'il envoie sont utiles ; sans directives ni autre lien que les pigeons qu'il lâche vers le Trocadéro et dont le nombre diminue dans le pigeonnier sans qu'il sache comment se réapprovisionner. Quand il aura laissé s'envoler le dernier messager, la liaison incertaine qu'il entretient encore avec l'autre bord sera rompue. Sa solitude, alors, sera absolue.

Sur la place qui se trouve au bout de la rue du Petit Jardin, Fumagal s'arrête comme si de rien n'était devant l'étal d'une mercerie et regarde de nouveau derrière lui. L'homme de haute taille passe à côté de lui et poursuit son chemin, suivi du coin de l'œil par le taxidermiste : quelque peu négligé, redingote brune mal coupée et chapeau rond déformé. Ce pourrait être un policier, mais aussi un émigré qui, comme des centaines d'autres sans occupation, se promène bien tranquille, avec en poche le certificat qui l'exempte d'être enrôlé pour la guerre.

Le pire, c'est l'imagination, conclut-il en reprenant sa marche, et la peur qui se répand dans l'organisme comme une tumeur maligne. C'est le moment de confronter physique et expérience : la physique dit à Fumagal qu'il ne sait pas s'il est réellement suivi, tandis que l'expérience affirme que toutes les conditions sont réunies pour que cela se produise. Si l'on interroge la raison, tout apparaît plus que probable. Mais la conclusion n'est pas dramatique : on peut même trouver une ombre de soulagement dans cette éventualité. Après tout, tomber n'est pas si grave. Le taxidermiste est convaincu que le destin de chaque être humain dépend de causes imperceptibles qui s'inscrivent dans le cadre de règles générales. Tout doit finir à son heure, y compris la vie. Comme pour les animaux, les plantes et les minéraux, le jour doit venir qui restituera au magasin universel les éléments que celui-ci lui a prêtés. Cela se passe quotidiennement, et lui-même y contribue. En exécutant les effets de la règle.

Sur le Palillero, entre les étals d'estampes et de journaux de Monge et de Vindel, habitants du quartier et badauds se pressent devant deux affiches récemment collées au mur et en discutent le contenu. L'une notifie que les Cortès ont approuvé, sur proposition de la Régence, une contribution de douze millions de pesos de la ville destinée à l'entretien des forces navales et des fortifications. Ils nous saignent à blanc, proteste quelqu'un à grands cris. Avec ou sans roi, il n'y a rien de changé. L'autre affiche annonce que la Municipalité de La Havane, contrevenant à la décision des Cortès, a annulé le décret sur l'émancipation des esclaves noirs, parce qu'il est contraire aux intérêts de l'île et pourrait y produire les mêmes effets que ceux d'un décret français identique à Saint-Domingue : plonger l'île dans la rébellion et l'anarchie.

Les imbéciles, conclut Fumagal qui passe dans la foule en la regardant à peine, très vite et avec le plus grand mépris. Voilà qui leur donne, encore pour quelques jours, de quoi distraire leur oisiveté par leurs bavardages. Une habitude ancestrale leur fait aimer leurs chaînes : rois, dieux, parlements, décrets et affiches qui ne changent rien. Le taxidermiste est convaincu que l'Humanité passe de maître en maître, composée de malheureux qui croient être libres en agissant contre leurs inclinations ; incapables d'assumer qu'il n'est de liberté qu'individuelle et que celle-ci consiste à se laisser porter par les forces qui nous dominent. Ce que fait l'homme sera toujours la conséquence de la fatalité ; de l'ordre amoral de la Nature et de l'enchaînement des causes et des effets. C'est ce qui rend ambigu le mot *mal*. Contradictoire, la société châtie les inclinations qui la caractérisent ; mais ce châtiment n'est qu'une fragile digue contre les pulsions obscures du cœur. L'être humain, stupide jusqu'à la folie, préfère les fausses illusions à la réalité qui dément d'elle-même l'idée de l'Être bon, suprême, intelligent et justicier. Ne serait-ce pas une aberration qu'un père mette une arme dans la main d'un fils irascible et le condamne ensuite parce qu'il s'en est servi pour tuer ?

– Où est tombée la dernière bombe ? demande Fumagal à un forgeron qui prépare des appâts pour la pêche à la porte de sa forge.

– À côté, devant la Candelaria… Et sans grands dégâts.

– Pas de victimes ?

– Aucune, grâce à Dieu.

Habitants et soldats travaillent à dégager la petite place. La bombe, constate Fumagal en arrivant, est tombée juste devant l'église, sans toucher les maisons voisines ; et bien qu'elle ait explosé, l'étendue du lieu, avec les constructions distantes les unes des autres, a limité les effets à des fenêtres cassées, des écaillures au crépi des façades, et quelques tuiles et briques tombées par terre. De l'œil exercé de celui qui connaît son affaire, le taxidermiste calcule la trajectoire du projectile et le point d'impact. Le vent, observe-t-il, souffle du ponant ; et cela a sans nul doute contribué à ce que la bombe tombe dans cette partie de la ville, moins loin et un peu plus à l'est que les quatre dernières. Sous le prétexte de satisfaire sa curiosité parmi les gens qui regardent

– des enfants ramassent par terre des morceaux de plomb tordus –, Fumagal marche lentement, concentré, comptant ses pas pour calculer la distance par rapport à la borne de la rue de la Tour : un ancien socle de colonne arabe. Avec le Mulâtre ou sans lui, avec les pigeons voyageurs ou le pigeonnier vide, il est décidé à faire ce qu'il fait jusqu'à la fin. Fidèle au rite qu'il s'est lui-même fixé, à la fois inévitable et délibéré.

Gregorio Fumagal a compté dix-sept pas quand il repère quelqu'un qui semble l'observer dans la foule. Ce n'est pas l'homme qu'il a perdu de vue tout à l'heure, celui-là est de taille moyenne, vêtu d'une cape grise et d'un bicorne. Peut-être se relaient-ils pour ne pas attirer les soupçons, décide-t-il. Ou alors c'est encore un tour que lui joue sa raison, qui finit parfois par s'apparenter à une maladie incurable. Le taxidermiste a la certitude que tous les êtres humains sont malades, soumis à peine nés à la contagion de la vie et à son délire, l'imagination. Celle-ci s'égare ou s'affole quand arrive la peur, tout comme arrivent le fanatisme, les terreurs religieuses, les frénésies – l'idée le fait sourire, féroce – et les grands crimes. Il y a des gens simples qui méprisent ceux-ci, ignorant que pour les exécuter il faut l'enthousiasme et la ténacité des grandes vertus. En oubliant que l'homme le plus vertueux peut être, par un cumul de causes imperceptibles dûment alignées, l'homme le plus criminel.

Entraîné par un besoin de provocation qu'il ne s'attarde pas à analyser, et qui est en réalité la conclusion de ses réflexions précédentes, Fumagal marche en fixant le sol, l'air faussement distrait, et heurte volontairement l'homme au bicorne.

– Pardon, murmure-t-il en le regardant à peine.

L'autre bredouille quelque chose d'inintelligible en s'écartant, pendant que le taxidermiste s'éloigne, satisfait. Arrive que pourra, il ne s'enfuira pas de la ville. Socrate, obéissant aux lois injustes de sa patrie, n'a pas non plus voulu s'échapper de la prison dont la porte était ouverte. Il a accepté les règles, certain, comme l'est Gregorio Fumagal, que la nature de l'être humain ne peut agir que comme elle agit, tant envers soi-même qu'envers les autres. Ainsi l'exige le dogme de la fatalité : tout est nécessaire.

*

La serrure cède à la quatrième tentative, sans fracture et sans bruit. Rogelio Tizón pousse la porte avec précaution, tout en remettant dans sa poche le jeu de clefs dont il s'est servi pour l'opération qui ne lui a pas pris plus de deux à trois minutes. Sa longue expérience des malandrins en tout genre que, dans leur milieu, on appelle des *chevaliers d'industrie*, a permis au commissaire d'acquérir avec les ans de curieuses compétences. L'usage de la fausse clef – le rossignol, dans le langage des voleurs – en fait partie et s'avère extrêmement pratique. Depuis qu'ont été inventés cadenas et serrures, il n'est guère de secrets auxquels on ne puisse accéder grâce à un maniement habile des pinces-monseigneur, fausses clefs, scies à métaux, limes et pointes de diamant.

Le policier se déplace lentement dans le couloir, jetant un coup d'œil à chaque pièce : chambre à coucher, cabinet de toilette, salle à manger, cuisine avec fourneau à bois et charbon, évier, garde-manger avec une souricière garnie d'un petit morceau de fromage juste contre la porte. Tout est propre et ordonné, bien qu'il s'agisse – à ce point de son enquête, Tizón sait tout ce que l'on peut apprendre de l'intéressé sans avoir besoin de s'adresser à lui – de la maison d'un homme qui vit seul. Le cabinet de travail se trouve au fond du couloir ; et quand le policier y arrive, la lumière qui entre par la porte vitrée de la terrasse crée une atmosphère dorée où luisent doucement les yeux de verre, les becs et les serres vernis des animaux immobiles sur leurs perches et dans leurs vitrines, les bocaux transparents dont le liquide conserve oiseaux et reptiles.

Rogelio Tizón ouvre la porte vitrée et monte sur la terrasse. Du regard, il embrasse le panorama, les tours de vigie de la ville entre les cheminées et le linge qui sèche. Puis il va voir dans le pigeonnier, où il trouve cinq pigeons, avant de redescendre dans le cabinet. Là, il y a une pendule en bronze sur une commode, et des rayonnages portant une vingtaine de livres, presque tous d'histoire naturelle, avec des illustrations. Parmi eux, il découvre un vieil exemplaire abîmé de l'*Historia naturalis de avibus* d'un dénommé Johannes Jonstonus, plusieurs volumes de l'*Encyclopédie* et d'autres livres français interdits, camouflés sous des couvertures à l'apparence innocente : *Émile*, *La Nouvelle Héloïse*, *Candide*, *De l'esprit*, *Lettres philosophiques* et *Système de la Nature*. Une odeur étrange flotte, d'alcool mêlé à des substances inconnues. Le milieu de la pièce est occupé par une grande table en marbre qui porte quelque chose recouvert d'un drap blanc. En soulevant ce dernier, le policier trouve le cadavre d'un gros chat noir éventré et à demi empaillé, les cavités des yeux bouchées avec des boules de coton, l'intérieur ouvert rempli de bourre d'où émergent des fils de fer et des bouts de ficelle. S'il est une notion à laquelle Rogelio Tizón est étranger, c'est bien celle de superstition ; mais il ne peut éviter de ressentir une certaine appréhension à la vue de l'animal et de la couleur de son poil. Mal à l'aise, il fait du mieux qu'il peut pour remettre le drap tel qu'il était. Associée au cadavre du chat, l'odeur de la pièce close produit maintenant une sensation nauséabonde. Tizón allumerait volontiers un cigare, si le relent de fumée de tabac ne risquait de dénoncer le passage d'un intrus dans la maison. Le fils de pute, conclut-il en regardant autour de lui. Le salaud de fils de salope de pute.

Il y a un pupitre avec des notes près de la table en marbre : des précisions sur les spécimens empaillés et les diverses phases de chaque opération. Le commissaire s'approche d'une autre table située entre la porte de la terrasse et une vitrine que partagent, immobiles, un lynx, une chouette et un singe. Des pots en verre et en porcelaine contiennent des substances chimiques et des instruments semblables à ceux qu'utilisent les chirurgiens : scies, scalpels, pinces, aiguilles à suturer. Après avoir tout examiné, Tizón se dirige vers la troisième table du cabinet. Celle-ci, grande, avec des tiroirs, est placée contre le mur sous des perches où se tiennent, dans des postures très réussies – le maître des lieux est un véritable artiste dans son domaine –, un faisan, un faucon et un gypaète. Sur la table sont posés une lampe à pétrole et divers papiers et documents que le policier consulte, en prenant soin de les replacer ensuite dans la position où il les a trouvés. Ce sont des notes sur l'histoire naturelle, des croquis d'animaux et autres choses du même genre. Le premier tiroir de la table est fermé à clef et celle-ci reste invisible, de sorte que Tizón reprend son jeu de rossignols, en choisit un petit, l'introduit dans la serrure et, après quelques brefs essais, clic, clic, ouvre le tiroir sans laisser la moindre trace d'effraction. Là, il trouve, plié en deux, un plan de Cadix de trois empans de long sur deux de large, apparemment semblable à ceux que l'on peut acquérir dans n'importe quelle boutique de la ville et que beaucoup de familles gaditanes ont chez elles pour y marquer les endroits où tombent les bombes françaises. Celui-là, cependant, est dessiné à la main et à l'encre noire, ses détails sont fins et précis, et la double échelle de distances qui figure dans l'angle inférieur droit est en vares espagnoles et en toises françaises. Il y a aussi une graduation en latitude et longitude dans les marges, se rapportant à un méridien qui n'est pas l'ancien de Cadix ni celui de l'Observatoire de la Marine de l'île de

León. Peut-être celui de Paris, conclut Tizón. Une carte française. Il s'agit d'un travail de professionnel, identique aux
relevés militaires, et telle est sûrement son origine. Mais
ce qui attire le plus l'attention, c'est que son possesseur ne
se contente pas de marquer, comme le font les habitants
de la ville, les points de chute des bombes. Ceux-ci sont soigneusement nantis de numéros et de lettres, et tous sont
reliés entre eux par des lignes au crayon qui passent par
une référence en forme de demi-cercle gradué dessiné dans
la partie orientale du plan, dans la direction d'où viennent
les tirs de l'artillerie française partant du Trocadéro. L'ensemble forme une trame composée de rayons et de cercles
tracés avec les instruments qui sont dans le tiroir : règles à
calcul, étalons de distance, compas, pieds à coulisse, une
grosse loupe et une boussole anglaise de bonne qualité dans
un étui en bois.

Le commissaire se concentre pour étudier cette trame
insolite dessinée sur l'original du papier, son étrange forme
conique dont le sommet est dirigé vers l'est, les codes notés
et les cercles décrits au compas autour de chaque point
d'impact. Immobile, debout devant la table et les yeux rivés
sur le plan, il jure à voix basse, longuement et de façon
répétée. C'est comme si l'ensemble à première vue chaotique de tous ces traits qui s'entrecroisent formait une carte
superposée à une autre carte : le dessin d'un territoire dis-
tinct, labyrinthique et sinistre que jamais, jusqu'à ce jour,
Tizón n'avait été capable de voir, ou d'imaginer. Une ville
parallèle définie par des forces occultes qui échappent à la
raison conventionnelle.

Je te tiens, conclut-il froidement. Ou, en tout cas, je tiens
l'espion, ajoute-t-il après une brève hésitation. En cherchant
un peu plus, il trouve dans un carnet à couverture en toile
cirée la correspondance numérique et alphabétique de
chacun des points marqués, avec le nom de chaque rue,

416

la localisation exacte en latitude et longitude, la distance en toises, qui aide à calculer le lieu de chaque impact en relation avec des édifices ou des points faciles à situer dans la ville. Tout est important et révélateur, mais le regard du commissaire revient constamment aux cercles tracés autour des points de chute des bombes. Enfin, pris d'une inspiration subite, il prend la loupe et cherche quatre endroits : la ruelle entre Santo Domingo et la Merced, l'auberge du Boiteux, le coin des rues des Rémouleurs et du Rosaire, et la rue du Vent. Tous sont là, marqués ; mais ils ne portent aucun signe particulier qui les différencie des autres. Il n'y a que les codes qui indiquent les données respectives dans le carnet en toile cirée et permettent de distinguer les bombes qui ont explosé et celles qui ont fait long feu. Et ces quatre-là ont explosé, comme une demi-centaine d'autres.

Tizón remet tout en place, pousse le tiroir, referme la serrure avec le rossignol et reste un moment songeur. Puis il va vers les étagères de livres et les examine un par un, feuilletant les pages pour voir s'il n'y a pas de papiers cachés. Dans celui qui porte le titre *Système de la Nature, ou Des lois du monde physique et du monde moral* – d'un certain Mirabaud, baron d'Holbach, édité à Londres –, il trouve quelques passages soulignés au crayon, qu'il traduit du français sans difficulté. L'un d'eux appelle son attention :

> *Il n'est point de cause si petite ou si éloignée, qui ne produise quelquefois les effets les plus grands et les plus immédiats sur nous-mêmes. C'est peut-être dans les plaines arides de la Libye que s'amassent les premiers éléments d'un orage, qui porté par les vents viendra vers nous, appesantira notre atmosphère, influera sur le tempérament et sur les passions d'un homme, que ses circonstances mettent à portée d'influer sur beaucoup d'autres...*

Réfléchissant sur ce qu'il vient de lire, le policier s'apprête à fermer le livre ; et à ce moment, alors qu'il feuillette encore quelques pages au hasard, il tombe sur un autre passage voisin, également souligné :

Il est dans l'ordre que le feu nous brûle, parce qu'il est de son essence de brûler ; il est dans l'ordre que le méchant nuise, parce qu'il est de son essence de nuire.

Tizón sort de sa poche son propre carnet de notes et copie les deux paragraphes avant de ranger le livre. Puis il jette un regard à la pendule de la commode et constate qu'il a déjà passé trop de temps dans cette maison. Le propriétaire peut arriver d'un moment à l'autre ; bien que, en prévision d'une telle éventualité, le commissaire ait pris ses précautions : deux hommes le suivent dans la ville, un gamin possédant de bonnes jambes viendra en courant dès qu'il le verra prendre le chemin du retour, et Cadalso et un agent sont postés dans la rue, prêts à donner l'alerte. Prudence en principe inutile, car ce plan et les aveux du Mulâtre suffisent pour arrêter le taxidermiste, le remettre à la juridiction militaire et lui serrer le cou, sans appel possible, de quelques tours de garrot. Rien de plus facile, par ces temps, dans un Cadix que la guerre a sensibilisé à l'espionnage ennemi. Pourtant, le commissaire n'est pas pressé. Il y a des points obscurs qu'il désire éclaircir auparavant. Des théories à vérifier, des soupçons à confirmer. Que l'homme qui empaille des animaux souligne des passages inquiétants dans des livres et informe les Français des lieux de chute des bombes n'est pas, pour le moment, son souci principal. Ce qu'il a besoin de confirmer c'est s'il existe une lecture différente, parallèle du plan qu'il a remis dans son tiroir. Une relation directe entre celui qui habite cette maison, quatre points d'impact de bombes françaises et quatre filles assassinées, trois après et une avant la chute de ces bombes. Le sens qui se dissimule, peut-être, sous la toile d'araignée conique, tracée au crayon, qui emprisonne la carte d'est en ouest. Une arrestation prématurée pourrait brouiller l'ensemble et obscurcir à jamais le mystère, en ne lui laissant dans les mains que la capture d'un espion, les autres soupçons restant définitivement à l'état de simples suppositions. Ce n'est pas cela qu'il cherche aujourd'hui parmi les corps rigides des animaux morts, ni dans les tiroirs et les armoires qui cachent, peut-être, la clef de secrets, qui, depuis maintenant longtemps, le font vivre en compagnie de sinistres fantômes. Ce que poursuit le policier, c'est l'explication d'une énigme qui, au début, n'était que singulière et qui, depuis la mort anticipée dans la rue du Vent – cette bombe *après* et non *avant* –, est devenue carrément inexplicable. L'idée requiert, pour être réfutée ou démontrée, que tous les éléments restent actifs sur l'échiquier de la ville, développant librement leurs combinaisons naturelles. Comme dirait son ami Hipólito Barrull, l'affaire exige la précision de preuves empiriques. Empêcher un possible assassin de quatre filles de tuer encore une fois serait sûrement rendre service à la société ; un acte policier et patriotique efficace, de sécurité urbaine et de justice objective. Mais, d'un autre point de vue, cela supposerait attenter aux ultimes possibilités de mettre à l'épreuve la raison et ses limites. C'est pour cela que Tizón attend patiemment, immobile comme un de ces animaux qui en ce moment l'observent de leurs yeux de verre depuis leurs perches et leurs vitrines. Il veut surveiller sa proie, sans l'alerter, jusqu'à ce que tombent de nouvelles bombes. En fin de compte, Cadix abonde en appâts. Et il n'y a pas de partie d'échecs où il ne soit nécessaire de risquer quelques pièces.

10

La journée est fraîche, nuageuse, avec un petit vent du nord qui ride au loin l'eau des étiers. Felipe Mojarra est sorti tôt de chez lui – chapeau enfoncé jusqu'aux sourcils, gibecière, cape sur les épaules et couteau à manche de corne passé dans la ceinture – pour parcourir le quart de lieue du chemin bordé d'arbres qui mène du bourg de l'Île à la zone militaire et à l'hôpital San Carlos. Aujourd'hui, le saunier est chaussé d'espadrilles. Il va rendre visite au beau-frère Cárdenas qui se remet lentement, avec beaucoup de complications, de la blessure qu'il a reçue à la tête pendant qu'ils emmenaient la canonnière française du moulin de Santa Cruz. La balle n'a fait que fracturer un peu d'os, mais l'inflammation et les infections ont compliqué son état, et le beau-frère continue d'être fragile. Mojarra vient le voir toutes les fois qu'il le peut, dès qu'il est libre de son service et n'a pas à aller avec les guérillas ou accompagner le capitaine Virués pour reconnaître des positions ennemies. Le saunier apporte un peu de nourriture préparé par sa femme et bavarde un moment avec Cárdenas, en fumant un cigare. Mais c'est toujours un mauvais moment. Non tant du fait du beau-frère qui résiste tant bien que mal, mais à cause de l'ambiance de l'hôpital. Ce n'est une sinécure pour personne.

En passant devant les casernes des bataillons de marine, Mojarra parcourt les avenues rectilignes des quartiers militaires, laisse derrière lui l'esplanade de l'église et entre dans le bâtiment de gauche, après avoir décliné son identité à une sentinelle. Il monte les marches, et, à peine traversé le vestibule qui communique avec les deux grandes salles de l'hôpital, il expérimente une sensation connue et pénible : l'émotion de pénétrer dans un espace rebutant, où règne une rumeur basse et continue, monotone : le gémissement collectif de centaines d'hommes qui gisent sur des litières de paille et de feuilles de maïs posées sur des planches, dans un alignement qui, vu de la porte, semble infini. Puis vient l'odeur, également familière, et qui pour être attendue n'en est pas moins éprouvante. Les fenêtres ouvertes ne suffisent pas à dissiper la fétidité de la chair ulcérée et pourrie, la puanteur douceâtre de la gangrène sous les pansements. Mojarra ôte son chapeau et le mouchoir à carreaux qu'il porte dessous.

– Comment tu vas, beau-frère ?

– Tu vois. Pas très en forme, mais je tiens le coup.

– Tant mieux.

Yeux brillants, cerclés de rouge par la fièvre. Mauvais aspect. Visage pas rasé, qu'amaigrissent les joues creuses. La tête tondue où la blessure visible – découverte, pour faciliter le drainage – n'est pas impressionnante, comparée à ce qu'on peut voir dans la salle où abondent malades, blessés et mutilés. Il y a ici des soldats et des civils victimes des heurts récents sur la ligne de front et des incursions en territoire occupé ; mais aussi des victimes des combats de l'an passé à El Puerto, au Trocadéro et à Sanlúcar, et du désastre de Zayas à Huelva, de la tentative de Blake dans le comté de Niebla, de la bataille de Chiclana : plaies suppurantes, entailles dans la chair qui, des mois après, ne cicatrisent toujours pas, moignons d'amputations avec des sutures violacées, crânes et membres portant des blessures de balle ou de sabre encore ouvertes, pansements sur des yeux aveugles ou des cavités vides. Et toujours cette plainte lancinante, sourde, qui remplit l'espace dont les murs semblent contenir, concentrées comme une essence misérable, toute la douleur et la tristesse du monde.

– Que disent les chirurgiens?

Le beau-frère pousse un soupir résigné.

– Que je vais à tout petits pas… et que j'en ai pour un moment.

– Moi, je te trouve bonne mine.

– Ne te fous pas de moi. Et donne-moi de quoi fumer.

Mojarra sort deux petits cigares roulés, en passe un au blessé et met l'autre dans sa bouche, avant de les allumer avec son briquet à amadou. Bartolo Cárdenas se relève péniblement et s'assied sur le bord de la paillasse – draps sales, couverture mince et vieille –, aspirant la fumée à fond. Satisfait. Le premier en deux semaines, dit-il. Saloperie de tabac. Mojarra sort maintenant de la gibecière un paquet ficelé : viande séchée, thon salé. Et aussi un pot de terre qui contient de la morue aux pois chiches, une fiasque de vin et six cigares liés ensemble.

– Ta sœur t'envoie ça. Fais attention à ne pas te les faire barboter par les voisins.

Cárdenas range le paquet sous les planches de la paillasse en jetant des regards méfiants aux alentours. Il laisse le pot devant lui, entre ses pieds nus.

– Comment vont tes filles?

– Bien.

– Et celle qui est à Cadix?

– Encore mieux.

Les beaux-frères fument pendant que Mojarra donne les dernières nouvelles. Les incursions dans les étiers se poursuivent, et les Français sont sur la défensive. Des bombes sur l'Île et sur la ville sans beaucoup de conséquences. Le bruit circule aussi que le général Ballesteros se retire avec ses troupes à Gibraltar, pour se mettre sous la protection des canons anglais, pendant que les gabachos menacent Algésiras et Tarifa. On prépare également une expédition militaire à Veracruz pour combattre les insurgés mexicains. Lui-même a failli être enrôlé de force pour aller là-bas, avec d'autres gens du bourg ; mais don Lorenzo Virués l'a sorti d'affaire en le réclamant à temps. Pas grand-chose d'autre.

– Comment va ton capitaine ?

– Pareil à lui-même. Tu sais… Il dessine et m'oblige à me lever tôt.

– Est-ce que nous avons perdu des batailles, récemment ?

– Toutes, à part Cadix et l'Île.

Cárdenas montre ses gencives édentées et grises dans une grimace de ressentiment.

– Il faudrait fusiller vingt généraux, pour trahison.

– Ce n'est pas seulement un problème de généraux, beau-frère. C'est que personne n'est du même avis et que chacun tire à hue et à dia. Les hommes font tout ce qu'ils peuvent, mais les autres n'en tiennent pas compte… Les gens se rassemblent de nouveau, et de nouveau ils se font avoir… Faut pas s'étonner s'ils préfèrent déserter et prendre le maquis. Il y a de plus en plus de guérilleros et de moins en moins de soldats.

– Et les rougets ?

– Ils continuent leurs petites affaires.

– Ceux-là, au moins, ils savent ce qu'ils veulent.

– Tu parles, qu'ils le savent. Ils font leur travail, et pour eux on n'est que de la merde.

Un silence. Les deux hommes fument et se taisent en se fuyant du regard. Mojarra ne peut éviter que le sien se fixe sur la blessure. L'entaille en forme de croix sur le crâne tondu rappelle une bouche ouverte dont quelqu'un aurait tranché les lèvres de haut en bas. À l'intérieur, une croûte humide et sale.

– J'ai entendu dire que le père Ronquillo a été fusillé.

Mojarra confirme. Le dénommé Ronquillo, curé d'El Puerto, avait quitté ses habits sacerdotaux depuis que les Français avaient brûlé son église et s'était mis à la tête d'un parti, d'abord patriote, puis bientôt bande de brigands, pillant et assassinant à tour de bras voyageurs et paysans. Finalement, l'ex-curé est passé aux Français avec ses hommes.

– Ça doit faire un mois, conclut-il, nos guérillas lui ont tendu une embuscade à Conil. Ils l'ont d'abord arrangé comme il faut, et puis ils l'ont fusillé.

– Bon, l'essentiel est qu'il soit mort, cet oiseau de malheur.

Un hurlement fait tourner la tête à Mojarra. Un jeune homme se tord sur sa litière, nu, attaché sur le dos par des lanières qui lui immobilisent bras et jambes. Il arque le corps avec une violence extrême, grinçant des dents, serrant les poings, tous les muscles tendus, les yeux exorbités et poussant des cris secs et courts d'une fureur sans nom. Personne, près de lui, ne semble lui prêter attention. Cárdenas explique que c'est un soldat du bataillon de Cantabrie, blessé il y a sept mois à la bataille de Chiclana. Il a dans la tête une balle française qu'il est impossible d'extraire et qui, de temps en temps, est la cause de convulsions et de spasmes terribles. Il ne guérit pas mais ne meurt pas non plus, et il reste là, un pied de chaque côté de la frontière. On le change régulièrement de place pour que le tapage qu'il fait soit équitablement réparti dans toute la salle. Il y en a qui parlent de l'étouffer pendant la nuit avec un oreiller : comme ça, il irait reposer en paix ; mais personne n'ose le faire, parce qu'il semble beaucoup intéresser les chirurgiens : ils viennent le voir, ils prennent même des notes et le montrent à leurs visiteurs. Quand on l'a mis à côté de Cárdenas, celui-ci n'a pratiquement pas dormi pendant deux ou trois nuits, tout le temps réveillé en sursaut. Mais il a fini par s'habituer.

– On se fait à tout, beau-frère.

À la mention de la bataille de Chiclana, Felipe Mojarra fait la grimace. Il y a peu, on a su par la dénonciation d'un médecin que des blessés de ces combats mouraient à San Carlos par manque de soins et de nourriture, et que les fonds destinés à fournir lard et pois chiches à la marmite commune étaient détournés par les fonctionnaires. La réaction du ministre des Finances royales, responsable de l'hôpital, a été instantanée : il a porté plainte contre le journal de Cadix qui avait donné l'information. Puis tout a été enterré, moyennant quelques commissions, des visites de députés, et une légère amélioration. En se remémorant ce scandale, le saunier regarde autour de lui les hommes prostrés et ceux qui se tiennent debout sur des béquilles ou des cannes près des fenêtres, ou qui circulent dans la salle comme des spectres, démentant des mots comme *héroïsme*, *gloire* et autres dont usent et abusent les jeunes et les naïfs, et aussi ceux qui vivent sans le moindre risque de finir dans des lieux tels que celui-là. Il y voit des hommes qui, comme lui, se sont battus pour leur roi prisonnier et pour leur patrie occupée, lâches et courageux fauchés indifféremment par le fer et par le feu. Tous, défenseurs de l'Île, de Cadix, de l'Espagne, et tous connaissant la même triste fin... Avec pour tout paiement des corps émaciés aux yeux enfoncés dans leurs orbites, des expressions fiévreuses, des peaux parcheminées et pâles qui anticipent la mort, l'invalidité, la misère. Ombres méconnaissables de ce qu'ils ont été. Lui-même, pense-t-il, pourrait être des leurs. S'il s'était trouvé à la place du beau-frère, ou de ce malheureux qui se débat attaché à son châlit avec une once de plomb dans la cervelle.

Tout d'un coup, le saunier a peur. Pas la peur ordinaire, quand les balles sifflent tout près et qu'il sent se nouer ses muscles et ses tendons dans l'attente de la putain de balle qui le fera tomber les quatre fers en l'air. Il ne s'agit pas non plus du long frisson du moment interminable qui précède le combat imminent – la pire de toutes les peurs –, quand le paysage proche, y compris en plein soleil, semble prendre la grisaille des aubes sales, que monte en soi une étrange angoisse, des poumons jusqu'à la bouche et jusqu'aux yeux, irrésistible, qui oblige à respirer très profondément et très lentement. La peur de maintenant est différente : sordide, misérable. Égoïste. Il a honte d'éprouver cette trouble appréhension qui donne un goût amer à la fumée du cigare entre ses dents et le pousse à se lever de toute urgence pour sortir, courir chez lui et embrasser sa femme et ses filles afin de se sentir entier. Vivant.

– Quelles nouvelles de la canonnière ? demande Cárdenas. Quand est-ce qu'ils vont nous payer ?

Mojarra hausse les épaules. La canonnière. Il y a deux jours, il s'est rendu à l'intendance de la Marine pour réclamer encore une fois la récompense promise. Il a perdu le compte des démarches précédentes. Trois longues heures debout à attendre le chapeau à la main, comme d'habitude, jusqu'à ce que l'habituel fonctionnaire maussade lui dise sèchement, en une demi-minute et sans à peine le regarder, que chaque chose en son temps et ne soyez pas si pressé. Qu'il y a trop de chefs, d'officiers et de soldats qui n'ont pas reçu leur solde depuis des mois.

– Il faut encore attendre un peu. C'est ce qu'ils disent.

L'autre le regarde, inquiet.

– Mais tu y es vraiment allé ?

– Bien sûr que j'y suis allé. Et Curro aussi, plusieurs fois. À chaque fois ils nous expédient en quelques mots. C'est beaucoup d'argent, qu'ils disent. Et les temps sont durs.

– Et ton capitaine Virués ? Il ne peut pas en parler à quelqu'un ?

– Il dit que, dans ce genre d'histoires, il n'y a rien à faire. Ce n'est pas de sa compétence.

– Pourtant, ils ont été bien contents de nous voir, quand nous sommes arrivés avec la chaloupe. Même que le commandant de l'arsenal, il nous a serré la main. Tu te souviens ?... Et c'est lui qui m'a bandé la tête avec son mouchoir.

– Tu sais ce que c'est : sur le coup, c'est différent.

Cárdenas porte une main à son front, comme s'il voulait toucher la blessure ouverte dans son crâne, et l'arrête à un pouce du bord.

– Je suis ici pour cinq mille réaux, beau-frère.

Le saunier garde le silence. Il ne sait pas quoi dire. Il tire une dernière bouffée de son mégot, le laisse tomber par terre et écrase la braise avec le talon de son espadrille. Puis il se lève. Les yeux rougis de Cárdenas le regardent avec désolation. Indignés.

– On a fait du bon travail, dit-il. Curro, le gosse, toi et moi. Et les Français qu'on a liquidés, tu te rappelles ? Endormis dans le noir, ou presque... Tu leur as bien expliqué ?

– Tu penses bien que oui... Et tu verras, ça va s'arranger. Rassure-toi.

– Cet argent, on l'a gagné et bien gagné, insiste Cárdenas. Et plus encore.

– Il faut être patient. – Le saunier lui pose une main sur l'épaule. – C'est l'affaire de quelques jours. Quand les fonds arriveront d'Amérique.

L'autre hoche la tête avec découragement et se laisse retomber de côté sur la paillasse, en se recroquevillant comme s'il avait froid. Les yeux fiévreux se perdent dans le vide.

– Ils ont promis, beau-frère... Une chaloupe avec son canon, vingt mille réaux... C'est pour ça qu'on l'a fait, non ?

Mojarra prend sa cape, le mouchoir et le chapeau, marche au milieu des paillasses et s'éloigne de ce lieu. Fuyant tout ce que cachent les plis des drapeaux.

*

Vingt milles à l'ouest du cap Espartel. Le dernier coup de canon fait tomber le hunier du grand mât de la proie, qui s'effondre sur le pont dans un grand désordre de vergue, de cordages et de toile. Presque au même moment, à bord, son équipage met en panne et amène le pavillon français.

– La chaloupe à la mer, ordonne Pepe Lobo.

Appuyé à la lisse de tribord, à l'arrière de la *Culebra*, le corsaire observe le navire capturé qui se balance dans la houle avec toute sa toile masquée, arrêté dans le vent frais de levant. C'est un chamberquin de moyen tonnage, trois canons de 4 livres sur chaque bord et voiles carrées, et il vient de se rendre après un très bref combat – deux bordées de part et d'autre, avec peu de dommages visibles – et cinq heures de chasse commencée à l'aube, quand une vigie du cotre espagnol l'a aperçu en train de gagner la haute mer. Il s'agit sûrement d'un des bateaux ennemis, mi-marchands mi-corsaires, qui fréquentent les ports espagnols pour acheminer du ravitaillement vers la côte contrôlée par les Français. D'après la route qu'il suivait avant d'être poursuivi, le chamberquin a dû appareiller de Larache avec l'intention de naviguer très au large dans l'Atlantique en décrivant une longue courbe à l'ouest afin d'éviter les patrouilles anglaises et espagnoles du Détroit, avant de mettre le cap au nord pour arriver à Rota ou Barbate à la faveur de l'obscurité. Maintenant, une fois amariné par les hommes de la *Culebra* et le hunier réparé, sa destination sera Cadix.

La cloche de bord pique les quarts en sonnant deux coups doubles. Ricardo Maraña, qui a échangé quelques paroles avec l'équipage du chamberquin en se servant du porte-voix, arrive de la proue en passant près des quatre canons de 6 livres de tribord toujours pointés sur l'autre navire pour éviter toute surprise de dernière minute.

– Équipage français et espagnol, patron français, annonce-t-il, satisfait. Ils viennent de Larache, comme nous le supposions, chargés à ras bord de viandes salées, amandes, orge et huile… Une bonne prise.

Pepe Lobo approuve, pendant que son second, avec son indifférence habituelle, glisse deux pistolets dans le large ceinturon de cuir qui ceint sa veste noire, assure son sabre et part rejoindre l'équipe d'abordage, qui, armée de coutelas, espingoles et pistolets, se prépare à embarquer dans la chaloupe. Avec cette cargaison et ce pavillon, aucun tribunal ne discutera la légitimité de la prise. La nouvelle a déjà couru le long du pont : excités par la perspective d'un bon butin sans effusion de sang, les matelots plaisantent et donnent des tapes dans le dos de Maraña et de ses hommes.

Prenant la longue-vue à côté de l'habitacle, Pepe Lobo la déploie, colle un œil à l'oculaire et jette un coup d'œil sur la poupe haute et fine de l'autre navire, dont l'équipage rassemble la toile tombée sur le pont et cargue le reste. Sous le mât d'artimon, trois hommes contemplent le cotre avec une expression désolée. L'un d'eux, caban noir, barbe épaisse et chapeau à bord court, semble être le commandant. Derrière lui, sur l'autre bord, un pilotin ou un mousse jette quelque chose à la mer. Peut-être un livre de codes secrets, du courrier officiel, une lettre de marque française ou tout cela à la fois. À cette vue, Lobo appelle le maître d'équipage Brasero, resté près des canons.

– Bosco ?

– À vos ordres, commandant !

– Dites-leur au porte-voix que tous les hommes aillent à l'avant !… Et que s'ils envoient encore quelque chose à la mer, ne serait-ce qu'un crachat, on leur lâche une autre bordée !

Pendant que Brasero répète l'ordre, crachat compris, le capitaine de la *Culebra* surveille la mise à l'eau de la chaloupe. L'équipe d'abordage est déjà à bord, et les hommes ajustent les avirons aux tolets tandis que Maraña déborde l'embarcation. Pepe Lobo regarde ensuite dans la direction de la côte marocaine, invisible malgré la clarté du jour et l'horizon dégagé. Une fois le chamberquin amariné, il a l'intention de s'approcher un peu du continent et de jeter un coup d'œil, au cas où une nouvelle occasion se présenterait – ce sont de bonnes eaux pour la chasse – avant de changer de route et d'escorter la prise.

– Ohé, le pont!... Voile par le travers de tribord!

Contrarié, le corsaire lève les yeux. Sur la hune, la vigie indique le nord.

– Quel genre de navire?

– Deux mâts, je crois. Voiles carrées, grandes, avec tout dehors.

Suspendant la longue-vue à son épaule, Lobo, inquiet, parcourt la moitié du pont, sous la bôme qui oscille avec la grand-voile partiellement carguée. Puis, montant sur la lisse, il grimpe un peu aux enfléchures, déploie de nouveau la longue-vue et regarde dedans, en essayant d'adapter son pouls et sa vue au mouvement que la houle impose à la lentille.

– C'est un brigantin! annonce la vigie, au-dessus de sa tête.

Le cri arrive juste une seconde avant que Pepe Lobo n'identifie le gréement du navire qui approche rapidement grâce au fort levant qui tend sa toile. Et c'est bien un brigantin. Il navigue avec focs, huniers, grand et petit perroquets, à environ cinq milles, et il marche à vive allure, recevant le vent par bâbord. C'est encore impossible de distinguer le pavillon, si tant est qu'il en porte un; mais ce n'est pas nécessaire. Lobo ferme les yeux, lâche un juron, les ouvre de nouveau et regarde dans la longue-vue. Il lui semble reconnaître l'intrus. Il a du mal à croire à sa malchance, mais la mer est prodigue de ce genre de parties où tantôt l'on gagne, tantôt l'on perd. La *Culebra* vient de perdre.

– Faites remonter l'équipe d'abordage!... Tout le monde à la manœuvre!

Il crie les ordres tout en se laissant glisser par un hauban et, à peine les pieds sur le pont, il se dirige vers la poupe sans prêter attention aux hommes qui le regardent, perplexes, ou s'arrêtent un moment sur le bord pour scruter l'horizon. En chemin, il croise Maraña qui est rentré et lui adresse une question muette. Lobo se borne à indiquer le nord d'un mouvement du menton, et il n'en faut pas plus au second pour comprendre.

– Le brigantin de Barbate?

– Possible.

Maraña le regarde un instant, inexpressif. Puis il se penche sur la lisse au-dessus de la chaloupe, dont les matelots, les mains sur les avirons, se retiennent par une gaffe aux cadènes et lèvent des visages interrogateurs sans savoir ce qui se passe.

– Tous à bord! Remontez la chaloupe!

Il pourrait aussi bien s'agir d'un anglais, se dit Pepe Lobo, bien qu'aucune information récente ne fasse état de la présence d'un de leurs navires dans le Détroit. En tout cas, il n'est pas disposé à prendre des risques. Le cotre corsaire est rapide; mais le Français, si c'est lui, l'est beaucoup plus. Surtout avec le vent de travers et au largue, comme ce sera le cas s'il a l'intention de lui donner la chasse. Il a aussi une plus grande puissance de feu: douze canons de 6 livres, c'est quatre de plus que la *Culebra*. Et il a davantage d'hommes à bord.

– Ohé, le pont! crie la vigie. C'est le brigantin français!

Lobo ne se le fait pas répéter.

– Débordez la grand-voile, larguez tout à l'avant, bâbord amure !

La chaloupe est déjà à bord, ruisselante d'eau. Les hommes de l'équipe d'abordage ont laissé leurs armes et l'arriment sur ses cales à l'arrière du mât, sous la bôme, pendant que Maraña donne des ordres à l'avant et que le maître d'équipage Brasero expédie les retardataires à leur poste. Un murmure de déception parcourt le navire. Déconcertés au début, conscients à la fin du danger qui fond sur eux, les hommes courent pour larguer les candelettes de la grand-voile, qui se déploie avec un battement sonore de toile libérée pendant qu'à l'avant le grand foc et la trinquette montent sur les étais, écoutes filées, avec de grands claquements.

– Bordez la grand-voile ! Bordez tout à l'avant !

Les hommes tirent sur les écoutes à tribord, et le cotre gîte de plusieurs virures sur ce bord au moment où le vent s'engouffre dans les voiles et les tend. Pepe Lobo, qui est resté près de la barre, tient lui-même celle-ci pour amener le repère du compas situé sur la descente à l'ouest quart sud-ouest, puis répète le cap à l'Écossais, le premier timonier, en lui remettant la barre. D'un coup d'œil, il vérifie que les voiles reçoivent bien le vent et que le cotre, entraîné comme un pur-sang par la toile déployée autour de son mât unique, fend la mer et gagne de la vitesse pendant que les hommes achèvent de border les écoutes et de les tourner à leurs taquets.

– C'est un sacré paquet d'argent qu'on laisse là-bas, grogne le timonier.

Il jette – comme son commandant et comme tous à bord – des regards frustrés en direction de la prise abandonnée. Sa route conduit la *Culebra* à passer à portée de pistolet de l'autre navire ; une distance suffisante pour que les corsaires puissent apprécier d'abord la stupeur et ensuite la joie de son équipage qui, en comprenant ce qui se passe, adresse aux fuyards des cris goguenards, des bras d'honneur et d'autres gestes obscènes. Et Pepe Lobo, avec un pincement au cœur tandis qu'ils s'éloignent du chamberquin, a une dernière vision du capitaine ennemi en train d'agiter ironiquement son chapeau, en même temps qu'à la flèche du mât d'artimon se déploie de nouveau le pavillon français.

– On ne peut pas toujours gagner, commente Ricardo Maraña, qui est revenu à la poupe et s'adosse à la lisse sous le vent avec son flegme habituel, les pouces passés dans la ceinture qui porte encore le sabre et les deux pistolets.

Pepe Lobo ne répond pas. Il plisse les yeux pour les protéger du soleil et observe attentivement la surface de la mer et la flamme qui, au sommet du mât, indique la direction du vent apparent. Le corsaire s'absorbe dans des calculs de cap, de vent et de vitesse, traçant dans sa tête, avec la même clarté que sur une carte marine, le zigzag de droites, d'angles et de milles qu'il se propose de parcourir dans les prochaines heures, afin de mettre la plus grande quantité d'eau possible entre le cotre et le brigantin qui, à coup sûr, dès qu'il aura identifié la prise libérée et se sera assuré de sa récompense, continuera la chasse. Si c'est, comme il semble, celui que les Français ont entre Barbate et la barre du Guadalquivir, il s'agit d'un navire rapide de huit cents pieds de long et deux cent cinquante tonneaux. Cela suppose une vitesse de dix, voire onze nœuds par vent frais de travers ou grand largue ; une allure supérieure à celle du cotre, qui, avec le même cap et le même vent, ne dépasse pas les sept ou huit nœuds. Son seul avantage est qu'il navigue mieux que l'autre à la bouline : sa grand-voile aurique permet, dans ce cas, de serrer davantage le vent que ne le peut le brigantin avec ses voiles carrées, et le battre ainsi de vitesse. Au moins de deux nœuds.

– Le levant se maintiendra, soupire Ricardo Maraña en observant le ciel. Jusqu'à demain, en tout cas... C'est le côté positif.

– Il faut bien quand même qu'il y en ait un, dans toute cette merde.

Après avoir ainsi assouvi sa rage, dents serrées – Maraña a légèrement souri, sans plus de commentaires –, Pepe Lobo tire sa montre de la poche de son gilet. Il sait que son second pense la même chose que lui. Il reste moins de cinq heures de jour. L'idée est de fuir dans l'Atlantique jusqu'à la tombée de la nuit en piquant vers le large, cap au sud-ouest, pour tirer plus tard un bord au nord-ouest en serrant le vent et dépister le brigantin dans l'obscurité. En théorie. De toute manière, tout l'art, dans cette affaire, consiste à se maintenir le plus éloigné possible jusqu'à ce moment-là.

– Un mille par heure, dit Lobo. C'est le maximum que nous pouvons permettre au brigantin de nous gagner... Donc il vaut mieux déborder aussi le clinfoc et le hunier.

Son second regarde en haut, au-dessus de la grand-voile. L'immense toile gonflée par le vent portant est brassée sous le vent, maintenue par la corne et la bôme, impulsant le cotre avec l'aide de la trinquette et du foc déployés sur le long beaupré, à la proue.

– Je n'ai pas confiance dans le mât de perroquet. – Maraña parle bas pour ne pas être entendu des timoniers. – Un boulet du français a frôlé le chouquet... Avec trop de toile là-haut, si le vent fraîchit encore, il cassera.

Pepe Lobo sait que son second a raison. Selon le cap suivi, par vents forts et avec beaucoup de voiles dehors, l'unique mât du cotre peut se casser si on l'oblige à porter trop de toile. C'est le point faible de cette classe de navires rapides et manœuvrants : ils payent leur rapidité par leur fragilité. Délicats, parfois, comme une demoiselle.

– Donc on n'enverra pas le perroquet, répond-il. Mais pour le reste, on n'a pas le choix... Exécution, lieutenant !

Le second acquiesce, fataliste. Il se débarrasse du sabre et des pistolets, appelle le maître d'équipage – Brasero supervise l'amarrage des canons et la fermeture des sabords – et va au pied du mât pour surveiller la manœuvre. Pendant ce temps, Pepe Lobo corrige le cap de l'Écossais de deux quarts et dirige la longue-vue vers le sillage du cotre. Dans l'oculaire, il constate que le chamberquin a redéployé sa toile pour naviguer à la rencontre de son sauveur, et que le brigantin continue de se rapprocher rapidement. Quand Lobo baisse la longue-vue et regarde vers l'avant, le mât du cotre s'est couvert de nouvelles voiles, qui faseyent avant de s'immobiliser, gonflées par le vent et retenues par les écoutes que les hommes bordent sur le pont : le clinfoc en haut, tirant sur ses œillets au-dessus du grand foc et de la trinquette, et le hunier brassé sur sa vergue, au-dessus de la hune. La *Culebra* prenant plus de vent, son accélération se traduit par une secousse ; elle donne de grands coups de boutoir dans la houle et gîte davantage, la lisse sous le vent si près de l'eau que les embruns atteignent les canons et courent sur le pont jusqu'aux dalots, inondant tout. Adossé dans l'angle que forment le couronnement de poupe et la lisse du côté du vent, jambes écartées pour compenser la gîte prononcée, le corsaire se désole encore une fois intérieurement de la perte de la prise qu'il laisse derrière lui. En plus du butin lui revenant ainsi qu'à ses hommes, don Emilio Sánchez Guinea et son fils Miguel auraient été satisfaits, conclut-il. Et aussi Lolita Palma.

Pendant un instant, Pepe Lobo pense à cette femme – « Quand vous serez de retour au port », a-t-elle dit la dernière fois –, tandis que le cotre navigue droit devant, sûr, chevauchant l'Atlantique et fendant la houle en tanguant régulièrement. Une rafale d'eau glacée saute des haubans jusqu'à la poupe, passant sur le capitaine et les timoniers qui se courbent pour l'esquiver du mieux qu'ils peuvent. Secouant sa veste, trempé et les cheveux en désordre, le corsaire s'essuie la figure avec une manche pour se débarrasser du sel qui lui brûle les yeux. Puis il se tourne de nouveau vers le sillage, pour regarder dans la direction des voiles encore lointaines du brigantin. Au moins, comme l'a dit Maraña, c'est le côté positif. La chasse poursuite demande beaucoup d'heures. Et la *Culebra* court comme un lièvre.

Et maintenant, murmure-t-il avec hargne, attrape-moi si tu peux. Salaud.

*

Cliquetis des fuseaux, froissement de la soie et frou-frou des robes sur les chaises et le sofa aux bras recouverts de dentelle. Verres de vin doux, chocolats et pâtes de fruit sur la petite table des goûters. Sous la *mesa camilla* dont les jupes sont relevées, un brasero de cuivre chauffe la pièce en répandant un parfum de lavande. Décorant les murs tapissés de rouge foncé, un grand miroir, des estampes, des assiettes peintes et quelques bons tableaux. Parmi les meubles se détachent une commode chinoise laquée et une cage enfermant un cacatoès. Par les larges baies vitrées des deux balcons, on aperçoit les arbres du couvent San Francisco que dore le soleil de fin d'après-midi.

– On dit que nous avons perdu Sagonte, dit Curra Vilches, et que Valence peut tomber.

Doña Concha Solís, la maîtresse de maison, sursaute en interrompant un instant son ouvrage.

– Dieu ne le permettra pas…

C'est une grosse femme qui dépasse la soixantaine. Cheveux gris en chignon tenu par des épingles. Pendants d'oreilles et bracelet en jais, fichu de laine noir sur les épaules. Un rosaire et un éventail, posés sur la petite table.

– C'est impossible qu'Il le permette, répète-t-elle.

Près d'elle, Lolita Palma – robe marron sombre à col bordé de dentelle blanche – boit une gorgée de mistelle, pose le verre sur un plateau et reprend la broderie dont elle tient le canevas au creux de sa robe. Pour la femme qu'elle est, fil, dé à coudre, aiguille et ouvrages de dame sont des activités domestiques qui ne s'accordent ni avec son caractère, ni avec sa position sociale ; mais elle a pour habitude de rendre visite à sa marraine, dans sa maison de la rue de la Teinture, deux fois par mois, quand elle réunit ses amies autour de la table à ouvrage, pour broder et faire de la dentelle au fuseau. Aujourd'hui sont également présentes la fille et la bru de doña Concha – Rosita Solís et Julia Algueró, enceinte de cinq mois –, et une Madrilène grande et blonde du nom de Luisa Moragas, réfugiée à Cadix avec sa famille qui a loué l'étage supérieur de la demeure. La réunion est complétée par doña Pepa Alba, veuve du général Alba, qui a trois fils militaires.

– Les choses ne vont pas bien, poursuit Curra Vilches entre deux points, avec son franc-parler habituel. Notre général Blake a été battu par les Français de Suchet, et son armée dispersée. Il est fortement à craindre que tout le Levant ne tombe aux mains des Français… Et comme si ça ne suffisait pas, l'ambassadeur Wellesley, qui se comporte très mal avec les Cortès, menace de retirer les troupes anglaises : celles de Cadix et celles de son petit frère, le duc de Ouelligtone.

Lolita Palma, qui garde un silence prudent, sourit. Son amie parle avec une assurance et une autorité dont auraient bien besoin certains généraux. On dirait qu'elle passe son temps au milieu des obusiers et des roulements de tambour, comme une accorte cantinière.

– J'ai entendu dire que les Français menacent aussi Algésiras et Tarifa, ajoute Rosita Solís.

– C'est exact, confirme Curra, sur le même ton péremptoire. Ils veulent y entrer pour Noël.

– Quelle horreur. Je ne comprends pas comment nos armées peuvent se laisser battre ainsi… Je ne crois pas qu'un Espagnol soit moins courageux qu'un Français ou un Anglais.

– Ce n'est pas une question de courage, mais d'expérience. Nos soldats sont des paysans qui n'ont pas été préparés à la guerre, recrutés n'importe comment. Aucune pratique des batailles en rase campagne. C'est pour ça que les hommes se dispersent, crient «Trahison!» et s'enfuient... Avec ceux des guérillas, c'est tout le contraire. Eux, ils choisissent le lieu et le mode de combat. Ils sont dans leur élément.

– Tu as tout d'une générale, Curra, dit Lolita en riant, sans cesser de broder. Tu parles avec une autorité stupéfiante, et tu connais tout en matière militaire.

Son amie rit aussi, son ouvrage au creux de sa jupe. Ce soir, ses cheveux sont retenus par une gracieuse coiffe à rubans qui met en valeur la jolie couleur de ses joues, rehaussée encore par la chaleur du brasero proche.

– Ne t'étonne pas, dit-elle. Nous autres femmes, nous avons plus de sens pratique que certains stratèges qui font les importants... Les mêmes qui forment des armées de misérables paysans pour les laisser se débander ensuite dès qu'on souffle dessus, avec des milliers de malheureux qui courent dans les champs, sabrés sans pitié par la cavalerie ennemie.

– Les pauvres enfants, soupire Rosita Solís.

– Oui... Les pauvres.

Elles cousent en silence, pensant à des sièges, des batailles, des défaites. À un monde d'hommes, dont ne leur arrivent que les échos. Et les conséquences. Un chat gros et paresseux se frotte aux pieds de Lolita Palma et disparaît dans la galerie, au moment où une pendule y sonne cinq heures. Durant un temps, on entend seulement le bruit des fuseaux de doña Concha.

– Tristes jours..., prononce finalement Julia Algueró, qui s'est tournée vers la veuve du général Alba. Quelles nouvelles de vos fils?

La réponse s'accompagne d'un sourire qui exprime à la fois la résignation et la force.

– Les deux plus grands vont bien. L'un est dans l'armée de Ballesteros et l'autre est ici, à Puntales…

Un silence douloureux. Toutes comprennent. Julia Algueró, dont le joli ventre prometteur gonfle l'ample tunique, se penche un peu avec sollicitude. De mère à mère.

– Et le plus jeune ? Vous savez quelque chose ?

La générale fait non de la tête, le regard baissé sur son ouvrage. Le cadet, capturé au cours de la bataille d'Ocaña, est prisonnier en France. Cela fait longtemps que l'on n'a pas reçu de ses nouvelles.

– Vous verrez, tout s'arrangera.

La générale Alba garde encore un moment son sourire, stoïque. Et ce ne doit pas être facile de sourire ainsi, pense Lolita Palma. De s'efforcer d'être constamment à la hauteur de ce que les autres attendent de vous. Rôle ingrat : veuve d'un héros et mère de trois autres.

– J'en suis sûre.

Le cliquetis des fuseaux et le bruit du va-et-vient des aiguilles continuent. Les sept femmes sont tout à leur travail – le trousseau de Rosita Solís – tandis que descend le soir. La conversation coule tranquillement, entre événements domestiques et petites plaisanteries locales. L'accouchement d'Unetelle. Le mariage ou le deuil d'une autre. Les difficultés financières de la famille X et le scandale de doña Y avec un lieutenant du régiment de Ciudad Real. La pingrerie de madame X ou Z qui sort sans domestique, mise n'importe comment, coiffée à la diable et mal lavée. Les bombes françaises et la dernière essence de musc reçue de Russie par le marchand de savon du Mentidero. Il entre encore assez de clarté par les vitres des balcons, reflétée dans le grand miroir à cadre d'acajou qui contribue à éclairer la pièce. Nimbée de cette lumière dorée, Lolita Palma achève de broder les initiales *R.S.* sur la batiste d'un mouchoir, coupe le fil et se laisse porter par sa rêverie, loin de Cadix : mer, îles, ligne de la côte au loin, paysage avec voiles blanches et soleil qui se réverbère sur les petites vagues. Un homme aux yeux verts regarde ce paysage, et elle regarde l'homme. Avec un sursaut presque douloureux, elle revient difficilement à la réalité.

– Avant-hier après-midi, j'ai rencontré Paco Martínez de la Rosa dans la pâtisserie de Cosí, est en train de raconter Curra Vilches. Chaque fois que je le vois, il est encore plus beau, brun, avec son allure de Gitan et ses yeux très noirs...

– Peut-être un peu trop beau et peut-être un peu trop noirs, suggère malicieusement Rosita Solís.

– Qu'a-t-il donc de particulier ? demande Luisa Moragas, l'air étonné. Je l'ai vu deux ou trois fois, et il me paraît être un jeune homme agréable. Un garçon délicat.

– C'est bien le mot. Délicat.

– Jamais je n'aurais cru, dit la Madrilène scandalisée, comprenant de quoi il s'agit.

– Eh bien, si.

Curra Vilches poursuit son récit. Donc, explique-t-elle, elle a rencontré le jeune libéral dans la pâtisserie, en compagnie d'Antoñete Alcalá Galiano, Pepín Queipo de Llano et de quelques autres de ses amis politiques...

– Toute une bande d'écervelés, l'interrompt doña Concha. Une fine équipe !

– Bien. En tout cas, ils ont dit que la réouverture du théâtre était désormais considérée comme certaine. Une simple question de jours.

Rosita Solís et Julia Algueró applaudissent. La maîtresse de maison et la veuve du général Alba font grise mine.

– Encore une victoire de ces petits messieurs les philosophes, regrette cette dernière.

– Ils ne sont pas seuls. Des députés antiréformistes s'en déclarent aussi partisans.

– C'est le monde à l'envers, gémit doña Concha. On ne sait plus à quel saint se vouer.

– Mais moi, je trouve ça bien, insiste Curra Vilches. Garder le théâtre fermé, c'est priver la ville d'un délassement sain et agréable. D'ailleurs, dans Cadix, beaucoup de représentations sont données dans des maisons de particuliers, où l'on fait payer l'entrée... La semaine dernière, nous sommes allées, Lolita et moi, chez Carmen Ruiz de Mella, où l'on jouait une saynète de Juan González del Castillo et *Le Oui des jeunes filles*.

En entendant ce titre, la maîtresse de maison embrouille ses fuseaux dans les fils de la pelote.

– La pièce de Moratín ? De ce suppôt des Français ?... Quelle honte !

– N'exagérez pas, marraine, tempère Lolita Palma. C'est une très bonne pièce. Moderne, respectueuse et sensée.

– Sornettes ! – Doña Concha boit une gorgée d'eau fraîche pour apaiser son indignation. – Et Lope de Vega, et Calderón ?...

La veuve du général est du même avis.

– Rouvrir le théâtre me semble une manifestation de frivolité, dit-elle, en terminant un point. Il y en a qui oublient que nous sommes en guerre, même si, ici, on ne s'en aperçoit guère. Beaucoup de gens souffrent sur les champs de bataille et dans les villes de toute l'Espagne... Je considère cela comme un manque de respect.

– Moi, je le vois seulement comme un divertissement honnête, rétorque Curra Vilches. Le théâtre est l'enfant de la bonne société et le fruit de l'esprit des peuples.

Doña Concha la regarde avec une ironie affectueuse, un peu acide.

– Oh, Currita ! Tu parles comme une libérale. Je suis sûre que tu as lu ça dans *El Conciso*.

– Non, répond Curra en riant franchement. C'est dans le *Diario Mercantil.*

– Pour moi, ça ne change rien, ma fille.

Luisa Moragas intervient. La Madrilène – mariée à un fonctionnaire de la Régence qui a fui les Français – s'avoue surprise de la liberté avec laquelle les femmes gaditanes, en général, parlent de questions militaires et politiques. Et, en fait, de tout.

– Cette liberté serait impensable à Madrid ou Séville... Y compris dans la haute société.

Doña Concha répond que c'est naturel. Ailleurs, ajoute-t-elle, tout ce qu'on demande aux femmes est de s'habiller et se comporter avec grâce, proférer quatre lieux communs insipides et savoir manier l'éventail à ravir. Mais tout Gaditan, homme ou femme, est possédé de l'envie de connaître le fond des choses et de leurs problèmes. Le port et la mer y sont pour beaucoup. Ouverte au commerce mondial depuis des siècles, la ville jouit d'une tradition quasi libérale, dans laquelle sont également élevées la plupart des jeunes filles de familles aisées. À la différence du reste de l'Espagne, et même de ce que l'on voit chez d'autres nations cultivées, il n'est pas rare ici que les femmes parlent les langues étrangères, lisent les journaux, discutent de politique et, en cas de nécessité, prennent la direction de l'affaire familiale, comme l'a fait sa filleule Lolita après la mort de son père et de son frère. Tout est parfaitement accepté, et même applaudi, tant que l'on se maintient dans les limites de la bienséance et des bonnes mœurs.

– Mais c'est vrai, conclut-elle, qu'avec le bouleversement produit par la guerre nos jeunes filles perdent un peu le sens des convenances. Il y a trop de soirées, trop de bals, trop de tables de jeu, trop d'uniformes... Il y a un excès de liberté et trop de charlatans qui pérorent aux Cortès et hors de celles-ci.

– Trop d'envie de s'amuser, achève la veuve du général qui continue de coudre sans lever la tête.

– Il ne s'agit pas seulement d'amusement, proteste Curra Vilches. Le monde ne peut pas continuer d'être la propriété de monarques absolus, il doit appartenir à tous. Et cette affaire du théâtre est un bon exemple. L'idée de Paco de la Rosa et des autres est que le théâtre est bon pour l'éducation du peuple... Que les nouvelles notions de patrie et de nation trouvent là une bonne chaire pour y être prêchées.

– Le peuple?... Tu viens de mettre le doigt sur l'abcès, mon enfant, affirme doña Concha. Ce que veulent ces gens, c'est une république de guillotineurs et de mangeurs de curés qui mette la monarchie en prison. Et l'une des manières d'y parvenir est de concurrencer l'Église. Changer la chaire, comme tu dis, pour la scène du théâtre. Et de là, prêcher à leur façon. Tout pour la nation souveraine, comme ils l'appellent maintenant, et pratiquement rien pour la religion.

– Les libéraux ne s'opposent pas à la religion. Presque tous ceux que je connais vont à la messe.

– Mais bien sûr! – Doña Concha promène autour d'elle un regard triomphant. – À l'église du Rosaire, parce que le curé est des leurs.

Curra Vilches ne se laisse pas démonter.

– Et les autres vont à la vieille cathédrale, répond-elle avec aplomb. Parce qu'on y prêche contre les libéraux.

– Tu ne vas quand même pas comparer, ma petite.

– En tout cas, moi, je trouve que le théâtre patriotique, c'est bien, déclare Julia Algueró. C'est une bonne chose d'apprendre au peuple les vertus de la citoyenneté.

Doña Concha se tourne vers sa bru qu'elle fusille du regard. C'est ainsi que les choses ont commencé en France, grogne-t-elle, et on connaît le résultat: souverains guillotinés, églises pillées, une populace qui ne respecte rien. Et pour finir, Napoléon. Cadix, ajoute-t-elle, a été aux premières loges pour voir ce dont est capable le peuple déchaîné. Rappelez-vous le pauvre général Solano, ou des incidents du même ordre. La liberté d'imprimer n'a fait qu'empirer les choses, avec tous ces pamphlets qui circulent, les libéraux et les antiréformistes qui se querellent comme des chiffonniers, et les journaux qui soufflent de l'huile sur le feu.

– Le peuple a besoin d'instruction, intervient Lolita Palma. Sans elle, pas de patriotisme.

Doña Concha la dévisage longuement, comme d'habitude. Avec un mélange singulier d'affection et de désapprobation en l'entendant s'exprimer sur ces sujets. Lolita sait que, malgré le passage des ans et la réalité quotidienne, sa marraine n'accepte pas l'idée qu'elle ne soit pas mariée. Quel dommage, confie-t-elle régulièrement à ses amies. Cette fille, à son âge. Qui était tout sauf laide. Et qui continue de ne pas l'être. Avec cette tête remarquable et cette intelligence pour mener sa maison, le commerce et le reste. Pourtant, rien à faire. Elle finira vieille fille, la pauvre petite.

– Parfois, tu parles comme ces imbéciles du café d'Apollon, ma fille… Ce dont le peuple a besoin, c'est qu'on lui donne à manger, et qu'on lui fasse entrer dans le crâne la crainte de Dieu et le respect de son roi légitime.

Lolita Palma sourit avec une extrême douceur.

– Il y a d'autres choses, marraine.

Doña Concha a posé la pelote et les fuseaux et s'évente très fort, comme si la conversation et la chaleur du brasero finissaient par la faire suffoquer.

– C'est possible, admet-elle. Mais aucune n'est convenable.

*

Les éclats de bois de pin qui brûlent à côté du pit répandent une fumée résineuse et sale qui irrite les yeux. Leurs flammes éclairent mal l'arène et mettent des tons rouges sur la peau luisante des hommes qui font cercle autour du rond de sable où combattent deux coqs : plumes écourtées jusqu'à la naissance de leur tige taillée en biseau, ergots armés de pointes d'acier, becs tachés de sang. Les hommes crient de joie ou de déception à chaque assaut et chaque coup de bec, misant de l'argent selon les aléas de la lutte.

– Jouez le noir, mon capitaine, conseille le lieutenant Bertoldi. Nous ne pouvons pas perdre.

Adossé à la palissade qui entoure le pit, Simon Desfosseux observe la scène, fasciné par la violence qui se dégage des deux animaux en lice, l'un rouge vif et l'autre noir avec un collier de plumes blanches hérissées par le combat. Une vingtaine de soldats français et des Espagnols des milices de Joseph Bonaparte les excitent. Au-dessus de l'enceinte de planches dépourvue de toit s'étend le ciel étoilé et se dresse le dôme sombre, fortifié, de l'ancien ermitage de Santa Ana.

– Le noir, le noir, insiste Bertoldi.

Desfosseux n'est pas sûr que ce soit le bon choix. Quelque chose, dans l'expression impassible du propriétaire du rouge, lui conseille d'être prudent. C'est un Espagnol maigre aux cheveux gris, l'allure d'un Gitan, peau sombre et regard impénétrable, accroupi au bord de la piste. Trop indifférent, à son goût. Ou bien le coq et l'argent lui importent peu, ou bien il garde un atout dans sa manche. Le capitaine français n'est pas un expert en combats de coqs ; mais il en a vu quelques-uns en Espagne et sait qu'un animal ensanglanté et affaibli peut soudain ressusciter et, d'un coup de bec bien ajusté, expédier son adversaire les pattes en l'air. Certains, même, sont entraînés à ça. À faire semblant d'être exténués et sur le point d'expirer, jusqu'au moment où les paris ont suffisamment monté en faveur de l'autre, pour ensuite attaquer à mort.

Les spectateurs hurlent de plaisir quand le rouge recule devant une attaque féroce de son ennemi. Maurizio Bertoldi s'apprête à se frayer un passage pour ajouter quelques francs de plus à sa mise, mais Desfosseux le retient par le bras.

– Misez sur le rouge, dit-il.

L'Italien regarde, déconcerté, le napoléon d'or que son supérieur vient de lui mettre dans la main. Desfosseux, grave et très sûr de lui, insiste.

– Croyez-moi.

Bertoldi acquiesce, après une hésitation. Se décidant, il ajoute une demi-once personnelle au napoléon et remet le tout au responsable du pit.

– J'espère ne pas avoir à m'en repentir, soupire-t-il en revenant.

Desfosseux ne répond pas. D'ailleurs, il ne suit plus le combat. Son attention est attirée par trois hommes de l'assistance. Ils ont vu luire les pièces dans la bourse en cuir que le capitaine garde dans une poche de sa capote et l'observent avec une fixité peu rassurante. Ils sont tous les trois espagnols. L'un est habillé en civil, espadrilles et cape rayée sur les épaules, et les autres portent la veste de drap brun à liseré rouge, le pantalon et les guêtres des milices rurales qui servent de troupes auxiliaires à l'armée française. Il s'agit souvent d'individus pour le moins douteux, de mercenaires peu fiables : ex-guérilleros, malfaiteurs ou contrebandiers – les différences ne sont jamais claires en Espagne –, qui ont prêté serment au roi Joseph et persécutent maintenant leurs anciens camarades en échange d'une prime du tiers de ce qu'ils ont pris à l'ennemi et aux délinquants, réels ou inventés. Ainsi, jouissant de l'impunité, cruels, versatiles, prompts à infliger toutes sortes d'abus et de vexations à leurs compatriotes, ces miliciens s'avèrent parfois plus dangereux que les rebelles eux-mêmes, avec qui ils rivalisent en exactions sur les routes, dans les champs et les fermes, volant et pillant la population qu'ils disent protéger.

En contemplant les trois visages sévères et sombres, le

capitaine Desfosseux évoque une fois de plus les deux traits qu'il considère propres aux Espagnols : le désordre et la cruauté. À la différence des soldats anglais et de leur bravoure, constante, inhumaine et intelligente, ou des Français, toujours résolus dans le combat, même s'ils sont loin de leur terre natale et ne se battent souvent que pour l'honneur du drapeau, les Espagnols continuent de lui apparaître comme un mystère fait de paradoxes : courage contradictoire, lâcheté résignée, ténacité inconstante. Durant la Révolution et les campagnes d'Italie, les Français, mal armés, déguenillés et sans instruction militaire, se sont rapidement transformés en vétérans jaloux de la gloire de leur patrie. Tandis que les Espagnols, comme s'ils étaient habitués de façon atavique à accepter les désastres et à se méfier de ceux qui les commandent, fléchissent au premier choc, se décomposent et cessent d'être une armée organisée dès le début d'une bataille ; et pourtant, malgré cela, ils sont capables de mourir fièrement, sans une plainte et sans demander quartier, aussi bien en petits groupes ou en combat singulier que dans les grands sièges, se défendant avec une stupéfiante férocité. Montrant après chaque défaite une persévérance et une facilité extraordinaires pour se réorganiser et repartir au combat, toujours résignés et vindicatifs, sans jamais manifester d'humiliation ou de lassitude. Comme si combattre, être battus, fuir et se regrouper pour combattre encore et être encore battus était la chose la plus naturelle du monde. Eux-mêmes appellent ça « le général Tant Pis ». Et cela les rend redoutables. C'est la seule chose chez eux qui ne disparaît jamais.

Quant à la cruauté espagnole, Simon Desfosseux n'en connaît que trop d'exemples. Le combat de coqs lui en semble le symbole approprié, car l'indifférence avec laquelle ces gens taciturnes acceptent leur sort écarte toute pitié pour ceux qui tombent entre leurs mains. Jamais, même en Égypte, les

Français n'ont eu à supporter autant d'angoisses, d'horreurs et de privations qu'en Espagne, et cela finit par les porter eux-mêmes à des excès de toutes sortes. Entourés d'ennemis invisibles, toujours le doigt sur la détente et regardant derrière eux, ils savent que leur vie est constamment en danger. Sur cette terre aride, accidentée et ses mauvais chemins, les soldats impériaux doivent accomplir, chargés comme des mulets et sous le soleil, le froid, le vent ou la pluie, des marches qui terroriseraient ceux qui pourraient les faire libres de tout poids. Et à tout moment, au début, au milieu ou à la fin de la marche, là où l'on espérait trouver le repos, abondent les rencontres avec l'ennemi : pas des batailles rangées, qui, une fois livrées permettraient au survivant de se reposer, mais l'embuscade insidieuse, l'égorgement, la torture, l'assassinat. Deux événements dont Desfosseux a eu récemment connaissance confirment cette nature sinistre de la guerre d'Espagne. Un sergent et un soldat du 95e de ligne, capturés à l'auberge de Marotera, ont réapparu il y a une semaine, pris entre deux planches et sciés par la moitié. Et voici quatre jours, à Rota, un habitant et son fils ont remis aux autorités le cheval et l'équipement d'un soldat du 2e dragons qui logeait chez eux en assurant qu'il avait déserté. On a finalement découvert le dragon égorgé et caché au fond d'un puits. Il avait tenté, a avoué le maître de maison, de violer sa fille. Père et fils ont été pendus après qu'on leur eut coupé les mains et les pieds et pillé leur maison.

– Regardez le rouge, mon capitaine. Il tient bon.

Il y a de l'enthousiasme dans la voix du lieutenant Bertoldi. Le coq, qui semblait acculé par son ennemi sur un bord de l'arène, vient de se redresser, recouvrant des réserves d'énergie jusque-là dissimulées, et a ouvert d'un coup de bec furieux une entaille sanglante dans la gorge de l'autre, qui vacille sur ses pattes et recule en déployant ses ailes aux plumes coupées. Desfosseux jette un rapide coup d'œil sur le visage de son propriétaire en cherchant l'explication de ce retournement, mais l'Espagnol est toujours impassible, contemplant l'animal comme s'il n'était pas plus surpris par sa brusque récupération que par sa faiblesse antérieure. Les coqs s'affrontent en l'air, avec des bonds féroces, entre coups de bec et coups d'ergots, et c'est de nouveau le noir, les yeux maintenant crevés et sanglants, qui recule, tente encore de se débattre et tombe finalement sous les pattes de l'autre, qui l'achève par d'implacables coups de bec et dresse sa tête ensanglantée pour chanter sa victoire. Alors seulement Desfosseux remarque un léger changement chez le propriétaire. Un bref sourire, à la fois triomphant et méprisant, qui disparaît dès qu'il se lève et reprend l'animal avant de promener autour de lui ses yeux inexpressifs et cruels.

– Comme quoi, il faut toujours se méfier du coq, dit Bertoldi, admiratif.

Desfosseux observe l'animal vermeil palpitant, trempé de son sang et de celui de son ennemi, et frémit comme s'il avait un pressentiment.

– Ou de son maître, ajoute-t-il.

Les deux artilleurs prennent leurs gains, les partagent et sortent du pit dans la nuit, enveloppés dans leurs capotes grises. Un chien couché dans l'ombre se lève brusquement en les voyant apparaître. À la lumière vague qui vient de l'enclos, le capitaine remarque que l'une de ses pattes de devant est mutilée.

– Belle nuit, commente Bertoldi.

Desfosseux suppose qu'il veut parler de l'argent tout neuf qui alourdit leurs bourses; car des nuits comme celle-là, ciel étoilé et limpide, il en a vu beaucoup dans sa vie militaire. Ils se trouvent tout près de l'ancien ermitage de Santa Ana, situé en haut de la colline qui domine les hauteurs de Chiclana – ils sont là pour deux jours de repos, sous prétexte d'y rassembler des fournitures pour la Cabezuela. De ce lieu fortifié où a été installée une batterie de canons, on peut apercevoir, de jour, d'un côté tout le paysage des salines et de l'île de León, depuis Puerto Real jusqu'à l'Atlantique et au fort espagnol de Sancti Petri tenu par les Anglais à l'embouchure du canal, et dans la direction opposée les montagnes couvertes de neige de la sierra de Grazalema et Ronda. À cette heure, l'obscurité permet seulement de voir les contours de l'ermitage entre les lentisques et les caroubiers, le chemin de terre qui serpente le long du versant, quelques lueurs lointaines – sans doute des feux de bivouac – du côté de l'Île et de l'arsenal de la Carraca, et le reflet de la lune basse, à son dernier quartier, multiplié à l'infini sur les marais et les canaux jusqu'à l'horizon semi-circulaire. La bourgade de Chiclana s'étend au pied de la colline, tristement éteinte par le pillage, l'occupation et la guerre, prise dans le vaste néant noir des pinèdes, avec les silhouettes claires de ses maisons blanchies à la chaux, que divise en deux le large ruban de l'Iro.

– Le chien nous suit, dit Bertoldi.

C'est exact. L'animal, ombre mouvante parmi les ombres, boite derrière eux. En se retournant pour le regarder, Simon Desfosseux découvre trois autres ombres qui viennent derrière.

– Attention aux manolos, prévient-il.

Il n'a pas fini de le dire qu'ils sont assaillis : les lames brandies scintillent comme des éclairs. Desfosseux, qui n'a pas eu le temps de sortir son sabre de son fourreau, sent une secousse sur un bras et entend le son désagréable d'une navaja qui déchire le drap de sa capote. Il est loin d'être un guerrier intrépide, mais il ne va pas non plus se laisser égorger comme un mouton. Il cogne pour éviter un nouveau coup de couteau, repousse son agresseur de toutes ses forces en essayant de dérober son corps à la navaja qui le cherche et de tirer son sabre sans y parvenir. Il entend, tout près,

451

des respirations entrecoupées et des grognements furieux, des bruits de lutte. Un instant, il se demande ce qui arrive à Bertoldi, mais il est trop occupé à se protéger lui-même pour que cette pensée dure plus d'une seconde.

– Au secours ! crie-t-il.

Un coup au visage lui fait voir des points lumineux. En entendant une nouvelle déchirure du drap, il sent un frisson envahir ses aines. Ils vont me découper en morceaux, se dit-il. Comme un cochon. Les hommes au milieu desquels il se débat pendant qu'ils veulent lui immobiliser les bras – pour le poignarder, pense-t-il dans une explosion de panique – puent la sueur et la fumée résineuse. Maintenant, il lui semble aussi entendre crier Bertoldi. Dans un effort désespéré, se libérant à grand-peine de ses agresseurs, le capitaine fait un bond sur le côté et roule en dévalant la pente sur une courte distance. Cela lui donne le temps suffisant pour mettre la main droite dans la poche de sa capote et sortir le pistolet qui est dedans. De taille réduite et de petit calibre, il siérait mieux à un gandin parfumé qu'à un militaire en campagne ; mais il ne pèse pas lourd, il est commode à porter et, utilisé de près, il vous loge une balle dans les tripes avec autant d'efficacité qu'un mousqueton de cavalerie modèle an XIII. De sorte qu'après l'avoir armé avec la paume de la main gauche, Desfosseux le lève juste à temps pour viser l'ombre la plus proche qui déboule sur lui. L'éclair montre des yeux stupéfaits dans un visage brun encadré de pattes, puis on entend un gémissement et le bruit d'un corps qui bat en retraite en titubant.

– Au secours ! crie-t-il de nouveau.

Lui répond une imprécation en espagnol qui doit être un juron. Les formes obscures qui poursuivaient Desfosseux passent à toute allure à côté de lui, en se précipitant pour descendre la pente. Le Français, qui s'est mis à genoux et a enfin réussi à tirer son sabre du fourreau, leur en envoie un coup au passage, mais il ne fait que fendre l'air sans atteindre les fuyards. Une quatrième ombre s'abat sur Desfosseux qui s'apprête à lui expédier un autre coup de sabre, quand il reconnaît la voix altérée de Bertoldi.

– Mon capitaine !... Vous allez bien, mon capitaine ?

Par le sentier, depuis l'ermitage fortifié, les sentinelles accourent avec une lanterne allumée qui éclaire leurs baïonnettes. Bertoldi aide le capitaine à se relever. À la faveur de la lumière qui s'approche, Desfosseux voit que le lieutenant a le visage couvert de sang.

– Nous nous en sommes tirés par miracle, constate ce dernier d'une voix encore tremblante.

Une demi-douzaine de soldats les entourent en demandant ce qui s'est passé. Pendant que son lieutenant donne des explications, Simon Desfosseux rengaine son sabre et remet le pistolet dans la capote. Puis il scrute, au bas du versant, l'obscurité où se sont évanouis les assaillants. Dans son esprit s'impose l'image du coq rouge, rusé et cruel, se pavanant sur le sable du pit, le plumage hérissé, humide de sang.

*

– C'était une pute de Santa María, dit Cadalso.

Rogelio Tizón observe la forme qui gît sous une couverture dont seuls dépassent les pieds. Le cadavre est par terre, près du mur d'un vieux hangar abandonné à l'angle de la rue du Laurier : une construction étroite et sombre, à l'aspect délabré, sans toit. Les moignons de trois grosses poutres dénudées encadrent le ciel, au-dessus des restes d'un escalier dont les marches donnent sur le vide.

Le commissaire s'agenouille et retire la couverture. Même endurci par l'habitude, cette fois il ressent un malaise. De Santa María, a dit son adjoint. Souvenirs et désagréables pressentiments se bousculent dans sa tête. L'image d'une fille nue, étendue sur le ventre dans la pénombre. Et ses supplications. Non, s'il vous plaît. S'il vous plaît. Pourvu que ce ne soit pas elle, conclut-il, consterné. Cela ferait trop de hasards. Trop de coïncidences. Quand il découvre le dos déchiqueté entre les lambeaux de la robe déchirée, ouverte jusqu'à la ceinture, l'odeur s'incruste dans son nez et sa gorge comme un coup de griffes. Il ne s'agit pas encore de la putréfaction due à la décomposition – la fille a dû mourir cette nuit –, mais d'une odeur sinistre qui, à force, finit par devenir familière : chair lacérée par le fouet et ouverte si profond qu'elle découvre les os et les viscères. Cela sent comme les boucheries en été.

– Sainte Vierge! s'exclame Cadalso derrière lui. On ne s'habituera jamais à ce qu'il leur fait.

Retenant sa respiration, Tizón prend la fille par les cheveux – crasseux, emmêlés, collés au front par des caillots de sang – et tire un peu, soulevant la tête pour mieux voir le visage. La rigidité cadavérique s'est déjà emparée du corps et le cou durci suit un peu le mouvement. Le commissaire étudie ce qui ressemble à un masque de cire sale, avec des marques de coups violacées. De la viande morte. Presque un objet. Ou même pas *presque*. On ne relève plus rien d'humain dans les traits jaunâtres, dans les pupilles brouillées qui regardent sans voir, dans la bouche encore bâillonnée par le mouchoir qui a étouffé les cris. Au moins, se dit-il en lâchant les cheveux de la morte, ce n'est pas elle. Ce n'est pas, comme il avait fini par le craindre un moment, la jeune fille qu'il a suivie après avoir parlé avec la Caracole. Le corps nu sur lequel il a entraperçu avec horreur ses propres abîmes.

Il remet la couverture sur le cadavre et se redresse. Il y a des gens aux balcons voisins, et il se dit que cette fois ce sera impossible de garder le secret. Nous y voilà, pense-t-il. Il calcule rapidement le pour et le contre, les conséquences immédiates de l'événement. Même dans la situation exceptionnelle que connaît la ville, cinq assassinats identiques, c'est trop. Il n'y a plus de marge. Dans le meilleur des cas, à supposer qu'il parvienne à éviter le scandale public et l'intervention des colporteurs de ragots et des journalistes, il devra fournir beaucoup d'explications à l'intendant général et au gouverneur. Avec eux, pas question d'intuitions, de théories ni d'expérimentations. Seuls comptent les faits, et ils voudront des coupables. Et si ceux-ci n'apparaissent pas, des responsables. La tête de l'assassin, ou la sienne.

Balançant, songeur, sa canne, une main dans une poche de sa redingote et le chapeau rabattu sur les yeux, Tizón observe la rue de chaque côté de l'angle droit qui la divise en deux : une branche vers la rue voisine de Santiago, et l'autre vers celle de Villalobos. Aucune bombe n'est jamais tombée ici. C'est la première chose qu'il a voulu vérifier quand il a appris la découverte du corps. La plus proche, qui n'a pas explosé, est allée atterrir devant le chantier de la nouvelle cathédrale. Ce qui ne peut signifier que deux choses : ou bien ses hypothèses sont sans fondement, ou bien elles peuvent se voir confirmées dans les heures ou les minutes qui viennent par un impact de l'artillerie française. Levant les yeux, il observe froidement les maisons environnantes, les façades et les terrasses qui, par leur orientation, sont les plus exposées à recevoir une bombe tirée depuis l'autre côté de la baie. La douzaine de voisins que la curiosité a fait sortir sur leurs balcons retiennent leur attention. Il se dit qu'il devrait les prévenir. Leur signifier que d'un moment à l'autre peut arriver un projectile susceptible de les mutiler ou de les tuer. Ce serait intéressant de voir leurs têtes. Éloignez-vous d'ici le plus vite possible, parce qu'une bombe va vous tomber dessus. C'est mon petit doigt qui me l'a dit. Ou formulé plus longuement : évacuer d'urgence les habitants de la rue du Laurier et des alentours

– plusieurs heures ? une journée ? – en donnant pour explication qu'un assassin agit en connexion, selon les soupçons du commissaire aux Quartiers, Vagabonds et Étrangers de passage, avec d'étranges magnétismes et de mystérieuses coordonnées. On entendrait les éclats de rire jusqu'au Trocadéro. Et il est peu probable que l'intendant et le gouverneur rient longtemps.

Dans les prochaines heures ou les prochaines minutes, se répète-t-il. Puis il fait quelques pas dans la rue en regardant tout. À partir de ce moment – l'idée produit en lui maintenant un picotement d'inquiétude –, il peut ne rien se passer du tout, ou une bombe peut tomber du ciel et le faire lui-même sauter. Comme dans la rue du Vent, la dernière fois : ce chat en bouillie. Le souvenir le fait se mouvoir avec des précautions absurdes, comme si, en avançant un pas dans une direction plutôt qu'une autre, il pouvait devenir le point final de la trajectoire d'un tir français. C'est alors que, pour un bref instant, comme s'il traversait un endroit de la rue où l'air se dissiperait avec une extrême subtilité pour laisser un vide insolite, Tizón éprouve une pénible sensation d'irréalité. Il a l'impression, constate-t-il avec étonnement, qu'il marche au bord d'un précipice et que du fond de l'abîme monte une puissante force d'attraction : un vertige inconnu jusque-là. Ou presque. *Excitation* serait peut-être le mot approprié. Comme *curiosité*, *perplexité* ou *incertitude*. Il y entre aussi un peu d'obscure jouissance. Apeuré par le tour que prennent ses pensées, le commissaire se sent par trop exposé. C'est ce que doit éprouver un soldat hors de la tranchée, à la merci du tir d'un ennemi invisible. Il sursaute comme s'il se réveillait d'un engourdissement dangereux et regarde de part et d'autre : les voisins en haut, Cadalso debout près du cadavre, les gardes, au coin, qui maintiennent les curieux à distance. Revenu à lui, Tizón cherche la partie de la rue qui lui semble la mieux protégée, en tenant compte – il tâche de ne pas l'oublier tandis qu'il calcule en jetant un rapide coup d'œil – que l'artillerie française tire sur la ville depuis l'est.

Ensuite, il y a l'assassin, naturellement. S'arrêtant sous un porche, il analyse ce mot : *ensuite*. Et non sans ironie. En réalité, il est étonné de sa propre indécision devant l'ordre exact des priorités. Bombes et assassins. Lieux avec leur *avant* et leur *après*. La vérité, conclut-il, est qu'il est profondément irrité de se voir obligé d'intervenir dans un aspect du problème sans en résoudre la part la plus incertaine. Mais la cinquième fille morte ne lui laisse pas le choix. Le principal suspect est localisé, et il y a des supérieurs qui le réclament. Pour être plus exact, ils vont le réclamer à grands coups de poing sur la table d'ici peu, dès que la nouvelle du dernier crime se répandra dans la ville. Et cette fois-ci, il est sûr qu'elle se répandra, quels que soient ses efforts pour obliger les bouches à se taire. Tous ces imbéciles aux balcons, et les journaux mettant les faits bout à bout. La mémoire faisant son œuvre. Devant cette urgence, le reste des éléments devra attendre, ou être écarté. Cette éventualité – cette certitude, peut-être – exaspère le policier. Il serait déçu de se voir forcé de neutraliser l'assassin sans avoir éclairci les étranges règles physiques qui régissent son jeu. Sans savoir s'il est l'auteur absolu ou un simple agent d'une trame plus complexe. Clef suprême ou simple pièce de l'énigme.

– Où en est-on avec ce Fumagal ?

Il est revenu près de son adjoint qui regarde le corps masqué par la couverture, tout en se curant consciencieusement le nez. Le subalterne esquisse une mimique qui ne l'engage à rien. Son rôle n'est pas d'interpréter les faits, mais de les suivre avec ponctualité et d'en informer son chef. Cadalso est de ceux qui dorment sans se compliquer la vie. À poings fermés.

– Il est toujours sous surveillance, monsieur le commissaire. Les hommes se sont relayés deux par deux cette nuit devant chez lui.

– Et ?

Un silence gêné : le temps, pour le sbire, de considérer si le monosyllabe exige ou non une réponse circonstanciée.

– Et rien, monsieur le commissaire.

Tizón frappe le sol avec sa canne, impatient.

– Il n'est pas sorti cette nuit ?

– Non. Pas que je sache. Les agents jurent qu'il est resté chez lui toute l'après-midi. Ensuite il est allé souper à la taverne de la Perdrix, il s'est arrêté un moment au café de l'Ange et il est rentré tôt. La lumière de ses fenêtres s'est éteinte vers neuf heures et quart.

– Trop tôt... Tu es sûr qu'il n'est pas sorti ?

– C'est ce que disent ceux qui ont veillé. Ne m'en demandez pas plus... Les hommes qui étaient de garde assurent qu'ils n'ont pas bougé de là et que le suspect ne s'est pas présenté à la porte.

– Les rues sont sombres... Il a pu passer par un autre endroit. Par-derrière.

Cadalso plisse le front, en pesant longuement cette hypothèse.

– Ça me semble difficile, conclut-il. La maison n'a pas d'autre issue. L'unique possibilité est qu'il soit descendu par la fenêtre dans la cour de la maison voisine. Mais, si vous me permettez cette observation, ça fait vraiment trop de suppositions.

Tizón approche son visage de celui du sbire.

– Et s'il est sorti par la terrasse pour passer dans la maison mitoyenne ?

Un silence éloquent. Coupable, cette fois.

– Cadalso... Tu me donnes envie de chier sur toi et tous tes ancêtres.

Contrit, l'homme baisse la tête. Il baisserait aussi les oreilles s'il le pouvait.

– Imbécile, martèle Tizón. Bande d'imbéciles dégénérés.

L'adjoint balbutie des excuses sans grand fondement, que le commissaire écarte d'un geste de la main qui tient la canne. Être pratique avant tout. Le temps est compté et il faut se concentrer. La première chose à faire est de s'assurer que l'oiseau ne s'échappe pas du filet.

– Qu'est-ce qu'il fait, en ce moment?

Cadalso le regarde, soumis. Un gros chien maltraité qui cherche à se réhabiliter auprès de son maître.

– Il est toujours chez lui, monsieur le commissaire. Tout semble normal... À toutes fins utiles, j'ai fait doubler la surveillance.

– Il y a combien d'hommes, maintenant?

– Six.

– C'est tripler, animal.

Calculs mentaux. Cadix est un échiquier. Il y a des coups efficaces et des coups parfaits. Le joueur intelligent est caractérisé par sa prévoyance et sa patience. Tizón aimerait être intelligent, mais il se sait seulement rusé. Et joueur chevronné. Il faudra bien, constate-t-il, résigné, se contenter de ce qu'il a.

– Enlevez le corps. Portez-le à la morgue.

– On n'attend pas la Persil?

– Non. Sur celle-là, pas besoin de vérifier sa virginité, comme sur les autres.

– Pourquoi, monsieur le commissaire?

– Tu ne m'as pas dit que c'était une pute?... Crétin.

Il fait quelques pas au milieu de la rue et regarde autour de lui. Il veut avoir la confirmation de ce qu'il a senti tout à l'heure, quand il évoquait la possibilité – il l'évoque encore avec appréhension – qu'une bombe lui tombe dessus. Il ne s'agit pas de quelque chose de concret, mais d'un soupçon indéfinissable, presque imperceptible. Quelque chose qui est lié aux sons et au silence, au vent et à son absence. À la densité, peut-être, ou la *texture*, si c'est le mot qui convient, de l'air dans cette partie de la rue. Et ce n'est pas la première fois que ça arrive. Observant les alentours, se déplaçant très lentement, Rogelio Tizón essaye de se souvenir. Il a à présent la certitude d'avoir déjà vécu une sensation identique, ou les effets de celle-ci. C'est comme quand l'esprit semble reconnaître, de façon mystérieuse, quelque chose qui a eu lieu dans le passé. Dans d'autres circonstances, ou dans une autre vie.

La rue du Vent, se rappelle-t-il soudain, sidéré. C'est la même sensation de vide qu'il a sentie là-bas, dans la maison abandonnée où était apparue la précédente fille morte. Cette certitude étrange que, dans un lieu et à un moment précis, l'air change de qualité, comme s'il s'agissait d'un endroit dont les caractéristiques sont différentes du reste. Un point d'absence ou de néant absolu, qu'une cloche de verre invisible isolerait de ce qui l'entoure, le vidant de son atmosphère. Encore abasourdi par cette découverte, il fait quelques pas au hasard en cherchant à se situer au même lieu qu'avant. Finalement, tout près du cadavre, juste dans l'angle droit que forme la rue, il a de nouveau l'impression de pénétrer dans ce même espace étroit, singulier, où l'air est immobile, où l'on ne perçoit les sons qu'étouffés et lointains, où même la température semble différente. Un vide presque absolu qui inclut tout ce qui est sensoriel. Cette certitude ne dure qu'un moment et s'évanouit d'un coup. Mais c'est suffisant pour que le policier en ait la chair de poule.

11

Ces derniers jours, les ponants d'hiver ont apporté sur la ville des couchers de soleil brumeux. Cela fait un moment que le ciel est passé du rouge au gris bleuté puis au noir, tandis que, dans la baie, les pavillons étaient amenés et les silhouettes immobiles des navires au mouillage se fondaient dans l'ombre. Les premières heures de la nuit distillent une humidité prématurée, impatiente, qui couvre les grilles et les fenêtres, rend glissants les pavés et luisant le sol sous l'unique lumière qui brille, fantasmagorique, toute proche : la lanterne à huile allumée au coin des rues San Francisco et du Bastion. Elle n'anime pas vraiment les ténèbres, elle surprend plutôt le passant comme la veilleuse d'un tabernacle dans une église obscure et vide.

– Que ça te plaise ou non, je ne te laisserai pas partir seule... Santos !

– Oui, madame Lolita.

– Prends une lanterne et accompagne Madame.

Sur le seuil de sa maison, dans le noir, un châle de laine sur les épaules et les cheveux rassemblés dans une tresse nouée en spirale sur la nuque, Lolita Palma prend congé de Curra Vilches. Son amie proteste parce que, dit-elle, elle peut parfaitement parcourir seule les cent et quelques pas qui la séparent de sa maison de la rue Pedro Conde, face à la Douane. À son âge et à Cadix, elle n'a pas besoin de chaperon. Voyons... Il ne manquerait plus que ça !

– Ne m'embête pas, ma fille, se rebelle-t-elle en remontant le large col de son manteau. Et laisse tranquille le pauvre Santos qui était en train de souper.

– Tais-toi, tête de linotte. Avec ce qui se passe, ce n'est pas le moment de faire la faraude comme si de rien n'était.

– Je te dis que je m'en vais. N'insiste pas.

– Si... Santos!

Curra Vilches continue de protester, mais Lolita refuse de la laisser partir. Il est tard, et depuis que s'est répandu dans la ville le bruit de toutes ces femmes mortes, chacun est inquiet. Avec des assassins en liberté, dit-elle à son amie, l'heure est mal choisie pour jouer les héroïnes. Les autorités soutiennent qu'il s'agit d'affabulations, et aucun journal n'y fait allusion; mais Cadix est une grande cour de quartier: on murmure que les crimes sont réels, que la police n'arrive pas à trouver les coupables et que, passant outre la liberté de la presse, la censure militaire est intervenue en arguant de la situation de guerre pour ne pas alarmer les habitants. Tout le monde sait ça.

Le domestique revient avec un quinquet en fer-blanc allumé, et Curra Vilches finit par se rendre aux raisons de Lolita. Elle a passé chez elle presque toute l'après-midi en l'aidant un peu. C'est le dernier jour du mois, date à laquelle, par tradition, les bureaux et les comptoirs des maisons de commerce de Cadix restent ouverts jusqu'à minuit, de même que les agences de change et de banque, les magasins de denrées coloniales et les agents maritimes, pour faire le bilan des stocks et mettre les livres à jour. Lolita, qui a hérité cette habitude de son père, a consacré l'après-midi à superviser les comptes établis par les employés de Palma & Fils dans le bureau du rez-de-chaussée, pendant que son amie l'assistait en s'occupant des tâches domestiques et de sa mère.

– Je l'ai trouvée très bien. Compte tenu de son état.

– Allons, file, maintenant. Ton mari doit t'attendre pour le souper.

– Lui ? – Sous son manteau, Curra Vilches met les poings sur les hanches en manière de provocation. – Tout le temps qu'il passe à Cadix, je le vois, comme toi, plongé jusqu'au cou dans la correspondance commerciale et ses livres de comptes… Il n'a absolument pas besoin de moi. Aujourd'hui est le jour idéal pour se laisser aller et commettre l'adultère. Chaque dernier jour du mois, nous avons toutes droit, nous les Gaditanes mariées, aux circonstances atténuantes… Le premier confesseur venu comprendrait ça.

– Quelle sotte tu fais ! s'exclame Lolita en riant.

– Moque-toi de moi, ma pauvre. Mais ce que les médecins prescrivent, pour des jours comme aujourd'hui, c'est un lieutenant de grenadiers, un officier de marine, ou quelque chose comme ça… Des hommes qui ne connaissent rien au change des monnaies ni à la comptabilité en partie double, mais qui te donnent des vapeurs et le besoin de t'éventer quand ils passent à portée de pistolet. Les favoris bien taillés et le pantalon bien collant.

– Ne sois pas vulgaire.

– Pas du tout, ma belle. Tu es vraiment trop bête. Si j'étais à ta place, seule et dans ta position, je ne me priverais pas ! Ce n'est pas moi qui accepterais de passer ma vie claque-murée dans un bureau avec une demi-douzaine de gratte-papier et de classer des petites feuilles de salade dans un album.

– Vas-tu enfin partir ?… Santos, allez éclairer madame Curra.

La lumière de la lanterne éclaire la chaussée devant Curra Vilches qui suit le vieux serviteur, emmitouflée dans son manteau.

– Tu gâches ta vie, ma fille, dit-elle en se retournant une dernière fois. Tu gâches ta vie.

Dans l'obscurité revenue, Lolita Palma rit encore, appuyée contre le gond du porche.

– Adieu, et sois prudente, avaleuse de sabres !

– Adieu, mère supérieure !

Lolita parcourt le couloir de l'entrée, ferme la grille derrière elle et passe entre les hauts pots de fougères posés sur les carreaux génois du patio. Près de la citerne, un grand candélabre avec des chandelles en cire éclaire les trois arcs et les deux colonnes de l'escalier de marbre qui conduit aux galeries vitrées des étages. À droite, à quelques pas, toujours dans la cour, se trouve la porte des locaux commerciaux qui occupent le rez-de-chaussée, avec une autre porte donnant sur la rue des Doublons pour les produits et les activités marchandes : le magasin des marchandises délicates, le petit salon de réception, le bureau principal et celui où deux préposés aux écritures, un employé, un comptable et leur chef travaillent à la lumière de lampes à pétrole, penchés sur leurs pupitres couverts de copies de lettres et de livres où sont enregistrées cargaisons et factures. Quand Lolita entre, en contournant le brasero bourré de charbon qui chauffe la pièce, tous inclinent la tête en manière de salut – elle leur a interdit de se lever quand elle arrive au bureau – et seul Molina, le chef, trente-quatre années de maison, se met debout derrière la cloison de verre dépoli qui délimite le petit espace où il officie. Il porte des manchettes de lustrine noire et une plume derrière l'oreille droite.

– Nous avons le total des impayés de La Havane, madame Lolita. À un et demi pour cent, cela nous fait une traite de trois mille sept cents réaux à représenter.

– Avons-nous quelques chances de les récupérer ?

– Pas beaucoup, je le crains.

Elle reçoit l'information sans laisser percer sa contrariété : tout juste un froncement de sourcils – qui peut être pris pour de la concentration – en écoutant le chef parler. Ça continue : de nouveau une perte. Le salaire annuel d'un de ses employés, par exemple. La sensation de fatigue qu'elle éprouve ne vient pas seulement du travail de la journée qui n'est pas encore fini. Le blocus français, le manque général de liquidités, les problèmes en Amérique assaillent de plus en plus les commerçants gaditans, malgré l'euphorie apparente des affaires que certains réalisent grâce à la guerre. Palma & Fils n'est pas une exception.

– Passez-la sur les livres telle quelle. Et quand les factures de Manchester et de Liverpool seront prêtes, apportez-les-moi dans mon bureau… – Lolita promène son regard sur les employés. – Avez-vous soupé ?

– Pas encore.

– Allez voir Rosas pour qu'il vous prépare quelque chose. Des charcuteries et du vin. Vous avez vingt minutes.

Elle pousse la porte du salon de réception qui a son entrée sur la rue des Doublons, avec ses estampes marines et sa plinthe en bois sombre, traverse la pièce et entre dans le bureau principal. À la différence du cabinet privé qu'elle utilise en dehors des heures de travail dans la partie haute de la maison, celui-ci est grand, formel, et la décoration n'a pas changé depuis l'époque de son grand-père et de son père : une grande table et une bibliothèque, deux vieux fauteuils en cuir, trois modèles de navires sous des globes en verre, un plan encadré de la baie au mur, un almanach de la Compagnie royale des Philippines, une pendule anglaise, un grand classeur métallique pour les cartes et les chartes nautiques dans un coin, et un baromètre à alcool long et étroit définitivement fixé sur *Temps très humide*. Sur la table – l'inévitable acajou sombre, comme tous les meubles de la maison –, sont posés une lampe en verre bleuté, une sonnette, un cendrier de bronze qui a appartenu à son père, un jeu de plumes et un encrier en porcelaine de Chine, un portefeuille contenant des documents et deux livres dont les pages sont marquées par des bandes de papier, *Tables arith-métiques* de Rendón y Fuentes, et *L'Art de la comptabilité en partie double* de Luque et Leyva. Relevant sa jupe – simple, en cachemire marron avec une courte veste, pratique pour travailler assise sans se sentir oppressée –, Lolita prend place. Puis elle arrange son châle de laine sur ses épaules, mouche la lampe et contemple, concentrée, le fauteuil qu'elle a devant elle. C'est dans celui-ci que se tenait Emilio Sánchez Guinea, quand il lui a rendu visite cette après-midi et qu'ils ont échangé leurs impressions sur la situation générale. Laquelle, de l'avis de l'héritière de la maison Palma comme de celui de n'importe quel Gaditan qui regarde lucidement l'avenir, se présente incertaine. Encore que le terme exact auquel a recouru Sánchez Guinea ait été *angoissante*.

– Beaucoup ne se rendent pas compte de ce qui nous attend, ma fille. Quand la guerre sera terminée, et avec elle toute cette coqueluche libérale, nous aurons perdu pour de bon l'Amérique et nous serons finis… L'euphorie politique ne fait pas d'affaires et ne donne pas à manger.

Une conversation professionnelle, en toute franchise, passant en revue les affaires que les deux maisons commerciales ont en commun. Aucun des deux ne nourrit d'illusions sur les temps à venir. Les obstacles pour convertir en argent les bons du Trésor royal, la lenteur de l'acheminement des fonds jusqu'à la ville, le coût des risques et des assurances maritimes, et surtout les difficultés que rencontrent certaines maisons de commerce locales pour maintenir un crédit qui dépend autant de la bonne réputation que de la sauvegarde du secret des embarras de chacun… tout cela pèse de plus en plus lourd.

– Je suis fatigué de me battre, Lolita. Ça fait vingt ans que cette ville doit affronter tous les malheurs du monde. Les guerres avec la France et avec l'Angleterre, les événements d'Amérique, les épidémies… À cela, ajoute le chaos de l'administration royale, les taxes excessives, les prêts à la Couronne et aux Cortès, la perte des capitaux dans les places occupées par les Français. Et maintenant, on nous dit que l'on commence à voir sur le Río de la Plata des corsaires au service des insurgés... Trop de luttes, ma fille. Trop de déceptions. Face à tout cela, je me sens très vieux. J'aimerais que cette folie s'arrête pour que je puisse me retirer dans ma propriété d'El Puerto, si tant est que je la récupère un jour... Enfin. Question de patience, je suppose. J'espère vivre assez longtemps pour le voir... Par chance, j'ai mon fils qui prend peu à peu la relève.

– Miguel est un bon garçon, don Emilio. Intelligent et travailleur.

Le vieux négociant souriait, mélancolique.

– Quel dommage que ton père et moi n'ayons pas réussi à obtenir que vous deux...

Il a laissé la phrase en l'air. Lolita aussi souriait, d'un air de tendre reproche. C'était un vieux sujet de conversation entre eux.

– C'est un bon garçon, a-t-elle répété. Trop bon pour moi.

– Ah, si tu l'avais épousé...

– Ne dites pas ça. Vous avez une belle-fille merveilleuse, des petits-enfants charmants, et encore un autre en route.

Il a hoché la tête avec découragement.

– Être intelligent et travailleur ne suffit plus pour aller de l'avant. Et je ne l'envie pas, quand je pense à ce qui l'attend... À ce qui vous attend, vous les jeunes, après cette guerre. Le monde que nous avons connu ne sera plus jamais le même.

Un silence. Sánchez Guinea a souri affectueusement.

– Tu devrais...

– Ne commencez pas, don Emilio.

– Ta sœur n'a pas d'enfants, et il ne semble pas qu'elle en ait un jour. Si tu... Enfin. – Il regardait autour de lui, attristé. – Ce serait pitié que tout cela… tu sais ce que je veux dire.

– Que la maison Palma s'éteigne avec moi ?

– Tu es encore jeune.

Lolita a levé une main ferme. Elle ne permet jamais à don Emilio Sánchez Guinea ni à personne d'aller plus loin sur ce terrain. Pas même à son amie de cœur Curra Vilches.

– Parlons affaires, je vous prie.

Le vieux commerçant s'agitait, mal à l'aise.

– Excuse-moi, ma fille. Je ne veux pas me mêler de ce qui ne me regarde pas.

– Vous êtes pardonné.

Ils sont entrés dans les détails de questions commerciales : frets, droits de douane, navires. La difficile ouverture de nouveaux marchés susceptibles de compenser les pertes de la crise américaine. Sánchez Guinea, qui sait que Palma & Fils a établi ces derniers temps des contacts commerciaux avec la Russie, tentait de sonder Lolita. Le sachant – en matière d'affaires, on ne mélange pas affection et intérêts –, elle s'est bornée à donner quelques précisions superficielles : deux voyages à Saint-Pétersbourg de la frégate *José Vicuña* avec du vin, des écorces de quinquina, du liège et du lest en sel à l'aller, et de l'huile de castor et du musc sibérien – moins cher que celui du Tonkin – au retour. Rien que Sánchez Guinea et son fils ne connaissent déjà.

– Tu t'en tires bien aussi avec les farines, il me semble.

Lolita a répondu que, sur ce chapitre, elle ne se plaignait pas. L'importation de farine d'Amérique du Nord – elle en possède mille cinq cents barils dans les magasins du port – a permis à la maison Palma & Fils de respirer un peu plus à l'aise ces derniers temps.

– Également pour la Russie ?

– C'est possible. Si je parviens à l'embarquer avant qu'elle ne soit gâchée par l'humidité.

– Je te souhaite de réussir. Les temps sont durs… Vois les malheurs d'Alejandro Schmidt. Il a perdu la *Bella Mercedes* sur les basses de Rota avec toute sa cargaison.

Elle a acquiescé. Naturellement, elle était au courant. Il y a un mois, des vents contraires et une mer démontée ont drossé ce navire sur la côte occupée par les Français, qui l'ont pillé dès que la tempête s'est calmée : deux cents caisses de cannelle chinoise, trois cents sacs de piments des Moluques, et 1 000 vares de tissu de Canton. La maison Schmidt mettra du temps à se remettre d'une telle perte, si même elle y parvient. Par des temps comme ceux-là, où l'on mise trop sur un seul voyage, la perte d'un navire peut être irréparable. Mortelle.

– Il y a une affaire qui peut t'intéresser.

Lolita a observé son interlocuteur, sur la défensive. Elle connaissait bien ce ton-là.

– S'agit-il d'une affaire de la main droite ou de la main gauche ?

Une pause. Sánchez Guinea a allumé un gros cigare à la flamme de la lampe.

– Ne t'emballe pas. – Il plissait les yeux avec une sympathie complice. – Ce que je vais te proposer est très bien.

Lolita s'est carrée dans son fauteuil en cuir, en hochant la tête. Sur ses gardes.

– C'est donc de la main gauche, a-t-elle conclu. Mais vous savez que je n'aime pas sortir des voies balisées.

– Tu as dit la même chose à propos de la *Culebra*. Et tu vois. C'est une bonne affaire… Je t'assure : je ne sais pas si tu es au courant que la tour Tavira vient de hisser une boule noire. Ils ont aperçu une frégate venant du large et un grand cotre qui remonte lentement le long de la côte, avec le ponant… Tu le savais ?

– Non. J'ai passé toute la journée ici, dans mes papiers.

– Le cotre peut être le nôtre. Je suppose qu'il doublera le

phare cette nuit et qu'il sera demain matin dans la baie, si le vent ne tourne pas.

Avec un effort, Lolita a chassé Pepe Lobo de son esprit. Pas ici, a-t-elle décidé. Pas maintenant. Chaque chose en son temps.

– Nous parlions d'une autre affaire, don Emilio. En ce qui concerne la *Culebra*, il s'agit de course avec lettre de marque royale. La contrebande, c'est une autre paire de manches.

– La moitié de nos collègues la pratiquent sans états d'âme.

– Et alors ? Vous-même, jusqu'à présent...

Elle s'est tue, sans achever sa phrase. Par respect. Sánchez Guinea contemplait la cendre grise qui commençait à se former à l'extrémité de son havane.

– Tu as raison, ma fille. Jusqu'à maintenant, je n'y ai guère touché. Pas plus, comme ton père, qu'à la traite des esclaves ; même si ton grand-père Enrico n'a jamais fait le délicat avec le trafic des nègres... De toute manière, les temps ont changé. Il faut faire avec ce qu'on a. Entre les Français et la rapacité de nos autorités, je n'ai pas l'intention de me laisser totalement plumer... – Il s'est penché légèrement en avant et, ce faisant, un peu de cendre est tombé sur l'acajou. – Il s'agit...

Lolita Palma a poussé doucement le cendrier dans sa direction.

– Je ne veux pas le savoir.

Sánchez Guinea, le cigare entre les dents, la regardait, persuasif. Il a insisté.

– C'est pourtant simple : sept cents quintaux de cacao, deux cents caisses de cigares manufacturés et cent cinquante ballots de tabac en feuille. Tout cela déposé de nuit dans l'anse de Santa María... Apporté par un chébec anglais de Gibraltar.

– Et la Municipalité, et la Douane royale ?

– En marge. Ou presque.

Elle hochait de nouveau la tête. Affectueusement. Un rire bref. Incrédule.

– C'est de la contrebande pure et simple. La plus éhontée qui soit. Et c'est impossible d'agir en cachette, don Emilio.

– Et qui prétend ça?... Nous sommes à Cadix, rappelle-toi. Nous, officiellement, nous n'apparaîtrons nulle part. Et tout est prévu. Tous les gonds ont été graissés pour qu'ils ne grincent pas, de haut en bas. Aucun problème.

– Dans ce cas, pourquoi avez-vous besoin de moi?

– Pour partager les risques financiers. Et les bénéfices, naturellement.

– Je ne suis pas intéressée. Et ce n'est pas à cause des risques, don Emilio. Vous savez qu'avec vous...

En fin de compte, Sánchez Guinea, résigné, a battu en retraite. En acceptant les choses telles qu'elles étaient. Il regardait tristement le cendrier propre, luisant sur le bois sombre et poli par le contact de trois générations.

– Je sais. Ne te fais pas de souci, ma fille... Je sais.

De derrière la fenêtre fermée qui donne sur la rue des Doublons parviennent pendant quelques instants les voix de garçons de la Viña ou de la Caleta, en route pour quelque fandango dans les tavernes du Boquete, entrecoupées de rires, de battements de mains et de notes tirées au hasard des cordes d'une guitare. Puis la rue déserte et la nuit retrouvent le silence. Seule maintenant dans le bureau, Lolita Palma continue de contempler le fauteuil vide de l'autre côté de la table. Elle se souvient de l'expression d'abattement du vieil ami de la famille quand il s'est levé pour gagner la porte. Et aussi de chaque mot de leur conversation. Elle n'arrive pas à s'ôter de la tête l'image de la *Bella Mercedes* de la maison Schmidt disloquée sur les basses de Rota, avec sa cargaison aux mains des Français. Palma & Fils pourrait difficilement se relever d'un coup comme celui-là. Les temps qui courent obligent à tout jouer sur chaque bateau, sur chaque voyage, en s'exposant à la fortune de mer, bonne ou mauvaise, au hasard, aux corsaires.

Molina, le chef des employés, frappe à la porte et passe la tête.

– Avec votre permission, madame Lolita. Voici les factures de Manchester et de Liverpool.

– Posez-les là. Je vous en parlerai plus tard.

Un coup de cloche sonne à la tour voisine de San Francisco, d'où une vigie avertit lorsque l'on voit des éclairs partir des batteries françaises du Trocadéro : un coup par bombe. Au bout d'un moment, arrive la détonation qui fait vibrer légèrement les vitres de la fenêtre. Une grenade est tombée en explosant, pas très loin. Lolita et l'employé se regardent en silence. Quand Molina se retire, elle feuillette à peine les documents. Elle reste immobile, le châle de laine sur les épaules, les mains dans le cercle de lumière de la lampe. Le mot *corsaire* se promène dans sa tête. Peu avant la tombée de la nuit, laissant le bureau, elle est allée voir sa mère et Curra Vilches qui, assise près du lit, faisant preuve d'une patience que seule l'amitié peut engendrer, jouait aux cartes avec elle. Puis elle est montée avec Santos à la tour de vigie de la terrasse, et, posant le télescope anglais sur l'appui de la fenêtre, elle a observé pendant un long moment le cotre qui se déplaçait lentement du sud au nord sur la mer brumeuse, rougissante du crépuscule, remontant paisiblement le vent à un demi-mille du rempart ouest.

*

Les rues des beaux quartiers de Cadix, droites et étroites entre de hautes demeures, semblent déboucher sur un ciel maussade, gris, qui s'épaissit sur la partie occidentale de la ville. Un de ces ciels qui apportent vent et pluie, constate

Pepe Lobo après un coup d'œil instinctif. Cela fait des jours que les baromètres ne relèvent pas la tête, et le corsaire se réjouit que la *Culebra* soit en sécurité sur dix quintaux de fer dans la baie, au lieu de se trouver en haute mer à prendre des ris et tout arrimer pour affronter le mauvais temps. Le cotre a mouillé hier entre d'autres navires marchands, par trois brasses de fond et face au quai de la Porte de Mer, aligné entre l'extrémité de la jetée de San Felipe et les fonds que la marée découvre devant les Corrales. La nuit a été tranquille, avec un ponant humide et encore doux. Quelques éclairs du côté de la Cabezuela, suivis du froissement aérien des projectiles passant dans le noir au-dessus des mâts des navires avant de tomber sur la ville, n'ont troublé le sommeil de personne.

Sur la terre ferme depuis seulement trois heures, dès les premières lueurs de l'aube, et sentant encore sous ses pieds le balancement imaginaire du sol, conséquence de quarante-sept jours de campagne navale – la plus grande part sans rien fouler d'autre que le plancher d'un pont –, Lobo parcourt la rue San Francisco en direction de l'église et de la place. Il est strictement vêtu comme doit l'être un capitaine corsaire à terre, pantalon noir de drap épais, souliers à boucle d'argent, veste bleue à boutons de cuivre et bicorne noir de marin sans galon mais avec la cocarde rouge qui l'accrédite en qualité de corsaire du roi : tenue indispensable pour faciliter les formalités bureaucratiques, judiciaires et douanières inévitables en arrivant au port où, par les temps qui courent, on ne peut pratiquement rien faire si l'on ne porte pas quelque chose qui ressemble à un uniforme. Des uniformes, il y en a une demi-douzaine à la pâtisserie de Cosí, à l'intérieur et autour des tables qui occupent le coin de la rue du Bastion : quelques Volontaires gaditans, un officier de la Marine royale, et deux Britanniques en veste rouge et jambes à l'air sous le kilt écossais. Il y a aussi nombre de civils, hommes et femmes, parmi lesquels il est facile de reconnaître les rédacteurs d'*El Conciso*, qui ont l'habitude de se réunir là, à leurs doigts tachés d'encre et aux papiers qui dépassent de leurs poches, ainsi que les émigrés des provinces sous domination française à leur allure désœuvrée et leurs vêtements passés de mode, raccommodés ou usés jusqu'à la corde. Plusieurs d'entre eux sont assis sans rien faire près de tables qui ne portent que de modestes verres d'eau.

Par terre, adossé au mur, un mendiant gêne la circulation près de la porte d'un horloger. Le patron est en train de l'inciter à déguerpir, mais il n'en tient pas compte. Il lui adresse même un geste obscène. Au moment où le corsaire passe devant lui, il lève la tête.

– Donnez-moi quelque chose, mon amiral… Pour l'amour de Dieu.

Le ton d'insolence perceptible sous la supplique et le grade ironiquement exagéré surprennent Pepe Lobo. Sans s'arrêter, il lance un rapide coup d'œil au mendiant : barbe et cheveux gris en broussaille, crasseux, âge indéterminé. Il peut aussi bien avoir trente ans que cinquante. Il est couvert d'une grosse veste brune rapiécée aux manches retroussées, et la culotte, remontée sur la jambe droite, exhibe, pour encourager la charité publique, le moignon d'une amputation faite au-dessous du genou. Bref, un parmi tant d'autres de ces hommes et de ces femmes qui tentent de survivre dans les rues de Cadix, continuellement repoussés par la police vers les quartiers avoisinant le port et qui, chaque jour, repartent à l'assaut des quelques miettes qu'ils peuvent glaner de ce côté de la ville. Le corsaire poursuit son chemin, mais, soudain, il s'arrête. Un tatouage bleuâtre, brouillé par le temps, qu'il voit sur l'avant-bras du mendiant attire son attention. Une ancre, semble-t-il. Entre un canon et un drapeau.

– Quel navire ?

L'autre soutient son regard, d'abord déconcerté. Puis il baisse la tête, comme s'il comprenait. Il regarde son tatouage et relève les yeux vers Pepe Lobo.

– Le *San Agustín*… Quatre-vingts canons. Commandant, don Felipe Cajigal.

– Ce navire a été perdu à Trafalgar.

La bouche du mendiant se fend en une grimace édentée qui, dans d'autres temps et dans une autre vie, a été un sourire. D'un geste indifférent, il désigne son moignon.

– Il n'y a pas eu que lui de perdu, là-bas.

Lobo demeure un moment immobile.

– Vous n'avez pas reçu de secours, je suppose, dit-il finalement.

– J'en ai reçu, monsieur… celui de ma femme qui s'est faite putain.

Le corsaire acquiesce lentement. Songeur. Puis il met une main dans une poche et sort un douro : le vieux roi Charles IV regardant vers la droite, au loin, comme s'il n'était pour rien dans tout cela. En touchant la pièce en argent, le mendiant observe le corsaire avec curiosité. Puis il écarte son dos du mur et semble se redresser un peu, comme dans un accès d'insolite dignité, tout en portant deux doigts à son front.

– Chef de pièce Cipriano Ortega, monsieur… Deuxième batterie.

Le capitaine reprend sa marche. Voici que maintenant l'accompagne l'affreuse tristesse que ressent tout homme soumis aux hasards de la mer et de la guerre devant la mutilation et la misère d'un autre marin. Il s'agit moins d'un sentiment de pitié que d'une inquiétude pour son propre sort. Pour l'avenir qui le guette derrière les pièges sournois du métier, les éclats qui fusent dans les combats, les ravages des balles, des boulets, de la mitraille. La certitude aiguë de sa vulnérabilité physique : cette vulnérabilité avec laquelle jouent sans hâte le temps et la bonne ou la mauvaise fortune,

et qui peut finir par le déposer à terre transformé en misérable déchet, tout comme la mer indifférente rejette sur la
plage les restes démâtés d'un naufrage. Peut-être, un jour, lui-
même se retrouvera-t-il ainsi, pense Pepe Lobo en s'éloignant
du mendiant. Et, tout de suite, il se force à n'y plus penser.

Il voit Lolita Palma, vêtue de taffetas noir avec un châle,
qui sort d'une librairie, un parapluie sous le bras en enfilant
ses gants, escortée de sa femme de chambre Mari Paz qui
porte des paquets. La rencontre ne doit rien au hasard. Le
corsaire la cherche depuis qu'il a quitté, voici une demi-
heure, le bureau des Sánchez Guinea, sur le Palillero. Il est
passé par la maison de la rue du Bastion où le majordome
lui a dit qu'il ignorait à quelle heure Madame reviendrait
et l'a orienté dans cette direction. Il a dit qu'elle devait aller
au Jardin botanique puis dans les librairies des places San
Agustín ou San Francisco. Et quand il est question de livres,
elle en a pour un moment.

– Quelle surprise, capitaine.

Elle a belle allure, constate le corsaire. Exactement comme
dans son souvenir. La peau encore lisse et douce d'apparence, le visage bien dessiné, les yeux sereins. Elle ne porte
pas de chapeau et n'a d'autre parure qu'un collier de perles
et des boucles d'oreilles simples, en argent. Les cheveux,
rassemblés en chignon par un peigne en écaille, et le châle
turc en fine laine – fleurs rouges brodées sur le tissu noir –
négligemment jeté sur ses épaules ajoutent une note d'élégance à la robe sobre à taille basse qui la ceint avec grâce.
La parfaite Gaditane, se dit le corsaire en souriant intérieurement. Sa classe, ses manières, tout y concourt. Deux mille
cinq cents ans d'histoire, plus ou moins – sur ces questions,
Lobo est moins précis que sur son métier –, ne s'écoulent
pas sans laisser des traces dans une ville et chez ses femmes.
Et plus encore chez Lolita Palma.

– Bienvenue sur la terre ferme.

Pepe Lobo se découvre en justifiant sa présence en ce lieu. Des démarches officielles en cours doivent être réglées aujourd'hui, et don Emilio Sánchez Guinea lui a demandé de la consulter avant d'aller plus loin. Il peut l'accompagner jusqu'à son bureau, si elle le souhaite. Ou attendre qu'elle le reçoive à l'heure qui lui conviendra. Pendant qu'il lui donne ces explications, le corsaire la voit lever la tête et observer le ciel gris.

– Si vous voulez bien, nous parlerons tout de suite. Avant que la pluie ne commence à tomber… J'ai l'habitude de me promener un peu, à cette heure-ci.

Lolita Palma congédie la femme de chambre qui s'éloigne avec les paquets pour rentrer rue du Bastion, et reste à le regarder, comme si, à partir de cet instant, c'était à lui de décider. Après une hésitation, Lobo propose, avec un geste de la main, deux possibilités : ou la pâtisserie voisine, ou la rue du Chemin, qui mène à l'Alameda, aux remparts et à la mer.

– Je préfère l'Alameda, dit-elle.

Le corsaire acquiesce en remettant son chapeau, encore un peu embarrassé. Irrité contre lui-même, et amusé – étonné, plus qu'amusé, serait le mot exact – par cette irritation. Par la douce incertitude qu'il sent lui chatouiller les mains et les yeux. Qui lui enroue la voix. À son âge ! Jamais auparavant, même les plus belles femmes ne l'ont intimidé de la sorte. C'est surprenant. Le regard serein qu'il a devant lui, la tranquille assurance de la femme – sa patronne et associée, se répète-t-il deux fois en soutenant ce regard – lui causent une sensation agréable de bien-être complice. Partagé. Une douce proximité, étrangement possible, comme s'il suffisait de tendre simplement une main et de la poser sur le cou de Lolita Palma pour y sentir, de la façon la plus naturelle, le battement de son sang et la délicate chaleur de sa chair. Avec un éclat de rire intérieur – un instant, elle semble lui jeter un coup d'œil interrogateur, et il craint que l'idée ou le rire imaginaire ne soient réellement apparus sur son visage –, le corsaire laisse cette pensée absurde partir au fil de l'eau et disparaître, pour recouvrer tout son bon sens.

– Vraiment, cela ne vous ennuie pas de marcher, capitaine ?

– Bien au contraire.

Ils marchent au milieu de la rue, sur la partie pavée, lui à sa gauche, tandis qu'il la met au courant. La campagne n'a pas été mauvaise, résume-t-il non sans un effort de concentration. Cinq captures, dont une d'importance : une goélette française qui, sous pavillon portugais, allait de Tarragone à Sanlúcar avec du drap de qualité, du cuir pour chaussures, des selles de chevaux, des balles de laine et du courrier. Celui-ci a été remis par Lobo aux autorités maritimes, mais tout semble indiquer que le bateau et sa cargaison seront déclarés de bonne prise. Les quatre autres sont de moindre valeur : deux tartanes, une pinque et une felouque avec des harengs, des raisins secs, des cercles de fer pour la fabrication des tonneaux et du thon salé. Pas grand-chose de plus. La felouque, un contrebandier portugais de Faro, transportait un sac contenant deux cent cinquante pièces d'or à l'effigie du roi Joseph.

– Il se pourrait, conclut-il, que la felouque nous pose quelques problèmes devant le tribunal des prises. C'est pourquoi nous avons pris nos précautions en déposant l'or sous scellés à Gibraltar, de manière à ce que personne n'y touche.

– Vous avez rencontré des problèmes avec ce bateau ou avec les autres ?

– Non. Tous ont amené leur pavillon immédiatement. Seule la felouque a voulu nous leurrer, au début, en se croyant protégée par son pavillon, après quoi elle a tenté sa chance en fuyant, entre Tarifa et le cap Carnero. Mais elle n'a pas fait usage des deux canons de 4 qu'elle portait à son bord.

– Et nos hommes vont bien ?

Il apprécie qu'elle ait dit *nos hommes* et pas *vos hommes*.

– Ils vont tous bien, merci.

– Quelle est cette affaire à propos de laquelle vous deviez me consulter ?

Les Français renforcent leur pression sur Tarifa, explique-t-il, comme ils l'ont fait à Algésiras. Ils semblent disposés à contrôler toute cette partie de la côte. On parle du général Leval et de dix ou douze mille soldats, avec cavalerie et artillerie, qui assiègent la place ou sont sur le point de le faire. De Cadix, on envoie ce qu'on peut, mais il n'y a pas grand-chose. Les bateaux manquent, et les Anglais, bien qu'ils aient un colonel et quelques troupes à l'intérieur, ne veulent rien soustraire de leurs forces. Il y a surtout un problème de liaisons, pour envoyer et rapporter des messages. Le commandant de la baie, don Cayetano Valdés, dit qu'il ne peut pas se séparer d'un seul bateau, pas même une chaloupe canonnière.

Bref, termine-t-il, la *Culebra* est intégrée dans la Marine royale pour un mois.

– Ce qui veut dire qu'ils la réquisitionnent ?

– Ils ne vont pas jusque-là.

– Et pour faire quoi ?

– Messages et courrier officiel avec Tarifa. La *Culebra* est rapide et manœuvre bien… La chose a sa logique.

Lolita Palma ne semble pas trop s'inquiéter. Il en déduit qu'elle a sûrement déjà eu des informations là-dessus. On a dû la prévenir.

– Vous gardez le commandement, je suppose.

Lobo sourit, confiant.

– Pour le moment, personne ne m'a dit le contraire.

– Ce serait un abus. Nous ne pourrions y consentir sans la compensation adéquate… Et la Marine est incapable de verser la moindre compensation. Elle est en banqueroute, comme tout le reste… Ou pire.

C'est aussi l'opinion des Sánchez Guinea, précise calmement le corsaire. De toute manière, il doute qu'on le remplace au commandement du cotre. Les officiers ne sont pas non plus en surnombre, avec toutes les forces disponibles affectées aux flottilles légères de la baie et des canaux.

– En tout cas, ajoute-t-il, le roi couvre les frais d'équipement et de solde pour l'équipage, et ils prorogent notre lettre de marque pour le temps que durera le service… Pour la solde, en vérité, je n'y crois guère. Eux-mêmes ne touchent plus la leur. Mais, au moins, ils ne pourront pas nous refuser des équipements. Nous en profiterons pour nous réapprovisionner en poudre, en ravitaillement et réparer le gréement. J'essaierai aussi d'obtenir des platines pour les canons.

Lolita Palma approuve en réfléchissant. Son changement de ton dès qu'ils ont parlé de questions officielles n'a pas échappé à Pepe Lobo. Plus dur, impersonnel. Presque métallique. Le corsaire lance un coup d'œil furtif sur sa droite. Elle marche en regardant devant elle, en direction du rempart qui s'étend au bout de la rue. Un joli profil, constate Lobo. Même si *belle*, mot qu'il convient d'employer pour une femme, ne soit pas, dans ce cas, le plus approprié. Le nez est peut-être un peu trop droit, volontaire. La bouche peut être dure, en apparence. Douce aussi, sans doute. Cela dépend de son humeur. De la personnalité de celui qui l'embrasse. Durant quelques pas, il s'abîme dans cette question : quelqu'un a-t-il déjà un jour embrassé cette bouche ?

– Quand partiriez-vous, capitaine ?

Le corsaire sursaute presque. Quel idiot je fais, pense-t-il – ou se reproche-t-il.

– Je l'ignore. Bientôt, je suppose… Dès que j'en aurai reçu l'ordre.

Leur marche les a conduits sur la place des Puits à Neige. L'Alameda s'étend sur la gauche, grands palmiers et arbustes dépouillés de leur feuillage par l'hiver alignés en trois files parallèles le long du rempart, jusqu'aux tours de l'église du Carmel et la silhouette ocre du bastion de la Candelaria, qui s'avance comme la proue d'un bateau dans la mer couleur de cendre.

– Bien. – Lolita Palma fait un geste de résignation. – Je ne crois pas que nous puissions l'empêcher... En tout cas, je me chargerai de l'assurance, pour avoir les garanties nécessaires. Avec la Marine royale, on ne sait jamais. Don Cayetano Valdés est un homme peu commode, mais qui sait se montrer raisonnable. Je le connais de longue date... Il rêve d'être gouverneur et lieutenant général de Cadix, s'il est confirmé que Villavicencio passe à la nouvelle Régence après Noël, comme cela se murmure.

Ils se sont arrêtés sur le rempart, près des premiers arbres et des bancs de pierre de l'Alameda. De là, on voit la mer comme une étendue à peine mouvante, plombée et froide. Pas un souffle de vent n'en ride la surface qui va se fondre dans une bande de brume et de nuages bas couvrant la côte et cachant Rota et El Puerto de Santa María. Lolita Palma pose ses mains gantées sur le pommeau d'ébène et d'ivoire de son parapluie noir.

– Je me suis laissé dire que vous étiez à Algésiras au moment de l'évacuation.

– Oui. J'y étais.

– Parlez-moi un peu de ce que vous avez vu. Ici, nous n'en connaissons que ce que publient les journaux de cette semaine : l'habituel héroïsme de nos patriotes et les graves pertes de l'ennemi... Enfin, vous voyez.

– Il n'y a pas grand-chose à raconter. J'étais mouillé à Gibraltar, où j'effectuais les démarches pour la prise portugaise, quand le bombardement a débuté et que les gens se sont réfugiés sur l'île Verte et sur les bateaux. On m'a demandé d'aider, et donc je me suis rapproché autant que j'ai pu, prudemment, parce que cette partie de la côte est très mauvaise… Nous sommes restés plusieurs jours, pour faire passer réfugiés et militaires sur la Ligne, et nous avons continué jusqu'au moment où les Français sont entrés dans la ville et ont commencé à nous tirer dessus depuis les hauteurs de Matagorda et la tour de Villavieja.

Il raconte cela brièvement, un peu à contrecœur, et tait le reste : femmes et enfants terrifiés, sans nourriture ni abri, tremblant de froid dans la pluie et le vent, dormant en plein air entre les rochers de l'île ou sur le pont de bateaux. Les derniers soldats et les guérillas de civils volontaires qui, après avoir détruit à la hache le petit pont sur la Miel et défendu les avenues pour protéger l'évacuation générale, couraient sur la plage, chassés comme des lapins par les tireurs français. Le sapeur solitaire qu'il a suivi à travers sa longue-vue et qui est revenu sur ses pas pour ramasser un camarade blessé ; et qui, en le portant, a été rattrapé par les ennemis avant d'atteindre la dernière chaloupe.

Une cloche sonne derrière lui, quelques rues plus loin : celle de San Francisco. Un seul coup. Des cochers, des pêcheurs du rempart et des passants courent se réfugier au pied des façades des maisons.

– Un éclair d'artillerie, dit la femme, avec un calme étrange.

Pepe Lobo tourne la tête dans la direction du Trocadéro, bien que les constructions empêchent de voir cette portion de la côte.

– Elle arrivera dans quinze secondes, ajoute-t-elle.

Elle demeure immobile, contemplant la mer grise. Le corsaire observe que ses mains, toujours posées sur le pommeau du parapluie, le serrent plus fort, crispées par une tension nouvelle et à peine perceptible. Instinctivement, il se rapproche un peu, comme pour s'interposer entre elle et la trajectoire imaginaire d'une bombe. Un geste absurde, d'ailleurs.

Les bombes françaises peuvent tomber n'importe où. Elles peuvent même leur tomber droit dessus.

Lolita Palma se tourne pour le regarder avec curiosité. Ou du moins est-ce l'impression qu'elle lui donne. Sur la bouche de la femme, on pourrait deviner un vague sourire. Reconnaissant, pourquoi pas. Pensif, en tout cas. Tous deux restent ainsi quelques instants à s'étudier de près en silence. Peut-être de trop près, se dit Lobo, en réprimant son envie de reculer d'un pas. Cela ne ferait qu'empirer les choses.

Une explosion sourde derrière les constructions. Loin. Vers la Douane.

– Elle n'était pas pour nous, dit-elle.

Elle sourit maintenant ouvertement, presque avec douceur. Comme le jour où ils ont parlé de l'arbre peint sur son éventail. Et, une fois de plus, il admire son sang-froid.

– Savez-vous qui sonne la cloche de San Francisco quand il y a des bombes ?

Le corsaire répond que non, et elle le lui raconte. Un novice du couvent, volontaire, se charge de cette tâche. L'ambassadeur anglais, en le voyant de son balcon faire des bras d'honneur aux Français entre les coups de cloche, a voulu faire sa connaissance et l'a gratifié d'une pièce d'or. Lobo devrait connaître les chansons qui courent dans la ville sur les guitares, dans les tavernes et les gargotes. Ce n'est pas la guerre qui fera taire l'humour local, au contraire.

– Mais il n'y a pas que des anecdotes sympathiques…, conclut-elle. On dit que des femmes se font tuer.

– Tuer ?

– Assassiner. D'une manière horrible.

Le corsaire n'était pas au courant, et elle lui dit ce qu'elle sait. Qui demeure limité. Les journaux évitent d'évoquer l'affaire, probablement pour ne pas alarmer la population. Mais des histoires circulent de jeunes filles enlevées et mortes sous des coups de fouet. Deux ou trois, au moins. Et Dieu sait quelles autres atrocités. Avec tous ces étrangers et ces militaires dans la ville, pensez donc. Ces derniers temps, peu de filles osent encore sortir la nuit.

Le visage de Pepe Lobo s'assombrit, il est mal à l'aise.

– Il y a des moments où l'on en arrive à avoir honte d'être un homme.

Il l'a dit sans réfléchir, spontanément. Un commentaire pour combler le silence après les propos de Lolita Palma. Mais il remarque qu'elle l'observe avec curiosité.

– Je n'ai aucune raison de croire que vous devriez avoir honte.

Ils se regardent dans les yeux, fixement, pendant un instant qui, pour le marin, semble une éternité.

– Vous seriez étonnée, madame.

Un autre silence. De fines gouttes commencent à tomber, isolées, sur le visage de la femme, annonçant l'averse imminente. Pourtant elle ne bouge pas, elle n'ouvre pas son parapluie, mais demeure là, calmement, contre le parapet du rempart, avec toute cette mer brumeuse et grise dans le fond. Je devrais lui proposer de s'abriter, pense le corsaire. Mais il ne bronche pas. En réalité, il devrait faire ou dire quelque chose, n'importe quoi qui mette fin à cette situation. Le silence. Et rien de ce qui serait possible ne coïncide avec ce qu'il désire en ce moment.

– Avez-vous fait un achat intéressant ? finit-il par demander – pour dire quelque chose.

Elle le regarde, comme déconcertée, sans savoir de quoi il parle. Lobo esquisse un sourire. Forcé.

– La librairie. Sur la place.

Le rythme des gouttelettes qui éclatent sur le visage de Lolita Palma s'accélère. Derrière elle, la mer grise commence à se couvrir de minuscules éclaboussures répandues en rafales par la brise qui s'engouffre dans la baie.

– Nous devrions…, commence le marin.

– Oh, oui, très intéressant, répond-elle enfin, en cessant de le regarder. *La Flore espagnole* de don Joseph Quer, complète, en six volumes… Une très belle édition et en parfait état.

– Ah!

– De l'imprimeur Ibarra.

– Tant mieux.

Il commence à pleuvoir pour de bon. Une houle qui grossit subitement fait jaillir de l'écume sur les Puercas, au large de la baie.

– Nous devrions retourner, murmure Lolita Palma avec bon sens.

Il acquiesce pendant qu'elle ouvre le parapluie. Celui-ci est grand, suffisant pour les couvrir tous les deux, mais elle ne lui propose pas de s'abriter dessous. Ils reviennent sur leurs pas, entre les arbustes aux branches dénudées, lentement, tandis que la pluie redouble d'intensité. Le marin est habitué à supporter cela sur le pont d'un bateau, mais il est surpris de la trouver aussi indifférente. Du coin de l'œil, il la voit, de sa main libre, remonter un peu le bas de sa robe, pour éviter les flaques qui commencent à se former.

– Nous avons une conversation à terminer, l'entend-il dire soudain.

Il se tourne vers elle, sans comprendre. Il sent l'eau couler des coins de son chapeau et tremper sa veste. Il devrait l'enlever et la poser sur les épaules de la femme en protégeant son châle, mais il n'est pas certain que ce soit un geste convenable. Trop intime sûrement. Une familiarité excessive. Avec ou sans pluie, la ville vit en vase clos. Les réputations sont à la merci du moindre on-dit.

– Le dragon, explique Lolita Palma… Vous vous souvenez?

Il sourit, un peu désarçonné.

– Naturellement.

– Et l'expédition botanique. Vous m'avez promis de tout me raconter.

Si c'était une autre femme, conclut le corsaire, cela ferait longtemps qu'il aurait essuyé les petites gouttes en suspension sur son visage et ses cheveux, en passant délicatement les doigts dessus. Avec lenteur. Sans l'alarmer. Mais ce n'est pas une autre femme : c'est elle. Et c'est bien là, précisément, que réside la question.

– Que diriez-vous de demain ?

Pepe Lobo fait cinq pas avant de répondre.

– Demain, il pleuvra aussi, fait-il doucement remarquer.

– C'est vrai. Suis-je bête… Alors au premier jour de beau temps. Avant que vous ne partiez, ou à votre retour.

Un silence, avec en bruit de fond le crépitement de la pluie. Ils cheminent sur les pavés de la rue des Doublons en longeant les façades. La maison des Palma est à vingt pas, au coin. Lorsque la femme parle de nouveau, son ton a changé.

– J'envie votre liberté, monsieur Lobo.

Un ton plus froid. Neutre. Le *monsieur* remet beaucoup de choses à leur place.

– Je ne définirais pas cela ainsi, répond le corsaire.

– Vous ne comprenez pas, capitaine.

Ils sont arrivés à la porte principale de la maison, à l'abri du vaste couloir obscur qui mène au patio et à ses grands pots de fougères. Pepe Lobo ôte son chapeau et le secoue pendant qu'elle ferme le parapluie. Il sent la veste humide peser sur ses épaules. Ses souliers à boucle d'argent, transformés en éponges, répandent une flaque sur les dalles.

– Est libre celui auquel les choses arrivent telles qu'il les a voulues…, dit-elle. Celui à qui personne d'autre que lui-même ne met d'entraves.

Maintenant, oui, elle est belle, admet Lobo. Avec cette lumière ténue qui vient des deux côtés, patio et portail, et la pénombre derrière, et les petites gouttes de pluie. Avec ce regard fixé sur lui, et qui pourtant semble le traverser, voyageant plus loin, très loin. Dans des contrées aux mers et aux horizons infinis.

– Si j'étais née homme…

Elle se tait, et comble le vide que laissent ses paroles d'un sourire à peine perceptible, rêveur.

– Heureusement, ça n'a pas été le cas, dit le corsaire.

– Heureusement ? – Elle le dévisage avec surprise, presque scandalisée, bien qu'il ne parvienne pas à établir par quoi. – Ah non, grand Dieu, non. Vous…

Elle a levé une main, comme si elle voulait poser les doigts sur sa bouche et l'empêcher de dire un mot de plus. Elle arrête son geste à mi-chemin.

– Il se fait tard, capitaine.

Elle fait demi-tour, pousse la grille et pénètre dans la maison. Pepe Lobo reste seul dans le couloir, contemplant la lumière grise du patio vide. Puis il remet son chapeau et ressort dans la rue, sous la pluie.

*

Couvert d'un carrick en toile ciré et d'un chapeau de même matière, adossé à un mur pour se protéger de la pluie, le commissaire Tizón observe le corps qui gît sur le sol, à quelques pas, près du tas de décombres sous lequel on l'a découvert trois heures plus tôt. La bombe est tombée cette nuit, détruisant en partie une maison située dans une ruelle derrière la chapelle de la Divina Pastora. Il y a eu quatre blessés parmi les habitants, dont l'un – un vieillard qui était dans son lit et a été à moitié écrasé par l'écroulement – est dans un état grave. Mais la surprise est venue au matin, lors des travaux de déblaiement et de consolidation par les habitants qui tâchaient de récupérer ce qui pouvait être sauvé. La femme dont le corps a été découvert dans ce qui restait du rez-de-chaussée, un ancien atelier de menuiserie abandonné, n'avait pas été tuée par l'explosion ou les débris : elle était ligotée, bâillonnée et le dos ouvert à coups de fouet. La pluie, qui maintenant lave le cadavre étendu sur le ventre parmi les décombres de la maison, mouillant les cheveux emmêlés et imbibés de sang coagulé, entraîne la poussière de plâtre et de briques cassées, découvrant le dos à tel point déchiqueté que l'on voit les entrailles et la colonne vertébrale, luisantes sous l'eau, de la base du crâne aux hanches.

– Des débris lui ont écrasé la tête, et ce ne sera pas facile de l'identifier..., commente Cadalso, qui s'approche, ruisselant, en secouant les gouttes. Elle semble jeune, comme les autres.

– Peut-être que quelqu'un la cherchera. Prends note de ce que tu peux et fais procéder à une enquête.

– Oui, monsieur. Tout de suite.

Rogelio Tizón détache son dos du mur, contourne les décombres et parcourt la ruelle jusqu'à la rue du Pasquin. La pluie tombe toujours, clémente dans cette partie de la ville, où la disposition des rues en lignes droites dont les segments se croisent perpendiculairement coupe efficacement le vent. Balançant sa canne, le policier observe les constructions voisines, les dommages causés par la bombe, la porte étroite qui, au fond de la ruelle, communique avec l'église dont la façade donne sur la rue des Capucins. Il est évident que la femme est morte avant l'arrivée de la bombe. Ce nouveau crime a lui aussi *devancé* l'impact, comme dans l'une des deux occasions précédentes : la rue du Vent. Dans celle du Laurier, cependant, il n'est tombé aucune bombe, ni avant ni après, ce qui augmente la confusion du commissaire. Tout ça va apporter de nouvelles complications, conclut-il en pensant, avec inquiétude, à l'intendant général et au gouverneur. À ce qu'il pourra leur raconter et à ce qu'il ne pourra pas. Mais cela peut attendre. Pour le moment, ce qui occupe son attention est la recherche de quelque chose dont il ignore la nature exacte mais qui doit être là, dans l'air ou dans le paysage urbain proche. Une sensation semblable à celle qu'il a éprouvée sur les autres lieux : le vide quasi absolu ressenti fugacement, comme si, en un point déterminé, une cloche de verre évacuait l'air, ou comme si celui-ci acquérait une qualité immobile et sinistre. Un point d'absence, privé de mouvement et de son, qu'il se croit capable de reconnaître.

Cette fois, il ne perçoit rien de tel. Tizón va sans succès d'un côté à l'autre, pas à pas, flairant, obstiné, comme un chien de chasse. Regardant chaque détail de ce qui l'entoure. Mais la pluie et l'humidité remplissent tout. Soudain, il se rend compte que dans la soirée ou la nuit précédentes, quand la fille a dû mourir, il ne pleuvait pas encore. C'est peut-être de cela qu'il s'agit, décide-t-il. Peut-être une condition déterminée de l'air, ou de la température, est-elle nécessaire. Ou Dieu sait quoi d'autre. Peut-être est-ce lui qui, en admettant d'absurdes débordements de son imagination, est en train de devenir fou. Prêt à finir au pavillon de l'asile de la Caleta.

Avec toutes ces inquiétantes pensées en tête, le commissaire a contourné le pâté de maisons vers la gauche pour arriver devant le portail de pierre peint en blanc de la Divina Pastora, où se trouve une niche avec une Vierge assise qui caresse le cou d'un agneau. La porte de la chapelle est ouverte, le policier entre, sans se découvrir, pour jeter un coup d'œil à l'intérieur ; dans le fond, sous les dorures à peine visibles du retable majeur qui domine le petit espace en forme de croix grecque, brille une veilleuse solitaire. Une ombre en deuil, agenouillée devant l'autel, se lève, prend de l'eau bénite dans une vasque, se signe et passe près du policier qui s'efface. C'est une vieille, portant mante noire et rosaire. Quand Tizón ressort, la femme s'éloigne dans la pluie, vers l'esplanade des Capucins. Le policier la suit du regard jusqu'à ce qu'il la perde de vue. Puis, à l'abri sous le porche, il allume un cigare et fume sans hâte, en observant les volutes qui se dissipent lentement dans l'air humide. Il voudrait ne sentir aucun remords, aucune inquiétude, pour la scène qu'il vient de laisser derrière lui, dans les décombres de la ruelle. Une femme morte, ou six, ou cinquante, cela ne change rien : le monde continue de tourner en roulant vers l'abîme. En fin de compte, pense-t-il, tout doit prendre son tour dans l'ordre suicidaire des choses. Dans la vie et dans la mort qui en est la conséquence. De plus, chaque circonstance observée va à son propre pas. À son rythme particulier. Toute question doit laisser une chance raisonnable à sa réponse. Il n'est pas coupable des événements, se dit-il en expulsant une bouffée de fumée. Seulement leur témoin. Il espère se souvenir de cela avec une égale conviction la nuit prochaine, dans le salon vide de sa maison. Sous le regard silencieux de sa femme rivé sur lui, près du piano fermé. Toutes ces belles considérations n'empêchent pas que, hier, la fille de la ruelle était encore vivante.

– Foutredieu ! jure-t-il à voix haute, amer et sombre.

Il a sorti sa montre de son gousset et consulte les aiguilles. Puis il laisse choir le mégot et l'écrase sous la semelle mouillée de sa botte.

L'heure est venue, conclut-il froidement, de faire une visite.

*

La pluie crépite là-haut, sur le sol de la terrasse et le toit de planches du pigeonnier vide. Près de la porte vitrée, dont la lumière incertaine et grise du dehors n'égaye plus les couleurs, Gregorio Fumagal, portant bonnet de laine et blouse, brûle les derniers papiers dans le poêle. Ce n'est pas un gros travail et il n'est pas urgent. Les documents compromettants qu'il conserve sont peu nombreux : carnets de notes, consignant les lieux de chute des bombes et leurs coordonnées géographiques, dates et précisions diverses. Tout brûle feuille après feuille, à mesure que le taxidermiste ouvre le volet de fer, enfourne sur les braises et les flammes des papiers isolés ou des pages qu'il arrache après un bref coup d'œil. Auparavant, il a également brûlé des livres interdits de philosophes français, préalablement dépouillés de leurs couvertures d'apparence innocente et déchiquetés. Ce sont de vieux compagnons de pensée et de vie, qu'il vient de voir flamber sans trop s'en désoler. Rien de cela ne doit rester ici.

Il n'est ni stupide ni naïf, il n'est pas non plus aveugle. L'apparition de figures inhabituelles dans les environs, suivant discrètement ses pas chaque fois qu'il sort, ne lui a pas échappé. Chaque nuit, avant de se coucher, il peut constater de la fenêtre de sa chambre – la seule qui donne directement sur la rue – la présence régulière d'une silhouette immobile dissimulée dans l'ombre sous sa maison, au coin des rues San Juan et des Écoles. Et en marchant dans la ville, quand il s'arrête, comme au hasard, devant une boutique ou une taverne, il a pu observer à la dérobée de proches et inquiétants accompagnateurs : des hommes taciturnes, en civil, avec des mines peu rassurantes. Tout cela l'incite à ne pas nourrir des illusions sur l'avenir. En réalité, quand il analyse froidement la situation, ce qu'il a fait et ce qu'ils peuvent lui faire, il est surpris d'être encore libre.

Tout le contenu du poêle n'est plus que braises et cendres. Seul reste le plan de la ville, la pièce maîtresse. La clef de tout. Mélancolique, Fumagal observe le papier étalé, froissé par l'usage, où lignes et courbes tracées au crayon s'étendent en partant de la partie orientale comme une complexe toile d'araignée conique sur le tracé urbain de Cadix. C'est le fruit d'un an de travail risqué et minutieux, jour après jour. D'interminables marches, calculs et observations clandestines qui lui donnent une extraordinaire valeur scientifique.

Tout est noté là, ou a sa référence adéquate : détermination géographique, angles d'incidence, force et direction du vent dominant pour la presque totalité des impacts, rayons d'action, zones d'incertitude. L'importance militaire de ce plan pour ceux qui assiègent Cadix est inestimable. C'est la raison pour laquelle, malgré les menaces de ces derniers temps, Fumagal l'a conservé jusqu'à maintenant, dans l'espoir de pouvoir tôt ou tard rétablir avec l'autre rive de la baie le contact interrompu depuis le départ du Mulâtre. Mais rien ne se produit, et le danger augmente. Les derniers pigeons se sont envolés vers le Trocadéro avec des messages où il rendait compte de la situation critique, sans autre réponse que le silence. Les jours qui passent ne font que conforter le taxidermiste dans son idée qu'il a été abandonné à son destin. Un destin que, dans cette étape problématique de sa vie – il traverse les journées comme dans un rêve étrange dans lequel il chemine au hasard, à la manière d'un somnambule –, il a voulu délibérément forcer, dans tous les sens du terme. Mais il y a, dans les choses, des aspects inévitables. Des situations que personne ne peut refuser ou choisir. Ou pas entièrement.

Il déchire le plan de Cadix en quatre morceaux, en fait quatre boules de papier et les introduit dans le poêle. Tout s'en va avec, pense-t-il. Cendres d'une vie et d'une vision du monde. La géométrie d'un système de l'ordre universel, froid et implacable, porté jusqu'à ses ultimes et nécessaires conséquences, mais dont l'ensemble reste inachevé. Son farouche objectif final. Ce mot, *final*, l'amène à penser au petit flacon noir à bouchon de cristal scellé à la cire, qu'il garde dans un tiroir du bureau de son cabinet : une solution d'opium concentré qui représente pour lui, en prévision du pire, le raccourci, paisible et doux, qui le mènera à la liberté et à l'indifférence. Le rayonnement des flammes qui se fait plus intense éclaire le visage accablé de Gregorio Fumagal ; et, derrière lui, les vitrines et les perches posées sur les murs, là où les animaux empaillés contemplent le vide de leurs yeux immobiles. Témoins de la défaite de celui qui les a sauvés de la décomposition, de la poussière et de l'oubli. Cette fois, il n'y a rien sur la table de marbre. Cela fait longtemps que le taxidermiste n'a plus la tête à son travail. Il manque de la concentration nécessaire pour manier avec précision le bistouri, le fil de fer et l'étoupe. Il manque de sérénité. Et pour la première fois, aussi loin qu'il remonte dans sa vie, de décision. Peut-être *courage* est-il le mot qu'il n'ose pas vraiment formuler. La vue du pigeonnier vide a défait trop de ciment dans les dernières semaines. Trop de certitudes. Confronté à ce qu'il est maintenant, à l'urgence d'envisager le futur immédiat et le reste de sa vie – si tant est que l'un et l'autre puissent se voir prolongés de plus de quelques heures –, Fumagal ne parvient pas à surmonter sa propre indifférence. Même brûler papiers et livres compromettants est un acte qu'il n'estime pas indispensable. Il s'agit juste d'un geste logique, conséquence de faits antérieurs. Un réflexe quasi automatique de loyauté, ou de cohérence, qui s'adresse à l'autre côté de la baie ou peut-être – ce qui est le plus probable – à lui-même.

On frappe à la porte. Un seul coup bref. Fumagal ferme le volet du poêle, se relève et va dans le vestibule. Il fait jouer la grille de cuivre du judas. Sur le palier se tient un homme qu'il ne connaît pas, portant chapeau de toile cirée et carrick sur lequel glissent des gouttes de pluie. Son nez est fort et aquilin, évoquant un rapace, encadré par deux épais favoris qui rejoignent la moustache. Il a dans les mains une canne qui semble lourde, avec une tête de bronze menaçante.

– Gregorio Fumagal ?… Je suis commissaire de police… Pouvez-vous ouvrir ?

Bien sûr que je le peux, décide silencieusement le taxidermiste. À ce stade, s'y opposer serait inutile. Et grotesque.

Ce qui arrive maintenant est seulement ce qui devait tôt ou tard arriver. Étonné de son calme, il libère la serrure. En ouvrant la porte, il repense au flacon de cristal rangé dans son tiroir. Peut-être que d'ici peu il sera trop tard pour y avoir recours ; mais un invincible sentiment de curiosité se superpose à toute autre idée. Un terme bien singulier. *Curiosité.* Bien qu'il puisse n'être là que comme une justification. Une lâche excuse pour continuer à respirer – à observer, pour être exact – encore un peu.

– Vous permettez ? dit l'homme.

Sans attendre la réponse, il entre dans la maison. Au moment où le taxidermiste s'apprête à refermer la porte, il la bloque d'un mouvement de sa canne pour la laisser ouverte. Avant de le suivre à l'intérieur, Fumagal observe que, sur le palier de dessous, attendent deux autres hommes vêtus de chapeaux ronds et de capotes sombres.

– Que voulez-vous de moi ?

Le policier, qui n'a pas ôté son chapeau ni ouvert son pardessus anglais, est debout au milieu du cabinet, près de la table de marbre, et balance sa canne tout en regardant autour de lui. On dirait qu'il n'inspecte pas un lieu inconnu, mais qu'il vérifie si tout est toujours à sa place. Un moment, Fumagal se demande quand cet individu est déjà venu. Et comment il a fait pour ne pas laisser de traces de sa visite.

– *Prostré au milieu des animaux morts, il reste assis immobile. Manifestement, il prépare quelque sinistre dessein…*

Fumagal écarquille les yeux, perplexe. Le policier a prononcé ces mots pendant qu'il promenait son regard dans la pièce, avant de se tourner vers lui. Sur le mode dramatique, comme s'il récitait. Et c'est sûrement une citation, mais le taxidermiste n'arrive pas à comprendre de quoi il s'agit.

– Pardon ?

L'autre le fixe intensément. Il y a quelque chose d'inquiétant dans ses yeux, et qui va au-delà de son attitude de policier. Un éclat acéré, de haine à la fois immense et contenue.

– Vous ne savez pas de quoi je parle?... Allons donc!

Il fait quelques pas dans le cabinet, passant la lourde tête de sa canne sur le marbre de la table à empailler. Un bruit grinçant, prolongé, menaçant.

– Tentons encore notre chance, dit-il après un court silence.

Il s'est arrêté devant le taxidermiste en le fixant toujours. Un regard plus personnel qu'officiel.

– *Un homme qui, après avoir médité le massacre de toute une armée, est sorti à la faveur des ténèbres nocturnes pour semer la mort avec son épée...*

Il le dit sur le même ton avec dans les yeux la même hostilité.

– Vous reconnaissez, cette fois?

Fumagal reste stupéfait. Ce n'était pas à cela qu'il s'attendait depuis des jours.

– Je ne sais pas de quoi vous parlez.

– Très bien... Dites-moi une chose... Avez-vous lu *Ajax*?

– *Ajax*?

– Oui. Vous savez. Sophocle.

– Non. Pas que je me souvienne.

Du coup, c'est le policier qui écarquille les yeux. Un instant, pas plus. Durant ce très court laps de temps, le taxidermiste conçoit l'espoir que tout cela ne soit qu'un malentendu. Dont l'objet ne serait pas lui, mais un autre. Une erreur policière, judiciaire. La plainte d'un voisin. Ou n'importe quoi d'autre. Mais ce qu'il entend ensuite le ramène à la réalité.

– Je vais vous conter quelque chose, camarade. – Le policier s'est penché sur le poêle, il en ouvre le volet, y jette un coup d'œil et le referme. – Jeudi dernier, à six heures du matin, en exécution de la sentence d'un conseil de guerre très sommaire, le Mulâtre a subi le garrot dans les fossés du château de San Sebastián... Évidemment, vous n'en

495

avez rien lu dans les journaux. L'affaire était délicate et a été jugée à huis clos, comme toujours en pareil cas.

Tout en parlant, il se dirige vers la porte de la terrasse qu'il ouvre pour regarder l'escalier. Puis il la referme précautionneusement, fait quelques pas dans le cabinet et s'arrête devant le singe empaillé exposé dans une vitrine.

– J'y étais au petit jour, poursuit-il. Nous étions trois ou quatre. Le Mulâtre s'est laissé cravater avec beaucoup de calme, soit dit en passant. Les contrebandiers sont des gens rudes. Et il n'a pas fait exception. Mais toute chose a ses limites.

Pendant que le policier parle, sans se presser, Fumagal fait un pas pour contourner la table et s'approcher du tiroir où se trouve la solution d'opium. Hasard ou propos délibéré, l'autre s'interpose entre lui et la table.

– Nous avons eu quelques conversations fort intéressantes, le Mulâtre et moi. On pourrait même dire qu'à la fin nous sommes arrivés à un point d'accord raisonnable…

Le policier s'interrompt un moment et sa bouche se tord en un semblant de sourire de loup, éclat de la canine d'or compris. Puis il ajoute :

– On y arrive toujours, je vous le certifie. À ce point. Toujours.

Le dernier mot a rendu un son sinistre, comme une promesse. Après une autre pause, le policier continue. Le Mulâtre, dit-il, a parlé de Fumagal. Et beaucoup : les pigeons, les messages, les traversées de la baie, les Français et tout le reste. Après cela, lui-même est allé dans la maison pour jeter un coup d'œil. Il s'est intéressé aux papiers, et il a aussi vu le plan de la ville, avec tous ces traits et ces marques. Très intéressant, effectivement.

– Vous les avez toujours ?

Fumagal ne répond pas. L'autre pose un regard résigné sur le poêle brûlant.

– Dommage. J'avais espéré. Une erreur. Mais il y avait d'autres aspects... Je devais être sûr, comprenez-moi. Vous donner une autre... enfin... vous savez, camarade : une nouvelle occasion.

Il se tait, songeur. Puis il lève la canne et en approche la tête de bronze de la poitrine de Fumagal, sans cependant la toucher.

– Vraiment, vous n'avez pas lu Sophocle ?

Encore ! Qu'est-ce qu'il me veut, avec son Sophocle ? Ça ressemble à une blague absurde, dont il ne parvient pas à imaginer le but. En dépit de la précarité de sa situation, il commence à se sentir irrité.

– Pourquoi me demandez-vous ça ?

Le policier rit, dents serrées, en balançant sa canne. Sombre. Il n'y a pas d'humour dans ce rire sinistre de très mauvais augure, constate Fumagal. Furtivement, il lance un dernier regard au tiroir fermé du bureau. Désormais, et à tout jamais, si loin.

– Parce qu'un bon ami à moi va bien se moquer, quand je le lui raconterai.

– Est-ce que je suis arrêté ?

L'autre l'observe un moment, immobile. L'air surpris.

– Mais oui. Bien sûr que vous l'êtes... Qu'est-ce que vous imaginiez ?

Alors, sans crier gare, il lève sa canne et frappe très fort sur le marbre de la table, trois fois. Au bruit, les deux hommes qui étaient dans l'escalier accourent. Du coin de l'œil, Fumagal les voit se figer sur le seuil, en attente. Le policier s'est approché tout près de lui, à tel point qu'il peut sentir son haleine épaisse, de tabac et de mauvaise digestion. Les yeux aigus et méchants fixent les siens, et la lueur de haine qu'il y avait lue tout à l'heure réapparaît sans dissimulation. Effrayé – pour la première fois –, le taxidermiste fait un pas en arrière. Il s'agit d'une panique physique, à l'état brut. Il a peur que l'homme ne le frappe avec la lourde tête de la canne.

– Je t'arrête pour espionnage au profit des Français et pour l'assassinat de six femmes.

De ces mots, celui qui fait le plus trembler Fumagal est le tutoiement explicite par lequel ils commencent.

12

On dit – la guerre abonde en « on dit » et « il paraît » – que le maréchal Suchet est sur le point d'entrer dans Valence et que la prise de Tarifa n'est qu'une question de jours ; mais ce n'est pas là ce qui intéresse Simon Desfosseux. Ce qui, en ce moment, accapare son attention, ce sont ses efforts pour parvenir à ce que les assauts du vent et de la pluie qui pénètrent par les fentes de la baraque n'éteignent pas le feu sur lequel bout une marmite contenant de l'eau et un mélange d'orge grillée et de quelques rares grains de mauvais café. Au-dessus de la tête du capitaine d'artillerie, la tempête arrache des gémissements lugubres au toit de planches et de branchages assemblés par des clous et des cordes. La pluie qui frappe en rafales violentes entre de tous côtés, se répandant dans le refuge. Assis sur un escabeau rudimentaire qui ne le met pas à l'abri de la boue et de l'humidité, Desfosseux a sa capote sur les épaules, un vieux bonnet de laine, et les mitaines qui protègent ses mains laissent voir des doigts aux ongles noirs et sales. Avec le mauvais temps, la vie dans les tranchées devient terrible ; et plus encore ici, sur cette langue de terre basse et presque plate du Trocadéro, qui s'avance dans la baie exposée au vent et à la mer proche, presque inondée au pied des batteries françaises par la crue de l'embouchure du San Pedro et du canal gonflés par les pluies, avec l'eau qui monte et déborde en dépassant la barre de sable et la limite des marées hautes.

Il est inutile de penser à Fanfan et à ses frères par ce temps de chien. Depuis quatre jours, on ne tire plus sur la ville. Les obusiers restent silencieux, couverts de bâches goudronnées ; et le sergent Labiche et ses hommes, enfoncés jusqu'à mi-guêtres dans la boue de leur abri, maudissent tout et tout le monde. La tempête a désorganisé l'intendance et la Cabezuela ne reçoit plus d'approvisionnements. Pas même la ration pour quatre jours d'un quart de viande salée, de vin coupé d'eau et tourné au vinaigre, de pain noir et composé pour moitié de son, que les artilleurs recevaient dans les dernières semaines. La famine, qui, en cette fin de 1811, dévaste des populations entières et s'annonce terrible dans toute la Péninsule, frappe aussi les troupes françaises, dont les services de réquisition ont de plus en plus de mal à obtenir un grain de blé ou une livre de viande dans le paysage hostile de champs en friche et de villages fantômes, vidés par la guerre. Et de toutes les armées impériales, les hommes du Premier Corps, occupant l'extrémité méridionale de l'Andalousie, sont ceux qui se trouvent les plus éloignés des centres d'approvisionnement ; les communications déjà dangereuses du fait des bandes de guérilleros sont interrompues maintenant par la violence de la tempête qui bat la côte, fait déborder les rivières, inonde les chemins et emporte les ponts.

– La couverture, nom de Dieu !

Le lieutenant Bertoldi, qui vient d'entrer en secouant l'eau d'une capote pleine de reprises et de rapiéçages, s'excuse et remet en place la couverture qui ferme l'entrée. En voyant devant lui la face amaigrie et souillée du Piémontais, toujours souriant malgré toute cette eau et cette boue où ils barbotent, Desfosseux ressent le besoin de s'excuser de sa brusquerie ; mais, même pour ça, il est trop abattu. S'il fallait réparer chaque manifestation de mauvaise humeur de ces derniers jours, tout le monde passerait son temps à se demander mutuellement pardon à jet continu. Il se borne à indiquer de la tête la marmite posée sur le feu.

– Dans un moment, ça sera buvable. Mais je n'en garantis pas le goût.

– Il me suffit que ce soit chaud, mon capitaine.

Le breuvage bout. Très précautionneusement, Desfosseux l'enlève du feu et verse le liquide brûlant dans un quart en fer-blanc que lui tend Bertoldi. Lui-même se sert dans un bol en porcelaine chinoise, bleu et ébréché – vestige de la vaisselle d'une riche maison de Puerto Real pillée au début de la guerre –, et boit à petits coups, prenant presque plaisir à se brûler les lèvres et la langue. Il n'y a ni sucre ni miel, ni rien pour l'adoucir. Ça n'a même pas vraiment le goût de café. Mais, comme l'a dit Bertoldi, c'est chaud. Et convenablement amer. Tout consiste à faire marcher son imagination en se réchauffant les tripes.

Maurizio Bertoldi allonge une jambe qui lui fait mal. Voici trois semaines, un ricochet de mitraille espagnole l'a contusionné pendant qu'il supervisait la batterie du fort Luis. Rien de sérieux, mais il boite encore. Et cette humidité n'aide pas.

– L'affaire des déserteurs doit être réglée dans une demi-heure… Au moment de la relève de la garde, près du grand baraquement.

Desfosseux le regarde par-dessus la vapeur de son bol chinois. D'un doigt, Bertoldi gratte un favori blond, et il hausse les épaules.

– L'ordre est qu'officiers et troupes soient présents. Aucune excuse ne sera tolérée.

Les deux artilleurs boivent en silence pendant que les rafales de pluie cognent à l'extérieur et introduisent des gouttes par chaque interstice entre les planches. Il y a une semaine, profitant de la marée basse, quatre soldats du 9e d'infanterie légère, n'en pouvant plus de faim et de misère, ont déserté de leurs postes de sentinelles, abandonnant fusils et munitions, dans l'intention de passer à l'ennemi. L'un d'eux a réussi à atteindre à la nage les canonnières espagnoles mouillées près de la pointe de la Cantera, mais les autres ont été capturés par un bateau de surveillance et renvoyés au Trocadéro. L'exécution, après le jugement sommaire d'une cour martiale, était prévue voici deux jours à Chiclana ; mais le mauvais temps a empêché le transfert des prisonniers. Le maréchal Victor, las d'attendre, a ordonné que les trois soient passés par les armes sur place. Avec un temps infâme comme celui-là qui mine encore plus le moral des troupes et inspire aux hommes des intentions malsaines, un exemple approprié remettra les idées en place. Tel est du moins l'effet escompté.

– Alors allons-y, dit Desfosseux.

Ils terminent leur café, s'enveloppent du mieux qu'ils peuvent dans leurs capotes, et le capitaine ceint son sabre et change son bonnet de laine pour le vieux bicorne recouvert de toile cirée. Ils écartent la couverture et sortent en piétinant la boue. Au-delà des rives agitées de la péninsule du Trocadéro, la baie bouillonne d'embruns et d'écume grise. L'enceinte ténébreuse de Cadix est à peine visible au fond du paysage : une longue ligne obscure dessinée par les éclairs qui zèbrent le ciel sombre, font entendre des coups de tonnerre lointains et découpent les mâtures des bateaux au mouillage qui tanguent durement en tirant sur leurs ancres, la proue tournée au sud-est.

– Attention ici, mon capitaine. Le pont tremble comme s'il était vivant.

L'eau menace de submerger et d'emporter la passerelle de planches qui franchit le fossé de drainage entre la deuxième et la troisième batterie. Simon Desfosseux traverse avec appréhension, apeuré à l'idée de se voir entraîné vers la mer. Le chemin suit une tranchée dont le fond est plein d'eau, protégée des tirs espagnols par un parapet de terre, de gabions et de fascines. Chaque fois que l'artilleur enfonce ses bottes dans la fange, l'eau entre par les trous des semelles et monte jusqu'en haut des chevilles, transformant les chiffons qui emmaillotent ses pieds en éponges. Bertoldi boite et patauge à quelques pas devant lui, courbé sous les rafales qui hurlent en passant entre les gabions et agitent le liquide épais et brun dans lequel il laisse traîner, indifférent, les pans de sa capote.

Au-delà du baraquement général où sont remisés les affûts, les prolonges et autres éléments du train d'artillerie, et qui sert parfois de dépôt provisoire de prisonniers, se trouve un ravin qui va jusqu'au canal du Trocadéro, lequel fait environ 70 toises de large et roule furieusement les flots boueux de la crue. Alignés en demi-cercle au bord de cette sorte de cuvette, protégés par des capes, des capotes brunes et grises, des chapeaux et des schakos ruisselants, quelque cent cinquante soldats et officiers attendent en silence. Desfosseux vérifie que le sergent Labiche et ses hommes sont là, observant hargneusement la scène, méprisants et dégoûtés. En réalité, tout le monde devrait être en formation disciplinée ; mais, avec le temps qu'il fait et toute cette eau qui tombe, personne n'a idée de respecter le règlement.

À la porte du baraquement, Simon Desfosseux voit deux officiers espagnols : protégés de la pluie par un abri de toile et surveillés par une sentinelle baïonnette au canon, ils contemplent de loin la scène. Ils portent tous les deux l'uniforme bleu de la Marine ennemie. L'un a un bras en écharpe et l'autre a sur sa veste les épaulettes de lieutenant de vaisseau. Desfosseux sait que la tempête a fait déraper hier l'ancre de leur felouque et a entraîné celle-ci vers le Trocadéro. Avec beaucoup d'habileté, et faisant de nécessité vertu, le lieutenant de vaisseau a fait hisser les voiles pour pouvoir gouverner le bateau et a choisi de s'échouer sur la plage même de la Cabezuela au lieu d'aller se briser contre des rochers dangereusement proches. Puis il a tenté de brûler son navire, mais la pluie l'en a empêché, avant d'être capturé avec son second et vingt hommes d'équipage. Maintenant, les Espagnols attendent le premier convoi de prisonniers pour Jerez, première étape de leur captivité en France.

Dans le bas du ravin, près de la rive du canal et surveillés chacun par deux gendarmes avec leurs bicornes caractéristiques – impeccables comme toujours, malgré la pluie – et leurs fusils tournés vers le sol sous leurs capes bleues, les trois déserteurs attendent l'exécution de la sentence. Le capitaine Desfosseux se place avec Bertoldi dans le groupe des officiers et jette un coup d'œil curieux sur les condamnés. Ils sont debout sous la pluie, sans capote, tête nue et mains attachées dans le dos ; l'un est en gilet et manches de chemise, et les autres avec leurs guêtres bleues trempées et les pantalons taillés dans l'escot marron réquisitionné dans les couvents. L'homme en manches de chemise est caporal, commente quelqu'un. Un dénommé Wurtz, de la 2e compagnie. Les autres sont très jeunes, ou semblent l'être. L'un d'eux, maigre et roux, regarde épouvanté autour de lui et tremble – de froid ou de peur – avec une telle violence que les gendarmes doivent le soutenir. Un colonel de l'état-major du duc de Bellune – il doit maudire intérieurement ceux qui l'ont forcé à venir de Chiclana par ce temps – s'approche des prisonniers, un papier à la main. Le sol boueux, mou en certains endroits et glissant en d'autres, gêne sa marche. Par deux fois, il manque de tomber.

– La farce commence, murmure quelqu'un, dents serrées, derrière Desfosseux.

Le colonel fait une tentative pour lire la sentence à haute voix, mais la pluie et le vent l'en empêchent. Après quelques mots, il renonce, plie la feuille de papier mouillée et adresse un signe au sous-officier des gendarmes, qui se concerte avec ses hommes pendant qu'un peloton d'infanterie, hors de la vue des condamnés, se rassemble de mauvaise grâce près du baraquement. Les trois hommes sont maintenant placés de dos, tournés vers le canal, tandis qu'on leur bande les yeux. Celui qui est en manches de chemise se débat un peu en tentant de résister. Un de ses compagnons – un garçon chétif et brun – se laisse faire calmement, comme un somnambule ; mais dès que les gendarmes s'écartent, les jambes du rouquin se dérobent sous lui et il tombe assis dans la boue. Ses gémissements s'entendent dans tout le ravin.

– Ils auraient pu les attacher à un poteau, proteste le lieutenant Bertoldi, scandalisé.

– Des sapeurs en ont planté, explique un capitaine. Mais l'eau les a fait tomber… Le sol est trop mou.

Le peloton est déjà formé derrière les condamnés : douze hommes avec leurs fusils, et un lieutenant du 9e léger, cape bleue, chapeau ruisselant et sabre dégainé. Par ordre du maréchal Victor, les exécuteurs appartiennent au même régiment que les exécutés. Les soldats affichent des têtes maussades et il est clair qu'ils souhaiteraient ne pas être là : la pluie fait luire la toile cirée noire des schakos et les capotes dont les pans protègent de l'eau les platines de leurs armes. Le garçon roux est toujours assis dans la boue, les mains attachées dans le dos et le corps penché en avant, sans cesser de gémir. Celui qui est en manches de chemise tourne un peu vers l'arrière son visage aux yeux bandés, comme s'il voulait ne pas manquer le moment où l'on va tirer. Maintenant l'officier commandant le peloton prononce quelques mots en portant son sabre à son épaule, puis lève le bras et les fusils sont épaulés plus ou moins à l'horizontale. Pour certains, non sans lenteur. En principe, quatre soldats doivent viser le dos de chaque condamné, dont les silhouettes se détachent sur le courant tourbillonnant du canal.

Simon Desfosseux ne parvient pas à entendre l'ordre de tirer. Il perçoit seulement les détonations irrégulières des fusils – les tirs résonnent en désordre, comme à contrecœur, au lieu de la décharge groupée réglementaire, et plusieurs cartouches font long feu – et la fumée blanchâtre de la poudre qui se dissipe immédiatement dans la pluie.

– Merde, merde, murmure Bertoldi. Merde.

Un bousillage, pense Desfosseux, et qui s'accorde bien avec le jour et les circonstances. Il est à deux pas de vomir le breuvage avalé il y a moins d'une demi-heure. Le déserteur au gilet est tombé de face dans la boue, immobile, et la pluie répand rapidement une flaque rouge vif le long des manches de la chemise trempée. Mais le garçon petit et brun, tombé sur le côté, gigote dans la boue en essayant de ramper malgré les mains attachées dans le dos, et laisse une traînée de sang en levant la tête – il a toujours les yeux bandés – à la manière d'un aveugle qui tente de comprendre ce qui se passe autour de lui. Quant au rouquin, il est toujours assis par terre en poussant des petits gémissements de terreur, mais sans la moindre égratignure visible, dans les rafales de pluie qui crépitent.

La diatribe que le colonel d'état-major adresse au lieutenant et celle que celui-ci répercute sur le peloton hostile arrivent nettement aux oreilles de Simon Desfosseux. Les soldats qui entourent le ravin se dévisagent entre eux et jurent ouvertement en regardant les officiers. Personne ne sait que faire. Après une hésitation, le lieutenant sort un pistolet de sous sa cape, s'approche de celui qui se traîne et fait feu ; mais l'amorce ne brûle qu'un peu de poudre humide, et le coup ne part pas. Le lieutenant scrute et manipule son arme, désemparé. Puis il se tourne vers le peloton et ordonne de recharger les fusils ; mais tous, y compris Desfosseux, savent qu'avec ce vent et cette pluie cela ne servira à rien.

– Vous verrez qu'on les finira à la baïonnette, murmure un officier.

Dans le groupe courent, contenus, quelques rires sarcastiques. En bas, au fond du ravin, c'est le sous-officier de la gendarmerie, un vétéran à grosse moustache, qui met fin à la situation. Avec une grande présence d'esprit et sans attendre d'ordre de personne, il s'empare de la carabine d'un de ses hommes, se dirige vers le blessé qui rampe et l'achève d'une balle à bout portant. Puis il échange l'arme contre celle d'un autre gendarme, s'approche du rouquin assis par terre et lui décharge un coup dans la tête. Le garçon tombe en avant en boulant comme un lapin. Après quoi, l'adjudant rend la carabine et, pataugeant avec indifférence dans la boue, passe devant le lieutenant confus sans le regarder pour aller se mettre au garde-à-vous face au colonel d'état-major. Qui, non moins confus, lui rend son salut.

Les hommes retournent à leurs postes, lentement. Certains protestent à voix basse ou jettent un dernier coup d'œil aux trois corps immobiles sur le bord du canal. Le lieutenant Bertoldi regarde les deux officiers de marine espagnols, qui, toujours sous la garde de la sentinelle, rentrent dans le baraquement.

– Ça ne me plaît pas que les manolos aient assisté à ça, commente-t-il.

Simon Desfosseux, qui remonte le col trempé de sa capote et baisse la tête sous le déluge, rassure son adjoint.

– Ne vous en faites pas… Ils font la même chose avec les leurs. Et, question cruauté, ils n'ont de leçons à recevoir de personne.

Le capitaine chemine dans la tranchée spongieuse en direction du pont à demi détruit. Il rêve d'un peu de feu de bois qui atténuerait l'humidité de ses vêtements et réchaufferait ses mains gelées. Il aura quand même la chance de trouver le café encore tiède, ajoute-t-il avec un sourire optimiste. En tout cas, conclut-il, on n'imaginerait jamais l'importance que peuvent prendre, dans des circonstances extrêmes telles que celles qu'ils doivent vivre ici, une boisson chaude, un quignon de pain ou – comble du luxe, ces jours-ci – une pipe ou un cigare. Il se demande parfois si, après tout cela, il parviendra à se réadapter aux temps futurs qu'il connaîtra peut-être, à supposer qu'il survive. À voir chaque jour le visage de sa femme et de ses enfants. À se poser devant un paysage qu'il pourra contempler sans avoir à calculer automatiquement paraboles et impacts. Devant des champs dans lesquels il pourra s'allonger et fermer les yeux sans avoir à craindre que – dans le plus simple des cas – un guérillero ne s'approche en tapinois et lui tranche la gorge.

Tout en poursuivant sa marche, soulevant et replongeant ses bottes dans l'eau fangeuse, il entend derrière lui Maurizio Bertoldi clapoter et grogner.

– Savez-vous ce que je pense, mon capitaine ?

– Non. Et je ne veux pas le savoir.

Nouveaux clapotements. Puis la voix du lieutenant se fait encore entendre, comme s'il avait pris le temps de bien peser la réplique de son supérieur.

– Très bien… Mais si ça ne vous gêne pas, je le dirai quand même.

Nouvelle violente rafale de pluie. Simon Desfosseux enfonce son chapeau et baisse la tête, dégoûté.

– Ça me gêne. Fermez-la !

– Cette guerre est une merde, mon capitaine.

*

L'homme nu, tassé sur lui-même dans un coin du mur, lève une main pour se protéger la tête quand Rogelio Tizón se penche pour l'observer. Avec ses lèvres meurtries et fendues, les marques causées par les coups et les yeux cernés de noir, résultat de la douleur et de l'absence de sommeil, l'individu qu'il a devant lui ne ressemble guère à celui qu'il a arrêté voici cinq jours dans la maison de la rue des Écoles. D'un œil expert, en connaisseur, le commissaire évalue les dommages et calcule les possibilités de la situation. Lesquelles sont raisonnablement élastiques. Un moment auparavant, il a fait venir un médecin de relative confiance : un morticole alcoolique qui vérifie, à l'occasion, l'état de santé des filles de Santa María et de la Merced. Le sujet peut encore supporter la conversation, tel a été le diagnostic de la Faculté. Pouls convenable, respiration régulière, compte tenu des circonstances. À doses modérées et en prenant quelques précautions, on peut peaufiner l'ouvrage. Je crois. Après quoi, avec une demi-once de plus dans une poche de sa souquenille râpée, le médecin – Casimiro Escudillo, plus connu dans les bouges gaditans sous le nom de « docteur Tire-bourre » – s'en est allé tout droit au débit de boissons le plus proche pour convertir de solide en liquide sa récente et rapide rétribution. Tandis que Tizón demeure là, assisté de l'habituel Cadalso et d'un autre agent, tous trois occupés à peaufiner l'ouvrage. En conversation avec Gregorio Fumagal ou ce qu'il en reste.

– On reprend tout, camarade, dit Tizón. Avec ta permission.

Le taxidermiste gémit quand on le soulève pour le ramener, les pieds traînant par terre, sur la table où il est déposé sur le dos, les reins juste à la hauteur du bord. Sa sueur glacée fait luire la peau presque dénuée de poils et souillée à la lumière de la chandelle en suif qui éclaire à demi la cave sans fenêtres. Pendant que l'agent immobilise ses jambes en s'asseyant dessus, Rogelio Tizón approche une chaise et s'y installe à califourchon, les bras posés sur le dossier, tout près de la tête du supplicié ; laquelle pend, le torse arqué, dans le vide qui sépare la table du sol. La bouche du prisonnier s'ouvre dans un effort pour aspirer de l'air tandis que le sang afflue au visage congestionné. Il en a assez conté au cours de ces cinq jours pour être envoyé dix fois au garrot comme espion, mais il n'a rien dit de ce qui intéresse réellement le commissaire. Celui-ci se rapproche encore et débite d'une voix monotone, presque confidentielle :

– María Luisa Rodríguez, seize ans, Porte de Terre… Bernarda Garre, quatorze ans, auberge du Boiteux… Jacinta Herrero, dix-sept ans, rue des Rémouleurs…

Et ainsi de suite : six noms, six âges qui n'atteignent pas les dix-neuf ans, six lieux de Cadix. Avec de longues pauses entre chaque, pour laisser à Fumagal la possibilité de remplir les lacunes. Tizón termine sa litanie et reste immobile, la bouche toujours contre l'oreille du taxidermiste.

– Et les putains de bombes, ajoute-t-il pour terminer.

De sa position inversée, les traits crispés par la souffrance, Fumagal le regarde avec des yeux voilés.

– Les bombes, murmure-t-il faiblement.

– C'est ça. Les marques sur ton plan, tu te rappelles ?… Les points de chute. Des lieux particuliers. Cadix.

– J'ai déjà tout dit… sur les bombes…

– Tu mens. Je t'assure. Allons, un bon mouvement. Je suis fatigué, et toi aussi… Tout ça n'est qu'une perte de temps.

L'autre sursaute comme s'il venait de recevoir un coup. Un de plus.

– J'ai dit ce que je sais, gémit-il. Le Mulâtre…

– Le Mulâtre est mort et enterré. On l'a passé au garrot, tu te souviens ?

– Je… les bombes…

– Exact. Des bombes qui explosent et des femmes mortes. Raconte-moi ça.

– Je ne sais rien… de femmes.

– Mauvaise réponse. – La bouche de Tizón se tord dans un sourire qui n'éclaire en rien son visage impassible. – Avec moi, il vaut mieux savoir que ne pas savoir.

Le taxidermiste bouge la tête dans tous les sens, au bord de l'évanouissement. Au bout d'un moment, il tressaille et émet une plainte longue et rauque. Avec une curiosité technique, le policier observe le filet de salive qui coule de la commissure des lèvres, glisse sur le visage et goutte sur le sol.

– Où caches-tu le fouet ?

Fumagal remue les lèvres, en vain. Comme s'il n'arrivait pas à coordonner les mots.

– Le... fouet ? finit-il par articuler.

– Mais oui. Tressé avec du fil de fer. Ton instrument à écorcher.

L'autre agite faiblement la tête pour dire non. Tizón lance un bref regard à Cadalso qui s'est approché de la table, nerf de bœuf au poing. L'adjoint frappe un seul coup, rapide et sec, entre les cuisses de Fumagal. La plainte de celui-ci se transforme en hurlement d'angoisse.

– Ça ne vaut pas la peine, affirme Tizón avec une douceur féroce. Je t'assure.

Il attend un instant, surveillant le visage du prisonnier. Puis il se tourne de nouveau vers Cadalso et le nerf de bœuf claque encore une fois : le hurlement de Fumagal passe à l'aigu, un glapissement d'horreur et de désespoir que le commissaire analyse d'une oreille professionnelle en y guettant la note, le point exact qu'il cherche. Et que, conclut-il irrité, il ne trouve pas.

– María Luisa Rodríguez, seize ans, Porte de Terre..., reprend-il patiemment.

Gémissements. Nerf de bœuf et cris. Pauses soigneusement calculées. Ces messieurs les libéraux des Cortès devraient bien faire un tour par ici, se dit Tizón pendant l'une d'elles. Eux qui jouent aux mondes idéaux avec leur souveraineté nationale, leur habeas corpus et autres insanités de godelureaux.

– Je ne veux pas savoir pourquoi tu les as tuées, dit-il au bout d'un moment. Pas maintenant, en tout cas... Je veux juste que tu me confirmes les lieux de chacune... Et aussi la question de l'avant et de l'après des bombes... Tu me suis ?

Les yeux du taxidermiste, exorbités par la douleur, le regardent un instant. Tizón croit y lire une lueur de compréhension. Ou une fêlure.

– Raconte-moi ça, et tu pourras enfin te reposer. Nos amis se reposeront. Tout le monde se reposera.

– Les bombes…, murmure Fumagal, la voix rauque.

– C'est ça, camarade. Les bombes.

L'autre remue les lèvres sans émettre de son. Tizón se rapproche encore un peu, aux aguets.

– Vas-y. Dis-le-moi une bonne fois… Six bombes et six femmes mortes. Finissons-en.

De si près, le prisonnier répand une odeur âcre, de sueur et de décomposition corporelle. De chair tuméfiée. Mouillée. La même que celle de tous les autres après quelques jours de traitement. Quand on peaufine l'ouvrage, comme dit le docteur Tire-bourre.

– Je ne sais… rien… des femmes.

Le murmure s'exhale comme le souffle d'un dernier soupir. Suivi de violents vomissements. Le commissaire, qui avait presque collé l'oreille aux lèvres du taxidermiste pour être sûr de ce qu'il entendrait, s'écarte, écœuré.

– Dommage que tu ne le saches pas.

Brutal, dépourvu d'imagination et sans autre initiative que celle de son chef et supérieur, l'adjoint attend, nerf de bœuf à la main, l'ordre de frapper de nouveau. Tizón le dissuade d'un regard.

– Calme-toi, Cadalso. Ça promet d'être long.

*

Un rayon de soleil perce le voile de nuages bas et épais qui stagnent toujours au-delà des hauteurs de Chiclana, de l'autre côté de l'étier Saporito, du canal de Sancti Petri et du labyrinthe des marais et des salines. Quand Felipe Mojarra sort de chez lui, la lumière du petit matin pénètre la brume et commence à se refléter sur la surface des eaux immobiles et grises, grossies par les pluies récentes et la marée haute. Laissant derrière lui la courte treille aux branchages noueux et dénudés par l'hiver, le saunier marche lentement, en regardant les tas de boue mêlée de débris végétaux et de roseaux apportés par la tempête, qui s'accumulent le long du talus de la digue voisine et au pied des murs de la masure, dont le petit potager familial a été ravagé.

Il fait un froid de chien, dont l'humidité attaque les os. Couvert de son chapeau par-dessus le foulard qui lui entoure la tête, d'une couverture qu'il porte à la manière d'un poncho, et les espadrilles pendues au cou par leurs lacets, Mojarra se courbe, bat le briquet à amadou et allume, avec un sérieux tout masculin, un cigare de mauvais tabac. Puis il détache de son épaule le long fusil français et fume en s'appuyant sur lui, dans l'attente de sa fille. Trop de femmes dans la maison, pense-t-il. Bien que s'il avait eu un fils – il regarde parfois avec envie le gamin de son ami Curro Panizo –, celui-ci aurait déjà pu, vu l'époque, se faire tuer à la guerre comme tant d'autres. Nul ne sait où va tomber la chance ou le malheur, et moins encore avec les gabachos à proximité. La vérité, c'est que, pour résumer, Mojarra déteste les adieux familiaux et a voulu ce matin s'épargner les pleurs et les embrassades de sa fille Mari Paz et de la mère, la grand-mère et les petites sœurs. La jeune fille retourne à Cadix après avoir passé Noël dans l'Île. Il faut être reconnaissant à sa patronne de le lui avoir permis, a dit le saunier irrité en abandonnant brusquement sur la table son petit déjeuner, un quignon de pain émietté dans du vin, pour sortir avant l'heure. Et puis ce n'est pas comme si la fille n'allait revenir qu'à la fin du monde. Guerre ou pas guerre, pas plus dans l'Île que dans le reste de l'Espagne, les temps sont peu propices aux attendrissements familiaux et aux adieux féminins.

Les larmes, on les garde pour les enterrements, et il faut chercher la vie là où l'on vous permet de la trouver. Dans une bonne maison de Cadix ou en enfer. Là où elle est. Là où on peut.

– Quand vous voudrez, père.

Le saunier contemple sa fille qui arrive par le sentier : baluchon noué dans une main, jupe et fichu de drap noir qui lui couvre la tête en laissant voir les yeux sombres, grands et doux. Fine comme l'était sa mère au même âge, avant d'être rompue par les fatigues des accouchements et des travaux. Bientôt dix-sept ans. Un âge où l'on doit déjà penser à la marier comme il faut, pour peu qu'un homme convenable se présente, sérieux, décent, capable de bien s'occuper d'elle. Le plus tôt possible serait le mieux, si les circonstances n'étaient pas ce qu'elles sont. Car en servant chez les dames Palma, Mari Paz permet à la maisonnée de survivre, là où n'y suffit pas le peu que Mojarra perçoit en restant dans la compagnie des chasseurs des Salines : quelques morceaux de viande pour le pot-au-feu et quelques pièces de monnaie quand il y a une paie. Parce qu'il continue à n'avoir aucune nouvelle concernant la récompense pour la canonnière du moulin de Santa Cruz. Jusqu'à ce jour, ses réclamations et celles de Curro Panizo n'ont servi à rien, et le beau-frère Cárdenas est mort il y a deux semaines à l'hôpital d'où il a été jeté comme un chien, ou presque, pendant que ses voisins de litière volaient son tabac, et sans avoir vu un sou. Au moins, pense le saunier en manière de consolation, celui-là n'avait pas de famille à entretenir. Pas d'orphelins ni de veuve. Parfois, il en vient à penser qu'un homme vraiment honnête ne devrait rien laisser derrière lui. Libéré de tout souci, il agirait avec plus de détermination. Avec moins de précaution et moins de crainte.

– Fais bien attention quand tu passeras devant l'auberge du Camard. – Le ton du saunier est grave, sévère, entre deux bouffées de cigare. – Ne parle à personne, et garde ton fichu bien serré. Tu m'entends ?

– Oui, père.

– En arrivant, va tout droit à la maison de tes maîtresses, avant que la nuit tombe. Et sans t'arrêter nulle part... Je n'aime pas du tout ces histoires qui circulent.

– Ne vous inquiétez pas.

Mojarra lâche un nuage de tabac, en exagérant la sévérité de son visage.

– C'est bien ce que je voudrais. Ne pas m'inquiéter... Le roulier est de confiance, mais il doit aussi s'occuper de ses propres affaires. Les bêtes et le reste.

La fille proteste, en se moquant un peu.

– Il y aura aussi Perico le tonnelier, père. Rappelez-vous... Je ne suis pas idiote et je ne suis pas seule.

Mon Dieu, comme elle a mûri ! pense Mojarra. Tout ce temps passé là-bas, à Cadix. C'est tout juste si elle ne me tient pas tête.

– Et quand bien même..., grogne-t-il.

Le père et la fille cheminent dans la bourgade de l'Île vers la grand-place, par des rues dont les fenêtres grillagées des maisons bordent l'étroite chaussée. Des femmes sont agenouillées avec des serpillières et des seaux devant les porches ou vident leurs eaux de vaisselle sur le sol de terre battue devant chez elles.

– Tu fais ce que je te dis. Et tu ne te fies à personne.

Dans la rue principale, entre le couvent du Carmel et l'église paroissiale, boutiquiers et taverniers sont en train d'ouvrir leurs portes, et déjà les premières queues se forment devant les débits de pain, de vin et d'huile. Face à l'Imprimerie royale de la Marine, un aveugle annonce d'une voix stridente que des exemplaires de la *Gazeta de la Regencia* sont disponibles. Charretiers et muletiers vont et viennent en déchargeant leurs marchandises, et les couleurs vives des uniformes se détachent sur les tons sombres des habits civils : miliciens locaux, chapeaux ronds et vestes courtes, en faction devant la Municipalité, militaires de l'armée régulière, pantalons collants, vestes à brandebourgs et torsades de diverses couleurs, chapeaux à cornes, casques de cuir ou schakoss ornés d'une cocarde rouge. Depuis que les Français sont apparus, l'Île ressemble plus que jamais à une caserne. Au passage, sans s'arrêter, Mojarra salue voisins ou connaissances. Près de la maison des Zimbrelo, il y a un vendeur de beignets avec son étal où l'huile fume.

– Tu as mangé ?

– Non. Avec les pleurs de mes petites sœurs, je n'ai pas eu le temps.

Après une brève hésitation, le saunier change son fusil d'épaule, met la main dans sa poche peu garnie, en sort une pièce de cuivre, achète deux beignets d'un sou enveloppés dans du papier gras et les donne à sa fille. Un pour tout de suite, l'autre pour la route, dit-il quand elle proteste. Puis il lui demande de serrer davantage son fichu et la prend par le bras pour l'éloigner de l'étal après avoir adressé un regard noir à deux cadets du génie qui se pavanent avec leurs vestes couleur raisin et leurs casques à cimier en peau d'ours en attendant leur tour pour acheter des beignets et qui observent la jeune fille d'un air effronté.

– La demoiselle, ma patronne, dit que je devrais apprendre à lire et à écrire, et aussi à compter… Que je suis suffisamment intelligente.

– Ça coûte de l'argent, ma fille.

– C'est elle qui paierait, si je suis d'accord et si j'apprends bien. Il y a une veuve rue du Sacrement, au-dessus de la pharmacie, une personne respectable, qui enseigne l'écriture et les quatre opérations pour cinq douros par mois.

– Cinq douros ? – Mojarra fait la grimace, scandalisé. – C'est une somme énorme.

– Puisque je vous dis qu'elle offre de les payer. Elle me laisserait y aller l'après-midi, une heure par jour, si vous le permettez. Et le cousin Toño dit aussi que je ne dois surtout pas laisser passer cette occasion.

– Dis à ta demoiselle de se mêler de ses oignons. Et à ce cousin de faire bien attention… Un coup de navaja au ventre, de bas en haut, ne fait pas de distinction entre un pauvre et un petit monsieur à montre en or dans le gilet quand il s'agit de l'expédier dans l'autre monde.

– Mon Dieu, père ! Vous savez bien que don Toño est un monsieur très convenable, même s'il a toujours le mot pour rire. Et bien sympathique.

Le saunier contemple hargneusement le sol devant ses pieds nus.

– Je me comprends.

Laissant derrière eux la place de la Mairie, père et fille sont arrivés dans l'allée qui descend du couvent San Francisco. C'est là que, devant l'abreuvoir de la forge d'un maréchal-ferrant située entre l'Observatoire de la Marine et l'abattoir municipal, les attelages qui vont à Cadix ont l'habitude de faire halte. En cabriolet ou en calèche, le voyage ne dépasse pas trois heures ; mais il coûte plus cher. Mari Paz en mettra le double, au pas lent d'une charrette, avec des arrêts prévus au poste militaire de Torregorda, à l'auberge du Camard et au poste de la Coupure. Deux lieues et demie de route le long du Récif, entre la mer et le fond de la baie, avec quelques passages à portée de canon de l'ennemi. La seule idée que les Français peuvent tirer sur sa fille inspire à Felipe Mojarra des désirs homicides. L'envie de se faufiler immédiatement par les étiers et de trancher la gorge du premier gabacho qui lui tombera sous la main.

– Une jeune fille honnête n'a pas besoin de lire ni de savoir compter pour vivre, déclare-t-il après avoir fait quelques pas et réfléchi posément. Il te suffit de coudre, repasser et faire la cuisine.

– Il y a d'autres choses, père. L'éducation...

– Avec ce que t'a enseigné ta mère, ce que tu apprends dans cette maison et les manières de tes maîtres, tu as déjà suffisamment d'éducation pour le jour où tu te marieras et où tu vivras dans la tienne.

Mari Paz a un rire argentin. Léger. Ce rire lui restitue un air de fraîcheur enfantine. Celui de la petite fille que Felipe Mojarra a presque oubliée.

– Me marier, moi? Allons, père. Vous n'y pensez pas!

– Elle a pris un ton à la fois ingénu, offensé et suffisant.

– Qui voudrait de moi?... Et puis on n'y est pas toujours obligé. Regardez la demoiselle qui, malgré tout, reste fille. Elle qui est tellement élégante et sérieuse... Tellement... Je ne sais pas... Tellement dame.

Le ton et le rire de la jeune fille émeuvent profondément le saunier, même s'il s'en défend. Nous ne devrions rien laisser derrière nous, se répète-t-il intérieurement, brusquement saisi d'une vague angoisse. Puis il regarde sa fille en hésitant entre la réprimander ou l'embrasser, pour ne faire finalement ni l'un ni l'autre. Il se borne à jeter son bout de cigare et à changer encore une fois son fusil d'épaule.

– Allons, finis de manger ton beignet.

*

Appuyé au parapet du rempart sud de la ville, près du bâtiment de la Prison royale, Rogelio Tizón contemple la mer. Sur sa gauche, au-delà de la Porte de Terre, s'étend la longue ligne basse, aujourd'hui jaunâtre et brumeuse, du Récif qui mène à la terre ferme, à Chiclana et à l'Île. Sur sa droite, le ciel est dégagé et l'air plus limpide, bien qu'une frange noire qui s'approche lentement menace d'obscurcir de nouveau l'horizon. Dans cette direction, la perspective blanche de la ville fait défiler successivement le chantier inachevé de la nouvelle cathédrale, les tours de vigie sur les demeures, le couvent des Capucins, les maisons basses et aplaties du quartier de la Viña, et la pointe ocre, lointaine, du château de San Sebastián, avec son phare en sentinelle avancée à l'entrée de la baie.

– Une belle petite daurade, monsieur le commissaire ?

Près de Tizón, le long du rempart au pied duquel bat la mer, s'échelonnent une douzaine des habitués qui gagnent leur vie avec une canne, une ligne et des amorces, pour aller vendre ensuite le produit de leur pêche de porte en porte aux gargotes et aux auberges. L'un d'eux, un personnage du Boquete, l'allure d'un Gitan – un de ses indicateurs réguliers et aussi un des sauvages qui ont traîné le général Solano dans les rues lors de la révolte de 1808 –, est venu lui offrir, obséquieux, un des trois poissons de belle taille qui se débattent, agonisants, dans le seau.

– Ça me fait vraiment plaisir de vous l'offrir, don Rogelio. Si vous voulez, je peux le porter chez vous.

– Ôte-toi de ma vue, Caramillo. De l'air !

L'homme s'éloigne, soumis, en boitant légèrement. Il ne semble pas garder rancune, du moins en apparence, de la raclée que Tizón lui a administrée il y a sept ou huit ans et qui l'a laissé avec une jambe plus courte d'un demi-pouce que l'autre. De toute manière, le commissaire n'est pas d'humeur à apprécier le poisson, pas plus que la viande, ni à traiter avec la canaille. Et surtout pas ce matin, après la conversation qu'il a eue voici un peu plus d'une heure à la Capitainerie avec le gouverneur Villavicencio et l'intendant général García Pico. Pourtant, la journée avait bien commencé. Après avoir feuilleté *El Censor General* et *El Conciso* – l'un servile, l'autre libéral, histoire de voir comment respiraient aujourd'hui guelfes et gibelins – devant une tasse au café de la Poste et s'être fait raser chez un barbier de la rue des Comédies sans payer un sou comme d'habitude, le commissaire a effectué une fructueuse tournée sur ses terrains d'élection. En visitant, avec son plus beau sourire de squale matinal, quelques lieux dont une conscience un peu troublée et la nécessité de se concilier l'autorité compétente ont allégé le tiroir-caisse sans guère de résistance. Le joli chiffre de trente pesos ajouté à sa solde n'est pas un mauvais butin pour une seule matinée : cent réaux d'un quincaillier de la rue de la Pelote pour loger et employer – dans tous les sens du terme, assurent malicieusement les voisins – une servante veuve et émigrée sans papiers en règle, et cinq cents autres d'un bijoutier de la rue de la Neuvaine, recéleur attitré d'objets volés, à qui Tizón a donné le choix, sans y aller par quatre chemins, entre cette somme déposée directement dans sa poche et la désagréable perspective d'une amende de neuf mille réaux ou de six ans au pénitencier de Ceuta.

Mais ensuite, tout s'est assombri. Vingt minutes dans le bureau du gouverneur militaire et politique de Cadix ont suffi pour mettre fin au bel optimisme de Rogelio Tizón. Il s'est rendu chez le gouverneur au milieu de la matinée avec García Pico pour l'informer d'une affaire dont, pour des raisons de prudence élémentaire, ni l'intendant ni le commissaire ne souhaitent laisser de trace écrite. Le climat n'est pas propice à ce genre de risques ni aux faux pas.

– Nous ne pouvons encore rien donner pour certain, expliquait Tizón, mal à l'aise, assis devant l'imposante table de travail du gouverneur. L'espionnage ne fait aucun doute, naturellement... Mais j'ai besoin d'un peu de temps pour le reste.

Le lieutenant général don Juan María de Villavicencio gardait ses mains jointes dans une attitude qui évoquait la prière. Il écoutait. Ses lunettes en or pendaient de la boutonnière de sa veste, et son auguste tête chenue était inclinée sur sa cravate noire. À la fin, il a desserré les lèvres.

– Si c'est un espion avéré, a-t-il dit sèchement, vous devriez le remettre à l'autorité militaire.

Avec respect et prudence, Tizón a répondu qu'il ne s'agissait pas seulement de cela. Des espions, ou des individus suspects de l'être, il y en avait beaucoup dans Cadix. Un de plus ou de moins ne changeait pas grand-chose. Mais on avait de sérieux indices qui reliaient le prisonnier à la mort des filles. Ce qui donnait à l'affaire une tout autre ampleur.

– Est-ce sûr ?

L'hésitation du commissaire a été à peine perceptible.

– Très probable, en tout cas, a-t-il répondu, impavide.

– Et qu'attendez-vous pour obtenir des aveux complets ?

– Nous nous y employons – le policier s'est permis un sourire de loup, masquant mal sa suffisance –, mais les nouvelles modes politiques nous imposent certaines limitations...

Quand il s'est tourné vers García Pico en attendant un appui de sa part, le sourire tizonesque s'est effacé. Sérieux, délibérément en retrait, l'intendant gardait bouche close, sans se compromettre. Pas ici, en tout cas. Pas devant le gouverneur. Et si son expression laissait transparaître un sentiment, c'était qu'il doutait fortement que Rogelio Tizón puisse se sentir limité par quelque mode, politique ou autre, que ce soit.

– Quelles sont les possibilités que le détenu soit l'assassin ? a demandé Villavicencio.

– Raisonnables, a répondu Tizón. Mais il reste des points obscurs.

Regard méfiant du gouverneur. Un regard de vieux chien. De chien de mer, s'est dit Tizón, tout content de son mauvais jeu de mots.

– Il a admis quelque chose ?

De nouveau, le sourire de loup. Ambigu, cette fois. Le sourire du loup qui veut faire l'agneau.

– Quelque chose, oui… Mais pas beaucoup.

– Suffisamment pour le remettre à un juge ?

Une pause prudente. Sentant peser sur lui le regard inquiet de García Pico, Tizón a fait de nouveau un geste vague et dit que non, pas encore, mon général. Dans deux ou trois jours, peut-être. Ou un peu plus. Puis il s'est carré sur sa chaise où, jusque-là, il s'était tenu juste sur le bord. Il commençait à avoir chaud et s'est félicité d'avoir ôté sa redingote avant d'entrer.

– J'espère, pour votre bien, que vous savez ce que vous faites.

Silence. La froideur du gouverneur contrastait avec la température extrême du bureau. On eût dit que toute une vie passée sur mer avait glacé les os de Villavicencio. Le feu excessif qui brûlait dans la cheminée, sous l'énorme tableau représentant une bataille navale à l'issue incertaine, répandait une chaleur infernale ; mais lui-même demeurait sec et exagérément à l'aise dans sa veste épaisse aux larges galons sur les manchettes d'où sortaient des mains pâles et fines. Des mains d'horloger, a pensé Tizón. À celle de gauche, coquetterie ou défi de caste et de classe, brillait toujours l'émeraude donnée par Napoléon à Brest. Après une brève hésitation, le policier a écarté l'idée de tirer de sa poche un mouchoir pour s'éponger le front. Ces deux-là pourraient mal interpréter son geste.

– Dans tous les cas, a-t-il fait remarquer, il nous faut livrer quelque chose à l'opinion publique. Et nous l'avons : un espion qui a avoué, suspecté de… Bref. On peut orienter ça dans le sens voulu. Je connais ces messieurs des journaux.

Le gouverneur a agité faiblement une main méprisante.

– Moi aussi je les connais. Plus que je ne le souhaiterais… Mais imaginez que ce ne soit pas lui. Qu'on diffuse la nouvelle et que, demain, l'assassin commette un nouveau crime.

– C'est pour cela que je n'ai pas carillonné son arrestation, mon général. Tout est mené dans la plus grande discrétion. Même l'affaire de l'espionnage n'a pas encore été révélée... Pour le moment, cet individu a juste disparu de la vie publique... C'est tout.

Villavicencio acquiesçait d'un air distrait. Tout Cadix est au courant qu'il ne restera plus longtemps à son poste : il est l'un des plus illustres candidats pour la nouvelle Régence qui doit être élue dans les prochaines semaines. Il sera sûrement remplacé par don Cayetano Valdés, qui, en ce moment, commande d'une main de fer les forces légères défendant la baie : un marin chevronné et dur, vétéran des batailles navales de Saint-Vincent et de Trafalgar, qui a la réputation d'être un homme sec et direct. C'est pour cela qu'il vaudrait mieux que tout soit résolu avant, a pensé Tizón. Avec Valdés à la Capitainerie, moins politique et moins policé que Villavicencio, plus question de sous-entendus, d'ambiguïtés et de faux-fuyants.

– J'imagine que tout se passera convenablement, a dit brusquement le gouverneur. Je veux parler de l'enquête.

– L'enquête ?

– L'interrogatoire. Qu'il sera mené sans excès ni, hum... violences inutiles.

L'intendant général García Pico a ouvert la bouche : enfin ! Scandalisé, ou faisant semblant de l'être.

– Naturellement, monsieur le gouverneur. Il est impensable...

Villavicencio n'avait pas l'air convaincu. Il regardait Tizón droit dans les yeux.

– De fait, il est préférable que ce soit vous, commissaire, qui soyez personnellement en charge de cette procédure... La juridiction militaire est plus rigide. Moins...

– Pratique ?

Je n'ai pas pu éviter le mot, s'est désolé Tizón. C'est ma

523

garce de langue qui a fourché. Les autres le regardaient d'un air réprobateur. D'aucun des deux, le sarcasme n'était passé inaperçu.

– Les nouvelles lois, a dit le gouverneur au bout d'un instant, obligent à limiter le temps de détention et à adoucir les méthodes d'interrogatoire. Tout cela figure noir sur blanc dans la Constitution du royaume... Mais l'affaire de ce détenu ne sera pas officielle tant que, vous autres, vous ne l'aurez pas annoncée comme telle.

Ce pluriel n'a pas été du tout du goût de García Pico. Du coin de l'œil, Tizón a vu l'intendant s'agiter sur sa chaise, gêné. En tout cas, a poursuivi le gouverneur, en ce qui le concernait, personne ne lui avait encore rien communiqué. Officiellement, bien entendu. Et il n'y avait non plus aucune raison d'aller le crier sur les toits. Rendre l'affaire publique les mettrait tous dans une position difficile. Sans possibilité de faire marche arrière.

– Sur ce point, vous n'avez aucun souci à vous faire, s'est empressé de dire García Pico. Techniquement, cette arrestation n'a pas *encore* eu lieu.

Un silence hautain, approbateur. Villavicencio a écarté les doigts et acquiescé lentement, avant de les joindre de nouveau avec la même délicatesse que s'il manipulait le micromètre d'un sextant.

– Ce n'est pas le moment de compliquer les rapports avec les Cortès. Ces messieurs les libéraux...

Il s'est tu aussitôt, comme s'il n'avait rien à ajouter, et Tizón a supposé qu'il n'y avait là ni confidence ni faute d'inattention. Villavicencio ne commet pas ce type de bévue et ce n'est pas son genre de parler politique avec des subalternes. Il s'agissait, seulement, de leur rappeler sa position concernant les débats de San Felipe Neri. Même si le gouverneur de Cadix respecte scrupuleusement les formes, ce n'est un secret pour personne qu'il sympathise avec le camp des ultras, certain comme eux qu'à son retour le roi Ferdinand remettra les choses à leur place et rendra son bon sens à la nation.

– Naturellement, a approuvé García Pico, toujours empressé. Vous pouvez être tranquille.

– Je vous en tiens responsable, intendant. – Le regard peu amical ne s'adressait pas à García Pico mais à Tizón. – Vous et, bien entendu, le commissaire… Aucune annonce publique avant d'avoir des résultats. Et pas une ligne dans les journaux avant que nous ne disposions d'aveux en bonne et due forme.

Là-dessus, sans bouger de son fauteuil, Villavicencio a fait un geste négligent de la main portant l'émeraude. Un vague signe d'adieu que l'intendant général et le commissaire ont interprété comme il le fallait en se levant. L'ordre de quelqu'un qui est habitué à commander sans avoir besoin d'ouvrir la bouche.

– Il va sans dire, a ajouté le gouverneur pendant qu'ils se levaient, que cette conversation n'a jamais eu lieu.

Ils se dirigeaient déjà vers la porte, quand il a repris inopinément la parole.

– Êtes-vous quelqu'un de pieux, commissaire ?

Tizón s'est retourné, déconcerté. Pareille question n'était pas banale dans la bouche d'un homme comme don Juan María de Villavicencio, marin à l'illustre carrière, qui allait à la messe et se confessait chaque jour.

– Eh bien… heu… comme tout le monde, mon général… Plus ou moins.

Le gouverneur l'observait depuis son fauteuil, derrière sa formidable table de travail. Presque avec curiosité.

– À votre place, je prierais pour que cet espion arrêté soit aussi l'assassin des filles. – Il a joint de nouveau les mains. – Pour que personne n'en tue encore une autre… Vous saisissez ce que je dis ?

Vieille carne, pensait Tizón derrière son visage impassible.

– Parfaitement, a-t-il répondu. Mais vous avez dit aussi qu'il convenait de toute manière d'avoir quelqu'un sous la main ... En réserve.

Le gouverneur a écarquillé les yeux avec une extrême distinction.

– Vraiment ? J'ai dit cela ? – Il regardait l'intendant comme pour faire appel à sa mémoire, et García Pico a eu un geste évasif. – En tout cas, je ne me souviens pas d'avoir précisément prononcé ces mots-là.

Maintenant, sur le rempart face à la mer, le souvenir de la conversation avec Villavicencio irrite Rogelio Tizón. Les certitudes des jours précédents ont fait place aux doutes de ces dernières heures. Ce qui, ajouté aux paroles du gouverneur et à l'attitude, passive et logique, de l'intendant général, le fait sentir vulnérable ; comme un roi qui, sur l'échiquier, verrait disparaître les pièces qui, jusque-là, lui donnaient la possibilité d'un roque sûr. Et pourtant, ces choses prennent du temps. Assurer sa position exige de procéder avec prudence. Avec méthode, aussi. Et le pire de tous les ennemis, c'est la hâte. Objectivement, une drachme en plus ou en moins rompt l'équilibre des choses – la limite entre le possible et l'impossible, la certitude et l'erreur –, aussi sûrement qu'un quintal.

Une explosion lointaine, dans le centre de la ville. La seconde de la journée. Depuis que le ciel est dégagé et que le vent a tourné, les Français tirent de nouveau depuis la Cabezuela. La détonation, amortie par les bâtiments interposés, exaspère Tizón. Pas à cause de la bombe et de ses effets, auxquels il s'est depuis longtemps habitué, mais parce qu'ils lui rappellent à chaque fois ce que peut être sa faiblesse – voire ce qu'elle est, pense-t-il, anxieux – dans la partie qu'il livre : le château de cartes qui, à tout moment, peut se voir démantibulé par la nouvelle qu'il craint. Une nouvelle que, étrangement, il attend avec des sentiments contradictoires : curiosité et inquiétude. L'assurance d'une erreur qui apaiserait, enfin, l'angoisse de son incertitude.

Le commissaire s'écarte du parapet et s'éloigne du rempart pour faire le trajet qui, ces derniers jours, a fini par devenir une routine : le parcours des six lieux de la ville où les filles sont mortes ; lentement, en observant chaque détail, attentif à l'air, la température, les odeurs, les sensations qu'il éprouve pas après pas. En calculant, encore et encore, de subtiles combinaisons dans le jeu d'échecs d'un adversaire invisible dont le cerveau compliqué, aussi insaisissable que l'idée ultime de Dieu, se confond avec la carte de ce Cadix singulier, entouré de mer et sillonné de vents. Une ville dont Rogelio Tizón n'est plus capable de voir la structure physique conventionnelle, faite de rues, de places et de constructions, mais qui est devenue un paysage énigmatique, sinistre et abstrait comme un lacis de coups de fouet : cette même carte inquiétante dont il a deviné la trace sur le dos des filles mortes, et dont il a pu – ou seulement cru, peut-être – avoir la confirmation sur le plan que Gregorio Fumagal dit avoir brûlé dans le poêle de son cabinet. Le dessin caché d'un espace urbain qui semble correspondre, dans chaque ligne et chaque parabole, au cerveau d'un assassin.

*

Pendant que le commissaire Tizón médite à Cadix sur des trajectoires et des paraboles de bombes, à quarante-cinq milles au sud-est de la ville, devant la plage des Lances de Tarifa, Pepe Lobo observe la colonne d'eau et d'écume qu'une bombe française de 12 livres vient de soulever à moins d'une encablure du beaupré de la *Culebra*.

– Ce n'est rien, lance-t-il pour rassurer son équipage. C'est un boulet perdu.

Sur le pont du cotre corsaire, qui est mouillé par quatre brasses de fond, voiles serrées et pavillon de la Marine hissé, les hommes regardent le nuage de fumée qui s'étend le long des fossés de l'autre côté des murs de la ville. Depuis neuf heures du matin, sous un ciel lourd, indécis et gris, l'infanterie française donne l'assaut à la brèche du côté nord. Le fracas de la fusillade et des coups de canon parvient, net et continu en franchissant le mille qui les sépare, favorisé par le vent de terre qui maintient la *Culebra* avec la plage à tribord, la ville par le travers et l'île de Tarifa sous la poupe. Près du cotre, embossées pour mieux orienter leurs batteries, deux frégates anglaises et une corvette espagnole, ainsi que plusieurs chaloupes canonnières et obusières amarrées à la côte, tirent par intervalles sur les positions françaises, et la fumée blanche de la poudre brûlée, s'effilochant sur la mer, arrive jusqu'aux corsaires qui suivent le combat. Une douzaine de bateaux plus petits, felouques et tartanes, ancrés dans les parages attendent la suite des événements. Si l'ennemi parvient à briser la dure résistance qui lui est opposée aux remparts, ces embarcations devront évacuer tout ce qu'elles pourront de la population locale et les survivants des trois mille soldats espagnols et anglais qui, s'accrochant obstinément au terrain, défendent la ville.

– Les Français continuent d'attaquer la brèche, commente Ricardo Maraña.

Le second, qui suit le combat à travers la longue-vue, passe celle-ci à Pepe Lobo. Tous deux se trouvent à l'arrière, près de la barre du gouvernail. Maraña, nu-tête, vêtu de noir comme toujours, s'essuie les commissures des lèvres avec un mouchoir qu'il remet dans la manche gauche de sa veste sans même le regarder. Un œil fermé et l'autre collé à l'oculaire, Pepe Lobo parcourt le contour de la côte depuis le fort de Santa Catalina, presque aligné sur le château des Gúzman, jusqu'aux remparts enveloppés de fumée et les faubourgs extra-muros rasés par les bombardements. De l'autre côté, on distingue les hauteurs d'où partent les attaques de l'ennemi, couvertes d'agaves et de figuiers de Barbarie au milieu desquels jaillissent les éclairs rouges de son artillerie.

– Les nôtres tiennent bon, dit Lobo.

Son lieutenant hausse froidement les épaules.

– J'espère qu'ils se conduisent en hommes. Je suis fatigué de ces évacuations hâtives de dernière heure… De ces vieilles avec leurs baluchons de vêtements crasseux, de ces gosses qui pleurent et de ces femmes qui demandent où on peut pisser.

Une pause, sans autre bruit que celui, lointain, du combat. Ricardo Maraña lève la tête et contemple d'un œil critique le pavillon à deux bandes rouges et une jaune qui flotte en haut, portant les armoiries royales de la Castille et du León. Le vent de terre, remarque pendant ce temps Pepe Lobo, est passé à un nord nord-ouest modérément frais. Celui-ci sera bienvenu si l'ordre attendu depuis un moment de lever l'ancre arrive de Tarifa.

– Et puis j'en ai aussi assez de ça, ajoute Maraña d'un ton acerbe. Si j'avais voulu servir la patrie souffrante, je serais resté dans la Marine, à repriser mes uniformes et à accumuler les retards de solde, comme tout le monde.

– On ne peut pas toujours gagner, lui fait remarquer Pepe Lobo en souriant.

Une légère toux, rauque et mouillée. De nouveau le mouchoir.

– C'est vrai.

Lobo arrête le cercle de la lentille sur le rempart où l'on peut distinguer, dans les tourbillons de la poudre, les silhouettes minuscules des hommes qui se battent avec acharnement, repoussant les Français de toutes leurs forces. Voici une demi-heure, un enseigne de l'infanterie de marine venu

en barque de la ville apporter un paquet de dépêches officielles pour Cadix a raconté que les Français ont reconnu la
brèche pendant la nuit et, la croyant praticable, ont donné
l'assaut à neuf heures, depuis les tranchées et les approches
creusées les jours précédents le long des fossés. Selon
l'enseigne, quatre bataillons de grenadiers et de chasseurs
ennemis se sont avancés quasiment en colonne ; mais la terre
boueuse des dernières pluies dans laquelle ils enfonçaient
jusqu'à mi-jambe et le feu roulant des défenseurs ont semé
le désordre dans leurs rangs, de sorte qu'arrivés au pied du
rempart ils avaient perdu beaucoup de leur élan. Et, une
heure et demie plus tard, on en est toujours au même point,
les Français s'acharnant à monter et les défenseurs à les en
empêcher sans artillerie pour les soutenir – les navires ancrés
dans la baie ne peuvent atteindre les abords immédiats de
la brèche –, mais seulement des fusils et des baïonnettes.

Les matelots commentent les péripéties de la matinée, se
montrant entre eux les lieux où les tirs et la fumée sont les
plus intenses. Juché sur la lisse, le dos contre un hauban et
une autre longue-vue à la main, le maître d'équipage Brasero
leur raconte ce qu'il voit. Pepe Lobo les laisse tranquilles ; il
sait que tout le monde à bord partage l'opinion du second. Ce
sont pour la plupart des contrebandiers ou cette racaille des
ports qui signent d'une croix sur le rôle ou au bas de leurs
aveux devant la police, recrutés dans des tavernes graillon-
neuses de la rue des Nègres ou de la rue Sopranis, et dans
le Boquete, qui ont tous plus ou moins fui le recrutement
forcé. Aucun de ses quarante-huit hommes, en comptant
le second et l'écrivain, ne s'est enrôlé sur la *Culebra* avec
l'intention de servir un temps sous la discipline militaire en
renonçant à la liberté de la course et à la chasse au butin en
échange de la misérable solde de la Marine royale, dont ils
ne savent d'ailleurs même pas s'ils la toucheront un jour. Et
tout cela, au moment où la dernière campagne, avec sept

captures déclarées de bonne prise et six encore au stade des formalités administratives, a mis dans la poche de chaque matelot un minimum de deux cent cinquante pesos – plus de trois fois cette somme pour Pepe Lobo –, sans compter l'avance de cent cinquante réaux par mois que reçoit chaque marin depuis son enrôlement. C'est pourquoi, même s'il se garde bien de s'exprimer sur la question, le capitaine comprend parfaitement que ses hommes, comme lui-même, en aient plein le dos de ces vingt-deux jours perdus à transporter dépêches et militaires d'une rive à l'autre comme un bateau courrier sous discipline maritime, loin des eaux de chasse et servant d'auxiliaires à une marine de guerre que, comme les douaniers de la Douane royale – pratiquement personne à bord n'a la conscience tranquille ni le cou à l'abri d'une corde –, tous préfèrent voir le plus loin possible.

– Un signal sur la tour, prévient Ricardo Maraña.

Pepe Lobo déplace la longue-vue en direction du phare de l'île, où l'on vient de hisser des pavillons.

– C'est notre numéro, dit-il. Disposez les hommes.

Maraña s'écarte du couronnement et se tourne vers l'équipage.

– Silence, tout le monde!... Prêts pour la manœuvre!

Encore des pavillons. Deux. À l'œil nu, sans longue-vue, Lobo les distingue bien. Un blanc et rouge, suivi d'une flamme bleue. Nul besoin de consulter le cahier des signaux secrets qu'il garde dans le tiroir de l'habitacle, au-dessus du rouf. Ce message-là est facile : *Faites voile immédiatement.*

– Allons-y, lieutenant.

Maraña acquiesce et traverse le pont à grandes enjambées en donnant des ordres sous la longue bôme de la grand-voile, pendant que le piétinement des pieds nus soudain en mouvement fait trembler le plancher. Le maître d'équipage Brasero est descendu des haubans, donne des coups de sifflet et place les hommes aux drisses et au guindeau dont les barres sont déjà posées.

– Virez l'ancre ! crie le second. Envoyez le foc !

Pepe Lobo s'écarte pour laisser la place à l'Écossais et à l'autre timonier qui prennent la barre, et jette un coup d'œil précautionneux par-dessus le couronnement vers les rochers qui sont à demi cachés par la mer à moins d'une encablure de la poupe, face aux remparts de l'île. Quand il reporte son regard sur la proue, l'ancre est déjà à pic.

– Abattez sur bâbord, ordonne-t-il aux timoniers.

Le long beaupré du cotre s'écarte lentement de la terre en prenant le vent, tandis que les hommes, juchés dessus, libèrent les rabans qui serraient le foc et la trinquette. Un moment plus tard, la première voile triangulaire monte à la pointe du beaupré, écoutes larguées avant d'être, du pont, reprises et amarrées. Comme un pur-sang retenu par les rênes, la *Culebra* arrive légèrement, tandis que son gréement se tend en piaffant d'impatience, prêt à bondir.

– Mollissez l'écoute de grand-voile !... Larguez !

Les matelots libèrent les cargues de la voile, et celle-ci se déploie dans les grincements du bois et des cordages, en claquant dans un petit frais de nord nord-ouest. Lobo adresse un autre coup d'œil aux rochers de l'île, qui sont maintenant un peu plus proches. Puis il consulte rapidement l'aiguille du compas et trace du regard la direction à suivre pour maintenir à bonne distance les dangereuses basses des Cabezos, qui sont à quatre milles à l'ouest nord-ouest, face à la tour de la Peña. L'immense toile de la grand-voile que les hommes commencent à border prend le vent. L'ancre est à présent arrimée près du bossoir, et le navire s'incline avec grâce sur tribord pour glisser en beauté sur les eaux du mouillage abandonné.

– Envoyez la trinquette !... Bordez !

Un autre boulet perdu français – ou peut-être un tir

volontaire, en voyant le cotre appareiller – soulève une gerbe d'eau et d'écume sur tribord, loin, pendant que les bateaux à l'ancre continuent de canonner l'ennemi sur la côte. Avec toute la toile nécessaire déployée autour de son mât unique, la *Culebra* navigue maintenant librement, au près, fendant puissamment la faible houle d'une mer presque plate, laissant la terre proche sous le vent. Jambes écartées pour compenser la gîte, les mains dans le dos, Lobo contemple une dernière fois Tarifa, dont le rempart nord continue d'être enveloppé de fumée et d'éclairs. Il ne se plaint pas de quitter les lieux. Absolument pas.

– À Cadix ! commente Maraña.

Sa tâche sur le pont terminée pour l'instant, le second revient près du capitaine, l'air blasé et indifférent. Les mains dans les poches. Mais la manière dont il a prononcé ces mots ne passe pas inaperçue de Lobo : elle coïncide avec les sourires qu'il remarque chez certains matelots, y compris chez le maître d'équipage Brasero. Ils vont peut-être pouvoir rester un jour ou deux au port et descendre à terre. Ce serait bien, après trois semaines en mer, avec les hommes grognant à voix basse et sur un plancher toujours mouvant. Ou les démarches des armateurs auront peut-être abouti, et la *Culebra* ayant récupéré sa lettre de marque sera enfin libérée de la corvée de courir dans tous les sens pour porter les messages de la Marine royale.

– Oui, confirme Lobo, qui pense à Lolita Palma. À Cadix.

*

Le nom de l'endroit – la rue du Silence – ressemble à un pied de nez. On dirait que c'est la ville elle-même, tapie dans son lacis inextricable de rues et de détours, qui se moque de Rogelio Tizón. Telle est la pensée du commissaire, pendant qu'à la lueur d'une lanterne il baisse la tête en protégeant son chapeau pour passer par la brèche ouverte dans le mur du château des Gardes-marines : un vieil édifice en pierre, obscur et délabré, inhabité depuis quinze ans. Tizón sait qu'il ne s'agit pas d'un lieu quelconque : c'est ici que passait l'ancien méridien de Cadix. En d'autres temps, la tour carrée qui se dresse encore dans la partie sud a hébergé les installations de l'Observatoire de la Marine, et dans le corps nord se trouvait l'académie des cadets de la Marine royale, jusqu'au jour où observatoire et gardes-marines ont été transférés sur l'île de León. Transformé ensuite en caserne, et après une tentative sans lendemain d'y mettre la nouvelle prison, le château, acquis par un particulier, a été abandonné. Son état est tel que même les émigrés qui cherchent un logement dans la ville ne peuvent s'y installer, du fait de ses murs écroulés, de ses toits effondrés et de ses poutres vermoulues.

– Elle a été découverte par des gosses de la rue de la Maison Neuve, l'informe son adjoint Cadalso. Deux frères.

Jusqu'à la dernière minute, Tizón a souhaité qu'il s'agisse d'une erreur. D'une simple coïncidence qui n'altère pas l'instable équilibre des choses. Mais à mesure qu'il pénètre dans l'ancienne cour d'armes et avance derrière Cadalso, qui, toujours empressé, lui ouvre le chemin parmi les décombres jonchant le sol, son espoir s'évanouit. Au fond de la cour, sous le donjon proche de la herse de la porte principale murée avec des pierres et des planches, la flamme d'un quinquet posé par terre dessine un demi-cercle de lumière. Et dans ce demi-cercle gît, sur le ventre, le corps d'une femme jeune dont le dos découvert a été lacéré à coups de fouet.

– Merde à Dieu et à la putain qui l'a enfanté !

Le brutal blasphème fait sursauter Cadalso. Lequel n'est, ni de près ni de loin, particulièrement pieux. L'adjoint ne doit pas apprécier ce qu'il lit sur la figure du commissaire. Grâce à la lanterne sourde que le sbire tient à bout de bras,

Tizón observe son visage horrifié quand il se retourne pour le regarder.

– Qui est au courant?

– Les enfants... Et leurs parents, bien sûr.

– Qui d'autre?

L'adjoint indique deux formes obscures, enveloppées dans des capes, qui attendent devant le cadavre, à la limite de l'autre lumière.

– Le brigadier et le veilleur de nuit. Ce sont eux que les gamins ont avertis.

– Enfonce-leur bien dans le crâne que si quelqu'un bavarde, je lui arrache les yeux et les lui fourre dans le cul... C'est clair?

– Très clair, monsieur le commissaire.

Une brève pause. Menaçante. Un léger balancement de la canne.

– Et ça vaut aussi pour toi, Cadalso.

– Ne vous inquiétez pas.

– Si. J'ai de quoi m'inquiéter. Et toi aussi. Avec tout ce que tu sais.

Tizón fait un effort pour se contrôler, garder son calme et ne pas céder aux rafales de panique qui le parcourent. Il se trouve à cinq pas du cadavre. Le brigadier et le veilleur s'avancent pour le saluer. Ils ont tout inspecté, explique le brigadier, s'appuyant sur sa pique. Pour eux, il n'y a per-sonne de caché dans les parages. Et aucun voisin, à part les enfants, n'a vu quoi que ce soit de suspect. La fille est très jeune, une quinzaine d'années. Ils croient l'avoir identifiée: une petite servante de l'auberge proche dite «de l'Académie», mais ils ne sont pas sûrs, la lumière est trop faible et les dégâts sur le corps trop importants. Ils estiment qu'elle a pu être tuée peu après le coucher du soleil, car les enfants ont joué dans la cour toute l'après-midi et il n'y avait rien.

– Pourquoi sont-ils revenus, la nuit tombée?

– Ils vivent tout près ; à cinquante pas. Après le souper, le chien de la maison s'est échappé et ils le cherchaient. Comme ils ont l'habitude de jouer ici, ils ont pensé qu'il pouvait y être… Quand ils ont trouvé le corps, ils ont prévenu leur père, et celui-ci nous a appelés.

– Savez-vous qui est le père ?

– Un cordonnier. Il a la réputation d'être un honnête homme.

Tizón les congédie d'un mouvement de tête. Allez à la porte, ajoute-t-il. Que personne n'entre : ni voisins, ni curieux, quand bien même ce serait le roi Ferdinand en personne. Est-ce clair ? Alors, exécution. Puis il respire profondément, réfléchit un moment, glisse deux doigts dans le gousset de son gilet et remet une demi-once d'or à Cadalso en le chargeant de se rendre chez le cordonnier et de la lui donner, après l'avoir dûment chapitré. Pour sa collaboration et le dérangement.

– Dis-lui que s'il sait tenir sa langue et ne complique pas l'enquête, il en aura une autre dans quelques jours.

Les deux hommes et l'adjoint disparaissent dans l'obscurité. Resté seul, le commissaire fait le tour du corps de la fille, en se maintenant à l'extérieur du demi-cercle de lumière du quinquet posé par terre. En observant, avant de se rapprocher, chaque possibilité et chaque indice, en proie à deux sentiments parallèles : la frustration et le dépit que lui cause la délicate situation dans laquelle ce nouveau cadavre – dire « inattendu » serait excessif, admet-il avec une honnêteté non dénuée de perversité – le met devant ses supérieurs ; et la colère intime, féroce, immense, qui le secoue face à l'évidence de l'erreur et de l'échec. La certitude de sa défaite devant tout ce que peut avoir de mauvais, de cruel jusqu'à l'obscénité, cette ville qu'il en vient à haïr de toute son âme.

Aucun doute, conclut-il, en s'approchant du cadavre. Il

a pris le quinquet par son anse en fil de fer et le lève pour éclairer la scène de plus près. Personne ne pourrait imiter ça, même en s'appliquant. Les mains attachées par-devant, sous le corps, et le bâillon sur la bouche. Le dos dénudé, labouré d'entailles qui s'entrecroisent dans un labyrinthe de sang coagulé et d'os de la colonne vertébrale mis à découvert. Et cette puanteur caractéristique de chair déchiquetée et morte sous les coups d'un boucher, que Tizón connaît bien et qu'il pense ne jamais pouvoir chasser de son odorat et de sa mémoire, quel que soit le nombre des années à venir. La fille ne porte pas de chaussures, et le commissaire les cherche inutilement, éclairant le sol sans les trouver. Il n'aperçoit qu'un fichu de flanelle jeté près du trou dans le mur. Les chaussures sont sûrement restées dans la rue, à l'endroit où elle a été attrapée avant d'être traînée ici. Elle a pu être assommée par un coup, ou rester consciente et se débattre jusqu'à la fin. Le bâillon et les mains attachées peuvent conforter cette dernière hypothèse, mais ils n'ont peut-être été qu'une précaution supplémentaire de l'assassin, au cas où le fouet la ferait revenir à elle trop tôt. Puisse cela s'être passé ainsi, la fille demeurant inconsciente jusqu'au bout! Quinze ans, confirme-t-il en approchant encore la lumière et en étudiant le visage aux yeux entrouverts et vitreux, perdus dans le vide de la mort. Fouettée sans pitié, comme un animal, jusqu'à la fin.

Le commissaire se redresse, lève la tête et observe le ciel noir au-dessus de la cour du château. Des zones obscures de nuages masquent la lune et la plupart des étoiles, mais quelques astres solitaires brillent avec un clignotement glacé qui semble scruter de là-haut le froid de la nuit. Rogelio Tizón plante un cigare dans sa bouche, sans l'allumer, et reste un moment immobile, regardant en l'air. Puis, en s'éclairant avec le quinquet, il se dirige vers l'ouverture dans le mur et remet la lumière aux hommes qui montent la garde.

– Que l'un de vous cherche les chaussures de cette malheureuse. Elles ne doivent pas être loin.

Le brigadier, étonné, vacille.

– Les souliers, monsieur le commissaire ?

– Oui, bordel ! Les souliers. Pas besoin de savoir le chinois… Et magnez-vous le train !

Il sort dans la rue du Silence et regarde de tous côtés avant de prendre à droite. Une lanterne municipale est allumée devant la Maison Neuve, et sa lumière jaunâtre permet de distinguer, au bout de la rue des Blancs, l'arc en ruine qui, s'appuyant au mur nord du château, communique avec la rue San Juan de Dios. Tizón passe sous l'arc et observe le peu qu'il peut apercevoir dans l'ombre. Au loin, sur sa gauche, d'autres lanternes publiques sont allumées sur la place de la Mairie. La brise humide de la mer – l'Atlantique est à quelques pas, à l'autre extrémité de la rue – lui fait enfoncer davantage son chapeau et remonter le col de sa redingote.

Après être resté un moment sans bouger, le commissaire retourne sous la protection de l'arc, gratte une allumette soufrée contre le mur et s'apprête à allumer le cigare qu'il a toujours aux lèvres. Brusquement, à mi-chemin, au moment où il protège la flamme du creux de sa main, il se ravise et éteint l'allumette. Pour ce qu'il cherche, si tant est qu'il y a quelque chose, il a besoin de son odorat libre de la fumée et de ses sens aiguisés. De sorte qu'il remet le cigare dans l'étui et chemine lentement dans la rue du Silence, aux aguets, avec des manières de chasseur prudent, guettant des sensations et des sons tapis dans les cavités obscures de la ville, entre le bruit sec de ses pas. Il n'est pas certain de ce qu'il voudrait trouver. Un vide, peut-être. Ou une odeur. Ou simplement un souffle de brise, ou l'absence subite de celle-ci.

Il tente de calculer où et quand tombera la prochaine bombe.

13

Au-delà de la marche de marbre blanc et de l'enseigne annonçant en lettres noires *Café de la Poste*, de l'autre côté de la porte largement ouverte près d'une des deux arcades par lesquelles on accède à la cour intérieure bordée de colonnes, le commissaire Tizón et le professeur Barrull viennent de terminer leur deuxième partie d'échecs. Sur les cases, le fracas de la bataille s'éteint lentement : il reste un roi sur la case de départ d'un fou – le policier jouait avec les blancs –, acculé sans pitié par un cavalier et une dame. À plusieurs cases de là, deux pions se regardent en chiens de faïence, en se bloquant mutuellement le passage. Tizón lèche ses blessures, mais la conversation change de terrain. Elle passe sur un autre échiquier.

– Elle est tombée, professeur. Cinq heures plus tard. Au coin de la rue du Silence, juste devant l'arc des Gardes-marines... À trente pas en ligne droite de la cour du château où l'on a découvert la fille.

Hipólito Barrull écoute attentivement en nettoyant ses verres de lunette avec son mouchoir. Ils sont à leur table habituelle. Tizón, le dossier de sa chaise appuyé contre le mur et les jambes allongées sous la table. Des tasses de café et des verres d'eau traînent au milieu des pièces prises.

– Celle-là est vraiment tombée, ajoute le commissaire. Et celle de la chapelle de la Divina Pastora aussi. Mais la précédente, non. Rue du Laurier, une fille est morte, et pourtant aucune bombe n'est arrivée à cet endroit, ni avant, ni après. Ça change en partie la donne. Tout est remis en question.

– Je ne vois pas pourquoi, objecte le professeur. C'est peut-être seulement le signe que l'assassin est quand même sujet à l'erreur… Que, finalement, sa méthode, ou appelons cela comme nous voudrons, n'est pas parfaite.

– Les lieux, pourtant…

Tizón s'interrompt, incertain. Son interlocuteur redouble d'attention.

– Il y a des lieux…, poursuit le policier après une hésitation. Je l'ai remarqué. Des endroits où les conditions sont différentes.

Barrull acquiesce, songeur. Après le massacre sur l'échiquier, son visage chevalin a recouvré son expression affable. Il ne ressemble plus à l'adversaire inhumain qui, cinq minutes plus tôt, accablait Tizón de grossièretés et d'insultes terribles – vous avez de la merde dans les yeux, commissaire, je vais vous arracher le foie, et autres gentillesses – pendant qu'il déplaçait ses pièces avec une fureur homicide.

– Je vois, dit-il. Et ce n'est pas la première fois que vous m'en parlez… Depuis combien de temps cette idée vous trotte-t-elle dans la tête ?… Des semaines ?

– Des mois. Et, chaque fois, je suis plus convaincu.

L'autre hoche la tête, secouant son abondante chevelure grise. Puis il ajuste soigneusement ses lunettes.

– C'est peut-être comme avec *Ajax*, suggère-t-il. Ou comme avec l'espion que vous avez arrêté. Vous êtes possédé par votre obsession et cela trouble votre jugement. De faux indices, qui mènent à des conclusions erronées. Ce n'est pas scientifique… Romanesque, plutôt. Peut-être avez-vous trop d'imagination pour faire un bon policier.

– Il est trop tard pour changer de métier.

Un sourire de Barrull, ironique et complice, accueille

le commentaire. Puis le professeur indique l'échiquier. Il y a une part de vous-même que je connais, dit-il. Vous la déployez ici. Et je doute que le mot *imagination* soit celui qui convient. C'est plutôt le contraire. Vous avez de bonnes intuitions, quand vous jouez aux échecs. Vous savez voir. Non, vraiment, vous n'êtes pas romanesque, quand vous êtes assis en face de moi. Vous n'êtes pas de ces adversaires qui se complaisent à jouer des parties aussi jolies que stupides et qui rendent tout facile à l'autre.

– C'est pour ça que j'aime jouer contre vous, conclut-il. Vous vous laissez battre avec méthode.

Tizón allume un cigare, dont la fumée s'ajoute à celle qui flotte, épaisse, alourdissant l'atmosphère de la cour sous la verrière qui laisse entrer la lumière de l'après-midi et éclaire la balustrade du premier étage. Après quoi, il promène autour de lui un regard soupçonneux pour détecter des oreilles indiscrètes. Comme toujours, un bon nombre de clients occupent les tables, les fauteuils et les chaises en bois et en osier réparties dans la cour. Paco Celis, le patron, surveille tout depuis la porte de la cuisine, et des serveurs en tablier blanc vont et viennent avec des cafetières, des pots de chocolat et des carafes d'eau. Assis à une table voisine, un prêtre et trois messieurs lisent les journaux en silence. Leur proximité n'inquiète pas le policier : ce sont des membres de l'Académie espagnole qui ont quitté Madrid pour se réfugier à Cadix. Il les connaît de vue, car ils sont des habitués du café de la Poste. Le prêtre, don Joaquín Lorenzo Villanueva, est également député aux Cortès pour Valence, actif partisan de la Constitution et, malgré sa tonsure, proche des idées libérales. Un autre est don Diego Clemencín : un quinquagénaire érudit qui, pour l'heure, gagne sa vie comme rédacteur de la *Gazeta de la Regencia*.

– Il y a des lieux, insiste Tizón, sûr de lui. Des endroits très particuliers.

Les yeux intelligents d'Hipólito Barrull l'étudient, circonspects derrière les paupières à demi closes. Rapetissés par les verres de lunettes.

– Des lieux, dites-vous.

– Oui.

– Bien. En réalité, ça n'a rien de si insensé.

Il y a une base scientifique, explique le professeur. D'illustres chercheurs ont évoqué parfois quelque chose de semblable. Le problème est que l'étude du climat et des météores en est encore aux balbutiements, comparée à la dioptrique ou à l'astronomie. Mais il est indiscutable qu'il se produit des phénomènes atmosphériques en des lieux bien précis. La chaleur du soleil, par exemple, agit sur la surface de la terre et l'air qui l'entoure, et ces variations de température peuvent influer sur beaucoup de choses, y compris la formation d'orages en des points déterminés.

– L'exemple des orages me semble bien choisi, ajoute-t-il. Une série de conditions, température, vents, pression atmosphérique, se conjuguent pour créer une situation précise à un moment concret. Cela donne naissance à la pluie, à l'éclair…

Dans son énumération, Barrull a posé un doigt – à l'ongle terni par la nicotine – sur différentes cases de l'échiquier qui est devant lui. Rogelio Tizón écoute avec attention. Il écarte son dos du mur et regarde autour d'eux les gens qui occupent le café. Puis il baisse la voix.

– Vous êtes en train de me dire que cela peut aussi faire que quelqu'un assassine ou qu'une bombe tombe ?… Ou les deux choses à la fois ?

– Je n'affirme rien. Mais ce serait possible. Tout ce contre quoi l'on ne peut apporter de preuve est possible. La science moderne nous surprend tous les jours par de nouvelles découvertes. Nous ne savons pas où sont les limites.

Il arque les sourcils, éludant toute responsabilité

personnelle. Puis il approche la main de la fumée qui monte en ligne droite de la braise du cigare que Tizón tient entre ses doigts, fait un mouvement pour l'éventer et attend que les volutes et les spirales reviennent à leur ascension rectiligne. Le vent, par exemple, ajoute-t-il. De l'air en mouvement. Le commissaire en a parlé, ou de ses variations dans des points concrets de la ville. Des études récentes sur les vents et les brises permettent de soupçonner, par exemple, que la brise diurne opère un tour complet dans le sens des aiguilles d'une montre dans l'hémisphère Nord, et dans le sens contraire dans l'hémisphère Sud. Cela permettrait d'établir une relation constante entre les brises, des lieux concrets, la pression atmosphérique et l'intensité du vent. Des combinaisons de causes constantes et périodiques avec d'autres momentanées, sans périodicité connue et n'ayant qu'un caractère local. À telles ou telles circonstances accumulées correspondraient tels ou tels résultats. Est-ce que Tizón suit bien ce qu'il dit ?

– J'essaye, dit le policier.

Barrull sort la boîte de tabac à priser d'une poche de sa veste démodée, et joue avec elle sans l'ouvrir.

– Si nous adhérons à votre hypothèse, nous pourrions considérer que rien n'est impossible dans une ville comme la nôtre. Cadix est un navire situé au milieu de la mer et des vents. Même les rues et les maisons sont construites pour les affronter, les canaliser et les combattre. Vous avez parlé de vents, de sons... Tout cela est dans l'air. Dans l'atmosphère.

Le policier contemple de nouveau les pièces prises, de chaque côté de l'échiquier. Finalement, pensif, il prend le roi blanc et les place parmi elles.

– Avouez que ce serait bouffon si, au bout du compte, sept assassinats de jeunes femmes se trouvaient être la conséquence d'une situation atmosphérique.

– Pourquoi pas ? Il est prouvé que des vents déterminés,

en fonction de la sécheresse et de la température, agissent directement sur les humeurs, en excitant le tempérament. La folie et le crime sont plus fréquents dans des lieux soumis à leur force constante ou périodique... C'est là le peu que nous savons sur les abîmes les plus obscurs de l'être humain.

Le professeur a enfin ouvert sa tabatière, aspire une pincée de râpé et, tout content, éternue discrètement.

– Tout cela est très vague, bien entendu, ajoute-t-il en époussetant le devant de son gilet. Je ne suis pas un scientifique. Mais n'importe quelle loi générale de la Nature est applicable à des situations minimales... Ce qui vaut pour un continent ou un océan pourrait valoir pour une rue de Cadix.

Maintenant, c'est Tizón qui pose un doigt sur une case de l'échiquier : celle où se trouvait le roi vaincu.

– Imaginons donc, propose-t-il, qu'il y a des lieux concrets, des points géographiques où les périodes des phénomènes physiques gardent une relation entre elles, ou bien se combinent d'une façon différente que dans d'autres lieux...

Il laisse les derniers mots en l'air, invitant le professeur Barrull à compléter son idée. Celui-ci, qui a recommencé à jouer avec sa boîte à tabac, tourne la tête pour regarder les gens dans la cour. Il réfléchit. Un serveur s'approche, empressé, croyant qu'on l'a appelé : mais Tizón l'éloigne d'un coup d'œil.

– Bon, répond Barrull après avoir pris le temps de considérer la question. Nous ne serions pas les premiers à penser ça. Voici presque deux siècles, Descartes comprenait le monde comme un *plenum* : un ensemble instable, fait ou rempli d'une matière subtile, à l'intérieur duquel il y a de petits pores ou de petits tourbillons. Comme les alvéoles d'une ruche irrégulière autour desquelles tourne la matière.

– Répétez ça, don Hipólito. Lentement.

Le professeur range sa tabatière. Il s'est tourné pour

regarder le policier. Puis il baisse de nouveau les yeux sur l'échiquier.

– Je ne peux pas vous en dire beaucoup plus. Il s'agit de lieux où les conditions physiques sont différentes d'ailleurs. Il a appelé ces points des vorticules.

– Des vorticules ?

– C'est bien ça. Comparés à l'immensité de l'univers, il s'agirait de lieux minuscules où des choses se produisent… ou ne se produisent pas. Ou encore se produisent de manière différente.

Une pause. Il semble que Barrull réfléchisse sur ce qu'il vient d'énoncer en y découvrant des perspectives inattendues. Finalement, il contracte les lèvres en un sourire songeur qui exhibe des dents longues et chevalines.

– Des lieux différents, qui influent sur le monde, conclut-il. Sur les personnes, sur les choses, sur le mouvement des planètes…

Il s'arrête, comme s'il n'osait pas aller plus avant. Tizón, qui tirait sur son cigare, l'écarte de ses lèvres.

– Sur la vie et sur la mort ?… Sur la trajectoire d'une bombe ?

Le professeur a changé d'expression, il le regarde maintenant avec inquiétude, de l'air de quelqu'un qui est allé trop loin. Ou qui craint de l'avoir fait.

– Écoutez, commissaire. Ne vous faites pas trop d'illusions sur moi. Ce dont vous avez besoin, c'est d'un homme de science… Moi, je suis seulement quelqu'un qui lit. Un curieux, familiarisé avec un certain nombre de choses. Je parle de mémoire et je commets sûrement des erreurs. Cadix ne manque pas de gens qui…

– Répondez à ma question, s'il vous plaît.

Ce *s'il vous plaît* semble surprendre le professeur. C'est peut-être la première fois qu'il entend ces mots dans la bouche de Rogelio Tizón. Et d'ailleurs ce dernier ne se souvient pas non plus de les avoir prononcés avec sincérité depuis des années. Ou même jamais.

– Cela n'a rien de fantaisiste, dit son interlocuteur. Descartes soutenait que l'univers est constitué d'un ensemble continu de vorticules qui se meuvent sous l'influence des objets qui se trouvent dedans... Newton a réfuté par la suite cette conception avec son idée des forces qui agissent à distance, à travers un vide ; mais il n'a pu la démontrer complètement, peut-être parce qu'il était trop bon scientifique pour croire aveuglément à sa propre théorie... Finalement, le mathématicien Euler, en tentant d'expliquer les mouvements des planètes selon la physique de Newton, a réhabilité partiellement Descartes sur ce terrain, en argumentant en faveur des vieux vorticules cartésiens... Vous me suivez.

– Oui... Difficilement, quand même.

– Vous lisez le français, n'est-ce pas ?

– Je me défends.

– Il y a un livre que je peux vous prêter : *Lettres à une princesse d'Allemagne sur divers sujets de physique et de philosophie*. Ce sont les lettres d'Euler à la nièce de Frédéric le Grand, roi de Prusse, qui se passionnait pour ces sujets. Il y détaille, sous une forme relativement accessible à des gens comme nous, ce dont nous parlons... Vous voulez faire une autre partie, commissaire ?

Il faut à Tizón un moment pour comprendre de quelle partie parle le professeur, avant de se rendre compte que celui-ci désigne l'échiquier.

– Non merci. Vous m'avez suffisamment étrillé pour aujourd'hui.

– Comme vous voudrez.

Le policier regarde la ligne verticale qui monte de son cigare. Puis il remue légèrement les doigts, et celle-ci se transforme en douces spirales. Droites, courbes et paraboles, pense-t-il. Tire-bouchons d'air, de fumée et de plomb, avec Cadix pour échiquier.

– Des lieux particuliers où des choses se produisent, ou ne se produisent pas, dit-il à voix haute.

– C'est cela. – Barrull, qui range les pièces du jeu, s'arrête brièvement pour le regarder. – Et qui agissent sur ce qui est autour.

Un silence. Le bruit du buis et de l'ébène en se réunissant dans la boîte. La rumeur des conversations proches, avec le son des boules d'ivoire entrechoquées qui vient de la salle de billard.

– De toute manière, commissaire, je ne vous conseille pas de prendre ça au pied de la lettre… Les théories sont une chose et la réalité exacte en est une autre. Comme je l'ai dit, même les hommes de science doutent de leurs propres conclusions.

Tizón étend de nouveau ses jambes sous la table. Comme avant, il se carre sur sa chaise pour en appuyer le dossier contre le mur.

– Quand bien même il en serait ainsi, raisonne-t-il à voix haute, c'est seulement la moitié du problème. Il resterait à établir comment un assassin peut connaître ces points, ou vorticules, de l'atmosphère terrestre, en anticipant le résultat de ce qui peut s'y produire… En remplissant ce creux avec sa propre matière.

– Ce que vous me demandez, c'est si un assassin ou la chute d'une bombe peuvent être considérés comme des phénomènes physiques de compensation, aussi naturels que la pluie ou une tornade ?

– Ou cette chienne de condition humaine.

– Grand Dieu !

– Vous dites vous-même parfois que la nature a horreur du vide.

Le professeur, qui a fini de ranger les pièces et ferme le

couvercle de la boîte, observe Tizón, passablement surpris. Puis il fait le geste de s'éventer avec un chapeau.

– Bah... Ce n'est pas sain que des ignorants comme nous s'aventurent dans ce genre de jardin, cher ami... Nous pénétrons trop avant dans l'imaginaire, je le crains, en retournant au romanesque. Ça finit par frôler l'absurdité.

– Il y a une base réelle.

– Ça non plus, ce n'est pas clair. Que la base soit réelle. L'imagination, éperonnée par la nécessité, l'angoisse ou que sais-je encore, peut nous jouer des mauvais tours. Vous le savez bien.

Tizón abat son poing sur la table. Pas très fort, mais suffisamment pour faire trembler les tasses, les verres et les petites cuillères. À la table voisine, les académiciens lèvent les yeux de leurs journaux pour lui adresser des regards réprobateurs.

– J'ai été dans ces vorticules, professeur. Je les ai sentis. Il y a des points où... Je ne sais pas... Des lieux concrets de la ville où tout change de façon presque imperceptible : la qualité de l'air, le son, l'odeur...

– Et aussi la température ?

– Je ne saurais le dire.

– Dans ce cas, il faudrait organiser une expédition scientifique en règle, avec le matériel nécessaire. Baromètres, thermomètres... Enfin, vous voyez. Comme pour mesurer le degré d'un méridien.

Il a dit cela en souriant, comme une plaisanterie. Ou du moins, cela y ressemble. Tizón l'étudie très sérieusement, sans un mot. Interrogateur. Les deux hommes se dévisagent un moment, puis le professeur réajuste ses lunettes et élargit son sourire.

– D'absurdes chasseurs de vorticules... Pourquoi pas ?

*

La lumière décline dans la maison de la rue du Bastion. C'est l'heure où la baie se couvre d'une clarté dorée et mélancolique, couleur caramel, tandis que les moineaux s'en vont dormir sous les tours de vigie de la ville et que les mouettes s'envolent vers les plages de Chiclana. Au moment où Lolita Palma sort de son bureau, monte l'escalier et parcourt la galerie vitrée du premier étage, cette ultime lumière est déjà en train de s'évanouir dans le rectangle de ciel au-dessus du patio, laissant en bas les premières ombres gagner la margelle en marbre de la citerne, les arcades et les grands pots de fougères et de fleurs. Lolita a travaillé toute l'après-midi avec son employé Molina et un comptable pour tenter de sauver ce qui est possible de l'être d'une affaire malheureuse : 1 100 fanègues livrées de Baltimore comme de la pure farine de blé, alors qu'en réalité elle est mélangée à de la farine de maïs. Elle a passé la matinée à vérifier les échantillons – soumise à l'acide nitrique et au carbonate de potasse, la présence de flocons jaunes a dénoncé la falsification –, et le reste de la journée à écrire aux correspondants, aux banques et à l'agent d'Amérique du Nord liés à l'affaire. Le tout, fort désagréable. Il y a d'abord la perte économique, mais aussi le tort causé au crédit dont jouit Palma & Fils chez les destinataires de la farine, qui devront maintenant attendre l'arrivée d'une nouvelle cargaison, ou se contenter de ce qu'il y a.

En passant devant la porte du salon, elle aperçoit la braise d'un cigare et une ombre assise sur le divan turc, se découpant dans la dernière clarté qui entre par les deux balcons donnant sur la rue.

– Tu es encore là ?

– J'avais envie de fumer tranquillement un cigare. Tu sais que ta mère ne supporte pas la fumée.

Le cousin Toño est immobile. La faible lumière du soir permet tout juste de deviner son habit sombre. Seuls le gilet clair et la cravate se détachent dans la pénombre, sous la pointe rougeoyante du cigare. Non loin de lui, le charbon incandescent d'un petit brasero répand une odeur de lavande chauffée et dessine, posés sur une chaise, les contours d'un pardessus, d'un chapeau haut de forme et d'une canne.

– Tu aurais pu demander qu'on fasse du feu dans la cheminée.

– Ça n'en vaut pas la peine. Je pars tout de suite... Mari Paz a apporté le brasero.

– Tu restes dîner ?

– Non, vraiment. Merci. Je te l'ai dit, je termine ce cigare et je m'en vais.

Il bouge légèrement en parlant. Les verres de ses lunettes reflètent le flamboiement du brasero, et un autre reflet brille sur le cristal de la coupe qu'il tient à la main. Le cousin Toño a passé la moitié de l'après-midi dans la chambre de la mère de Lolita, comme chaque fois que doña Manuela Ugarte n'est pas d'humeur à quitter son lit. En pareilles occasions, après avoir passé un moment avec sa cousine, il va faire la conversation à sa tante, joue aux cartes avec elle ou lui lit quelque chose.

– J'ai trouvé ta mère en bonne forme. Elle a même failli rire de mes plaisanteries... Je lui ai lu aussi vingt-cinq pages de *Juanita, ou la Nature généreuse*. Un grand roman, cousine. J'ai presque pleuré.

Lolita a rassemblé sa jupe pour s'asseoir près de lui sur le divan. Le cousin se pousse un peu pour lui faire de la place. Elle hume son odeur de tabac et de cognac.

– Je regrette d'avoir manqué ce spectacle : ma mère riant et toi pleurant... On devrait publier ça dans le *Diario Mercantil*.

– Mais je suis sérieux ! Je te le jure sur la barrique de Pedro

Ximénez qui se trouve dans la taverne en face de chez moi. Que je ne la revoie plus jamais si je mens !

– Qui ça ? Ma mère ?

– La barrique.

Lolita éclate de rire. Puis elle lui tapote doucement le bras, presque à tâtons.

– Tu es un imbécile d'ivrogne.

– Et toi une jolie sorcière... Tu l'étais déjà toute petite.

– Jolie ?... Ne dis pas de bêtises.

– Non. Sorcière... Une sorcière effrontée.

Le cousin Toño rit en agitant la pointe rouge de son cigare. Les Palma sont sa seule famille. La visite quotidienne est une habitude qu'il a gardée du temps où il accompagnait sa mère toutes les après-midi. Celle-ci décédée depuis longtemps, le fils continue de venir seul. Il entre et sort comme dans sa propre maison : trois étages rue de la Véronique, où il vit servi par un domestique. Pour le reste, ses rentes de La Havane arrivent régulièrement. Cela lui permet de conserver sa routine indolente : au lit jusqu'à midi, barbier à midi et demi, déjeuner dans la salle du café d'Apollon, journaux et sieste dans un fauteuil de son rez-de-chaussée, visite chez les Palma au milieu de l'après-midi, dîner léger et conversations nocturnes au café des Chaînes s'achevant de temps à autre par une partie de cartes ou de billard. Les treize heures quotidiennes de sommeil diluent, sans presque laisser de traces visibles, les deux bouteilles de manzanilla et les alcools variés qu'il absorbe chaque jour ; il n'a pas un seul cheveu blanc dans sa chevelure un peu clairsemée : la brioche que serrent les boutons de ses gilets à double boutonnière est évidente, mais pas exagérée, et son inaltérable bonne humeur semble préserver de trop de ravages un foie dont Lolita soupçonne qu'il atteint déjà la taille et la texture d'un pâté français au porto. Mais le cousin Toño s'en moque. Comme il dit quand elle lui tire affectueusement les oreilles, mieux vaut mourir debout, un verre à la main, en riant entouré d'amis, que vieillir gâteux, ratatiné et à genoux. Et maintenant, sers-moi un autre verre, ma grande. Si ça ne te dérange pas.

– À quoi pensais-tu, cousin ?

Un silence soudain sérieux. La braise du cigare se ravive deux fois, dans la pénombre.

– J'évoquais des souvenirs.

– Par exemple ?...

De nouveau, il tarde à répondre.

– Nous, ici, dit-il enfin. Enfants. Courant entre les meubles. Toi jouant en haut, sur la terrasse... Montant à la tour avec une longue-vue que tu ne me prêtais jamais, bien que je sois beaucoup plus âgé. Ou peut-être à cause de ça. Avec tes tresses et tes façons de souris savante.

Lolita Palma acquiesce lentement, sachant que son cousin ne peut la voir. Comme ils sont loin, ces enfants, pense-t-elle. Elle, lui, les autres. Ils sont restés à se promener dans leurs paradis impossibles, dont les excluent aujourd'hui la lucidité et le passage des ans. Comme cette petite fille qui, du haut de la tour de vigie, voyait passer des bateaux aux voiles blanches.

– Tu m'accompagneras après-demain au théâtre ? dit-elle, délibérément frivole. Avec Curra Vilches et son mari. On donne *Le Certain pour l'incertain* ; et, en début de programme, un divertissement d'après le *Brave Soldat Poenco*.

– Je l'ai lu dans *El Conciso*. Je viendrai te chercher ici à l'heure pile.

– Arrange un peu ta mise, si tu peux.

– Tu as honte de moi ?

– Non. Mais si tu fais brosser et repasser ton habit, tu seras beaucoup plus présentable.

– Tu blesses mon amour-propre, cousine... Est-ce que, par hasard, tu n'aimerais pas mes charmants gilets à la dernière mode, venus tout droit de la Maison du Brodeur de Madrid ?

– Je les aimerais encore plus sans cendre de cigare dessus.

– Bravo, harpie !

– Mais oui, gros pataud !

Le salon est plongé dans une obscurité presque totale, à part la pointe du cigare et le rougeoiement du brasero. Les rectangles vitrés des deux balcons émettent dans le noir une légère phosphorescence violette. Lolita entend le cousin se resservir du cognac d'une carafe qui doit être à portée de sa main. Un moment, ils restent sans parler, dans l'attente que s'installent définitivement les ténèbres. Puis elle se lève du divan, cherche à tâtons une boîte d'allumettes Lucifer et la lampe à pétrole qui est posée sur la commode, soulève le tube de verre et enflamme la mèche. Ce faisant, elle éclaire les tableaux sur les murs, les meubles en acajou sombre et les vases contenant des fleurs artificielles.

– Ne fais pas trop de lumière, dit le cousin Toño. On est bien ainsi.

Lolita baisse la mèche pour réduire la flamme au plus bas, et seule une faible clarté dessine les contours des meubles et des objets. Le cousin continue de fumer immobile sur le divan, le verre à la main et la figure dans l'ombre.

– Il y a un moment, dit-il, je pensais à ces après-midi de visite, avec ma mère, la tienne et nos vieilles tantes au premier et au second degré, les cousines éloignées et les autres femmes du cercle familial, toutes vêtues de noir, quand nous buvions du chocolat dans ce même salon, ou en bas, dans le patio… Tu te souviens ?

Lolita, revenue sur le divan, acquiesce de nouveau.

– Bien sûr. Le paysage s'est beaucoup dépeuplé depuis.

– Et nos étés à Chiclana ?… Quand nous montions aux arbres pour cueillir des fruits ou que nous jouions dans le jardin à la lueur de la lune ? Avec Cari et Francisco de

Paula… J'enviais les jouets merveilleux que vous donnait ton père. Une fois, j'ai voulu vous voler un soldat de plomb, mais vous m'avez rattrapé.

– Je me rappelle. La raclée qu'on t'a donnée.

– J'étais mort de honte, et j'ai mis longtemps à vous regarder de nouveau en face. – Une longue pause, plongé dans ses pensées. – Ce jour-là a sonné le glas de ma vie de criminel.

Il se tait. Un silence étrange, brusquement renfrogné. Qui ne correspond guère à son tempérament. Lolita Palma lui prend la main, qu'il lui abandonne, inerte, sans répondre à la pression affectueuse. Surprise, elle constate que cette main est froide. Au bout d'un moment, il la retire, d'un mouvement qui se veut naturel.

– Toi, tu n'as jamais été attirée par les petites maisons, les poupées… Tu préférais les sabres en fer-blanc, les soldats de plomb et les bateaux en bois de ton frère…

Cette fois, la pause est plus longue. Excessive. Lolita devine ce que son cousin va dire ensuite : et celui-ci sait sûrement qu'elle le devine.

– Je me souviens beaucoup de ton frère, Paquito, murmure-t-il finalement.

– Moi aussi.

– Je suppose que sa mort a changé ta vie. Parfois, je me demande ce que tu ferais aujourd'hui, si…

La braise du cigare s'éteint, minutieusement écrasée par le cousin dans le cendrier.

– Bah…, conclut-il sur un ton différent. La vérité est que je ne t'imagine pas mariée comme Cari.

Lolita sourit dans l'ombre, pour elle-même.

– Elle, ce n'est pas pareil, répond-elle doucement.

Le cousin Toño en convient. Le rire est sec, dents serrées. Ce n'est pas son rire habituel, large et franc. Et nous restons donc seuls, constate-t-il. Toi et moi. À l'image de Cadix. Puis il demeure un moment muet.

– Comment s'appelait ce garçon ?... Manfredi ?

– Oui. Miguel Manfredi.

– Ça aussi, ça a changé ta vie.

– Comment savoir, cousin.

Maintenant, le rire du cousin est fort, retrouvant sa bonne humeur de toujours.

– En tout cas, le fait est que nous en sommes là, toi et moi : le dernier Cardenal et la dernière des Palma... Un célibataire invétéré et une fille qui a depuis longtemps coiffé Sainte-Catherine. Tout à fait comme Cadix, je te dis.

– Qu'est-ce qui a pu faire de toi un tel goujat : comment peux-tu être aussi grossier ?

– C'est l'expérience, mon enfant. Ce sont les années, le jus de la treille et une longue expérience.

Lolita sait bien que l'état de célibataire du cousin Toño n'a pas toujours eu la même évidence. Longtemps, au cours de sa jeunesse, il a aimé une jeune Gaditane du nom de Consuelo Carvajal : belle, très courtisée, orgueilleuse jusqu'à en être méprisante. Pour cet amour, le cousin était prêt à décrocher la lune, et il accédait à tous ses caprices. Mais elle était profondément égoïste ; elle adorait jouer le rôle de *la belle dame sans merci* aux dépens de Toño Cardenal. Longtemps, elle s'est laissé ainsi aimer sans jamais lui faire perdre espoir. Pour elle, la dévotion de ce garçon dégingandé et amusant sur qui elle régnait en impératrice était aussi naturelle que celle que l'on peut espérer d'un domestique zélé, et elle le soumettait en société à toutes sortes de vexations auxquelles il se pliait avec son inaltérable bonne humeur et une générosité de chien fidèle. Il a continué de l'aimer, même quand, le moment venu, elle en a épousé un autre.

– Pourquoi n'es-tu pas parti en Amérique ?... Tu étais sur le point de le faire, après le mariage de Consuelo.

Le cousin Toño reste muet et immobile dans la faible lueur de la lampe. Lolita est la seule personne avec qui il mentionne, quelquefois, le nom de la femme qui a ôté tout but à sa vie. Toujours sans rancœur ni dépit. Avec juste la mélancolie d'un perdant résigné à son sort.

– Je n'en avais pas la force, murmure-t-il finalement. C'est moi tout craché.

Il prononce ces derniers mots sur un ton différent, plus léger et plus désinvolte, et les accompagne du bruit d'une gorgée de cognac. Et puis, ajoute-t-il en s'animant, j'ai besoin de cette ville. Même avec les Français en face, on y vit dans une oasis de calme. Les rues droites et nettes tirées au cordeau, qui se coupent perpendiculairement ou obliquement, comme si elles voulaient se tapir dans leurs angles morts. Et cet étroit recueillement, à la limite de la tristesse, qui, dès que l'on double le coin, débouche d'un coup sur la foule et la vie.

– Sais-tu, conclut-il, ce qui me plaît le plus dans Cadix ?

– Mais oui. Les alcools des cafés et le vin des tavernes des *montañés*.

– Ça aussi. Mais ce qui me plaît vraiment, c'est l'odeur de cale de brigantin que l'on respire dans les rues : de salaisons, de cannelle et de café... Odeur de notre enfance, cousine. De nos nostalgies... Et, encore plus, ces coins de rue à pan coupé avec une affiche où l'on voit un bateau sur une mer verte ou bleue ; et, au-dessus, la plus belle enseigne du monde : *Épices et produits des colonies*.

– Tu es un poète, cousin, rit Lolita. Je l'ai toujours dit.

*

L'expédition urbaine est un échec. Rogelio Tizón et Hipólito Barrull ont passé la journée à parcourir Cadix, dans une tentative de comprendre le tracé de cette autre carte de la ville, cachée et inquiétante, qu'imagine le commissaire. Ils sont sortis de bonne heure, accompagnés de l'adjoint Cadalso qui portait le matériel conseillé par le professeur : un baromètre Spencer de bonne taille, un thermomètre Megnié, un plan détaillé de la ville et une petite boussole portative. Ils ont commencé par les abords de la Porte de Terre où, voici plus d'un an, la première fille a été découverte assassinée. Ils se sont ensuite rendus en calèche à l'auberge du Boiteux et sont revenus dans la ville, plan en main et attentifs à chaque indice, suivant rigoureusement le reste du parcours : rues des Rémouleurs, du Vent, du Laurier, du Pasquin, du Silence. Et, dans tous ces endroits, ils ont procédé de la même manière : localisation sur le plan, situation par rapport aux points cardinaux et à la position de la batterie française de la Cabezuela, étude des constructions voisines, des angles d'incidence des vents et de tout autre détail utile ou significatif. Tizón a même emporté avec lui les registres météorologiques de la Marine royale correspondant aux jours où les filles ont été assassinées. Et pendant que le commissaire arpentait chaque lieu, concentré comme un chien de chasse qui flaire une piste difficile et suivi de loin par les yeux fidèles de Cadalso qui guettaient ses ordres, Barrull a confronté ces données à la température et à la pression atmosphérique du moment, en considérant les variations significatives possibles d'un endroit à l'autre. Les résultats sont décevants : à part le fait que, dans tous les cas, soufflait un vent de levant modéré et que la pression était relativement basse, il n'y a pas de commun dénominateur ou, du moins, il est impossible d'en établir un ; et aucune anomalie n'a été relevée dans les lieux visités. À deux reprises seulement, l'aiguille magnétique a indiqué des variations de quelque importance : mais dans un cas, celui de la rue des Rémouleurs, celles-ci peuvent être dues à la proximité d'un entrepôt de ferraille. Pour le reste, l'expédition n'apporte rien qui puisse être retenu. S'il existe des points où les conditions sont différentes, il n'y en a pas d'indice visible. Impossible de les localiser.

– Je crains que vos perceptions ne soient trop personnelles, commissaire.

– Vous supposez que j'ai tout inventé?

– Non. Je dis qu'avec les pauvres moyens dont nous
disposons vos soupçons ne trouvent pas de confirmation
physique.

Ils ont renvoyé Cadalso avec ses instruments et font le
maigre bilan de la journée, tout en marchant le long du
mur des Carmes Déchaux, en quête de la place San Antonio
et d'une tortilla dans la gargote de la rue du Voyer. Dans
cette partie de la rue, on croise peu de monde : un vendeur
ambulant de havanes de contrebande – qui s'écarte, rapide
et prudent, en reconnaissant Tizón – et un ébéniste qui travaille l'acajou à la porte de son atelier. L'après-midi est encore
sèche, ensoleillée, et la température agréable. Hipólito Barrull
porte un bicorne planté de travers et sur l'arrière du crâne,
ainsi qu'une cape noire sur les épaules, ouverte sur sa vieille
veste, les pouces passés dans les poches de son gilet. Près
de lui, d'une humeur massacrante, Tizón balance sa canne
en regardant le sol devant ses bottes.

– Il faudrait, poursuit Barrull, pouvoir comparer les conditions de chaque lieu au moment exact des assassinats et de
la chute des bombes... Voir s'il y a des constantes, au-delà
de l'indice peu révélateur du vent de levant et du baromètre
bas, et établir des lignes reliant ces lieux entre eux selon la
pression, la température, la direction et la force du vent,
les horaires et tous les facteurs additionnels que nous pourrions imaginer... La carte que vous cherchez est impossible
pour la science actuelle. Et plus encore avec nos humbles
moyens.

Rogelio Tizón ne s'avoue pas vaincu. Même ébranlé par
l'évidence, il se crampone à son idée. Il insiste : il a bien
perçu ces sensations. Les changements subtils dans la
qualité de l'air, dans la température. Jusqu'à l'odeur qui

était différente. Il lui semblait être à l'intérieur d'une étroite cloche de verre où le vide se serait fait.

– En tout cas, aujourd'hui, vous n'avez rien ressenti de tel, commissaire. Je vous ai vu vous démener toute la journée en vain, sans cesser de jurer tout bas.

– Ce n'était peut-être pas le bon moment, admet Tizón, hargneux. Il peut s'agir de quelque chose de temporaire, qui dépend de circonstances déterminées… Qui se produit seulement dans les moments correspondant à chaque crime et à chaque chute d'une bombe.

– J'admets toutes les possibilités que vous voudrez. Mais reconnaissez que d'un point de vue sérieux, scientifique, cela paraît très difficile… – Barrull s'efface pour céder le passage à une femme qui tient un enfant par la main. – Avez-vous lu le livre que je vous ai prêté, celui des lettres d'Euler ?

– Oui. Mais je ne suis pas allé très loin. À vrai dire, je ne le regrette qu'à moitié. Il pourrait m'engager dans une autre impasse, comme votre traduction d'*Ajax*.

– C'est peut-être là le problème… Un excès de théorie conduit à un excès d'imagination. Et vice versa. Tout ce que nous pouvons établir est qu'il y a des lieux dans cette ville où l'on trouve peut-être des conditions semblables de température, de vent et du reste. Ou de leur absence… Et ces lieux peuvent exercer une sorte de magnétisme ou d'attraction à distance présentant un double caractère : ils attirent les bombes qui éclatent et l'action d'un assassin.

– Ce qui n'est pas peu, argumente Tizón.

– Mais nous n'avons pas une seule preuve. Et rien non plus qui fasse le lien entre les mortes et les bombes.

Le policier hoche la tête, irréductible.

– Ce n'est pas dû au hasard, don Hipólito.

– Bien. Alors démontrez-le.

Ils se sont arrêtés près du couvent sur la petite place qui s'ouvre à la sortie de la rue de la Compagnie. Les boutiques et les étals de fleurs sont encore ouverts. Les gens oisifs se promènent entre l'entrée des rues du Vestiaire et de la Viande, ou se pressent autour des quatre tonneaux disposés en guise de tables au coin de la taverne d'Andalousie. Une demi-douzaine de gamins aux genoux sales, armés d'épées de bois et de roseaux, se roulent par terre devant la coutellerie de Serafín en jouant aux Espagnols et aux Français. Sans pitié pour les prisonniers.

– Pas besoin de livres, ni de théories, ni d'imagination, insiste Rogelio Tizón. Appelez ça vorticules, points étranges, ou comme vous voudrez. Ce qui est sûr, c'est qu'ils sont là… Ou y étaient. Je les ai personnellement perçus. Comme peut quasiment le percevoir un joueur d'échecs, je vous l'ai déjà dit… De la même façon que, à certains moments déterminés, à peine avez-vous posé la main sur une pièce et avant même que vous l'ayez déplacée et que je sache ce que vous voulez en faire, je pressens la certitude du désastre.

Barrull hausse les épaules, plus prudent que sceptique.

– Aujourd'hui, nous l'avons constaté, votre perception vous a fait défaut. Le *sentiment du fer*, comme disent les escrimeurs.

– C'est vrai. Mais je sais que j'ai raison.

Après ce bref arrêt, Barrull reprend sa marche. Au bout de quelques pas, il s'arrête pour attendre que Tizón le rejoigne. Le policier chemine lentement, sourcils froncés, regardant toujours le sol. Il a connu dans sa vie des moments plus optimistes. Moins tourmentés. Le professeur le laisse arriver à sa hauteur avant de reprendre la parole.

– De toute manière, puisque nous en sommes à imaginer… Vous est-il venu à l'esprit que, si vous remarquez ces sensations, c'est peut-être parce que vous avez certaines affinités avec la sensibilité de l'assassin ?

Tizón lui adresse un regard soupçonneux. Trois secondes. Ne m'embêtez pas, professeur, murmure-t-il ensuite. Pas à cette heure de l'après-midi. Mais l'autre ne le lâche pas. Il peut exister une similitude, insiste-t-il. Une facilité pour percevoir ces variations ponctuelles que cherche le commissaire. Après tout, il existe certaines personnes qui, dotées d'une sensibilité particulière, ont des rêves prémonitoires ou des visions partielles du futur. Pour ne pas parler des animaux qui pressentent les tremblements de terre ou les cataclysmes avant qu'ils ne se produisent. L'être humain possède aussi cette intuition, suppose le professeur. En partie, peut-être. Atrophiée par les siècles. Mais il y a toujours des individus exceptionnels. L'assassin pourrait donc avoir une puissante capacité de pressentir. Au début, il serait venu sur les lieux attiré par les mêmes forces et les mêmes conditions qui faisaient y tomber les bombes. Ensuite, avec la pratique, ses sens se seraient affinés au point de le rendre capable de les anticiper.

– Un personnage exceptionnel, comme je l'ai déjà dit, achève Barrull.

Tizón pousse un gros soupir, exaspéré.

– Vous voulez dire une canaille exceptionnelle.

– Possible. Peut-être de ceux que, pour paraphraser d'Alembert, nous classerions comme des « *êtres obscurs et métaphysiques qui ne sont capables que de répandre les ténèbres sur une science claire par elle-même* »… Mais laissez-moi vous dire une chose, commissaire : rien n'empêche que vous en soyez aussi, car vous partagez certaines intuitions avec l'assassin. Cela vous situerait, paradoxalement, sur le même plan sensible que ce monstre… Mieux à même de comprendre ses impulsions que le reste de ses concitoyens.

Ils ont tourné à un carrefour et suivent maintenant la côte de la Murga, sous les grilles vertes et les jalousies des balcons. Avec un clin d'œil interrogateur, Barrull s'est retourné pour constater l'effet de ses dernières paroles sur le commissaire.

– Inquiétant, vous ne trouvez pas ?

Tizón ne répond pas. Il se souvient de la jeune prostituée de Santa María, étendue sur le ventre, nue. Sans défense. Et lui-même debout derrière elle, faisant glisser la pointe de sa canne le long de la peau blanche. L'abîme d'horreur que, un instant, il a senti en lui.

– Voilà qui explique peut-être votre obsession, au-delà du devoir professionnel, continue le professeur. Vous savez ce que vous cherchez. Votre instinct vous dit comment le reconnaître… En ce cas, peut-être la science n'est-elle qu'une entrave. Peut-être n'est-ce qu'une question de temps et de chance. Qui sait ?… Il se peut qu'un jour vous croisiez l'assassin et que vous sachiez que c'est lui.

– En le reconnaissant comme un frère en sentiments ?

La voix du commissaire est rauque. Dangereuse. Lui-même s'en rend compte et observe que l'expression de son interlocuteur s'altère un peu.

– Par le diable, je n'ai pas voulu insinuer ça, s'empresse de dire Barrull. Je serais sincèrement désolé de vous avoir offensé. Mais il n'en est pas moins vrai que nul d'entre nous ne connaît les tréfonds obscurs qu'il porte en lui… Ni la fragilité de certaines frontières.

Il se tait durant quelques pas. Puis il reprend la parole :

– Disons que, dans mon opinion, cette partie ne peut être jouée que sur votre propre échiquier. Là, même la science moderne ne peut vous aider… Peut-être que vous et ce criminel voyez la ville sous une forme différente de la nôtre.

Le rire lugubre du policier suggère tout sauf la sympathie. En réalité, et il vient de s'en apercevoir à l'instant, c'est de son ombre, la sienne, qu'il rit. Du portrait que, hasard ou propos délibéré, son interlocuteur commence à tracer.

– Des tréfonds obscurs, dites-vous ?

– Oui. C'est ce que j'ai dit. Des vôtres, des miens… De tout le monde.

Soudain, Tizón sent le désir de se justifier. Un désir urgent.

– J'ai eu une fille, professeur.

Il s'est arrêté brusquement, après avoir frappé avec impatience le sol avec sa canne. Une colère sourde, intérieure, semble l'ébranler jusqu'à la racine des cheveux. Une bouffée de haine et de désarroi. Barrull le dévisage, surpris.

– Je sais, murmure le professeur, soudain gêné. Un malheur, oui… J'étais au courant.

– C'était encore une enfant quand elle est morte. Et lorsque je vois ces filles…

L'autre a presque un haut-le-corps en l'entendant et l'interrompt en levant la main :

– Je ne veux pas que vous me parliez de ça. Je vous l'interdis.

C'est maintenant Tizón qui est surpris, mais il ne dit rien. Il reste devant Barrull, dans l'attente d'une explication. Celui-ci fait mine de poursuivre sa marche, mais il ne bouge pas.

– J'accorde trop d'importance à notre amitié, lâche-t-il finalement, à contrecœur. Encore que ce mot, s'agissant de vous, soit peut-être relatif… Disons que j'apprécie beaucoup votre compagnie. Alors restons-en là, voulez-vous ?

– Comme vous voudrez.

– Vous êtes, commissaire, de ceux qui ne pardonnent jamais aux autres leurs propres faiblesses… Je ne crois pas que trop vous confier à moi, sous la pression des événements actuels, vous laissera, plus tard, un sentiment de satisfaction. Je pense à votre vie… Enfin. À son côté familial.

Après avoir dit cela, et non sans un effort visible, Barrull reste un moment pensif, comme s'il réfléchissait à ses arguments.

– Je ne veux pas perdre mon meilleur adversaire aux échecs.

– Vous avez raison, convient Tizón.

– Bien sûr. Comme presque toujours. Et je n'ai pas seulement raison, j'ai faim… Alors invitez-moi à manger cette tortilla, sans oublier de quoi l'arroser convenablement. Après une journée pareille, je l'ai bien gagné.

Barrull se remet en route, mais Tizón ne le suit pas. Il demeure immobile en regardant en l'air, près du bâtiment qui fait le coin de la rue San Miguel. Dans une niche située en haut, un archange se jette sur un diable, l'épée à la main.

– Ici, professeur… Vous ne remarquez rien ?

L'autre l'observe avec étonnement. Puis, suivant la direction du regard du policier, il lève les yeux pour fixer la statue.

– Non, répond-il.

Il a parlé avec une extrême prudence. Le commissaire continue de regarder en haut.

– Vous êtes sûr ?

– Sûr et certain.

La question, s'interroge Rogelio Tizón soudain lucide, est de savoir si ce qu'il sent en ce moment était antérieur au fait de voir l'archange, ou si c'est la vision de celui-ci qui suscite la sensation, sinistre et connue, qu'il a cherchée toute la journée. La certitude de pénétrer, pour un court instant, dans l'espace subtil où la qualité de l'air, les sons et l'odeur – le policier remarque avec netteté leur absence totale – s'altèrent brièvement en se diluant dans le vide jusqu'à disparaître complètement.

– Qu'est-ce qui vous arrive, commissaire ?

Même la voix de Barrull lui parvient d'abord lointaine, comme déformée par une distance infinie. Il m'arrive que je viens de passer par un de ces maudits vorticules, professeur, est tenté de répondre Tizón. Ou quel que soit leur nom. Au lieu de cela, il indique d'un mouvement du menton la statue de l'archange saint Michel, puis regarde les alentours, le coin de la rue et les maisons voisines, en essayant de faire entrer cet espace dans sa raison en même temps que dans ses sens.

– Ne me faites pas marcher, dit Barrull, qui comprend de quoi il retourne.

Son expression quelque peu amusée tourne court quand il découvre les yeux glacés du policier.

– Ici?

Sans attendre de réponse, il se rapproche de Tizón et, tout près de lui, regarde dans la même direction, d'abord en l'air, puis autour d'eux. Finalement, découragé, il hoche la tête.

– C'est inutile, commissaire. Je crains que vous soyez le seul…

Il se tait et regarde encore.

– Dommage que nous ayons renvoyé votre adjoint avec les instruments, regrette-t-il. Il aurait été bon de…

Tizón lui fait signe de se taire. Il reste toujours immobile, la tête levée. La perception a été brève : il ne sent déjà plus rien. De nouveau, une statue de saint Michel dans sa niche et la côte de la Murga à six heures du soir, un jour comme les autres. Pourtant elle était là. Sans l'ombre d'un doute. Pendant un instant, il a passé le seuil d'un vide étrange et familier.

– Je deviens peut-être fou, dit-il enfin.

Il sent sur lui le regard inquiet du professeur.

– Ne dites pas de bêtises, voyons.

– D'une certaine manière, vous l'avez déjà exprimé avant en d'autres termes… Comme l'homme qui tue.

Depuis un moment, Tizón marche très lentement, en décrivant des cercles et en s'appliquant à observer chaque détail autour de lui. Il tâte le sol de sa canne comme le ferait un aveugle.

– Vous avez dit un jour…

Il se tait, en se rappelant les propos du professeur. Il n'aimerait pas se voir dans une glace en ce moment, pense-t-il en apercevant l'expression de Barrull qui le suit des yeux. Et pourtant, il y a des choses qui, tout d'un coup, semblent parfaitement claires dans sa tête. Des affinités obscures : chair de femme déchiquetée, vides et silences. Et aujourd'hui, c'est le levant qui souffle.

– « Vous devriez demander aux Français. » Voilà ce que vous avez dit… Vous vous souvenez ?

– Non. Mais je l'ai sûrement fait.

Le policier acquiesce, mais en fait il n'y prête pas attention. Le dialogue, c'est avec lui-même qu'il le tient. Depuis sa niche, l'épée levée, l'archange semble le provoquer. Aussi moqueur qu'est désespérée, lugubre, l'expression qui se dessine en ce moment comme un coup de fouet sur le visage du commissaire Tizón.

– Il est bien possible que vous ayez eu raison, professeur… Le moment est peut-être venu de leur demander.

*

C'est samedi soir. La foule animée qui sort du théâtre débouche de la rue de la Neuvaine dans la Calle Ancha en commentant les péripéties du spectacle. Devant la porte du café qui fait le coin avec la rue de l'Amertume, fréquenté par des étrangers et des marins, Pepe Lobo et son second Ricardo Maraña assistent en silence au défilé. Les deux corsaires – ils le sont redevenus officiellement avec la restitution de la lettre de marque à la *Culebra* voici cinq jours – sont à terre depuis ce matin et, pour l'heure, assis à une table devant une cruche en terre, plus qu'à moitié vide, de genièvre hollandais. La lumière des lanternes qui brûlent dans la rue principale de Cadix éclaire devant eux le passage des habits élégants : vestes, redingotes, fracs, guêtres de nankin, amples pardessus et carricks à la mode de Londres et de Paris, chaînes de montre et bijoux de prix, manteaux de fourrure et manteaux brodés ; mais l'on peut aussi voir des bonnets qui descendent jusqu'aux sourcils et des chapeaux ronds à larges bords, des vestes courtes brodées de motifs en spirale avec des pièces d'argent en guise de boutons, des culottes de daim, des jupes à franges ou à pompons, des châles bruns et des capotes à revers écarlates de gens du peuple qui regagnent leurs maisons de la Viña et du Mentidero. Il y a, naturellement, des femmes attirantes de toutes conditions sociales. Et aussi des députés de San Felipe Neri, des émigrés plus ou moins solvables, des officiers des milices locales ou des militaires espagnols ou anglais, tous cordons, épaulettes et plumes dehors. Les soirées de théâtre, seule distraction publique depuis que les Cortès ont décidé la réouverture des salles voici plusieurs mois, rassemblent dans les loges et les fauteuils d'orchestre le gratin de la société, mais, dans le fond, le public authentiquement populaire ne fait pas non plus défaut. Comme les représentations commencent de bonne heure, et donc que la nuit débute à peine et que la température reste agréable pour cette époque de l'année, la plupart des passants sont loin de considérer la journée terminée : salons et tables de jeu attendent les bourgeois argentés ; tavernes à guitares, queues de billard, flamenco et vin bon marché, le petit peuple et ceux qui aiment ce genre de divertissements. Et qui ne manquent pas.

– Regarde qui vient là, commente Maraña.

Pepe Lobo suit le regard de son lieutenant. Lolita Palma avance dans la foule, accompagnée d'amis des deux sexes. Lobo reconnaît dans le groupe le cousin Toño et le député de Buenos Aires, Jorge Fernández Cuchillero. Et aussi Lorenzo Virués, en grand uniforme : sabre à la ceinture, épaulette de capitaine du génie sur la veste bleu turquoise à revers violets, plumet rouge sur le chapeau portant cocarde et galon d'argent.

– Notre patronne, achève le second, avec son indifférence habituelle.

Lobo remarque que Lolita Palma l'a vu. Elle ralentit un

instant légèrement sa marche et lui adresse un sourire aimable, accompagné d'une très légère inclination de la tête. Elle a belle allure : vêtue de rouge très sombre, à l'anglaise, avec sur les épaules un châle turc, noir, agrafé sur la poitrine par une petite broche en émeraude. Aux mains, gants de peau et bourse de velours oblongue, de celles où l'on range l'éventail et les jumelles de théâtre. Elle ne porte pas d'autres bijoux que des pendants d'oreilles en émeraude, et est coiffée d'un petit chapeau de velours fixé par une épingle d'argent. Quand elle arrive à sa hauteur, Lobo se lève et s'incline un peu, à son tour. Sans interrompre sa conversation avec ses accompagnateurs ni quitter le corsaire du regard, elle modère un peu son pas, tout en posant d'un air dégagé une main sur le bras du cousin Toño qui s'arrête, tire une montre de son gousset et dit quelque chose qui les fait tous deux éclater de rire.

– Elle attend que tu viennes la saluer, suggère Maraña.

– On dirait… Tu viens avec moi ?

– Non. Je ne suis que ton second et je suis bien là où je suis, avec le genièvre.

Après une courte hésitation, Lobo prend son chapeau accroché au dossier de sa chaise et, le gardant à la main, s'approche du groupe. Ce faisant, il remarque du coin de l'œil le regard venimeux de Lorenzo Virués.

– Quelle bonne surprise, capitaine. Bienvenue à Cadix.

– Nous avons jeté l'ancre ce matin, madame.

– Je sais.

– Tarifa a été finalement sauvé. Et nous voilà libres… Nous avons de nouveau notre lettre de marque en règle.

– Je le sais aussi.

Elle a tendu une main que Lobo, en se penchant, prend brièvement. Il la frôle à peine. Le ton de Lolita Palma est affectueux, très serein et courtois. Aussi maîtresse d'elle-même qu'à l'ordinaire.

– Je ne sais si vous vous connaissez tous… Don José Lobo, capitaine de la *Culebra*. Vous avez déjà rencontré certains de mes amis : mon cousin Toño, Curra Vilches et Carlos Pastor son mari… Don Jorge Fernández Cuchillero, le capitaine Virués…

– Je connais monsieur, dit le militaire d'une voix sèche.

Les deux hommes échangent un rapide regard, hostile. Pepe Lobo se demande si l'antipathie de Virués est due au vieux contentieux qui les oppose et qui s'est encore alourdi à la Caleta, ou si la présence de Lolita Palma agit ce soir comme l'apparition du valet d'épée dans une partie de tarot. Nous allions prendre quelque chose à la pâtisserie de Burnel, dit-elle pendant ce temps, avec un calme impeccable. Peut-être avez-vous envie de nous accompagner.

Réservé, le marin sourit à demi. Un peu gêné.

– Je vous en remercie beaucoup, mais je suis avec mon second.

Elle dirige son regard vers la table du café. Elle connaît Ricardo Maraña depuis qu'il lui a fait visiter le cotre et lui adresse un sourire aimable. Lobo tourne le dos à son lieutenant et ne peut le voir, mais il devine la réponse : une élégante inclination de la tête tout en levant un peu, en manière de salut, son verre de genièvre. Ne me présente jamais à des gens que je ne connais pas, a-t-il dit un jour.

– Il peut venir aussi.

– Ce n'est pas quelqu'un de très sociable… Une autre fois, peut-être.

– Comme vous voudrez.

Tandis qu'ils se séparent avec les politesses d'usage, le député Fernández Cuchillero – élégante cape grise à revers safran, canne en jonc et chapeau haut de forme – fait savoir combien il serait heureux de converser un moment avec monsieur Lobo, pour que celui-ci lui conte l'affaire de Tarifa.

Une défense héroïque, d'après ce qu'on lui a dit. Et un beau fiasco français. Ce sujet sera justement à l'ordre du jour de la commission de la guerre des Cortès, ce lundi.

– Me permettez-vous de vous inviter demain à déjeuner, capitaine, si vous n'avez pas d'autre engagement ?

Le corsaire lance un rapide coup d'œil à Lolita Palma. Le regard glisse dans le vide.

– Je suis à votre disposition, monsieur.

– Magnifique. Que diriez-vous de midi et demi à l'auberge des Quatre Nations ?... On y sert un pâté d'huîtres en croûte et un *menudo con garbanzos* qui ne sont pas mauvais. Il y a aussi d'excellents vins des Canaries et du Portugal.

Pepe Lobo fait un rapide calcul. Il se soucie de la commission de la guerre des Cortès comme de sa première chemise ; mais le député, outre qu'il est un ami de la maison Palma, est une relation politique intéressante. Celle-ci peut se révéler utile. Par les temps qui courent et vu les incertitudes de son métier, on ne sait jamais.

– J'y serai.

Le tour pris par la conversation ne semble pas au goût du capitaine Virués, qui fronce les sourcils.

– Je doute que ce monsieur ait beaucoup à raconter, intervient-il, acide. Je ne crois pas qu'il ait jamais mis les pieds dans Tarifa... À ce que j'ai compris, sa mission se bornait à transporter des dépêches officielles.

Un silence embarrassé. Le regard de Pepe Lobo effleure un instant les yeux de Lolita Palma et s'arrête sur le militaire.

– C'est exact, répond-il avec calme. Sur mon bateau, nous avons seulement eu l'occasion de contempler les taureaux depuis la barrière... C'est en quelque sorte comme vous, monsieur, que je rencontre toujours à Cadix, alors que vous êtes affecté en première ligne, sur l'Île... J'imagine ce que doit souffrir un soldat ici, si loin du feu et de la gloire, à traîner son sabre dans les cafés. – Impassible, le corsaire dévisage maintenant Virués. – Je suis sûr que vous devez en être fort marri.

Même à la faible lumière jaune des lanternes, il est évident que le militaire a pâli. Sa réaction instinctive, qui est de porter la main gauche à la poignée de son sabre, sans aller jusqu'au bout de son geste, n'échappe pas au regard dangereux de Pepe Lobo, fait aux rixes brutales et aux situations difficiles. Ce n'est ni le lieu ni l'occasion, tous deux le savent. Surtout pas ici, en présence de Lolita Palma et de ses amis. Et encore moins s'agissant d'un officier et d'un homme de parfaite éducation tel que le capitaine Virués. Fort de cette certitude et de l'impunité qu'elle lui procure, le corsaire tourne le dos au militaire, salue respectueusement de la tête Lolita Palma et son entourage, et s'éloigne du groupe – il sent les yeux de la femme le suivre de loin, inquiets – pour revenir à la table où l'attend, toujours assis, Ricardo Maraña.

– Tu ne traverses pas la baie, cette nuit ? demande-t-il à son lieutenant.

Celui-ci le regarde avec une vague curiosité.

– Je ne l'avais pas prévu.

Pepe Lobo acquiesce, l'air sombre.

– Alors allons chercher des femmes.

Maraña continue de le regarder, interrogateur. Puis il se tourne à demi pour lancer un coup d'œil au groupe qui s'en va en direction de la place San Antonio. Il demeure ainsi un moment, pensif, sans desserrer les dents. Finalement, il vide cérémonieusement le reste de la cruche dans les deux verres.

– Quel genre de femmes, capitaine ?

– Du genre qu'on trouve à cette heure-ci.

Un sourire distingué – las et légèrement canaille – crispe les lèvres pâles du second de la *Culebra*.

– Tu les préfères avec un préambule de vin et de danse, comme celles de la Caleta ou du Mentidero, ou tu veux directement les putes de Santa María et de la Merced ?

Pepe Lobo hausse les épaules. La lampée de genièvre qu'il vient d'ingurgiter, copieuse et brutale, lui brûle l'estomac. Elle le rend aussi d'une humeur massacrante. Mais non, se reprend-il : cette mauvaise humeur était déjà là avant. Depuis le moment où il a vu venir Lorenzo Virués.

– Je m'en fiche, pourvu qu'elles soient rapides et qu'elles ne fassent pas la conversation.

Maraña termine lentement son verre, en pesant la question d'un air concentré. Puis il sort une pièce d'argent qu'il pose sur la table.

– Allons rue de la Gale, propose-t-il.

*

Il en est un, cette nuit, qui traverse la baie. Non en direction d'El Puerto de Santa María, mais l'avant du bateau pointé un peu plus à l'est, vers le banc de sable qui, à l'embouchure du San Pedro, près du Trocadéro, se découvre à marée basse. Silence absolu, à l'exception du bruit de l'eau sur les côtés. La voile latine, gonflée par une bonne brise de ponant, est un triangle noir qui se balance et se découpe dans l'obscurité contre le ciel constellé, en laissant derrière les silhouettes des navires anglais et espagnols au mouillage et la ligne opaque et sombre des remparts de Cadix où brillent quelques lumières éparses.

Rogelio Tizón a embarqué à Puerto Piojo voici environ une heure ; auparavant, le patron du bateau – un des contrebandiers qui se risquent encore dans la baie – s'est chargé de fermer un peu plus encore les yeux déjà lourds de sommeil des sentinelles de la jetée de San Felipe avec l'argent approprié. Maintenant, assis sous la voile, col relevé et chapeau enfoncé jusqu'aux yeux, le commissaire garde les bras croisés et la tête basse en attendant la fin du trajet. Le froid est plus humide et plus pénible qu'il ne s'y attendait ; cela lui fait regretter de ne pas avoir passé un autre manteau sous sa redingote. C'est là, sûrement, l'unique précaution qu'il n'a pas pensé à prendre cette nuit. La seule négligence commise. Tous les autres détails du voyage ont, ces derniers jours, été l'objet de sa pleine attention ; il a tout méticuleusement planifié, en dépensant sans lésiner suffisamment d'or pour se ménager une communication préalable, un trajet discret et une réception appropriée, avec toute la sécurité voulue. Discrète et tranquille.

Le policier s'impatiente. Cela fait trop longtemps qu'il se sent un intrus ici, sur l'eau et dans le noir, hors de son milieu et de sa ville. *Vulnérable* est le mot. La mer et la baie ne lui sont guère familières, et encore moins cette manière insolite de glisser en aveugle vers l'inconnu. Et réprimant son envie de fumer – la braise du cigare peut se voir de très loin, l'a prévenu le patron –, il se tasse contre le mât du bateau couvert de gouttes d'eau à cause de la fraîcheur nocturne. Parce que, en plus, tout est mouillé à bord, le banc de bois sur lequel il est assis, le plat-bord de la barque avec les avirons attachés aux tolets, le drap de son manteau et le feutre de son chapeau. Même ses favoris et sa moustache ruissellent, et il sent l'humidité le pénétrer jusqu'aux os. Irrité, il lève les yeux et regarde autour de lui. Le patron est une silhouette obscure et silencieuse qui se tient à la poupe, à côté de la barre ; et son matelot, une forme qui somnole à la proue. Pour eux, c'est la routine. Leur gagne-pain quotidien. Au-dessus de leurs têtes, la voûte étoilée descend jusqu'aux rives de la baie, traçant ainsi le contour presque invisible de l'horizon. Sous la bordure de la voile, très loin sur bâbord, le policier parvient à distinguer les lumières d'El Puerto de Santa María ; et par le travers de tribord, à moins d'un mille de distance, la forme basse et allongée, avec des tonalités plus sombres, de la péninsule du Trocadéro.

Le commissaire pense à l'homme avec qui il a rendez-vous.

Cela lui a coûté du temps et de l'argent pour établir son identité. Il se demande comment il est, et s'il parviendra à lui faire comprendre ce qu'il cherche. S'il sera possible d'obtenir son aide pour venir à bout de l'assassin qui, depuis un an, joue sa sinistre partie d'échecs avec la ville et la baie pour échiquier. Il a aussi quelques raisons de s'inquiéter du voyage lui-même : arrivera-t-il à le mener à bien, aller et retour complet, sans qu'un tir intempestif ou un coup de canon à bout portant qui ne figurait pas au programme le surprenne dans l'obscurité ? Rogelio Tizón n'a jamais mis en jeu, comme il le fait cette nuit, son poste et sa vie. Mais, si c'est nécessaire, il est prêt à descendre en enfer pour trouver ce qu'il cherche.

14

– C'est un bien étrange problème que le vôtre.

À la lumière avare d'une chandelle plantée dans le goulot d'une bouteille, Simon Desfosseux étudie l'homme qu'il a devant lui. Le visage est olivâtre, aquilin, très espagnol. Les favoris épais et frisés rejoignent la moustache, encadrant des yeux sombres impassibles. Et aussi dangereux, sûrement. Par son aspect, on pourrait le prendre pour un militaire ou un guérillero, de ceux qui se débandent en rase campagne mais se révèlent redoutables et cruels dans une embuscade ou un massacre. Selon ce que sait le capitaine de son visiteur, c'est un policier ; mais pas n'importe lequel. Il a au moins l'influence et l'argent suffisants pour arriver jusqu'à lui avec des sauf-conduits espagnol et français en poche, sans être arrêté ni tué.

– Un problème que je ne résoudrai pas sans votre aide, commandant.

– Je ne suis que capitaine.

– Ah. Excusez-moi.

Il parle un français convenable, observe Desfosseux. Un peu rude dans la prononciation des « r », peut-être ; et les hésitations de vocabulaire lui font parfois baisser les yeux et froncer les sourcils quand il cherche le mot ou dit son équivalent en espagnol. Mais il se fait parfaitement comprendre. Bien mieux, convient l'artilleur, que lui-même dans la langue castillane, dont il ne sait pas dire beaucoup plus que *buenos días señorita, cuánto cuesta* et *malditos canallas.*

– Êtes-vous certain de ce que vous m'exposez ?

– Je suis certain des faits… Sept filles mortes, trois d'entre elles dans des lieux où allaient peu après tomber des bombes… Vos bombes.

L'Espagnol occupe un siège délabré et a devant lui, étalé sur la table, un plan de Cadix qu'il a sorti un peu plus tôt d'une poche intérieure de la longue redingote marron qui descend jusqu'à la tige des bottes. Le lieutenant Bertoldi, qui veille dehors pour s'assurer que personne ne viendra se mêler de l'entrevue, l'a fouillé à son arrivée et certifié qu'il ne portait pas d'armes. Pour sa part, assis sur une caisse de munitions vide, Simon Desfosseux appuie son dos contre le mur décrépi de la vieille maison transformée en dépôt de matériel située au bord du chemin qui relie le Trocadéro à El Puerto de Santa María, près du banc de sable sur lequel son visiteur a débarqué voici un peu plus d'une heure. Leur expérience des Espagnols a appris aux Français à se méfier de tout le monde, et le capitaine ne fait pas exception. Son chapeau est posé sur la table, il porte sa capote militaire sur les épaules, le sabre contre ses jambes et un pistolet chargé à la ceinture.

– Dans tous les cas, le vent soufflait du levant, comme je vous l'ai dit, ajoute son interlocuteur. Modéré. Et les bombes ont explosé.

– Ayez l'amabilité de m'indiquer encore une fois les points exacts.

De nouveau, ils se penchent tous les deux sur le plan. À la lumière de la chandelle, l'Espagnol montre les endroits de la ville qui sont marqués au crayon. Malgré son scepticisme – il continue de trouver que ça n'a pas de sens commun –, Desfosseux se sent piqué par la curiosité. En fin de compte, il s'agit de trajectoires et d'impacts. De résultats balistiques.

Si délirant que soit ce que lui présente cet individu, il existe une relation évidente avec le travail qu'il accomplit quotidiennement. Avec ses calculs, ses frustrations et ses espoirs.

– C'est absurde, conclut-il, en se rejetant en arrière. Il ne peut y avoir de correspondance entre...

– Il y en a. Je ne saurais dire laquelle, ni pourquoi. Mais il y en a.

Il y a, dans son expression, quelque chose d'authentique, constate Desfosseux. Si son visage trahissait une obsession, du fanatisme, tout serait facile : l'entretien se terminerait sur-le-champ. Bonne nuit, monsieur, et merci d'être venu me confier vos élucubrations. Au revoir. Mais ce n'est pas le cas. Ce que le capitaine a devant lui, c'est une certitude tranquille. Dure. Rien qui s'apparente à l'excitation d'un esprit exalté. Et, à la façon dont il a exposé son histoire, on ne peut pas dire, non plus que l'Espagnol soit du genre à raconter n'importe quoi. D'ailleurs, ce serait bien inhabituel, chez un policier. Et cela le serait encore plus, toujours en se guidant sur son aspect, chez un policier manifestement chevronné, capable d'afficher un tel calme. À le voir, décide l'artilleur, il est difficile de croire qu'il pourrait inventer certaines choses.

– Voilà pourquoi vous avez pensé que cet agent qui travaillait pour nous...

– Naturellement. – L'Espagnol esquisse un étrange sourire. – Il y avait un lien, et j'ai cru, faussement, que l'homme était ce lien.

– Qu'avez-vous fait de lui ?

– Il attend son procès. Et le sort réservé aux espions... Nous sommes en guerre, comme vous le savez mieux que moi.

– Une condamnation à mort ?

– Je suppose. Ce n'est plus mon affaire.

Desfosseux pense à l'homme aux pigeons, qu'il n'a jamais rencontré. Il n'en a connu que les messages, jusqu'au jour où ils ont cessé d'arriver. Il a toujours ignoré ses mobiles : s'il espionnait pour la France par appât du gain ou par patriotisme. Jusqu'aujourd'hui, il ne connaissait même pas son nom ou sa nationalité. C'est le général Mocquery, le nouveau chef d'état-major du Premier Corps, qui se charge de ce genre d'affaire, depuis que le général Semellé les a quittés : renseignement militaire et tout le reste. Un monde trouble, complexe, que le capitaine préfère ignorer. Rester le plus à l'écart possible. En tout cas, il regrette ces pigeons. Les rapports qui arrivent maintenant – l'armée impériale a d'autres informateurs dans la ville – n'ont pas la rigoureuse précision avec laquelle l'agent arrêté rédigeait les siens.

– Vous avez pris beaucoup de risques, en venant ici de la sorte.

– Oh, ça... – Le policier fait un geste vague pour embrasser l'espace qui les entoure. – C'est Cadix, vous savez ?... Les gens vont et viennent dans la baie. Je suppose que ce ne doit pas être facile pour un militaire français de se faire à cette idée.

Il a parlé d'un air dégagé. Une suffisance très espagnole, pense Desfosseux. Son interlocuteur l'observe avec attention.

– Pourquoi avez-vous accepté de me recevoir ? questionne-t-il finalement.

C'est au tour du capitaine de sourire.

– Votre lettre a éveillé ma curiosité.

– Je vous en remercie.

– N'en faites rien. – Desfosseux hoche la tête. – Il est encore temps de vous livrer aux gendarmes... L'idée de me retrouver devant un conseil de guerre, accusé d'intelligence avec l'ennemi, ne me plaît pas du tout.

Un éclat de rire bref et sec. Insouciant.

– Ne vous inquiétez pas pour ça. Mon sauf-conduit porte le sceau du quartier général impérial à Chiclana... Et puis, je suis seulement un policier.

– Les policiers ne m'ont jamais enthousiasmé.

– Pas plus que moi, les porcs qui tuent des filles de quinze ans.

Les deux hommes se dévisagent en silence. L'Espagnol serein et désinvolte, le Français songeur. Puis ce dernier se penche de nouveau sur le plan de Cadix et arrête encore une fois son regard sur les marques au crayon, passant de l'une à l'autre. Pour lui, jusqu'à maintenant, ce ne sont que des points d'impact. Des objectifs atteints avec succès, puisque, dans six des sept cas, les bombes ont touché la ville et explosé comme prévu. Pour l'homme qu'il a devant lui, en revanche, ces marques sont autre chose : des images concrètes de sept filles mortes après avoir été atrocement torturées. Quelles que soient ses réserves sur l'interprétation générale de l'affaire, à aucun moment Desfosseux n'a douté de la véracité des faits ponctuels du récit. Jamais il ne confierait sa vie ni sa fortune – s'il en possédait une – à cet homme, mais il sait qu'il ne ment pas. Pas, en tout cas, de manière délibérée.

– Bien entendu, dit-il finalement, cette conversation n'a jamais eu lieu.

Jamais, répète l'autre comme un écho, sur le ton de quelqu'un qui est familiarisé avec les conversations inexistantes. Il a sorti un étui en cuir de bonne qualité et offre un cigare au capitaine, qui l'accepte mais le met dans une poche – coupé en deux, il n'en sera que plus apprécié. Le vent influe beaucoup, dit ensuite Desfosseux, tout en promenant une main sur le plan. Sur la trajectoire et le point de chute. En réalité, tout compte : température, humidité de l'air, état de la poudre. Jusqu'à la chaleur ambiante, qui dilate ou contracte l'âme de la pièce et influe sur le tir.

– Un de mes problèmes est précisément que je ne parviens pas à expédier les bombes là où je veux... Pas toujours, en tout cas.

Le policier, qui a rangé l'étui et tient son cigare à la main sans l'allumer, en pointe le bout sur les marques d'impact du plan.

– Que pouvez-vous me dire de celles-là ?

– Un simple coup d'œil l'indique. Voyez. Cinq des bombes sont tombées dans la partie de la ville qui est la plus proche de nous, groupées dans le tiers le plus au sud… Seule celle que voici est allée au-delà, presque à la limite de la portée possible à cette date.

– Aujourd'hui, elles arrivent plus loin.

– Oui. – Le capitaine prend une expression de relative satisfaction. – Nous y parvenons petit à petit. Et nous finirons par couvrir toute la ville, n'en doutez pas. Mais, à l'époque, ce tir…

– La ruelle de la rue du Pasquin, derrière la chapelle de la Divina Pastora.

– C'est ça. Il a été plus heureux que d'autres. J'ai mis beaucoup de temps, ensuite, pour parvenir à atteindre de nouveau une telle portée.

– Est-ce que cela veut dire que, ce jour-là, vous ne visiez pas cet endroit ?

Desfosseux se redresse, légèrement piqué.

– Monsieur, je visais où je pouvais. En réalité, je tire encore ainsi, parfois. Où je peux… C'est moins une question de précision que de distance.

Maintenant, l'Espagnol semble déçu. Son cigare planté entre ses dents, toujours pas allumé, il regarde le plan comme s'il avait cessé de lui être familier.

– Mais alors, vous ne savez donc jamais où vont tomber vos bombes ?

– Parfois si. Parfois non. Je le saurais si je connaissais toutes les données, tant ici que là-bas, au moment de chaque tir : force d'expansion de la poudre, température, humidité de l'air, vent, pression atmosphérique… Mais ce n'est pas possible. Et même si cela l'était, nous ne disposons pas de la capacité de calcul nécessaire.

Le policier a posé une main sur la table. Elle est rude, aplatie. Des ongles rongés et écrasés. Un doigt parcourt le tracé des rues comme s'il établissait un itinéraire.

– Pourtant quelqu'un a cette capacité : l'assassin. Il obtient la précision qui vous fait défaut.

– Je doute que ce soit de manière consciente. – Desfosseux se sent irrité par le ton de son interlocuteur. – Personne ne peut établir cela avec une pareille certitude... Personne d'humain.

C'est un des problèmes fondamentaux de l'artillerie depuis qu'elle a été inventée, ajoute le capitaine. Même Galilée s'en est préoccupé. Établir la figure géométrique que suivent les projectiles dans des conditions déterminées. Et son principal défi à Cadix est celui-ci : affronter les éléments qui, dans un canon, font varier la trajectoire de ses bombes. Température du tube, résistance et frottement de l'air, etc. Tout cela. Parce que l'air en repos est une chose, et le vent en est une autre. Et ici, ce sont les vents qui comptent. Cadix est une ville où les vents tissent un véritable labyrinthe.

– N'en doutez pas.

– Je n'en doute pas, en effet : ça fait des mois que je la bombarde.

L'Espagnol a allumé son cigare en se penchant sur la chandelle qui brûle, toujours plantée dans la bouteille. À travers les volets fermés – les fenêtres n'ont pas de vitres – arrive le bruit d'un chariot qui passe lentement sur le chemin voisin. On entend les voix de soldats qui donnent le mot de passe et la réponse du lieutenant Bertoldi. Puis le silence revient.

– Même si ce que vous m'avez raconté est avéré, poursuit Desfosseux, cela ne peut être qu'une question de probabilités. J'ignore si votre assassin est familiarisé avec la science, mais il possède sans doute un esprit capable de calculer ce que beaucoup de savants tentent depuis des siècles… Il voit le paysage avec des yeux différents. Il trouve peut-être des choses, des régularités. Des courbes et des points d'impact. On peut même penser qu'il a eu l'intuition d'un théorème scientifique formulé voici un siècle par un mathématicien du nom de Bernoulli : les effets de la Nature sont pratiquement constants quand lesdits effets sont obtenus en grand nombre.

– Je ne sais si je vous comprends bien. – Le policier a ôté le cigare de sa bouche et écoute avec un extrême intérêt. – Vous parlez du hasard ?

C'est tout le contraire, explique Desfosseux. Il parle de probabilités. De mathématique exacte. Lui-même, il n'est rien qu'il ne fasse, jusqu'à la direction et au moment du tir de ses obusiers, qui ne dépende d'éléments comme la nuit ou le jour, le vent, les conditions climatiques et autres choses du même ordre. Ses artilleurs et lui, consciemment ou inconsciemment, agissent aussi selon ces probabilités.

L'expression de l'Espagnol s'éclaire. Il a compris, et, pour une raison quelconque, cela semble le rassurer. Confirmer ce qu'il a en tête.

– Vous êtes en train de me dire que, même si vous ne contrôlez pas où vont vos bombes, celles-ci ne tombent pas au hasard, mais selon certaines règles, ou lois de la physique ?

– Exact. Dans un code que les hommes ne sont pas encore capables de déchiffrer, même si la science moderne le pénètre de plus en plus, la courbe décrite par chacune de mes bombes est déterminée d'une façon aussi exacte que les orbites des planètes. Entre les unes et les autres, il n'y a d'autre différence que celle qui dérive de notre ignorance. Et, dans ce cas, votre assassin…

– *Notre* assassin, corrige l'autre. Car il est tout aussi lié à vous qu'à moi.

Il n'y a pas de sarcasme dans sa voix. Tout au moins apparent. Et voilà comment je me laisse embobiner, pense

582

Desfosseux. Pourtant, à mesure qu'il avance dans ses propres raisonnements, l'artilleur découvre qu'il y prend un étrange plaisir. Un point de vue nouveau, séduisant et très agréable. Comme s'il s'essayait à percer le secret des clefs d'un cryptogramme. D'un mystère technique.

– Bien. Comme vous voudrez... Ce que je prétends exprimer, c'est que cet homme serait capable, à sa manière, de calculer avec suffisamment d'exactitude l'ensemble des probabilités. Imaginez une machine dans laquelle on mettrait toutes les données dont nous avons parlé et qui fournirait pour résultat un lieu exact et une heure approximative.

– L'assassin serait cette machine ?

– Oui.

Une bouffée de fumée voile les traits du policier. Il pose les coudes sur la table, intéressé.

– Des probabilités, dites-vous... Et c'est calculable ?

– Jusqu'à un certain point. Dans ma jeunesse, j'ai séjourné à Paris, comme étudiant. Je n'étais pas encore dans l'armée, mais je m'intéressais déjà à la physique et à la chimie. En 95, j'ai assisté à plusieurs cours que Pierre-Simon Laplace donnait à l'Arsenal... Avez-vous entendu parler de lui ?

– Il me semble que non.

C'est sans importance, explique Desfosseux. Monsieur Laplace est toujours vivant, et c'est l'un des plus illustres mathématiciens et astronomes français. À l'époque, il s'occupait de chimie, et la poudre et la métallurgie pour la fabrication des canons en font partie. Dans un de ses cours, il a soutenu que l'on peut arriver à la certitude que, parmi plusieurs événements possibles, il ne s'en produira qu'un seul ; mais, en principe, rien ne permet de croire que c'en sera un plutôt qu'un autre. Pourtant, en comparant la situation avec d'autres similaires et antérieures, on s'aperçoit qu'il est très probable que certains des cas considérés comme possibles ne se produiront pas.

– Je me demande, s'arrête un instant l'artilleur, si ce n'est pas trop compliqué pour vous.

Un sourire tord les lèvres de Tizón. Dont le profil se découpe sur la clarté de la chandelle.

– Vous voulez dire pour un policier?... Ne vous inquiétez pas, je me débrouille. Vous disiez donc que l'expérience permet d'écarter des probabilités moins possibles que d'autres.

Desfosseux acquiesce.

– C'est ça. La méthode consiste à réduire tous les événements du même type à un certain nombre de cas d'égale possibilité; et ensuite d'établir parmi eux le plus grand nombre de cas favorables à l'événement dont on cherche la probabilité... La relation entre ces cas favorables et tous les cas possibles nous donne la moyenne de cette probabilité. Vous comprenez?

– Oui... À peu près.

– Je résume. L'assassin aurait cette capacité mathématique, qu'il exercerait de manière instinctive ou délibérée. Dans des conditions physiques déterminées, il écarterait les trajectoires et les points d'impact impossibles de mes bombes, et il réduirait la probabilité jusqu'à l'exactitude absolue.

– *Ah, coño. Era eso.*

«Ah, putain, c'était donc ça!» Le policier a parlé en espagnol et Desfosseux le regarde, déconcerté.

– Pardon?

Un silence. Le commissaire regarde le plan de Cadix.

– C'est une théorie, naturellement, murmure-t-il, comme s'il pensait à des choses lointaines.

– Bien sûr. Mais c'est la seule qui, de mon point de vue, donne une explication rationnelle à ce que vous êtes venu me raconter.

Le policier reste penché sur le plan. Concentré. La fumée

de son cigare ondule en spirale, en frôlant la flamme de la chandelle.

– Serait-il possible, à des moments déterminés, que vous tiriez sur des secteurs précis de la ville ?

Il a changé d'attitude, constate Desfosseux. Ses yeux paraissent plus durs, maintenant. Un instant, l'artilleur a l'impression de voir luire une canine. Comme celle d'un loup.

– Je ne suis pas sûr que vous compreniez la portée de ce que vous me suggérez.

– Vous vous trompez, répond l'autre. Je la comprends très bien. Qu'en dites-vous ?

– Je pourrais le tenter, naturellement. Mais je vous ai déjà dit que la précision…

Nouvelle bouffée de cigare, suivie de la fumée correspondante. Le policier semble s'animer par moments.

– Votre problème, ce sont les bombes, commente-t-il avec aplomb. Le mien, c'est de trouver un assassin. Je vous donne les indications pour que vous atteigniez des endroits précis. Des secteurs qui soient faciles à viser… – Il indique le plan. – Quels sont les plus accessibles ?

Desfosseux est stupéfait.

– Eh bien… Mais c'est irrégulier. Je…

– Irrégulier ? Qu'est-ce que vous me chantez là ? C'est votre travail.

L'artilleur ne tient pas compte du ton quasi insolent du commentaire. En fin de compte, sans le savoir, le policier a mis en plein dans le mille. Maintenant c'est Desfosseux qui se penche sur le plan en rapprochant la chandelle pour mieux l'éclairer. Droites et courbes, poids et espolettes. Portées. Dans sa tête, il trace déjà des paraboles parfaites et des points d'impact précis. C'est comme retomber dans une fièvre chronique et se laisser emporter par elle.

– Dans les conditions adéquates, et avec la portée dont je dispose actuellement, les zones les plus accessibles sont celles-ci… – Son index suit le contour oriental de la ville. – Pratiquement toute cette bande, 200 toises à l'ouest du rempart.

– De la pointe de San Felipe à la Porte de Terre?

– Plus ou moins.

L'Espagnol semble satisfait. Il acquiesce sans lever les yeux. Puis il indique un point marqué au crayon.

– Cet endroit se trouve dans cette zone. La rue San Miguel avec la côte de la Murga. Pourriez-vous essayer là, à des jours et des heures déterminés?

– Je pourrais. Mais je vous ai dit que la précision…

Desfosseux fait de rapides calculs mentaux. Relations du poids et de la force de la poudre adéquate, avec la charge exacte. Ce serait possible, conclut-il. Si les conditions sont bonnes, et sans vent fort soufflant en sens opposé ou de travers qui dévierait les projectiles ou raccourcirait leur portée.

– Elles doivent exploser?

– Il le faut.

Le capitaine pense déjà à des espolettes, avec les nouvelles amorces qu'il a dessinées et qui garantissent leur combustion. À cette distance, elles sont fiables. Ou presque. En tout cas, ça peut se faire, décide-t-il. Ou on peut le tenter.

– Je ne garantis pas la précision, de toute manière… Je vous dirais, en confidence, que ça fait des mois que j'essaye d'atteindre le bâtiment de la Douane, où se réunit la Régence. Et rien.

– Voilà la zone qui m'intéresse. Les alentours de ce point.

L'artilleur, à présent, ne regarde plus le plan, mais le policier.

– Je me suis d'abord demandé si vous n'étiez pas fou à lier. Mais je me suis sérieusement informé quand est arrivée votre lettre… Je sais qui vous êtes et ce que vous faites.

L'autre ne dit rien. Il se borne à le regarder, le cigare fumant planté entre ses dents.

– De toute façon, ajoute Desfosseux, pourquoi devrais-je vous aider ?

– Parce que personne, qu'il soit espagnol ou français, n'apprécie qu'on tue des jeunes filles.

Ce n'est pas une mauvaise réponse, concède le capitaine dans son for intérieur. Même le lieutenant Bertoldi serait d'accord. Néanmoins, il refuse de continuer sur ce terrain. La canine de loup qu'il a entrevue quelques instants plus tôt dissipe tout malentendu. Ce n'est pas un bienfaiteur du genre humain qu'il a devant lui. C'est seulement un policier.

– Nous sommes en guerre, monsieur, répond-il en prenant ses distances. Les gens meurent tous les jours, par centaines ou par milliers. Moi-même, en tant qu'artilleur de l'armée impériale, j'ai l'obligation de tuer autant d'habitants de cette ville qu'il me sera possible… Y compris vous, ou des jeunes filles comme celles-là.

L'autre sourit. D'accord, exprime sa mimique, mais gardons la musique pour les violons.

– Ne me racontez pas d'histoires, dit-il abruptement. Vous savez que vous devez m'aider. Je le lis sur votre visage.

Maintenant, c'est l'artilleur qui éclate de rire.

– Je rectifie. Vous êtes vraiment fou.

– Non. Je me borne à livrer ma propre guerre.

Il l'a dit en haussant les épaules avec une simplicité maussade et inattendue. Cela laisse Desfosseux songeur. Ce qu'il vient d'entendre, il peut parfaitement le comprendre. Chacun, conclut-il, a ses propres trajectoires d'artillerie à résoudre.

– Et mon homme ?

Le policier le regarde, déconcerté.

– Quel homme ?

– Celui que vous gardez prisonnier.

Les traits de l'Espagnol se détendent. Il a compris. Mais il ne paraît pas étonné du tour pris par la conversation. On dirait qu'il l'a prévu.

– Il vous intéresse vraiment?

– Oui. Je veux qu'il vive.

– Alors il vivra. – Un sourire indéchiffrable. – Je vous le promets.

– Je veux que vous nous le rendiez.

Le policier penche la tête, l'air d'étudier la question.

– Je peux essayer, sans plus, dit-il enfin. Mais je vous le promets aussi : j'essaierai.

– Donnez-moi votre parole.

Le policier le regarde avec une surprise cynique.

– Ma parole ne vaut pas un clou, capitaine. Mais je vous l'expédierai ici, si c'est en mon pouvoir.

– Qu'est-ce que vous vous proposez de faire, dans ces conditions?

– Tendre un piège. – Le croc de loup luit encore une fois. – Avec un appât, si c'est possible.

*

Un rayon de soleil se reflète dans l'eau et illumine la ville blanche dans sa ceinture de remparts bruns; comme si, d'un coup, cette lumière retenue jusque-là par les nuages bas se déversait à flots du haut du ciel. Ébloui par la clarté subite, Pepe Lobo plisse les paupières et incline davantage son chapeau en avant, en l'enfonçant bien pour que le vent ne l'emporte pas. Il est debout sous les haubans de tribord et tient une lettre dans les mains.

– Que penses-tu faire? demande Ricardo Maraña.

Ils parlent à voix basse. Ce qui explique le tutoiement sur le pont. Le second de la *Culebra* est accoudé à la lisse, près de son capitaine. Le cotre se trouve à l'ancre à peu de distance de l'extrémité de la jetée, la proue face à un fort vent de sud sud-est qui oriente son bout-dehors vers Puntales et le fond de la baie.

– Je n'ai pas encore décidé.

Maraña penche légèrement la tête de côté, l'air sceptique. De toute évidence, il désapprouve tout cela.

– C'est une idiotie, dit-il. Nous partons après-demain.

Pepe Lobo regarde de nouveau la lettre : pliée en quatre, sceau de cire, écriture élégante et claire. Trois lignes et une signature : Lorenzo Virués de Tresaco. Elle a été apportée il y a un peu plus d'une demi-heure par deux officiers de l'Armée qui sont arrivés dans un canot loué sur le quai, cérémonieux dans leurs vestes mouillées par les embruns, en gants blancs, le sabre entre les jambes, assis, très raides, pendant que le patron du canot ramait contre le vent et demandait la permission de s'accrocher aux cadènes. Les militaires – un lieutenant du génie et un capitaine du régiment d'Irlande – n'ont pas voulu monter à bord et ont donc expédié leur affaire depuis le canot avant de repartir sans attendre de réponse.

– Quand dois-tu répondre ? s'informe Maraña.

– Avant midi. Le rendez-vous est pour cette nuit.

Il passe la lettre au second. Celui-ci la lit en silence et la rend.

– L'affaire a donc été si grave ?… De loin, on ne l'aurait pas cru.

– Je l'ai traité de lâche. – Lobo fait, de la main, un geste fataliste. – Devant tout ce beau monde.

Maraña esquisse un sourire. Très faible. Comme si, en place de salive, il avait du givre dans la bouche.

– Bon, dit-il. C'est son problème. Tu n'es pas obligé.

Les deux marins restent immobiles et silencieux sous les haubans, dans les hurlements du vent, en contemplant le quai et la ville. À proximité du cotre passent, ris pris, des voiles de toutes sortes : carrées, latines, au tiers. Les canots et les petites embarcations vont et viennent sur la mer qui moutonne, entre les gros navires marchands, tandis que les frégates et les corvettes anglaises et espagnoles, mouillées plus loin pour s'abriter de l'artillerie française, se balancent sur leurs ancres, groupées autour de vaisseaux britanniques de soixante-quatorze canons, voiles serrées et vergues basses.

– Le moment est mal choisi, dit brusquement Maraña. Nous partons en campagne, après tout ce temps perdu... Tous ces hommes dépendent de toi.

Il s'est tourné à demi pour désigner le pont. Le maître d'équipage Brasero et les autres passent au goudron les manœuvres dormantes et les jointures du plancher qu'ils lavent ensuite et polissent avec des brosses et des pavés de grès. Pepe Lobo observe leurs visages tannés, suants, identiques à ceux qu'on peut voir derrière les barreaux de la Prison royale – et il est vrai que certains en viennent. Torses tatoués et autres marques évidentes de la racaille maritime. Dans les dernières quarante-huit heures, l'équipage s'est vu privé de deux hommes : l'un poignardé hier dans une rixe, rue Sopranis, et l'autre à l'hôpital, atteint du mal français.

– Tu vas me faire pleurer, lieutenant... Quand tu parles comme ça de nos hommes, tu me fends le cœur.

Du coup, Maraña rit franchement, dents serrées, avant de s'interrompre, ébranlé par la toux déchirante et grasse. Il se penche par-dessus bord et crache dans la mer.

– Si ça tournait mal, dit Lobo, tu me remplacerais très bien à bord.

Le second, qui reprend son souffle, a sorti le mouchoir d'une manche et se le passe sur les lèvres.

– Ne m'embête pas, murmure-t-il d'une voix encore étouffée. Je préfère que les choses restent comme elles sont.

Un coup de tonnerre par bâbord, à deux milles. Presque en même temps, un boulet de canon, tiré il y a dix secondes de la Cabezuela, fend le vent au-dessus du mât de la *Culebra* en direction de la ville. Tous les hommes sur le pont lèvent la tête et suivent du regard la trajectoire du projectile, qui tombe au-delà du rempart sans bruit ni effets apparents. Visiblement déçu, l'équipage retourne à ses travaux.

– Je crois que j'irai, décide Pepe Lobo. Tu m'accompagneras en qualité de témoin.

Maraña acquiesce, comme si la chose allait de soi.

– Il en faudra un deuxième, suggère-t-il.

– Sottise. Tu suffiras largement.

Autre détonation à la Cabezuela. Autre bruit d'air déchiré qui fait de nouveau lever toutes les têtes. Cette fois non plus, il ne semble pas y avoir de dégâts dans la ville.

– Le lieu proposé n'est pas mauvais, commente Maraña d'une voix neutre. Sur le récif de Santa Catalina, à l'heure prévue, c'est marée basse... Cela vous laisse le temps et l'espace nécessaires pour expédier l'affaire.

– Avec cet avantage que, comme c'est situé extra-muros, nous ne sommes pas vraiment affectés par les ordonnances de la ville... On reste plus ou moins dans les limites de la légalité.

Maraña penche la tête de côté, vaguement admiratif.

– Parfait. Je l'ai bien étudié, ce petit militaire aragonais. C'est visible qu'il est jaloux de toi depuis l'histoire de Gibraltar, je suppose.

– C'est moi qui suis jaloux de lui.

Lobo, qui continue de regarder en direction de la mer et de la ville, remarque du coin de l'œil que son second l'observe avec beaucoup d'attention. Quand il se tourne vers lui, Maraña s'empresse de regarder ailleurs.

– Je choisirais le pistolet, suggère le second. C'est plus rapide et plus propre.

Une quinte de toux l'interrompt de nouveau. Cette fois le mouchoir se teint de taches rouges. Il le plie soigneusement avant de le remettre dans sa manche d'un air indifférent.

– Écoute, commandant. Tu as encore un tas de choses à faire à bord. Des responsabilités, et tout ça. Pourtant...

Il s'arrête un instant, perdu dans ses pensées. Comme s'il avait oublié ce qu'il voulait dire.

– Je n'ai plus guère de cartes dans mon jeu. Plus rien à perdre.

Puis il s'étire en dominant la lisse, maigre et pâle, comme s'il cherchait la provision d'air frais qui manque à ses poumons en lambeaux. L'élégant habit noir, ajusté, en bon drap et à longues basques, accentue son allure distinguée, équivoque, de jeune homme de bonne famille tombé là par hasard. En l'observant, Lobo pense que le Petit Marquis a eu vingt et un ans il y a deux mois et qu'il n'atteindra pas les vingt-deux. Il fait tout son possible pour ça.

– Au pistolet, je suis bon, commandant. Meilleur que toi.

– Va au diable, lieutenant.

L'ordre, ou la suggestion, glisse sur l'impassibilité de Maraña.

– Au point où j'en suis, jouer avec des cinq ou avec des as, pour moi c'est du pareil au même…, commente-t-il avec sa froideur habituelle. C'est toujours mieux que de crever en crachant du sang dans une taverne.

Pepe Lobo lève une main. Il n'apprécie guère le tour qu'a pris la conversation.

– Oublie ça. Cet individu est mon affaire.

– Tu sais que j'aime bien certaines choses. – Un sourire indéfinissable, un peu cruel, tord la bouche du second. – Marcher sur le fil.

– Pas à mes dépens. Si tu es si pressé, jette-toi à l'eau avec un boulet de canon dans chaque poche.

L'autre se tait, comme s'il pesait sérieusement les avantages et les inconvénients de la proposition.

– C'est la patronne, n'est-ce pas ? dit-il enfin. C'est elle, le fin mot de l'histoire.

Il ne s'agit pas, c'est évident, d'une question. Les deux hommes demeurent un moment penchés par-dessus bord, regardant dans la même direction : la ville s'étend devant eux comme un immense navire qui, au gré de la lumière et de la mer, semble tantôt à flot, tantôt échoué sur les récifs affleurant sous les remparts. Puis Maraña sort un cigare et le plante entre ses lèvres.

– Bien. J'espère que tu tueras ce salaud. Pour les ennuis qu'il nous cause.

*

Les bureaux de l'Intendance de la Marine royale occupent un bâtiment de deux étages sur la rue principale de l'île de León. Cela fait une heure et demie que Felipe Mojarra – courte veste brune, foulard à carreaux sur la tête, navaja glissée dans la large ceinture et espadrilles aux pieds – attend dans l'étroit couloir du rez-de-chaussée, avec une vingtaine de personnes : marins en uniforme, civils, vieillards et femmes en noir, des enfants dans les bras. Fumée des cigares et bourdonnement des conversations. Toutes tournent autour du même sujet : les pensions et les soldes qui n'arrivent pas. Un fusilier marin, courte veste bleue et buffleterie jaune croisée sur la poitrine, nonchalamment adossé à un mur souillé de traces de mains et de taches d'humidité, monte la garde devant le bureau « Paies et Contrôle ». Au bout d'un moment, un employé de la Marine passe la tête par la porte entrouverte.

– Au suivant.

Les autres regardent Mojarra qui se fraie un passage et entre dans le bureau en prononçant un bonjour auquel personne ne répond. Il est venu si souvent qu'il connaît bien les lieux : le couloir, le bureau et ceux qui l'occupent. Là, derrière une table couverte de papiers et entourée de classeurs, dont l'un porte une demi-miche de pain et une bouteille de vin vide, un enseigne travaille, assisté d'un secrétaire. Le saunier s'arrête devant la table. Il ne connaît que trop les deux hommes – l'enseigne est toujours le même, mais les secrétaires se relaient. Mais il sait que, pour eux, il n'est qu'un visage parmi les douzaines qu'ils reçoivent chaque jour.

– Mojarra, Felipe… Je viens voir où en est le paiement pour la prise d'une canonnière.

– La date ?

Le saunier donne les détails pertinents. Il reste debout, car personne ne lui a offert la chaise qui se trouve dans un coin ; elle est posée délibérément à l'écart, pour éviter que ceux qui entrent puissent s'asseoir. Pendant que le secrétaire cherche dans les classeurs, l'enseigne revient aux documents qui sont sur la table. Là-dessus, l'autre lui présente un registre ouvert et un dossier bourré de feuillets manuscrits.

– Vous avez dit Mojarra ?

– C'est ça. Il faut chercher aussi les noms de Francisco Panizo et de Bartolomé Cárdenas, présentement décédé.

– Je ne vois rien.

C'est le secrétaire qui, debout à côté de l'enseigne, indique une ligne sur le registre. L'ayant lu, l'autre ouvre le dossier et cherche dans les documents qu'il contient jusqu'à ce qu'il trouve le bon.

– Oui, c'est là. Demande de prime pour la capture d'une canonnière française au moulin de Santa Cruz… Pas de décision pour l'instant.

– Comment dites-vous ?

L'enseigne hausse les épaules sans lever les yeux. Des yeux globuleux dans un visage au poil rare qui aurait besoin d'être rasé. L'air las. Le col de la veste bleue, négligemment déboutonnée, laisse voir une chemise d'une propreté douteuse.

– Je dis que rien n'a été décidé, répond-il avec indifférence. Que l'affaire n'est toujours pas réglée par mes supérieurs.

– Mais le papier qui est là…

Un coup d'œil méprisant, bref. De fonctionnaire occupé.

– Vous savez lire ?

– Pas très bien… Non.

L'autre tapote sur le document avec un coupe-papier.

– Ceci est une copie du rapport original : la demande introduite par vous et vos compagnons, qui n'a pas encore été approuvée. Il faut la signature du lieutenant général, et ensuite celles du contrôleur et du trésorier de la Marine.

– Mais elles devraient déjà y être, je crois.

– Tant qu'ils n'ont pas refusé, vous pouvez déjà vous tenir pour satisfait.

– Ça dure depuis très longtemps.

– Qu'est-ce que vous voulez que j'y fasse ? – D'un geste las, dur, l'enseigne désigne la porte avec son coupe-papier. – Même si j'avais l'argent, ce serait pareil.

Considérant l'affaire terminée, il reporte les yeux sur ses papiers. Mais il les relève aussitôt, en se rendant compte que le saunier n'a pas bougé.

– Je vous ai dit…

Il s'interrompt en observant la manière dont Mojarra le regarde. Puis il observe aussi les mains dont les pouces sont passés dans la ceinture, d'un côté et de l'autre de la navaja qui est glissée dedans. Les traits durs, tannés par le soleil et les vents des étiers, de l'homme qui se tient face à lui.

– Écoutez, monsieur l'officier, dit le saunier sans changer de ton. Mon beau-frère est mort pour cette chaloupe française… Et moi je me bats dans l'Île depuis le début de la guerre.

Il s'en tient là, sans détourner le regard. Son calme n'est qu'apparent. Si tu sors encore une impertinence, pense-t-il, il va s'occuper de toi et tout sera fichu. Aussi vrai que Dieu existe. L'enseigne, qui semble pénétrer la pensée de Mojarra, dirige un rapide regard vers la porte derrière laquelle se tient le fusilier marin. Puis il se reprend.

– Ces affaires sont comme ça, elles prennent du temps… La Marine est à court de fonds, et cela fait beaucoup d'argent.

Cette fois, le ton est différent. Forcé et conciliant. Moins dur. Prudent. Les temps ne sont pas sûrs, avec cette

Constitution en marche; et on ne sait jamais quelles mauvaises rencontres vous réserve la rue. Debout, le dossier dans les bras, le secrétaire assiste à la scène sans desserrer les dents. Mojarra croit deviner une satisfaction secrète dans la façon dont il fixe son supérieur.

– Mais nous sommes dans le besoin, argumente-t-il.

L'enseigne fait un geste d'impuissance. Maintenant, au moins, il paraît sincère. Ou il veut le paraître.

– Vous touchez votre solde, mon ami?

Le saunier acquiesce, méfiant.

– Des fois. Avec un peu de quoi manger.

– Eh bien, vous avez de la chance. Pour la nourriture, surtout. Les gens qui attendent dans le couloir sont dans le besoin, eux aussi. Ils ne peuvent pas se battre, ils ne sont utiles à rien, et ils n'ont même pas ce que vous recevez... Regardez-les en sortant: des vieux marins dans la misère parce qu'ils ne touchent pas leur pension, des mutilés, des veuves et des orphelins sans aucun secours, des soldes que personne ne paie depuis vingt-neuf mois. Chaque jour, je vois passer par cette porte des cas plus graves que le vôtre... Qu'est-ce que vous attendez de moi?

Sans répondre, Mojarra va vers la porte. Sur le seuil, il s'immobilise un instant.

– Que vous nous traitiez avec humanité, répond-il durement. Et que vous ne nous manquiez pas de respect.

*

Sur le récif que la marée basse laisse à découvert, à 500 vares au-delà du fort de Santa Catalina, près de la Caleta, une lanterne posée sur le sol irrégulier de calcaire coquillier éclaire de loin deux hommes immobiles, debout à quinze pas l'un de l'autre et chacun à une extrémité du diamètre du cercle de lumière. Ils sont tous deux tête nue et sans manteau. L'usage voudrait qu'ils soient en manches de chemise ou le torse à l'air en cas de blessure – trop d'étoffe sur le corps augmente le risque de fragments dispersés et d'infection –, mais il est deux heures du matin et le froid est vif. Être entièrement dévêtu ferait trembler le poignet au moment de viser ; de plus, un tel tremblement pourrait être mal interprété par les témoins de la scène : quatre hommes qui, enveloppés dans des pardessus et des capes, se découpent sur les éclats lointains du phare de San Sebastián, formant un groupe à part, silencieux et solennels. Des deux adversaires, l'un porte une veste d'uniforme bleue, un pantalon moulant de même couleur et des bottes militaires ; l'autre est vêtu de noir. Même le foulard qui cache le col de sa chemise est de cette couleur. Pepe Lobo a décidé de suivre le conseil avisé de Ricardo Maraña : toute couleur claire constitue un repère pour le tir de l'autre. Alors fais comme je te dis, commandant. En noir et de profil, tu offres moins de prise à une balle.

Très calme, tandis qu'il attend le signal, le corsaire tente de se décontracter. Il respire posément, en aiguisant ses sens. Il s'efforce de ne pas avoir autre chose en tête que la silhouette qui est en face. Sa main droite, qu'il tient le long du corps, presse contre sa cuisse le poids d'un pistolet à platine à pierre, à canon long, qui convient à ce genre d'affaire. Son jumeau est dans la main de l'adversaire, que Pepe Lobo ne peut distinguer tout à fait car il se trouve, comme lui-même, à la limite du cercle de lumière, éclairé d'en bas par la lanterne qui lui donne un aspect fantomatique, indécis entre ombre et clarté. La vision de chacun s'améliorera d'ici peu, quand le signal sera donné et que les adversaires marcheront vers la lanterne, de mieux en mieux éclairés à mesure qu'ils avanceront. Les règles arrêtées par les témoins sont simples : un seul tir à discrétion, avec la liberté de choisir le moment de faire feu pendant qu'ils iront l'un vers l'autre. De loin, celui qui tirera avant l'autre aura pour lui l'avantage de l'initiative, mais prendra aussi le risque, du fait de la distance, de manquer sa cible. Celui qui le fera de près aura une plus grande possibilité de bien viser, mais avec l'inconvénient d'être touché s'il attend trop longtemps pour appuyer sur la détente. C'est comme au jeu de sept et demi : le joueur qui dépasse ce chiffre perd, tout comme celui qui ne l'a pas atteint.

– Préparez-vous, messieurs, annonce gravement un des témoins.

Sans tourner la tête, Pepe Lobo regarde le groupe du coin de l'œil : deux officiers amis de son adversaire, un chirurgien et Ricardo Maraña. Des témoins suffisants pour certifier ensuite qu'il n'y a pas eu assassinat et que tout a été mené à l'extérieur de la ville, en conformité avec les règles de l'honneur et de la décence.

– Prêt, monsieur Virués ?

Bien qu'il n'y ait pas de vent et que seule arrive de la mer la rumeur paisible de l'eau qui monte et descend entre les rochers, Pepe Lobo n'entend pas la réponse de son vis-à-vis ; mais il le voit acquiescer brièvement de la tête sans cesser de le regarder. Le tirage au sort a fait que Lorenzo Virués tourne le dos à la mer, tandis que Lobo se trouve sur la partie du récif qui conduit à la Caleta et aux murs en forme de demi-étoile du fort de Santa Catalina. La marée, qui va bientôt commencer à monter, peut arriver jusqu'aux tiges de ses bottes d'ici quinze minutes. À ce moment-là, on suppose que tout sera réglé ; et qu'un des adversaires, sinon les deux, sera tombé sur la pierre humide où, pour l'instant, la lumière de la lanterne fait luire les flaques que la mer a laissées en se retirant.

– Prêt, monsieur Lobo ?

Le corsaire décolle ses lèvres l'une de l'autre – non sans

difficulté, car il a la bouche sèche – et prononce le bref « oui »
de rigueur. Il ne s'est encore jamais battu en duel, mais il a
tiré sur d'autres hommes et les a affrontés à coups de sabre
dans la folie des batailles navales, sur des ponts glissants de
sang alors que les canons ennemis faisaient voler mitraille
et éclats de bois. Dans un métier comme le sien, quand on
a pour unique patrimoine une existence qu'il faut risquer
dans le seul but de gagner son pain, *vie* et *mort* sont des
mots étroitement liés aux cartes distribuées par la Chance.
La sienne, cette nuit, est l'indifférence technique acquise à
force d'affronter le danger. La même que, pour des raisons
identiques, Lobo suppose chez son adversaire. Au-delà de
la rancune et des paroles prononcées, il sait que ce n'est
pas la crainte du qu'en-dira-t-on qui a conduit Virués ici,
mais bien ce vieux compte à régler qu'il n'a, lui aussi, cessé
d'ajourner depuis Gibraltar, aggravé ces derniers temps de
détails supplémentaires.

– Soyez prêts à avancer, messieurs… À mon signal.

Tendu, avant de faire le vide dans son esprit pour se
concentrer sur le pistolet à lever et la distance à parcourir,
une dernière pensée traverse Pepe Lobo : aujourd'hui, il a
terriblement envie de vivre. Ou, plus exactement, de tuer
son adversaire. De l'effacer à jamais du monde. Le corsaire ne se bat pas pour défendre un prétendu honneur
dont, à ce stade de sa vie et de sa carrière, il se moque éper-
dument. L'honneur, ses simagrées et ses grotesques conséquences – qui se révèlent toujours diablement fâcheuses –,
il les laisse à ceux qui ont les moyens de se les permettre.
Il est venu sur le récif de Santa Catalina avec l'intention de
coller une balle à Lorenzo Virués : un bon coup de pistolet en
pleine poitrine qui effacera de son visage l'expression, supérieure et stupide, d'un homme qui regarde le monde avec la
simplicité d'un temps révolu. Qui ignore, par naissance ou
par chance, combien il est difficile de survivre quand on

doit se contenter de l'ombre qui vous est échue, et combien il fait terriblement froid dehors. Dans tous les cas, se dit une dernière fois Pepe Lobo avant de ne plus penser qu'à sa vie ou à sa mort, quoi qu'il arrive, Lolita Palma croira qu'il l'a fait pour elle.

– Avancez!

Tout maintenant, autour de lui, n'est plus qu'ombre et pénombre, obscurité qui cerne comme un rideau noir le cercle de lumière dont Lobo voit augmenter l'intensité tandis qu'il marche vers le centre, lentement, en essayant de se déplacer le plus possible de profil, surveillant l'homme qui, se déplaçant aussi, se découpe de plus en plus net et de plus en plus proche. Un pas. Deux. Il s'agit de bien assurer ses pieds et ne pas cesser de viser. Tout se réduit à cela, désormais. Ce n'est pas la tête, mais l'instinct, qui calcule la distance et le moment de faire feu; ce qui retient le doigt crispé qui frôle la détente, luttant contre l'envie irraisonnée de tirer avant que l'autre ne le fasse. De se dépêcher d'en finir. Ainsi se meut le corsaire, prudent, dents serrées, avec la sensation que ses muscles se contractent d'eux-mêmes, dans l'attente de l'impact, sec, d'un morceau de plomb. Trois pas, déjà. Ou peut-être quatre. Ce chemin semble être, ou est vraiment, le plus long du monde. Le sol est irrégulier et la main levée qui tient le pistolet, bras horizontal et coude légèrement plié, a du mal à garder la silhouette de l'adversaire dans sa ligne de tir.

Cinq pas. Six.

L'éclair fait sursauter Pepe Lobo. Il est tellement concentré sur sa progression et sur la nécessité de garder le pistolet pointé qu'il n'entend pas le coup partir. Il aperçoit seulement le flamboiement subit qui jaillit de l'arme de son adversaire, pendant qu'il fait un effort violent pour ne pas appuyer à son tour sur la détente. La balle passe à un pouce de son oreille droite, avec son vrombissement sinistre de grosse mouche en plomb.

Sept pas. Huit. Neuf.

Il ne ressent rien de particulier. Ni satisfaction, ni soulagement. Rien que la certitude qu'il pourra vivre, semble-t-il, un peu plus longtemps que ce qui était envisageable cinq secondes plus tôt. Finalement, il est parvenu à ne pas tirer, contrairement à ce qui se passe d'ordinaire en un tel cas, et il garde pointé le pistolet en continuant d'avancer. À mesure qu'il se rapproche, il peut voir, à la lumière de la lanterne qu'il est sur le point de rejoindre, le visage décomposé de Lorenzo Virués. Le militaire s'est arrêté, sans avoir encore baissé complètement le pistolet fumant, comme indécis entre le moment du coup de feu et la certitude de l'échec et du désastre. Le corsaire sait parfaitement ce qui se fait en pareille occasion. Et aussi ce qui ne se fait pas. Il existe toujours la possibilité, très appréciée dans la bonne société, de tirer sans avancer davantage, ou de le faire en l'air, dans un geste d'apaisement. Passé le moment crucial de l'échange de tirs souvent simultané, aucun homme honorable ne fait feu de près et de sang-froid.

– Pour l'amour de Dieu, monsieur ! s'exclame un des témoins.

Il lui demande probablement d'en rester là, pense Lobo. Un appel à l'honneur ou une imploration à la clémence. Pour sa part, Virués n'ouvre pas la bouche. Il a les yeux fixés, comme magnétisés, sur le canon du pistolet qui approche. À aucun moment, il ne cesse de le regarder ; pas même quand, arrivé devant lui, Pepe Lobo abaisse l'arme vers sa cuisse droite et, à bout portant, appuie sur la détente pour, d'une balle, lui briser le fémur.

*

Il fait presque nuit noire, avec un léger clair de lune à son déclin qui éclaire les terrasses blanches et les tours de vigie des grandes demeures. Une lanterne municipale brille au loin, du côté de la rue des Carmes Déchaux ; mais sa lumière n'arrive pas jusqu'à l'étroit porche sous lequel se tient Rogelio Tizón. Il est difficile de distinguer, dans les ténèbres, la niche où l'archange écrase le diable, épée en main, dominant le coin de la rue San Miguel et de la côte de la Murga.

Une forme à peine visible, mais aux contours clairs, se déplace lentement en se découpant par instants sur la lumière lointaine de la lanterne. Tizón la regarde s'approcher, passer sous la niche de l'archange et s'éloigner vers le bout de la rue. Après avoir observé le carrefour dans toutes les directions et sans voir personne d'autre, le commissaire revient se poster contre le mur. Une longue nuit, comme on pouvait s'y attendre. Une parmi d'autres, c'est à craindre. Mais la principale qualité d'un chasseur est la patience. Et cette nuit, il chasse. Avec un appât mobile.

La forme aux contours plus clairs rebrousse chemin pour revenir vers le carrefour. Le bruit de ses pas lents et traînants résonne dans le silence total de la rue sans lumière derrière les jalousies des fenêtres. Si son adjoint Cadalso ne s'est pas endormi, estime le commissaire, il voit en ce moment l'appât qui doit être arrivé à l'endroit où il est aussi aux aguets, surveillant cette portion de rue depuis la fenêtre d'une boutique située sur la petite place de la Boucherie. À l'autre bout du parcours se tient un autre agent, au coin de la rue du Vestiaire, là où se trouve la lanterne des Déchaux. À eux trois, ils couvrent ainsi un pâté de maisons et le départ des rues adjacentes, avec le carrefour de l'archange comme axe principal. Le plan original prévoyait d'autres hommes dans les alentours, couvrant une plus vaste surface ; mais la possibilité qu'un déploiement excessif attire trop l'attention en a dissuadé Tizón au dernier moment.

L'appât s'arrête devant un porche, et sa silhouette se

découpe sur la clarté qui émane de la lanterne lointaine. De sa cachette, le commissaire aperçoit nettement la tache claire du manteau blanc qui sert en même temps de leurre pour l'assassin et de repère visuel pour lui et ses agents. Naturellement – avec Tizón comme maître d'œuvre, nul ne s'en étonnera –, la fille ignore le danger qu'elle court et son rôle réel dans l'aventure. C'est une très jeune prostituée de la Merced ; la même que, dans le passé, le commissaire a vue nue, allongée à plat ventre sur une couche immonde pendant qu'il promenait le bout de sa canne sur son dos et découvrait les abîmes qu'il portait en lui. Son nom est Simona. Elle a maintenant seize ans, et son aspect, en pleine lumière, est moins innocent et moins frais qu'à l'époque – d'avoir exercé ce métier tout ce temps à Cadix laisse des traces –, mais elle conserve, au premier coup d'œil, un air fragile avec ses cheveux presque blonds et sa peau claire, jeune. Tizón n'a pas eu beaucoup de mal à la convaincre ; quinze douros à son maquereau – un certain Carreño, ruffian connu – sous le prétexte d'attirer des hommes mariés du voisinage pour les faire ensuite chanter à loisir. Ou quelque chose comme ça. Que le susnommé Carreño ait gobé ou non le mensonge est sans importance : il a empoché les douros et l'indulgence future du commissaire sans rien demander, et surtout pas si ça n'aurait pas un rapport avec les histoires de femmes assassinées qui circulent parfois dans la ville. Ce n'est pas son affaire, et encore moins quand c'est Rogelio Tizón qui monte le coup. Et puis, comme il l'a dit en donnant son accord, les putes sont faites pour ça, monsieur. Pour être putes et servir ces messieurs les commissaires quand ils sont généreux. Quant à Simona, elle s'est pliée à la situation avec le fatalisme de la fille qui accepte, soumise, tout ce que son homme – celui du moment, quel qu'il soit – décide. En fin de compte, que ce soit pour des habitants mariés ou pour des célibataires et des militaires avec ou sans grade, se promener de nuit dans une rue plutôt que dans une autre, pour elle, ça ne change pas grand-chose. C'est toujours la même corvée.

La tache claire du manteau est repartie. Rogelio Tizón la suit du regard jusqu'au coin de la rue du Vestiaire, où il la voit s'arrêter, silhouette immobile contre la lumière lointaine de la lanterne. Il y a un moment, elle a été croisée par un homme dont la présence a alerté le commissaire : mais il s'est révélé n'être qu'un simple passant auquel la fille, dûment avertie, n'a pas prêté attention. Ses instructions sont précises : n'aborder personne, demeurer dans l'expectative. Des trois hommes qui sont passés près d'elle jusqu'à maintenant, un seul s'est arrêté pour lui adresser un chapelet d'obscénités avant de poursuivre son chemin.

Le temps passe, et Tizón est fatigué. Il s'assiérait bien sur une marche, à l'abri du porche, en appuyant sa tête contre le mur pour piquer un petit somme. Mais il sait que c'est impossible. Et quand il pense à ça, il forme des vœux pour que Cadalso et l'autre agent résistent eux aussi à la tentation de fermer les paupières. Les images de la rue, les ombres et la tache claire du manteau qui monte et redescend l'allée pavée s'entrecroisent dans sa tête, proche de la somnolence, avec les souvenirs des filles mortes. Avec les scènes de la ville sur l'échiquier dont, cette nuit, toutes les cases semblent noires. En s'efforçant de garder les yeux ouverts, Tizón rabat son chapeau sur sa nuque et déboutonne sa redingote pour que la fraîcheur de la nuit le tienne éveillé. Il maudit la terre entière. Il serait capable de tuer pour un cigare.

Il ferme un moment les yeux et, quand il les rouvre, il voit la fille tout près. Elle est venue se placer à côté de lui d'une façon qui s'inscrit naturellement dans ses allées et venues. Elle s'arrête à un pas du porche, tournée vers la rue, manteau sur les épaules et tête nue, sans rien faire qui trahisse la présence du policier ; elle sait feindre et être discrète, constate celui-ci en contemplant le contour de ses épaules dans la douce clarté que la lune répand sur le haut des maisons et la lueur de la lanterne qui brûle au bas de la rue.

– Je n'ai pas de chance, cette nuit, dit la fille à voix basse, en lui tournant toujours le dos.

– Tu fais ça très bien, murmure-t-il sur le même ton.

– J'ai cru que le dernier allait s'arrêter, mais non. Il s'est contenté de me regarder et il a poursuivi son chemin.

– Tu as pu voir son visage?

– Pas vraiment. La lanterne était trop loin… Il m'a semblé fort, avec une tête de bœuf.

La description retient un instant l'intérêt du commissaire. Une des questions qu'il s'est posées ces derniers temps est de savoir dans quelle mesure la figure d'un individu peut correspondre à son caractère et à ses intentions. Parmi les nombreux chemins où il a tâtonné en aveugle, figurent les idées contenues dans un livre qu'Hipólito Barrull lui a donné à lire voici quelques mois : la *Fisiognomía* de Giovanni della Porta. Un traité écrit il y a deux cents ans, mais intéressant pour un policier : jusqu'à quel point est-il possible de deviner les qualités et les défauts d'un individu à partir de ses traits physiques ? Il s'agit d'une sorte d'art conjectural – l'appeler science serait excessif, a nuancé le professeur en lui prêtant le livre – selon lequel les êtres humains dangereux, portés au crime ou au délit, auraient tendance à manifester ces prédispositions à travers leur visage et leur corps. À l'époque, Tizón a dévoré ces pages, après quoi il a parcouru Cadix, continuellement sur ses gardes, méfiant et inquisiteur, en tentant de découvrir le visage d'un assassin parmi les milliers croisés quotidiennement. Cherchant des têtes pointues, signe de méchanceté, des fronts étroits trahissant les imbéciles et les ignares, des sourcils clairsemés et qui se rejoignent désignant la propension au vice, des dents de cheval montrant une disposition pour le mal, de vilaines oreilles de bouc lubrique, des nez crochus indiquant l'impudeur et la cruauté – la tête de bœuf ou de vache étant liée, se souvient Tizón, à la paresse et à la lâcheté. L'expérience s'est achevée par une matinée ensoleillée : quand, en s'arrêtant devant la vitrine d'une boutique d'éventails pour allumer un cigare, le commissaire a vu le reflet de son visage dans la glace et s'est rendu compte que, d'après les théories physiognomoniques, son nez aquilin dénotait sans discussion possible générosité et noblesse. Le soir même, il rendait le livre à Barrull, et, depuis, il a cessé d'y penser.

– Si vous voulez, monsieur, je peux vous distraire un peu.

Simona a parlé dans un murmure. Elle lui tourne toujours le dos, faisant face à la rue comme si elle était seule.

– Une petite gâterie, vite fait, ajoute-t-elle.

Tizón ne doute pas de l'efficacité et de la prestesse de la fille, mais il ne lui faut pas trois secondes pour écarter l'idée. Ce n'est vraiment pas le moment, décide-t-il.

– Une autre fois, peut-être, chuchote-t-il.

– À votre guise.

Indifférente, Simona repart vers la rue San Miguel et s'enfonce dans la pénombre jusqu'à ce qu'on ne distingue plus que la tache claire de son manteau qui s'éloigne. Rogelio Tizón décolle son dos du mur et change de position en étirant ses membres engourdis. Puis il regarde le ciel nocturne au-delà du coin de la rue où se trouve la niche de l'archange. Un drôle de personnage, ce Français, se dit-il pour la énième fois. Avec ses canons, ses trajectoires de tir et sa méfiance du début ; et, à la fin, sa curiosité technique qu'il n'a pu cacher et qui a primé sur tout le reste. Le policier sourit en se souvenant de la manière dont le capitaine d'artillerie a demandé les dernières données, les précisions sur les lieux d'impact idéaux et le moyen de transmettre tout cela d'une rive à l'autre de la baie. Pourvu qu'il tienne parole cette nuit.

L'envie revient de fermer les paupières, dans cet état indécis où se mêlent les images de la nuit et les cauchemars de la mémoire. Chair déchiquetée, os mis à nu, yeux ouverts, fixes, voilés par une mince couche de poussière. Et une voix lointaine, à l'accent et au sexe imprécis, qui murmure d'étranges paroles comme *ici*, ou *à moi*. Le policier fait un bref somme, puis, dans un sursaut, relève brusquement la tête. Il regarde en direction de la rue San Miguel, en espérant voir réapparaître la tache claire du manteau. Un moment, il a cru voir une forme noire qui se déplaçait. Une ombre en train de glisser, collée aux façades d'en face. La somnolence, conclut-il, crée ses propres fantômes.

Il ne voit pas le manteau. Peut-être Simona s'est-elle arrêtée au bout de la rue. Inquiet d'abord, préoccupé ensuite, il scrute les ténèbres. On n'entend pas non plus les pas de la fille. Contenant son envie de sortir de son abri, Tizón avance prudemment la tête, en essayant de ne pas être trop visible. Rien. Juste l'obscurité de ce coin de rue et la lumière lointaine de la lanterne à l'autre extrémité. Dans tous les cas, elle devrait être en train de revenir. Trop de temps a passé. Trop de silence. L'image d'un échiquier revient se dessiner devant ses yeux, dans la nuit. Le sourire féroce du professeur Barrull. Vous n'avez pas vu le coup, commissaire. Il vous a de nouveau échappé. Vous avez commis une erreur, et vous perdez encore une pièce.

Le vent de panique s'abat sur lui alors qu'il est déjà hors du porche, en train de courir dans le noir sur les pavés vers le carrefour noyé dans l'ombre. Le manteau apparaît enfin : une tache claire abandonnée par terre. Tizón le dépasse, arrive au coin et s'arrête pour regarder dans toutes les directions en tentant de percer les ténèbres. Seule cette vague clarté qui tombe de la lune, déjà masquée par les toits, teinte de bleu les fers forgés des balcons et les rectangles obscurs des portes et des fenêtres, et intensifie le noir des renfoncements, des angles cachés de la rue silencieuse.

– Cadalso ! crie-t-il désespéré. Cadalso !

À sa voix, un des recoins sombres, une anfractuosité qui se prolonge comme une lézarde sinistre vers l'endroit le plus obscur de la place, semble s'agiter un instant, comme si une forme y prenait vie. Presque en même temps, une porte s'ouvre avec fracas derrière le commissaire, un rectangle de lumière coupe en diagonale la rue comme un coup de couteau, et les pas de Cadalso qui arrive résonnent violemment. Mais Tizón court déjà de nouveau, plongeant en aveugle dans un espace où, à mesure qu'il avance, il parvient à distinguer une forme tapie qui, soudain, se divise en deux ombres : l'une immobile au sol et l'autre qui s'écarte rapidement, collée aux façades. Sans s'arrêter à la première, le commissaire tente d'atteindre la seconde ; laquelle, en traversant la rue pour s'éloigner en direction de l'ancien hospice des Enfants Trouvés, se découpe subrepticement dans la clarté : une silhouette noire et rapide qui file sans bruit.

– Halte ! Police !... Halte !

Aux fenêtres voisines s'allument des bougies et des chandelles, mais Tizón et l'ombre qu'il poursuit les ont déjà laissées loin derrière, coupant rapidement par la petite place de la rue de Recaño vers l'hôpital des Femmes. L'effort brûle les poumons du policier, gêné en outre par sa canne – il a perdu son chapeau dans la course – et la longue redingote qui entrave ses jambes. L'ombre qu'il poursuit se déplace avec une incroyable rapidité, et il est de plus en plus difficile de garder la distance.

– Halte ! Halte !... À l'assassin !

La distance est maintenant trop grande, et l'espoir qu'un voisin ou un passant de hasard s'unisse à la poursuite est minime. Les gens marchent trop vite dans les rues, c'est une nuit d'hiver et il est presque deux heures du matin. Tizón sent que ses forces commencent à le trahir. Si au moins, pense-t-il avec désespoir, il avait emporté un pistolet !

– Fils de pute ! crie-t-il, impuissant, en s'arrêtant enfin.

Il suffoque. Et ce dernier cri lui donne le coup de grâce. Ahanant, émettant le râle rauque d'un soufflet crevé, plié en deux, la bouche grande ouverte cherchant de l'air pour ses poumons à vif, Tizón va s'appuyer au mur de l'hôpital et se laisse glisser peu à peu pour finir assis par terre en contemplant, hébété, le coin où l'ombre a disparu. Il reste ainsi un bon moment, recouvrant sa respiration. Puis, au prix de durs efforts, il se relève et marche lentement, clopinant sur ses jambes douloureuses, pour revenir à la place de la Boucherie, où il trouve des fenêtres éclairées, des voisins en chemise et bonnet de nuit à leur balcon ou devant leur porte. La fille est soignée chez l'apothicaire, l'informe Cadalso qui vient à sa rencontre, une lanterne sourde à la main. Simona est revenue à elle avec des sels et des compresses de vinaigre. L'assassin n'a pu lui donner qu'un coup, mais assez fort pour lui faire perdre connaissance.

– Elle a pu voir son visage ?... Un détail quelconque ?

– Elle est trop effrayée pour avoir la tête claire, mais il semble que non. Tout a été rapide et fait par-derrière. À peine l'a-t-elle senti arriver que déjà l'homme avait plaqué sa main sur sa bouche… Elle croit que c'est un individu pas très grand, mais agile et fort. Elle n'a rien vu d'autre.

Il a recommencé, se dit Tizón, découragé. Assommé par la frustration et la fatigue.

– Où voulait-il l'emmener ?

– Elle ne sait pas. Comme je vous l'ai dit, elle s'est évanouie en recevant le coup… Pour l'endroit, je crois qu'il la traînait vers la galerie qui se trouve derrière l'entrepôt de cordes et de sparteries quand nous lui sommes tombés dessus.

Ce pluriel indigne le commissaire.

– Nous ?... Où étais-tu donc, animal !... Ils ont dû te passer juste sous le nez.

Cadalso ne souffle mot. Contrit. Tizón, qui ne le connaît que trop, interprète correctement les faits. Mais même dans ces conditions, il n'arrive pas à y croire.

– Ne me dis pas que tu t'étais endormi!...

Le silence de son adjoint se prolonge suffisamment pour trahir sa culpabilité. Encore une fois, il ressemble à un gros molosse, gauche et muet, qui attend, les oreilles basses et la queue entre les jambes, la raclée de son maître.

– Écoute-moi bien, Cadalso...

– Dites.

Il le regarde fixement en réprimant l'envie de lui casser sa canne sur le crâne.

– Tu es un imbécile.

– Oui, monsieur le commissaire.

– Je chie sur ton père, sur ta mère et sur les braies de la Vierge.

– Partout où ça vous plaira, don Rogelio.

– Brute. Enculé de mes deux.

Tizón est fou de rage, sans vouloir encore accepter la défaite. Cette fois, il avait presque la main dessus. Juste à point. Au moins, se console-t-il, l'assassin n'a pas de raisons de soupçonner qu'il s'agissait d'un piège. Ce pouvait être une rencontre fortuite avec une ronde. Un imprévu. Bref, rien qui puisse empêcher une nouvelle tentative. Finalement résigné, mais ruminant sa déception, il regarde autour de lui : les voisins sont toujours aux portes et aux fenêtres.

– Allons voir la fille. Et dis à ces gens de rentrer chez eux. Il y a danger de...

Il est interrompu par un long gémissement qui traverse l'air. Cela fait « Raaaas ! » en direction de la rue San Miguel. Comme si, soudain, quelqu'un déchirait violemment une toile au-dessus de sa tête.

Et, à quarante pas de là, la bombe explose.

15

À Cadix, certaines ordonnances royales et municipales ne sont promulguées que pour ne pas être appliquées. Celle qui limite l'excès de manifestations publiques pendant le Carnaval en est une. Bien qu'officiellement il n'y ait pas de bals, de musiques ni de spectacles publics autorisés, chacun à sa manière se dépêche de profiter des derniers jours avant le Carême. Malgré l'intensification des bombardements français au cours des semaines précédentes – beaucoup de bombes, néanmoins, continuent de ne pas exploser ou de tomber dans la mer –, les rues fourmillent de monde : le petit peuple fait la fête dans ses quartiers, et la bonne société se partage entre soirées privées et joyeuse agitation des cafés. Passé minuit, la ville abonde en déguisements, masques, seringues d'eau, poudres et confettis de toutes les couleurs. Les familles, les groupes de parents et d'amis vont d'une maison à l'autre, croisant des bandes de Noirs, esclaves et libres, qui parcourent les rues en jouant du tambour et de la flûte. Dans la discussion – longue et vive, y compris aux Cortès – sur la question de savoir si la ville doit ignorer le Carnaval et conserver son austérité du fait de la guerre, ou s'il convient de démontrer aux Français que tout continue de suivre son cours normal, ce sont les partisans de la dernière solution qui l'ont emporté. Les terrasses arborent des lampions dont la lumière est visible depuis l'autre rive de la baie ; des navires à l'ancre ont allumé leurs feux, défiant les bombes ennemies.

Lolita Palma, Curra Vilches et le cousin Toño déambulent en se tenant par le bras sur la place San Antonio, esquivant en riant les groupes de masques qui s'agitent de toutes parts. Ils sont déguisés. Lolita a un large loup de taffetas noir qui ne laisse que sa bouche à découvert et est habillée en Arlequin, avec, par-dessus son costume, un domino blanc et noir. Curra, fidèle à son style, arbore avec son aplomb habituel une veste militaire, une jupe à trois rangées de franges et de pompons, un bonnet de cantinière et un masque en carton où sont peintes des moustaches. Le cousin Toño porte un masque vénitien et un élégant costume de torero : veste brodée à brandebourgs, pantalon très moulant et cheveux pris dans une résille, avec, glissés dans sa large ceinture en place de couteau d'Albacete, trois cigares cubains et une fiasque d'aguardiente. Ils sortent du bal du Consulat commercial où ils ont passé un bon moment, avec musique et rafraîchissements, en compagnie d'amis : Miguel Sánchez Guinea et sa femme, Antoñete Alcalá Galiano, Paco Martínez de la Rosa, l'Américain Jorge Fernández Cuchillero et d'autres jeunes députés libéraux. Maintenant, sous prétexte de prendre l'air, escortées du cousin Toño, les deux amies en profitent pour faire un tour, jouir de l'ambiance de la rue et plonger dans un monde différent.

– Allons au café d'Apollon, propose Curra Vilches.

C'est le seul jour de l'année où les femmes entrent sans obstacle dans les cafés gaditans : le reste du temps, on leur réserve les pâtisseries, moins masculines, avec leurs sorbets et leurs boissons fraîches, leurs vitrines de gâteaux et leurs lave-mains en acajou.

Le cousin Toño proteste. Vous êtes folles, dit-il. Moi, dans la fosse aux lions avec deux jolies femmes ? Oh, mon Dieu. Ils vont vous dévorer vivantes.

– Pourquoi ? se moque Lolita Palma. Nous sommes escortées par un jeune homme de qualité.

– Un redoutable matador, précise Curra Vilches.

– Et puis, ajoute Lolita, avec nos masques, personne ne sait si nous sommes belles ou laides.

Sceptique, le cousin soupire, résigné à son sort, pendant qu'ils prennent le chemin du café situé au coin de la rue Murguía.

– Laides ?… Vous êtes à croquer, mes enfants. À cette heure-ci, à Cadix et au Carnaval, aucune femme ne paraît laide.

– C'est l'occasion de ma vie ! s'exclame gaiement Curra Vilches en battant des mains.

Lolita rit, pendue au bras de son cousin.

– Et de la mienne !

Ils passent tous trois devant les calèches et les attelages particuliers alignés sur un côté de la place, dont les cochers attendent par petits groupes autour d'une outre de vin, et ils franchissent le seuil sous le tympan de fer forgé où trône la lyre qui donne son nom à l'établissement. Le café d'Apollon est le lieu de rendez-vous habituel du cousin Toño ; quand ils entrent, l'employé le reconnaît malgré son déguisement, le salue avec déférence et s'incline bien bas en recevant un douro d'argent.

– Une table avec une bonne vue, Julito. Où ces dames soient à leur aise.

– Je ne sais s'il en restera une de libre, don Antonio.

– Je te parie un autre douro que tu ne la trouveras pas… et je le perds tout de suite.

Une seconde pièce brille dans la paume de l'employé qui la fait prestement disparaître, ni vu ni connu, dans une poche de son tablier.

– On va voir ce qu'on peut faire.

Cinq minutes plus tard, entourés de gens, ils sont assis et boivent – elles du rossolis à la cannelle, le cousin Toño une bouteille de xérès – sur des chaises que l'on vient de disposer autour d'une table pliante apportée à l'étage par un garçon et placée entre les colonnes de la grande cour. L'établissement comporte quatre niveaux, les deux du haut, auxquels on accède par la rue Murguía, étant réservés à la pension et au logement de voyageurs. Dans la grande cour et au premier étage se trouvent la salle à manger et plusieurs salons, lieu de rencontre habituel des députés libéraux les plus exaltés. Aujourd'hui, la partie basse est en pleine effervescence. La lumière coule à flots, avec des lustres et des chandeliers partout, qui font briller les parures, les satins brodés et les paillettes. D'en haut pleuvent des confettis multicolores, retentissent mirlitons et vessies gonflées, et un orchestre à cordes joue allègrement sous les arcades du fond. On ne danse pas, mais des garçons portant des plateaux de boissons circulent en tous sens au milieu des rires, des chants et des discussions animées de table à table. Les conversations, les éclats de rire et la fumée des cigares rendent l'atmosphère excitée et épaisse. Lolita Palma, amusée, ne perd pas une miette du spectacle, pendant que le cousin Toño – qui a relevé son masque pour mettre ses lunettes – fume et entrechoque les verres, et que Curra Vilches, avec son sans-gêne habituel, fait de piquants commentaires sur les costumes, les déguisements et les personnes qui les entourent.

– Regarde bien ce corsage vert sous une perruque blanche. Je suis sûre que c'est la belle-sœur de Pancho Zugasti.

– Tu crois ?

– Puisque je te le dis… Et celui qui lui bouffe l'oreille n'est pas le mari.

– Ce que tu peux être grossière, Currita !

Il y a beaucoup d'hommes, comme d'habitude dans le café. Gaditans, militaires en civil et étrangers. Mais nombreuses sont aussi les femmes qui partagent les tables disposées dans la cour et les salles latérales, ou qui se montrent aux balustrades du premier étage. Certaines sont des dames

respectables avec leurs maris, parents et amis. D'autres
– Curra Vilches les dissèque joyeusement et sans pitié –
ne semblent pas l'être autant. Le Carnaval fait tomber les
barrières en laissant en suspens nombre de conventions que,
le reste de l'année, la ville observe avec une extrême rigueur.
Cadix demeure ouvert à tous, en ces temps de convulsions
qui en font une Espagne en miniature ; mais chacun connaît
la place qui lui correspond. Quand on l'ignore ou on l'oublie,
il y a toujours une bonne âme pour vous le rappeler. Avec
la guerre et les Cortès ou sans elles, les déguisements et la
gaieté du Carnaval ne suffisent pas à rendre égal ce qui ne
peut l'être. Peut-être, pense Lolita Palma, qu'un jour ces
jeunes philosophes libéraux, ceux des discussions de café,
des discours politiques et des réunions où l'on invoque les
Lumières, le Peuple et la Justice, changeront tout. Ou peut-
être pas. En fin de compte, à San Felipe Neri siègent des
prêtres, des nobles, des érudits, des avocats et des militaires.
Il n'y a pas de commerçants, de boutiquiers ni aucun membre
issu du petit peuple, même si l'on affirme y parler au nom
de tous et les représenter. Le roi est toujours prisonnier
en France, et la souveraineté nationale, tant débattue, n'est
pas grand-chose d'autre que quelques liasses de papier qui
portent le nom de future Constitution. Jusque dans l'agitation qui règne au café d'Apollon, cela apparaît comme
une évidence. Gaditans, Espagnols côte à côte, mais pas
mélangés. Ou seulement jusqu'à un certain point.

– Un autre verre ?

– Bien. – Lolita se laisse resservir de la liqueur. – Mais tu
veux ruiner ma réputation, cousin.

– Vois plutôt Curra… Elle ne fait pas tant d'histoires.

– C'est qu'elle n'a pas vraiment de pudeur.

Les confettis continuent de pleuvoir depuis les étages,
comme une neige multicolore dans la lumière des bougies.
Lolita Palma ôte un gant pour retirer des confettis de son

verre et boit lentement, par petites gorgées. De là où elle
est assise, elle parvient à voir de nombreux masques : élégants ou non, délicats, spirituels ou vulgaires, mais aussi
des gens vêtus comme à l'ordinaire, à visage découvert. Et
tandis qu'elle promène son regard dans la salle en observant
figures et habits, elle découvre Pepe Lobo.

– Est-ce que ce n'est pas ton corsaire ? demande Curra
Vilches qui, par hasard, a suivi son regard.

– Si, c'est lui.

– Hé !... où vas-tu ?

Lolita Palma ne parviendra jamais à savoir – et pourtant,
elle s'interrogera toute sa vie – ce qui l'a poussée, en cette
nuit de Carnaval au café d'Apollon, à se lever sous les yeux
surpris du cousin Toño et de Curra Vilches, et à se diriger vers
la table de Pepe Lobo, profitant de l'anonymat du loup et du
domino. Il se peut que cette audace lui ait été inspirée par le
troisième verre de rossolis ; ou alors cette ivresse aux limites
de laquelle elle flotte, si légère et si sereine qu'elle aiguise
les sens au lieu de les émousser, vient-elle de la musique, de
la pluie de confettis de couleur qui remplit d'une manière
irréelle la distance qui les sépare, dans le bourdonnement
des conversations joyeuses et dans la fumée des cigares qui
sature l'atmosphère. Le capitaine de la *Culebra* est seul,
bien que, en approchant, Lolita découvre une bouteille et
deux verres sur la table de marbre. Il porte son habituelle
veste bleue à boutons dorés, ouverte sur un gilet blanc et
une chemise dont le col est ceint d'une large cravate noire,
et il observe l'ambiance du café d'un air amusé, tout en
restant un peu en marge ; sans trop participer à l'allégresse
qui l'entoure. Se rendant compte d'une présence proche,
Lobo lève la tête et découvre Lolita juste au moment où elle
s'arrête. Les yeux verts du marin, étincelants à la lumière
des bougies, l'examinent des pieds à la tête, jusqu'au loup
et au capuchon de soie noire du domino qu'elle a remonté

en chemin. Puis son regard refait le parcours dans l'autre sens. Il est évident qu'il ne la reconnaît pas.

– Bonsoir, masque, dit-il en souriant.

Ce brusque sourire ouvre une brèche blanche entre les favoris épais et bruns, sur la peau hâlée par la mer. Sans se lever ni cesser de la regarder, Lobo se penche un peu sur la table, verse de l'aguardiente dans son verre et l'offre à Lolita ; et celle-ci, excitée par sa propre audace – elle sent, posés sur elle, les regards horrifiés de Curra Vilches et du cousin Toño qui la surveillent de loin –, l'accepte et le porte à ses lèvres, sous le loup, sans toutefois en boire plus que quelques gouttes : c'est un alcool fort, qui brûle le palais ; avec un vague relent d'anis. Puis elle rend le verre au marin, qui sourit toujours.

– Tu es muette, masque ?

Il y a, maintenant, de la curiosité dans son ton. Ou de l'intérêt. Lolita Palma, qui se demande à qui appartient le second verre posé sur la table, reste silencieuse de peur que sa voix ne la trahisse, avec l'agréable sensation de liberté confinant à l'audace que lui procure son déguisement ; et aussi la certitude que cela ne peut pas se prolonger long-temps. La situation devient trop inconvenante. Et dange-reuse. Pourtant, à sa propre surprise, elle constate qu'elle se sent bien ainsi, debout devant la table de Pepe Lobo, en train de le dévisager de près sans vergogne, protégée par le masque. Jouissant de la proximité de ces yeux qui reflètent la lumière, de son visage de corsaire rude et beau, du sourire paradoxalement sérieux et tranquille, de cette bouche si masculine qu'elle est prise du désir de la toucher. Quel dommage qu'il n'y ait pas de bal, ici, se dit-elle étour-diment. Ça ne me gênerait pas de danser, et on peut le faire sans parler. Sans les mots encombrants qui engagent tel-lement et compromettent plus encore.

– Tu ne veux pas t'asseoir ?

Elle fait non de la tête, déjà sur le point de lui tourner le dos. À cet instant, elle voit de loin le second de la *Culebra*, le jeune homme dénommé Maraña, qui revient en louvoyant entre les tables. Le deuxième verre était le sien. Ce qui lui confirme qu'il est temps de partir. De retourner auprès de Curra Vilches et du cousin Toño, dans le monde du raisonnable. Pourtant, à peine esquissé le mouvement de départ, Lolita fait quelque chose de tellement inattendu qu'elle-même en est scandalisée. Se laissant porter par l'impulsion qui l'a poussée à se lever et venir jusqu'ici, elle contourne lentement la table et la chaise sur laquelle est assis Pepe Lobo, et, en passant derrière lui, elle fait glisser un doigt de sa main gantée sur les épaules du marin, frôlant le drap de sa veste. Après quoi, tandis qu'elle part pour de bon, elle peut apercevoir, du coin de l'œil, le regard déconcerté que l'homme lui adresse.

Le trajet jusqu'à sa table est interminable. Elle en est à la moitié quand elle sent une présence à son côté. Une main lui prend le poignet.

– Attends.

Cette fois, j'ai vraiment un problème, pense-t-elle en s'arrêtant pour tourner la tête, subitement sereine. Les yeux verts sont tout près des siens et la fixent intensément. Lolita y lit de la curiosité, et aussi de l'étonnement.

– Ne pars pas.

Elle soutient cette présence toute proche sans s'émouvoir. L'alcool qui circule doucement dans ses veines lui donne une hardiesse et un sang-froid inconnus jusque-là. La main de l'homme, qui n'a pas lâché son poignet, est ferme et le tient juste ce qu'il faut pour ne pas trop le serrer. La retenant davantage par ce simple geste que par la force. Cette main, pense-t-elle fugacement, a tiré sur Lorenzo Virués et l'a laissé invalide pour le reste de ses jours.

– Lâchez-moi, capitaine.

C'est à cet instant que Pepe Lobo la reconnaît. Lolita peut suivre chaque phase de sa découverte : surprise, incrédulité, stupeur, embarras. Il a libéré son poignet.

– Oh…, murmure-t-il. Je…

Pour une raison inconnue, elle savoure ce moment de triomphe. La confusion de l'homme, dont le sourire a disparu comme une lumière qui s'éteint brusquement. Maintenant, il tourne la tête dans tous les sens, intrigué, comme s'il cherchait à savoir combien de gens ont participé au piège. Puis il la regarde, très sérieux. Un regard sec.

– Je suis désolé, dit-il.

On croirait un gamin que l'on vient de réprimander, décide-t-elle. Vaguement émue par ce qui ressemble à une expression d'innocence et qu'elle a cru voir, le temps d'un éclair, passer sur le visage du corsaire. Un bref regard. La manière presque enfantine d'ouvrir un peu plus les yeux, décontenancé. Il regardait peut-être ainsi quand il était enfant, pense-t-elle soudain. Avant de partir sur les mers.

– Vous vous amusez, capitaine ?

À présent, c'est lui qui ne répond pas, et Lolita ressent une excitation intérieure, singulière. La certitude d'un vague pouvoir sur l'homme qu'elle a devant elle. Quelque chose qui semble dilué dans son atavisme de femme, fait de chair et de siècles. Elle observe la barbe rasée depuis plusieurs heures qui repousse déjà, noircissant le menton dur, solide, entre les favoris qui arrivent presque aux commissures des lèvres. Un instant, elle se demande quelle odeur a sa peau.

– Ç'a été une vraie surprise de vous voir ici.

– Alors imaginez la mienne !

Les yeux verts ont recouvré leur assurance. Le reflet des bougies de la salle y étincelle de nouveau. Curra Vilches, qui s'inquiète pour elle, s'est levée de la table et vient vers eux. Lolita lève une main pour la rassurer.

– Tout va bien, cantinière.

Le regard de Curra passe de l'un à l'autre, interrogateur, à travers les fentes de son masque.

– Sûr ?

– Tout à fait. Dis à cet ivrogne de torero que je vais prendre un peu l'air… Il y a trop de fumée ici.

Un silence. Puis l'amie reprend, d'une voix stupéfaite :

– Seule ?

Lolita, qui l'imagine bouche bée sous le masque de carton et la moustache peinte, est sur le point d'éclater de rire. Ce n'est pas tous les jours que Curra Vilches se laisse damer le pion.

– Sois tranquille. Monsieur m'escortera.

*

Rogelio Tizón se jette de côté pour esquiver un seau d'eau déversé d'une fenêtre ; après quoi, résigné à l'inévitable, il se fraie un passage au milieu d'une troupe de femmes déguisées en sorcières qui lui expédient quelques joyeux coups de balai au coin de la rue des Trois Fours. C'est un quartier populaire, d'artisans et d'ouvriers, dont les habitants vivent davantage dans la rue que dans leurs maisons et se connaissent tous, et où beaucoup de terrasses portent des abris loués à des réfugiés et des étrangers. Certaines rues sont éclairées par endroits avec des torches en étoupe dont la fumée se répand en spirales noires et huileuses. Malgré l'interdiction de danser dehors – dix pesos d'amende pour les hommes et cinq pour les femmes –, les gens sont à leurs balcons et jettent de l'eau et des sacs de poudre sur les passants, ou se rassemblent sur la chaussée en groupes animés et s'agitent au son des guitares, des mandolines, des cornets, des mirlitons et des crécelles. Les rires et les plaisanteries fusent dans toutes les conversations, marquées par l'accent et la bonne humeur du petit peuple gaditan.

À plusieurs reprises, le commissaire croise une bande de Noirs libres qui vont et viennent au rythme des tambours et des flûtes en chantant dans le créole incompréhensible des cadences caraïbes :

> *Mi ma'e no quié*
> *que vaya a la plasa*
> *po'que lo sordao*
> *me dan calabasa*.*

Un garçon vêtu d'un burnous brun et chaussé de babouches se jette sur Tizón, armé d'une vessie gonflée au bout d'un bâton, dans l'intention bien affirmée de l'en frapper, mais celui-ci, excédé, lui barre le passage d'un coup de canne.

– Fous le camp, dit-il, ou je t'arrache la tête.

L'autre s'enfuit, la mine déconfite, impressionné par le ton et le regard furibond du policier, qui continue son chemin dans la foule en scrutant les masques qui se pressent autour de lui. Parfois, quand il voit une jeune fille, il la suit un moment de loin, histoire de voir si quelqu'un l'accoste ou marche derrière elle. Il arrive que cette surveillance se prolonge sur plusieurs rues, Tizón observant chaque individu masqué qu'il croise ; prêt à repérer le comportement suspect, l'indice qui le décidera à se jeter sur lui, lui arracher son loup ou son masque et à découvrir les traits, mille fois imaginés dans ses cauchemars – il dort de plus en plus mal, entre deux réveils en sursaut qui mélangent réalité et imagination –, de l'homme qu'il cherche. D'autres fois, ce ne sont pas des jeunes femmes, mais un déguisement ou une apparence étrange qui attirent son attention : il suit alors la personne, guettant chaque mouvement. Chaque pas.

Dans la rue du Soleil, près de la chapelle, un homme

---

* Très aproximativement : « Ma mère ne veut pas / que j'aille sur la place / parce que les soldats / me traitent de putasse. »

l'intéresse particulièrement. Il porte une longue robe de bure noire, la tête couverte d'un capuchon, avec un masque blanc, et il reste immobile à observer les gens. Quelque chose dans son attitude éveille les soupçons du commissaire. C'est peut-être, estime celui-ci en s'abritant derrière les passants, à cause de cette façon qu'il a de se tenir à l'écart : isolé, étranger à la gaieté de la rue. Ce personnage observe comme de l'extérieur, ou de loin. Trop distant, conclut le commissaire, pour quelqu'un qui se déguise pour le Carnaval et sort s'amuser. Or celui-là ne semble pas du tout s'amuser. Rien à voir avec les autres. La tête encapuchonnée bouge lentement d'un côté et de l'autre, suivant les pas des gens qui circulent dans la rue. Il ne paraît pas réagir quand trois filles au visage peint en noir, habillées de ponchos de couleur et coiffées de chapeaux de paille, s'approchent en riant et l'aspergent d'eau avant de s'enfuir en courant. Il se contente de les regarder s'éloigner.

Contournant prudemment les passants, Rogelio Tizón se rapproche peu à peu de l'individu masqué. Celui-ci est toujours immobile, et, un moment, semble fixer le commissaire. Sur ce, il détourne la tête et quitte les lieux. Le mouvement peut être fortuit, décide Tizón. Mais il peut ne pas l'être. Pressant le pas pour ne pas le perdre de vue, il le suit jusqu'à la rue du Sacrement. Là, au moment où il s'apprête à s'approcher pour lui mettre la main au collet, impatient de lui arracher son masque, l'autre rejoint une bande d'hommes et de femmes déguisés qui le saluent par son nom et acclament son apparition. Au milieu des éclats de rire, quelqu'un sort une outre de vin, et le nouveau venu rejette son capuchon en arrière en écartant son masque, pour engloutir, bras levés, un long jet qui tombe droit dans son gosier, pendant que, pris d'un intense sentiment de ridicule, le policier passe au large.

*

Odeurs de poisson frit, d'huile de beignets et de sucre brûlé. Il y a des lampions de papier avec des chandelles allumées dans les humbles demeures, basses et allongées, du quartier de pêcheurs de la Viña. Dans la rue du Palmier, longue et rectiligne, ces points lumineux font penser à des lucioles alignées dans le noir. Leur faible lueur dessine les contours de groupes de voisins, dans la rumeur des conversations, des verres entrechoqués, des rires et des chants. Au coin de la rue de la Consolation, à côté d'une lampe à huile posée par terre, deux hommes et une femme déguisés avec des draps qui ressemblent à des suaires chantent une *copla* sur le roi Pepino*; lequel, assurent-ils avec des voix quelque peu alcoolisées, emporte toujours dans ses bagages un tas de bouteilles de vin pour la route.

– Je n'ai pas l'habitude de venir par ici, dit Lolita Palma, qui observe tout.

Pepe Lobo s'interpose entre elle et une bande de jeunes gens qui passent avec des torches allumées, des vessies et des seringues d'eau. Puis il se tourne pour la regarder.

– Nous pouvons retourner, si vous voulez.

– Non.

Le loup de taffetas noir qu'elle porte toujours obscurcit totalement son visage sous le capuchon du domino. Lorsqu'elle reste trop longtemps sans parler, Lobo a l'impression de marcher en compagnie d'une ombre.

– C'est agréable… Et il fait une nuit splendide pour cette époque de l'année.

---

* Joseph Bonaparte, qui était communément appelé par le peuple *Pepe Botella* depuis qu'il avait fait couler du vin dans les fontaines de Madrid pour fêter son avènement.

Par intervalles, comme en ce moment, la conversation revient sur le temps, ou de minuscules détails de ce qui se passe autour d'eux. C'est lorsque les silences se prolongent, et qu'aucun des deux, comme pris dans une impasse, ne parvient – *n'ose* serait plutôt le mot juste – prononcer une parole. Lobo sait que Lolita en est aussi consciente que lui. C'est néanmoins plaisant de se laisser bercer par de tels silences, comme par l'indolente lassitude de cette promenade sans hâte ni objet apparent. Dans la trêve tacite, complice de la nuit de Carnaval qui libère chacun de toute responsabilité. C'est ainsi que le corsaire et la femme marchent depuis une demi-heure, sans but, dans les rues de Cadix. Parfois, au hasard de leurs pas, l'irruption d'une bande, ou le soubresaut causé par un masque qui souffle tout près d'eux dans un cornet ou un mirliton, les fait se rapprocher sans l'avoir prémédité, et se frôler dans l'obscurité.

– Saviez-vous, capitaine, que les danseuses de Gadès faisaient fureur dans la Rome antique ?

Ils sont au croisement de la rue des Charrettes, éclairé par la chandelle d'une lanterne. Devant la porte entrouverte d'une taverne – prêtes à rentrer en vitesse si la ronde apparaît –, des femmes déguisées dansent au milieu d'un cercle d'hommes, marins et Gitans. Les battements de mains qui les encouragent rendent inutile toute autre musique.

– Je ne le savais pas, admet Lobo.

– Mais c'est vrai : les Romains se les arrachaient.

Le ton de Lolita Palma est léger, parfaitement assuré ; comme celui de quelqu'un qui reçoit un visiteur étranger et lui montre sa ville. Et pourtant, pense Lobo, c'est moi qui suis censé l'escorter. Je me demande d'où elle sort une telle sérénité.

– En d'autres temps, ajoute-t-elle au bout d'un moment, j'aurais dû, je le crains, m'occuper aussi de ça… Palma & Fils, exportation de danseuses.

Elle s'interrompt, riant doucement, et le corsaire n'arrive pas à établir avec certitude si elle a plaisanté.

– De danseuses, répète-t-il.

– Parfaitement. Les danseuses et le thon à l'escabèche faisaient la renommée et la fortune des Gaditans... Mais ces demoiselles ont eu moins de chance que le thon : l'empereur Théodose a interdit leurs danses, jugées trop lascives. Selon saint Jean Chrysostome, c'était le diable en personne qui leur servait de partenaire.

Ils poursuivent leur chemin, s'éloignant du bal. Au-dessus d'eux, dans l'ample portion de firmament que la largeur de la rue laisse à découvert, les étoiles se bousculent. À chaque croisement de rue qu'ils laissent sur leur gauche, Pepe Lobo note la brise de ponant, suave, légèrement humide : elle vient du rempart proche et de l'Atlantique qui se trouve à trois cents pas, derrière l'esplanade des Capucins.

– Vous aimez les habitants de Cadix, capitaine ?

– Certains.

Quelques pas en silence. Par instants, Lobo entend le doux froissement de la soie du domino. De près, il perçoit l'odeur du parfum, différent de ceux dont usent les femmes de son âge. Celui-là est doux, et en tout cas agréable. Frais. Pas trop fort. Bergamote, pense-t-il absurdement. Il n'a jamais respiré de la bergamote.

– Il y en a que j'aime, et d'autres non, ajoute-t-il. Comme partout.

– Je sais peu de choses de vous.

On dirait un regret. Presque un reproche. Le marin, qui lui donne la main pour l'aider à éviter une charrette dont les brancards reposent sur le sol, hoche la tête.

– Mon histoire est banale. Une seule solution, la mer.

– Vous êtes venu très jeune de La Havane, n'est-ce pas ?

– Dire que je suis venu est exagéré. J'en suis parti, plutôt...

Venir, c'est rentrer de là-bas avec des milliers de réaux, un domestique noir, un perroquet et des caisses de cigares.

– Et un châle en indienne pour une femme ?

– Parfois.

Lolita Palma fait quelques pas en silence.

– Vous n'en avez jamais acheté ?

– Si, parfois.

Ils ont laissé derrière eux la rue du Palmier et sa double rangée de lucioles. Maintenant les gens sont moins nombreux, et devant eux s'étend dans l'ombre l'esplanade de San Pedro, avec, à droite, la masse carrée et obscure de l'hospice. Lobo s'arrête, prêt à rebrousser chemin, mais Lolita Palma continue de marcher, vers la mer proche qui s'étend au pied du rempart dans une pénombre bleutée. Celle-ci se colore de jaune par intermittence quand passent les rayons du phare de San Sebastián.

Elle a l'air songeuse :

– Je me rappelle vous avoir entendu dire un jour que seul un imbécile s'embarquerait pour le plaisir. Vraiment, vous n'aimez pas la mer ?

– Vous plaisantez ?… C'est le pire lieu du monde.

– Pourquoi continuez-vous à naviguer, alors ?

– Parce que je n'ai nulle part ailleurs où aller.

Ils arrivent au bastion, au-dessus de la Caleta. Non loin de là, on devine une guérite et la forme obscure d'une sentinelle. Des lanternes éclairent par endroits le demi-cercle de sable blanc, et des bruits de musique, de rires et de bravos montent des gargotes en planches et en toile à voile collées au rempart. Dans la pénombre, sur le fond noir de l'eau immobile, se détachent les contours plus clairs des barques échouées sur la vase de la rive ; et, un peu plus loin, les silhouettes des chaloupes canonnières à l'ancre. À Cadix, pense Pepe Lobo, tout se termine dans la mer.

– J'aimerais pouvoir descendre, dit-elle.

Le corsaire en a presque un haut-le-corps. Même une nuit de Carnaval et avec un masque, les antres de la Caleta, avec leurs matelots, leurs soldats, leurs filles et leur musique, ne sont pas recommandés pour une dame.

– Ce n'est pas une bonne idée, dit-il, embarrassé. Nous devrions peut-être...

Il l'entend rire :

– Rassurez-vous. Ce n'est qu'un désir, pas une intention.

Ils restent silencieux, appuyés à la balustrade de pierre. Respirant, l'un près de l'autre, l'air humide et son odeur de sable et de sel. Lobo sent contre son épaule droite sa présence physique. Il peut presque percevoir la douce chaleur de son corps. Ou du moins il l'imagine.

– Vous attendez un coup de chance ? demande Lolita Palma en revenant à la conversation précédente.

On peut l'appeler comme ça, pense Pepe Lobo. Un coup de chance. Il prend son temps pour acquiescer, sérieux.

– Je le cherche. Oui. Et alors je tournerai le dos à la mer pour toujours.

– Je croyais... enfin... – elle semble sincèrement surprise – que vous aimiez vivre ainsi. L'aventure.

– Vous vous trompiez.

Un nouveau silence. Soudain, Lobo éprouve une envie irrésistible de parler. D'expliquer ce qu'il n'a jamais cru nécessaire d'expliquer à personne auparavant.

– Je vis ainsi parce que je ne peux pas vivre autrement, reprend-il enfin. Et ce que vous appelez l'aventure... Eh bien, j'échangerais toutes les aventures du monde contre quelques sacs d'onces d'or... Si j'arrive un jour à me retirer, j'achèterai une terre le plus loin possible de la mer, dans un endroit d'où on ne la voit pas... Avec une maison et une treille sous laquelle je m'assiérai le soir pour voir le soleil se coucher, sans avoir à me demander si le bateau va chasser sur son ancre ou si je dois prendre des ris dans la voile pour passer une nuit tranquille.

– Et une femme ?

– Oui. Enfin… peut-être. Une femme aussi, pourquoi pas.

Il se tait, confus. Elle a posé sa question sur un ton parfaitement dépassionné. Froid. Comme un élément de plus dans l'énumération de Lobo. Et c'est précisément cette neutralité – naturelle ou délibérée ? – qui déconcerte le corsaire.

– Il me semble que vous n'êtes pas loin de l'obtenir, estime Lolita Palma. Je parle de réunir assez d'argent. Pour vous retirer à l'intérieur des terres.

– C'est bien possible. Mais jusqu'à la fin, personne ne peut savoir.

Le phare situé sur le château, à l'extrémité du récif de San Sebastián, les éclaire par intervalles de ses faisceaux. La forme noire de la sentinelle de la guérite se déplace lentement le long du rempart. Lolita Palma, qui garde toujours le capuchon du domino rabattu sur la tête, a ôté son masque. Lobo observe son profil, éclairé périodiquement par la lumière lointaine.

– Savez-vous ce que j'aime chez les gens de mer, capitaine ?… C'est qu'ils ont beaucoup voyagé et peu parlé. Que ce qu'ils savent, ils l'ont vu de leurs yeux, en apprenant beaucoup sans étudier dans les livres… Vous, les marins, vous n'avez pas besoin d'une nombreuse compagnie, car vous avez toujours été seuls. Et vous possédez ce quelque chose d'ingénu, ou d'innocent, qu'a l'homme qui descend à terre comme s'il pénétrait dans un lieu dangereux, inconnu.

Lobo l'écoute avec une surprise sincère. C'est comme ça que les autres le voient, se dit-il. C'est comme ça qu'elle le voit.

– L'idée que vous vous faites de mon métier est jolie, mais elle est inexacte. La pire racaille que j'ai connue était pour une bonne part à bord d'un navire, et pas seulement sur le gaillard d'avant. Et permettez-moi de vous dire cette évidence : jamais je ne vous laisserais seule avec mon équipage...

Un sursaut, et tout de suite le ton habituel qui revient :

– Je sais parfaitement me défendre, monsieur.

L'orgueil des Palma. Le corsaire sourit entre deux éclats du phare.

– Ce n'est pas le genre de choses que vous pouvez savoir.

– Je fréquente des marins depuis mon enfance, capitaine. Ma maison...

Obstinée. Sûre d'elle. La clarté lointaine découpe maintenant son profil volontaire. Elle contemple la mer.

– Vous nous connaissez par vos visites, madame. Et par ce que vous avez lu dans des livres.

– Je sais regarder, capitaine.

– Vraiment ?... Et que voyez-vous quand vous me regardez ?

Elle reste sans répondre, la bouche légèrement entrouverte. Le difficile équilibre que conservait leur conversation est rompu. Elle semble à présent troublée, et cela produit chez Lobo une étrange émotion, un sentiment proche du remords. De toute manière, il n'attendait pas vraiment de réponse à sa question.

– Écoutez..., dit le corsaire. J'ai quarante-trois ans, et je suis incapable de dormir deux heures d'affilée sans me réveiller brusquement pour vérifier où je suis et si le vent n'a pas tourné. J'ai l'estomac ruiné par les nourritures infâmes du bord, et des maux de tête qui durent plusieurs jours... Quand je reste longtemps dans la même position, mes articulations craquent comme celles d'un vieillard. Les changements de temps me font mal dans tous les os que je me suis cassés ou qu'on m'a cassés. Et il peut suffire d'une tempête, de l'inattention d'un second ou d'un timonier, d'un instant de malchance, pour que je perde tout d'un seul coup. Sans compter la possibilité de...

Il se tait. Il en reste là. Il pense à la mutilation et à la mort, mais il ne souhaite pas aller plus loin. Il ne veut pas parler de ça. Des vraies peurs. En fait, il se demande pourquoi il a dit tout cela. Ce qu'il veut justifier devant cette femme. Ou ce qu'il prétend démonter. Détruire, quoi qu'il lui en coûte. C'est peut-être le désir de se tourner vers elle, de tout envoyer au diable et de la serrer très fort dans ses bras.

La sentinelle est revenue dans sa guérite où l'on voit soudain briller la lueur du cigare qu'elle allume. Le phare lointain éclaire par intervalles le rempart de Santa Catalina en forme de demi-étoile, découvrant également la langue rocheuse qui pénètre dans la mer et le canot de garde qui passe lentement en surveillant les canonnières. Lolita Palma regarde dans cette direction.

– Pourquoi avez-vous fait ça à Lorenzo Virués ?

C'est peut-être la mention des os cassés qui lui a rappelé l'incident. Pepe Lobo la dévisage durement.

– Je ne lui ai rien fait qu'il n'ait lui-même cherché.

– On m'a rapporté que vous ne vous êtes pas conduit…

– En homme d'honneur ?

Le corsaire a ri en prononçant ces mots. Elle reste un moment silencieuse.

– Vous saviez qu'il était mon ami, dit-elle enfin. Et un ami de ma famille.

– Et lui savait que je suis capitaine d'un navire qui vous appartient. Les deux choses se valent.

– L'affaire de Gibraltar…

– Au diable Gibraltar. Vous ne savez rien de ce qui s'est vraiment passé. Vous n'avez pas le droit…

Une très brève pause. Puis elle parle dans un quasi-murmure, à voix très basse :

– Vous avez raison. Mon Dieu, comme vous avez raison !

La réflexion surprend Pepe Lobo. La femme est immobile, son profil obstiné tourné vers la mer et la nuit. La sentinelle, qui, sans doute, les voit de sa guérite, se met à chanter une *copla*. Il le fait sur un ton neutre, sans joie ni peine. Une plainte obscure, gutturale, qui semble venir de très loin dans le temps. Lobo comprend mal les paroles.

– Je crois que nous devrions partir, suggère le corsaire.

Elle fait non de la tête. Presque douce, comme tout à l'heure.

– Ce n'est Carnaval qu'une fois par an, capitaine Lobo.

Elle paraîtrait soudain jeune et fragile s'il n'y avait son regard qui, en aucun moment, ne vacille ni ne s'écarte des yeux du marin lorsque celui-ci se penche sur elle et l'embrasse sur la bouche, très lentement et sans violence, comme s'il lui laissait la possibilité de lui soustraire son visage. Mais elle ne le lui soustrait pas, et Pepe Lobo sent la douceur délicieuse des lèvres entrouvertes et le tremblement subit de son corps, abandonné et ferme à la fois, quand il l'entoure de ses bras et la serre contre lui. Ils restent ainsi tous deux quelques instants, elle couverte de son domino dont le capuchon est tombé dans son dos, prise dans l'étreinte de l'homme, muette et très calme, sans fermer les yeux ni cesser de le fixer. Puis elle recule et passe une main sur sa figure, très doucement, ni pour le repousser, ni pour l'attirer. Elle la maintient ainsi, paume ouverte et doigts tendus touchant le visage et les yeux de l'homme, comme une aveugle qui voudrait retenir ses traits dans sa main. Et quand finalement elle la retire, elle le fait avec lenteur. Comme si chaque pouce de distance interposé entre sa main et la peau du corsaire la faisait souffrir.

– Il est l'heure de rentrer, dit-elle, sereine.

*

Simon Desfosseux dort mal. Il a passé du temps à veiller avant de se coucher, pour faire des calculs destinés au dessin d'une nouvelle espolette à combustion lente à laquelle il travaille – sans beaucoup de succès – depuis des semaines, et aussi pour réfléchir au dernier message reçu de l'autre côté de la baie : une communication du commissaire de police espagnol lui proposant un nouveau secteur de la partie orientale de Cadix où diriger certains tirs à des jours et des heures précis. Maintenant, les yeux ouverts dans l'obscurité de sa baraque, l'artilleur a la sensation que quelque chose ne va pas comme il faudrait. Pendant son sommeil inquiet, il lui a semblé entendre des bruits étranges. De là son incertitude en se réveillant.

– Les guérilleros !... Les guérilleros !

Le cri proche le fait se lever d'un bond de son lit de camp. C'était donc ça, découvre-t-il dans une rafale d'angoisse. Les bruits qu'il a entendus pendant qu'il dormait étaient le crépitement de coups de feu. À présent il distingue clairement les tirs de fusil, pendant qu'il cherche à tâtons son pantalon et ses bottes, rajuste sa chemise de nuit du mieux qu'il peut, prend son sabre et un pistolet, et sort en trébuchant. À peine dehors, une détonation résonne et il est aveuglé par l'éclair de l'explosion qui illumine tout alentour, les gabions sur les tranchées, les blockhaus en bois et les baraquements de la troupe : l'un d'eux, d'où a surgi l'éclair, commence à brûler violemment – on a sûrement jeté à l'intérieur un engin fait de goudron et de poudre –, et sur la clarté de l'incendie se découpent les silhouettes proches de soldats à demi vêtus qui courent dans toutes les directions.

– Ils sont à l'intérieur ! crie quelqu'un. Ce sont des guérilleros, et ils sont à l'intérieur !

Desfosseux, qui croit avoir reconnu la voix du sergent Labiche, sent sa peau se hérisser. L'enceinte de l'artillerie est un pandémonium de galopades, de cris et d'éclairs, d'ombres, de lumières, de reflets et de formes qui s'agitent, se groupent ou se heurtent les unes aux autres. Il est impossible de distinguer qui est ami et qui ne l'est pas. Tentant de garder la tête froide, le capitaine recule, dos collé à la baraque, s'assure qu'il n'y a pas d'ennemi à proximité et regarde en direction de la position fortifiée où se trouvent Fanfan et ses frères : dans la tranchée protégée par des planches et des fascines qui y mène, jaillissent des éclairs de coups de feu et luisent des sabres et des baïonnettes. On s'y bat au corps à corps. C'est alors qu'il comprend enfin ce qui se passe. Ce ne sont pas des guérilleros. C'est un coup de main parti de la plage. Les Espagnols ont débarqué pour détruire les obusiers.

– À moi ! hurle-t-il. Suivez-moi !... Il faut sauver les canons !

C'est à cause de Soult, pense-t-il soudain. Naturellement. Le maréchal Soult, commandant en chef de l'armée française d'Andalousie, a pris personnellement la relève de Victor à la tête du Premier Corps et se trouve en tournée d'inspection officielle dans la région : Jerez, El Puerto de Santa María, Puerto Real et Chiclana. Aujourd'hui, il dort à un mille d'ici et, demain, il a prévu de visiter le Trocadéro. L'ennemi a donc décidé de se lever tôt pour lui souhaiter la bienvenue par une sérénade. Connaissant les Espagnols – et, au point où il en est, Simon croit bien les connaître –, il est probable que c'est de cela qu'il s'agit. C'était déjà le cas l'an dernier, lors de la visite du roi Joseph. Qu'ils soient tous maudits, les Espagnols comme le maréchal. De l'avis du capitaine d'artillerie, rien de tout ça ne devrait le concerner, lui et ses hommes.

– À la batterie !... Protégez la batterie !

En réponse à son appel, une ombre qui se déplace tout près lui expédie une balle qui le manque de deux pouces et arrache des éclats de bois à l'abri derrière lui. Prudent, Desfosseux s'écarte de la lumière. Il ne se décide pas à se servir de son sabre, car il sait qu'au corps à corps les Espagnols sont redoutables. Il n'en peut plus de voir dans ses pires cauchemars des navajas énormes, de celles qui font clac-clac-clac en s'ouvrant. Et il ne veut pas non plus, pour un résultat incertain, décharger son unique pistolet. Ses hésitations sont levées par des soldats qui arrivent en courant, se jettent sur les ennemis à coups de fusil et de baïonnette, et finissent par nettoyer le chemin. Les braves garçons, pense le capitaine, soulagé, en s'unissant à eux. Ils passent leur temps à grogner et l'on ne peut guère leur faire confiance dans les moments d'inaction et de relâchement, mais ils sont toujours vaillants à l'heure de se battre.

– Venez! Tous aux canons!

Simon Desfosseux est tout le contraire d'un héros de l'Empire. Son idée de la gloire guerrière de la France est relative, et lui-même ne se considère même pas comme un soldat; mais il y a une place et un moment pour tout. La perspective d'une attaque contre ses précieux obusiers Villantroys-Ruty, rejoints depuis quelques jours par d'autres pièces fondues à Séville dans lesquelles l'artilleur place de solides espérances – la troupe les a baptisées Lulu et Henriette –, le met hors de lui, à la seule idée que les manolos pourraient poser leurs sales pattes sur leur bronze immaculé. Voilà pourquoi, à la tête d'une demi-douzaine d'hommes, sabre levé en prévision d'une mauvaise rencontre, le capitaine court vers la position attaquée, véritable chaos d'éclairs, de cris et de coups. On y combat au corps à corps dans une énorme confusion. À la lumière de nouvelles flammes s'élevant au-dessus des baraques, Desfosseux reconnaît le lieutenant Bertoldi en chemise, qui lutte à coups de crosse avec une carabine qu'il tient par le canon.

Tout près – trop près, pense l'artilleur épouvanté – éclatent des cris en espagnol. *Vámonos*, semble-t-il entendre. *Vámonos*. Allons-y. Un petit groupe d'ombres tapies jusquelà dans la pénombre se détachent soudain et courent à la rencontre de Simon Desfosseux. Celui-ci n'a pas le temps d'établir si ce sont des ennemis qui attaquent ou qui battent en retraite; la seule chose certaine est qu'ils viennent sur lui et, quand ils sont à quatre ou cinq pas, de brefs éclairs brillent et plusieurs balles passent en bourdonnant près du capitaine. Celui-ci voit approcher, rougi par les lueurs de l'incendie, le métal nu de baïonnettes ou de navajas. Avec une intense sensation de panique à la vue de tout ce qui lui tombe dessus, Desfosseux lève le pistolet – un lourd modèle an IX à grosse crosse – et tire dans le tas, sans viser, puis donne des coups de sabre en tous sens, dans l'espoir de tenir ses agresseurs à distance. La lame de son sabre manque d'atteindre quelqu'un, qui passe tout près de lui, tête baissée. Avant de s'éloigner dans le noir, l'homme lance un rapide coup de navaja qui ne fait que frôler la chemise de nuit du capitaine.

*

Il n'est pas facile de fuir ainsi en aveugle, le couteau ouvert dans une main et le fusil déchargé dans l'autre. Le long Charleville français gêne beaucoup Felipe Mojarra dans sa course pour s'éloigner de la batterie, mais le saunier met un point d'honneur à ne pas le jeter. Un homme qui se respecte ne revient jamais sans son arme, et il n'a jamais abandonné la sienne, même dans les pires circonstances. Par les temps qui courent, les fusils ne sont pas légion. Pour le reste, l'attaque de la Cabezuela a été un désastre. Certains de ses camarades qui courent à côté de lui dans l'obscurité pour tenter de regagner la plage et les embarcations qui doivent les y attendre – fasse le Ciel qu'elles ne soient pas reparties, pense le saunier avec angoisse – crient à la trahison, comme d'habitude quand les choses tournent mal et que l'incompétence des chefs, le manque d'organisation et l'absence de scrupule conduisent les hommes au massacre. Tout a marché de travers depuis le début. L'attaque, prévue pour quatre heures du matin, devait être menée par quatorze sapeurs anglais conduits par un lieutenant et un détachement de vingt-cinq chasseurs des Salines, appuyés par quatre chaloupes canonnières de la base de Punta Cantera et une demi-compagnie de chasseurs des Gardes espagnoles chargés de protéger, de la plage, l'assaut et le rembarquement de cette force. Mais à l'heure prévue, les chasseurs ne s'étaient toujours pas présentés, et les embarcations qui attendaient dans l'obscurité de la baie, devant la Cabezuela, leurs rames emmaillotées dans des chiffons pour atténuer le clapotis, couraient le danger d'être découvertes. Placé devant le dilemme de continuer à attendre ou se retirer, le lieutenant des rougets a décidé de passer immédiatement à l'action. *Gou ahed*, l'a entendu dire Mojarra. Ou quelque chose qui ressemblait à ça. Quelqu'un a murmuré qu'il ne voulait surtout pas perdre son petit bout de gloire. Le débarquement dans le noir, sans lune, a bien commencé, les chasseurs des Salines se sont dispersés en silence sur la plage et les premières sentinelles françaises ont été égorgées à leurs postes sans avoir eu le temps de dire ouf ; mais ensuite les choses se sont compliquées, sans que l'on sache exactement pourquoi – un coup de feu isolé, puis un autre, et, finalement, l'alarme générale, l'incendie, la fusillade et les coups de baïonnette au petit hasard –, de telle sorte que, très vite, Anglais et Espagnols ne se sont plus battus pour détruire la batterie ennemie mais pour sauver leur peau. C'est ce que fait en ce moment Felipe Mojarra : il détale comme un lapin en direction de la plage, pour rester en vie, au risque de trébucher dans le noir et de se briser le crâne. La navaja dans une main et sans lâcher le fusil de l'autre. Tout en se disant, avec la résignation propre à son caractère et à sa race, que, décidément, on ne peut pas gagner à tous les coups. Encore que, cette nuit, il voudrait bien ne pas perdre. Complètement, en tout cas. Le saunier est conscient que, s'il est fait prisonnier, sa vie ne vaudra pas un maravédis. Les vêtements civils, pour tout Espagnol armé qui tombe aux mains des Français, entraînent automatiquement une condamnation à mort. Les *mosiús* s'acharnent particulièrement

sur les prisonniers sans uniforme, qu'ils traitent en guérilleros même s'ils ont combattu en qualité de soldats réguliers et portent la cocarde rouge cousue sur le bonnet ou sur
l'habit avec des médailles de saints et des scapulaires. C'est
ainsi qu'il y a trois ans Felipe Mojarra a perdu deux cousins
après la bataille de Medellín, sur ordre du maréchal Victor
– celui-là même qui commandait encore récemment le siège
de Cadix – qui a fait fusiller quatre cents soldats espagnols,
presque tous blessés, parce qu'ils ne portaient sur eux que
leurs pauvres vêtements de paysans.

Le saunier sent du sable sous ses pieds, cette fois chaussés
d'espadrilles – la nuit, on ne peut jamais savoir sur quoi
l'on marche et ce qui vous blessera. Un sol meuble et clair.
La plage est là, et le rivage, avec la marée haute, à seulement
cinquante pas. Un peu plus loin dans la baie, au milieu des
éclairs qui se reflètent sur l'eau, les canonnières espagnoles
tirent par intervalles sur le fort Luis et la partie orientale
de la plage, afin de protéger sur ce flanc les hommes qui se
retirent. Mojarra, sachant fort bien qu'il est dangereux de
rester trop longtemps à découvert, ce qui vous expose toujours à recevoir une balle d'amis ou d'ennemis, oblique un
peu sur la gauche, cherchant la protection des murs démantelés du fort de Matagorda. Ses tympans résonnent des
battements que lui cause son effort, et le souffle commence à
lui manquer. Sur la plage, autour de lui, il voit filer d'autres
ombres : Anglais et Espagnols mêlés qui tentent, eux aussi,
de gagner le rivage. Au-delà du fort fusent, comme des cha-
pelets de pétards, les coups de feu des fusils français. Des
balles perdues passent tout près en vrombissant ; le tir d'une
canonnière, qui, trop court, tombe à grand fracas dans le
petit étier de la plage, dessine dans la nuit, le temps d'un
éclair, les murs noirs et écroulés. Le saunier en profite pour
courir de plus belle, et il est sur le point de rejoindre un
homme qui avance devant lui ; mais, juste avant d'arriver

à sa hauteur, une autre décharge ennemie retentit et la silhouette s'effondre. Mojarra la dépasse rapidement, sans s'arrêter ni prendre d'autre précaution que celle de ne pas buter dessus, atteint la protection du mur de Matagorda, reprend haleine et jette un coup d'œil anxieux sur la plage, tout en refermant sa navaja à manche de corne qu'il glisse dans sa large ceinture. Il y a une chaloupe pas trop loin : sa forme allongée est visible tout près du rivage. Pendant quelques instants, un éclair venu des canonnières la découpe clairement sur l'eau noire, les rames levées, des hommes à bord ou pataugeant autour pour y monter. Sans perdre de temps à réfléchir, Mojarra pend son fusil à son épaule et se lance dans cette direction. Le sable mou ne facilite pas sa progression, mais il arrive à courir assez vite pour s'enfoncer dans l'eau jusqu'à la ceinture, s'accrocher au platbord de la chaloupe et se hisser dedans, aidé par des mains qui l'attrapent par la chemise et les bras, et qui le tirent.

– Trahison ! continue-t-on d'entendre crier çà et là.

De nouveaux fuyards arrivent qui montent comme ils peuvent et s'entassent dans l'embarcation, se dessinant sur le fond lointain de l'incendie. En se laissant tomber entre les bancs, Mojarra écrase un homme qui émet un cri de douleur et des paroles anglaises incompréhensibles. Il essaye de s'en écarter et, en se relevant, le saunier pose sans le vouloir une main sur son torse, dont il remarque qu'il est dénudé. Ce geste arrache un nouveau cri à l'homme, plus fort que le précédent. En retirant sa main, Mojarra aperçoit, adhérant à sa paume et détaché du corps de l'Anglais, un énorme morceau de peau brûlée.

*

Il pleut comme si l'on avait ouvert les bondes des nuages noirs et que ceux-ci se déversaient en cataractes. La violente tempête de pluie et de vent qui a frappé Cadix dans la matinée a laissé place à un déluge intense, continu, qui inonde tout, en tambourinant sur les toits, les façades et les immenses flaques, et en formant des ruisseaux dans le sable répandu sur les pavés pour empêcher les sabots des chevaux de glisser. Aux balcons pendent des drapeaux mouillés et des guirlandes de fleurs décomposées par l'eau. À l'abri sous le porche de l'église San Antonio, au milieu des gens protégés par des cirés et des parapluies ou qui se pressent par centaines sous les auvents et les balcons, Rogelio Tizón observe la cérémonie : celle-ci, malgré la pluie, se déroule sous le dais dressé au centre de la place. L'Espagne, ou ce qui en reste symbolisé par Cadix, a désormais une Constitution. Elle a été solennellement présentée ce matin, sans tenir compte du mauvais temps. Le danger des bombes françaises, qui depuis des semaines tombent avec de plus en plus de précision et de fréquence, déconseillait d'organiser la procession des députés et des autorités ainsi que le *Te Deum* prévu dans la cathédrale. On craignait, non sans raison, que les ennemis ne participent à leur manière à cet événement. De sorte que la cérémonie a été déplacée hors de portée de leur artillerie, dans l'église du Carmel, face à l'Alameda, où la foule enthousiaste – toute la ville est dans la rue, sans distinction de métier ni de condition – a supporté stoïquement les vents déchaînés, l'eau impitoyable et même la chute inattendue d'un gros arbre qui s'est abattu sans causer de dégâts : l'incident ne faisant au contraire qu'amplifier encore l'allégresse populaire, pendant que sonnaient les cloches de toutes les églises, que tonnait l'artillerie de la place et des navires à l'ancre, à laquelle répondait de l'autre côté de la baie la longue ligne des batteries françaises. Ces dernières célébrant à leur façon le 19 mars 1812, fête du saint patron de Joseph Bonaparte.

Maintenant, l'après-midi déjà commencée, le protocole prévu continue de se dérouler, et Rogelio Tizón est surpris de l'endurance des gens. Après avoir passé la matinée fouettés par la tempête, les Gaditans assistent, toujours sous la pluie et sans rien perdre de leur enthousiasme, à la lecture solennelle du texte de la Constitution qui a déjà eu lieu deux fois : devant le bâtiment de la Douane, où la Régence a disposé le portrait de Ferdinand VII, et sur la place du Mentidero. Quand la troisième cérémonie s'achèvera devant San Antonio, le cortège officiel suivi du public empruntera les rues bordées par la foule pour se rendre au dernier lieu prévu : la porte de San Felipe Neri, où l'attendent les députés qui ont remis ce matin aux régents un exemplaire de la Constitution tout juste sorti des presses – la *Pepa*, comme on l'a déjà baptisée en l'honneur du saint du jour*. Et il est curieux de voir, constate Tizón en regardant autour de lui, à quel point l'événement suscite, pour quelques heures, l'unanimité et l'enthousiasme général. Comme si les esprits les plus critiques de l'aventure constitutionnelle cédaient à la pression collective de la joie et de l'espoir, tous acceptent sans réticence les fastes de cette journée. Ou semblent les accepter. Surpris, le policier a vu certains des monarchistes les plus réactionnaires, opposés à tout ce qui peut évoquer la souveraineté nationale, participer à la cérémonie, applaudir avec tout le monde, ou au moins faire bonne figure et garder la bouche close. Même les députés rebelles, un dénommé Llamas et le représentant basque, Eguía, qui refusaient d'avaliser le texte approuvé par les Cortès – le premier se proclamant opposé à la souveraineté de la nation et le second se retranchant derrière les *fueros***de sa province –, ont signé et juré ce matin comme les autres, quand ils se sont trouvés devant le choix de s'exécuter ou de se

---

* *Pepe* et *Pepa* sont les diminutifs de *José* et *Josefa*, soit Joseph et Joséphine.
** Les *fueros* sont des chartes garantissant les privilèges et libertés d'une ville ou d'une province. Les Basques y étaient particulièrement attachés.

640

voir dépossédés de la qualité d'Espagnols et exilés dans le délai foudroyant de vingt-quatre heures. Après tout, conclut ironiquement le commissaire, la prudence et la peur, et pas seulement la contagion de l'enthousiasme patriotique, font des miracles constitutionnels.

La lecture est terminée, et le cortège solennel s'ébranle de nouveau. Les troupes présentent les armes tout au long du trajet sous la pluie qui transforme les uniformes en serpillières, et le défilé prend la direction de la rue de la Tour, escorté par un détachement de cavalerie, au rythme d'une fanfare que les torrents d'eau entravent et rendent inaudible, mais que les gens massés sur le parcours saluent allègrement. Lorsque la procession passe près de l'église, Rogelio Tizón observe le nouveau gouverneur de la place, qui est aussi le chef de l'escadre de l'Océan, don Cayetano Valdés : sérieux, maigre, se tenant très droit, avec des favoris qui descendent jusqu'au col de sa veste, l'homme qui commandait le *Pelayo* à Saint-Vincent et le *Neptuno* à Trafalgar a revêtu l'uniforme de lieutenant général et marche impassible sous l'averse, portant dans ses mains un exemplaire de la Constitution relié en maroquin rouge, qu'il protège du mieux qu'il peut. Depuis que Villavicencio est passé à la Régence et que Valdés occupe son bureau de gouverneur militaire et politique de la ville, Tizón ne l'a rencontré qu'une fois, en compagnie de l'intendant García Pico, et les résultats en ont été désagréables. À la différence de son prédécesseur, Valdés a des idées libérales. Il s'avère être aussi un individu direct et sec dans ses relations, discourtois, avec les manières brusques du marin qui a passé toute sa vie sous les armes. Avec lui, pas question de faux-fuyants ni de sous-entendus. Dès le premier moment, en abordant l'affaire des filles mortes, le nouveau gouverneur a dit clairement les choses à l'intendant et au commissaire : s'il n'y a pas de résultats, il exigera des responsables. Quant à la façon de mener les enquêtes sur cette affaire ou sur n'importe quelle autre, il a également assuré Tizón – dont il semble avoir été bien informé des états de service – qu'il ne tolérera pas la torture des prisonniers, ni des détentions arbitraires, ni des abus qui porteraient atteinte aux nouvelles libertés établies par les Cortès. L'Espagne a changé, a-t-il dit avant de les congédier. Pas de retour en arrière possible, ni pour vous ni pour moi. Mieux vaut donc nous l'enfoncer une fois pour toutes dans la tête.

Suivant le cortège d'un œil critique, le commissaire se souvient des paroles de l'homme qui marche, bien droit, sous la pluie et se demande, avec une curiosité malsaine, ce qui se passera si le roi prisonnier revient de France. Quand le roi Ferdinand, à qui le peuple porte un amour qui n'a d'égal qu'une totale ignorance de son caractère et de ses intentions – les rapports particuliers dont dispose Tizón sur sa conduite dans la conjuration de l'Escurial, le soulèvement d'Aranjuez et sa captivité à Bayonne ne plaident guère en sa faveur –, découvrira qu'en son absence et en son nom un groupe de visionnaires influencés par les idées de la Révolution française a mis l'ordre traditionnel cul par-dessus tête sous le prétexte que, privé de ses monarques – ou abandonné par eux – et livré à l'ennemi, le peuple espagnol se bat pour son propre compte et dicte ses propres lois. Voilà pourquoi, en voyant proclamer la Constitution au milieu de la ferveur populaire, Rogelio Tizón, qui ne se soucie guère de politique mais possède une longue expérience des tréfonds du cœur humain, se demande si tous ces gens qu'il voit applaudir et lancer des vivats sous la pluie – ce même peuple analphabète et violent qui a traîné dans la rue le général Solano et ferait de même avec le général Valdés si l'occasion s'en présentait – n'applaudiraient pas avec un égal enthousiasme un retournement de la mode. Il se demande également si, à son retour, Ferdinand VII acceptera avec résignation le nouvel état des choses, ou s'il ne prendra pas le parti de ceux qui affirment que le peuple ne combat pas pour une chimérique souveraineté nationale, mais pour sa religion et pour son roi, afin de ramener l'Espagne à son statut antérieur ; et si s'attribuer ou lui attribuer une telle autorité n'est rien d'autre qu'usurpation et manque de respect. Une folie que le temps se chargera de faire disparaître en remettant tout en ordre.

Sur la place San Antonio, il continue de pleuvoir des cordes. Dans le bruit des sabots des chevaux et de la musique de fête, le cortège s'éloigne lentement sous les drapeaux et les tentures des balcons qui ruissellent d'eau. Toujours sous le porche de l'église, le commissaire sort son étui et allume un cigare. Puis il regarde placidement la foule réjouie qui l'entoure, les personnes de toutes conditions qui applaudissent avec enthousiasme. Il le fait en prenant note de chaque visage, comme pour les graver dans sa mémoire. C'est un réflexe professionnel : simple précaution technique. En fin de compte, libéraux ou royalistes, ce dont on débat à Cadix n'est rien d'autre qu'une version nouvelle, différente, de l'éternelle lutte pour le pouvoir. Rogelio Tizón n'a pas oublié que récemment encore, suivant les ordres supérieurs et au nom de l'ancien roi Charles IV, il mettait en prison ceux qui introduisaient des libelles et des livres contenant des idées identiques à celles, reliées en maroquin rouge, que promène aujourd'hui le gouverneur. Et il sait qu'avec les Français ou sans eux, avec des rois absolus, avec la souveraineté nationale ou avec le premier chien coiffé assis à San Felipe Neri, celui qui commandera en Espagne continuera, comme partout, d'avoir besoin de prisons et de policiers.

*

À la tombée de la nuit, les bombardements français s'intensifient. Assise devant la table du cabinet botanique chauffé par un brasero, Lolita Palma écoute les explosions proches qui se mêlent au fracas du vent et de la pluie. Le déluge continue, se ravivant en rafales qui hurlent et griffent le rempart et les façades des maisons, et tentent de se frayer un passage dans le tracé perpendiculaire des rues avoisinant San Francisco. On dirait que la ville entière oscille à l'extrémité du Récif qui la maintient ancrée à la terre ferme, sur le point de voir ses tours abattues par le vent, inondée par la nappe d'eau qui se confond dans l'obscurité avec les vagues que l'Atlantique précipite contre la baie.

Asplenium scolopendrium. La feuille de fougère a presque un pied de long et deux pouces de large. À la lumière d'une lampe, Lolita Palma l'étudie avec une loupe à manche d'ivoire fortement grossissante, observant les fructifications qui forment des lignes parallèles, obliques par rapport à la nervure centrale. Il s'agit d'une plante commune et très belle, déjà décrite par Linné et fréquente dans les bois espagnols. La maison de la rue du Bastion possède deux superbes spécimens de cette variété, plantés dans des pots dans la galerie vitrée intérieure que Lolita utilise comme serre.

Une autre explosion. Elle retentit encore plus près, presque au bout de la rue des Doublons, amortie par les constructions interposées et le bruit de la pluie et du vent – cette nuit, la tempête et le bombardement français sont si intenses que la cloche de San Francisco qui avertit des éclairs de la Cabezuela reste silencieuse. Indifférente, Lolita Palma place le rameau de fougère dans un herbier en carton, protégé entre deux grandes feuilles de papier fin, laisse la loupe et frotte ses yeux fatigués – elle craint de devoir bientôt porter des lunettes. Puis elle se lève, passe devant l'armoire vitrée où elle conserve sa collection de feuilles séchées et agite la clochette en argent posée sur la console près de la bibliothèque. Mari Paz, la femme de chambre, apparaît tout de suite.

– Je vais me coucher.

– Oui, madame. Je prépare tout immédiatement.

Une autre explosion lointaine, cette fois à l'intérieur de la ville. La femme de chambre murmure « Jésus ! » et se signe avant de sortir du cabinet – elle ira ensuite dormir au rez-de-chaussée, où les domestiques se réfugient les nuits de bombardement –, et Lolita reste immobile, absorbée par le bruit du vent et de la pluie. Elle se dit qu'il y aura cette nuit beaucoup de cierges et de veilleuses allumés devant les estampes religieuses dans les maisons des marins.

Par la porte, depuis le couloir, un miroir lui renvoie son image : cheveux rassemblés en tresse, robe simple d'intérieur grise, agrémentée seulement de dentelle au col rond et aux manches. Dans la pénombre du couloir et à la lumière de la lampe dans son dos, la femme qui se regarde dans le miroir a l'aspect d'un tableau ancien. Avec une réaction qui est d'abord celle d'une vague coquetterie pour devenir ensuite lente et pensive au point de sentir quelque chose se glacer en elle, elle porte les mains à sa nuque et demeure immobile dans cette position à se contempler, tout en se disant que l'image reflétée pourrait être celle d'un de ces portraits noircis par le temps qui ornent les murs de la maison, dans le clair-obscur des meubles, des objets et des souvenirs familiaux. Le visage d'un temps révolu, irrécupérable, qui finira par se diluer comme un fantôme parmi les ombres de la maison endormie.

Brusquement, Lolita Palma baisse les mains et écarte les yeux de la glace. Puis, prise d'une urgence subite, elle va à la fenêtre qui donne sur la rue et l'ouvre violemment toute grande, laissant la tempête tremper sa robe et inonder son visage par rafales.

*

Les éclairs illuminent la ville. Ces coups de fouet déchirent le ciel noir tandis que le tonnerre se confond avec les explosions de l'artillerie française et la réponse systématique, tir pour tir, que renvoie, imperturbable, le fort de Puntales.

Revêtu de son carrick et de son chapeau cirés, Rogelio Tizón parcourt les rues des vieux quartiers en esquivant les trombes d'eau qui tombent des toits. La fête continue dans les tavernes et les bouges de la ville, où les gens qui ne sont pas encore rentrés chez eux arrosent leur journée. À son passage, le commissaire entend à travers portes et fenêtres les verres que l'on entrechoque, les chants, la musique, et les vivats que l'on adresse à la Constitution.

Une détonation retentit tout près, sur la place San Juan de Dios. Cette fois la bombe a explosé en tombant, l'onde de choc ébranle l'air mouillé et fait vibrer les vitres des fenêtres. Tizón imagine le capitaine d'artillerie, dont il connaît désormais le visage, orientant ses canons vers la ville dans le vain espoir de gâcher les réjouissances gaditanes. Curieux individu, ce Français. En tout cas, Tizón a accompli sa part de l'étrange marché. Il y a trois semaines, après avoir joué des pieds et des mains et convaincu les gens qu'il fallait avec l'argent qu'il fallait, le commissaire a obtenu que le taxidermiste Fumagal soit expédié sur l'autre rive de la baie, camouflé dans un échange de prisonniers. Ou, plus exactement, ce qui reste de lui – un fantôme squelettique et titubant – après un long séjour dans le souterrain sans fenêtres de la rue du Mirador. De son côté, le Français a respecté l'accord, et il continue. En homme de parole. Par trois fois, à des jours et des heures convenus, des tirs de ses obusiers sont tombés plus ou moins là où Tizón attendait qu'ils tombent ; sans résultat jusqu'à maintenant, si ce n'est d'avoir démoli deux maisons, blessé quatre personnes et tué une cinquième. Et, dans chaque cas, le policier se tenait dans les parages avec de nouveaux appâts – du fait de la guerre et de la nécessité, les filles jeunes ne manquent pas dans Cadix –, mais personne n'est jamais apparu qui puisse ressembler à l'assassin. De toute manière, les conditions atmosphériques des derniers jours, avec des pluies et des vents qui ne viennent pas du levant, ne sont guère favorables. Tizón, que ses obsessions n'empêchent pas de voir combien tout cela ne tient que par des ficelles, ne se fait pas trop d'illusions ; mais il n'abandonne pas non plus la partie. On a toujours, pense-t-il, plus de chances d'attraper une proie quand on tend un filet, même si les mailles sont peu sûres, que si on n'en utilise pas. Par ailleurs, à force de sillonner la ville à la recherche d'indices, en comparant les circonstances connues avec d'autres ayant les mêmes caractéristiques, le policier – ou plutôt l'étrange certitude qui guide ses actes ces derniers temps – a pu établir une relation entre des lieux qu'il suppose plus favorables que d'autres pour que s'y produise ce qu'il attend. Ou espère. La méthode est complexe, parfois à la limite de l'irrationnel ; et Tizón lui-même n'est pas certain de son efficacité. S'y mêlent les expériences antérieures et des sensations intimes : des lieux comportant des maisons, des cours ou des entrepôts abandonnés, des terrains vagues protégés des regards indiscrets, des rues qui permettent de se dissimuler et de disparaître facilement, des angles où le vent se comporte de façon identique dans des conditions déterminées, et où Tizón a pu ressentir le trouble – physiquement réel ou imaginaire, sur ce point il n'est toujours pas d'accord avec Hipólito Barrull ni d'ailleurs avec lui-même – de la soudaine absence d'air, de sons et d'odeurs, comme si l'on pénétrait, l'espace d'un instant, dans une étroite cloche de vide. Ces diaboliques vorticules, ou quels que soient leur vrai nom et leur véritable nature : ces tourbillons d'horreur venus de l'extérieur ou de soi-même. Il est évident qu'avec les moyens dont il dispose le commissaire ne peut pas couvrir tous ces lieux en même temps. D'ailleurs il n'est même pas convaincu qu'il ne s'en trouve pas beaucoup d'autres, semblables, qui échappent à son calcul. Mais il peut établir un système de contrôles aléatoires – et c'est ce qu'il fait. Une manière de procéder qui ressemble, pour revenir à l'image du pêcheur, à poser le filet en des lieux où l'on n'est pas sûr de remonter quelque chose, mais dont on sait, ou croit savoir, qu'ils sont fréquentés par les poissons. Et tous les jours, avec ou sans appât, Tizón fait la tournée de ces endroits, les étudie sur le plan de la ville jusqu'à ce qu'il en connaisse chaque recoin par cœur, organise des rondes discrètes d'agents et recourt aux yeux et aux oreilles d'un réseau d'indicateurs qu'il a certes toujours entretenus, mais qu'il tient aujourd'hui particulièrement en alerte par une habile et efficace combinaison de pourboires et de menaces.

L'arc du Pópulo est un de ces points inquiétants. Perdu dans ses pensées, le policier contemple la voûte du passage. Ce lieu situé derrière l'Hôtel de Ville est central, passant, et comporte des maisons d'habitation et des commerces proches – bien que, cette nuit, l'orage ne laisse voir que des volets fermés dans l'obscurité et des torrents d'eau qui tombent de tous côtés. Pourtant, Rogelio Tizón *sait* qu'il est une des marques portées sur la carte-échiquier qui lui ôte le sommeil la nuit et la tranquillité le jour : sept pièces prises par l'adversaire, et, pour lui, tout juste un début d'indication. Des nuits durant, il y a maintenu la surveillance avec l'appât correspondant – une fille recrutée rue d'Hercule –, sans résultat. Mais si l'assassin n'est pas venu au rendez-vous, la bombe, elle, n'y a pas manqué : elle est tombée le matin précédent à quelques pas, sur la petite place de la rue de la Vice-Reine. C'est pourquoi, malgré la pluie et la fatigue de la journée, le policier ne se décide pas à rentrer chez lui. Même si les conditions ne sont guère propices, avec la pluie, le vent et les éclairs, il continue d'arpenter les parages, trempé, scrutant chaque recoin et chaque ombre, dans un effort permanent de comprendre. De voir le monde avec un regard identique à celui de l'homme qu'il cherche.

À un moment, à la lumière avare de la veilleuse allumée

sous l'image sainte apposée sur un mur du passage, sous les ténèbres de la voûte, le policier croit voir une ombre. Une forme obscure qui n'était pas là auparavant, ce qui alerte aussitôt son instinct et ses sens comme ceux d'un limier qui flaire la proie. Avec des précautions infinies, prenant soin que son ombre ne se détache pas sur la pénombre de la rue, Tizón s'approche du mur le plus proche pour s'y dissimuler, en comptant sur le bruit de la pluie pour couvrir celui de ses bottes en passant dans les flaques. Il demeure ainsi immobile, tenant fermement la canne à tête de bronze, sous l'eau qui ruisselle sur son chapeau et sa capote imperméable. Mais la forme – une silhouette vaguement masculine près de la veilleuse – ne bouge pas. Finalement, le policier décide d'avancer prudemment vers elle, la canne levée. Arrivé à mi-chemin dans le passage, il ne peut éviter que ses pas résonnent sous la voûte. Alors la forme s'agite un peu.

– Maudit vin, dit une voix. Je n'arrête plus de pisser.

Le timbre est jeune et le ton désabusé. Tizón s'arrête à côté de la silhouette, qui se profile maintenant plus nettement dans l'obscurité : mince et noire. Du coup, il ne sait plus quoi dire. Il cherche un prétexte pour s'attarder un peu, au lieu de poursuivre sa route.

– Ce n'est pas un endroit pour faire ses besoins, dit-il sèchement.

L'autre semble réfléchir, en silence, à la pertinence de la remarque.

– Ne me cassez pas les pieds, finit-il par déclarer.

Ces paroles s'achèvent dans une quinte de toux. Tizón essaye de voir le visage, mais la veilleuse du mur n'en éclaire que le contour. Puis il entend un froissement d'étoffe – il suppose que l'homme reboutonne sa braguette – et la faible lueur éclaire une figure émaciée, des yeux sombres et profonds : un homme d'un peu plus de vingt ans, bien fait de sa personne, qui observe Tizón d'un air hautain.

– Mêlez-vous de ce qui vous regarde, dit-il.

– Je suis commissaire de police.

– Je n'en ai rien à foutre.

Il est tout près et sent le vin. Tizón n'apprécie pas son insolence et encore moins le ton méprisant qu'il prend pour la manifester. Un moment, sous l'empire des réactions automatiques du métier et de l'habitude, il est tenté de jouer de sa canne et de lui donner la correction qu'il mérite. Stupide petit coq. Et puis il se rend compte que l'homme ne lui est pas inconnu. À propos de navires, peut-être ? Soudain, il croit se souvenir d'un marin. Un officier, sûrement. De là, le vin et la grossièreté. Différente en tout cas des fanfaronnades de matelots, bravaches, bellâtres et autres fleurons de la jeunesse gaditane. Chez celui-là, il perçoit plutôt une morgue supérieure, dégoûtée. De bonne famille.

– Un problème ?

La nouvelle voix qui a retenti dans son dos manque de faire sursauter le commissaire. Un deuxième homme est là. Tizón se retourne et voit près de lui un individu brun, aux épais favoris, qui porte une veste à boutons dorés. La veilleuse éclaire des yeux calmes, aux tons clairs.

– Vous êtes ensemble ? s'enquiert Tizón.

Le silence du nouveau venu laisse supposer une réponse affirmative. Tizón balance la canne dans sa main droite. Il n'y a pas d'autre problème, explique-t-il, que celui que peut poser son ami. L'autre continue de le regarder, interrogateur. Il est tête nue et ses cheveux sont trempés par la pluie. La veilleuse fait luire de grosses gouttes récentes sur ses épaules. Lui aussi sent la taverne.

– Je vous ai entendu prononcer le mot *police*, dit-il finalement.

– Je suis commissaire.

– Et votre travail consiste à veiller à ce que personne ne

pisse dans la rue, par des nuits comme celle-là... Quand c'est le ciel tout entier qui nous pisse dessus.

Il a dit cela de sang-froid et sans déguiser son ironie. Mauvais début. Pour sa part, Tizón les reconnaît enfin : ce sont les deux corsaires, le capitaine et son second, avec lesquels il a eu, l'été passé, une conversation nocturne à la Caleta. Une discussion aussi peu agréable que celle-là, quoique moins humide. C'était quand il enquêtait sur cette histoire de contrebande et de traversées de la baie qui l'a mené jusqu'au Mulâtre.

– Mon travail, camarades, est celui que je juge opportun.

– Nous ne sommes pas vos camarades, réplique le plus jeune.

Tizón réfléchit rapidement. Il ouvrirait avec plaisir d'un coup de canne la tête de ce godelureau – il se rappelle maintenant qu'il a déjà eu la même envie lors de leur précédente rencontre –, mais ces gens-là ne sont pas des enfants de chœur, et l'affaire risque de ne pas être facile. C'est le genre d'histoires dont, si l'on n'y prend pas garde, on peut sortir plus mal en point qu'on ne l'escomptait. Et plus encore ici, dans ce passage, face à deux hommes qui ont bu, mais pas assez quand même pour avoir dépassé la phase dangereuse de fermeté agressive. Et nulle ronde en vue pour le secourir. Avec la pluie, se dit-il amèrement, ils doivent tous être allés s'abriter dans une taverne. Salauds d'enfants de putain. De sorte que, reprenant la parole, il décide d'en infléchir le ton. Plus diplomatique.

– Je suis sur les traces de quelqu'un, admet-il avec une simplicité délibérée, et, dans l'obscurité, je me suis trompé.

Au-dehors, un éclair illumine le passage comme un brusque coup de canon, et les silhouettes des trois hommes se découpent sur sa clarté. Celui qui porte des favoris – le capitaine Lobo, de la *Culebra*, se rappelle d'un coup Tizón – regarde le commissaire sans rien dire, comme s'il soupesait très sérieusement ce qu'il vient d'entendre. Puis il fait un fugace mouvement affirmatif.

– Nous nous sommes déjà rencontrés, dit-il.

– Nous avons eu une conversation, confirme Tizón. Il y a longtemps.

Un autre bref silence. Cet homme n'est ni bavard ni menaçant, pense-t-il. Son compagnon non plus. Ensuite, il voit le corsaire acquiescer.

– Nous étions dans une taverne, tout près d'ici, en joyeuse compagnie... Mon ami est venu prendre l'air et se soulager un peu. Demain, nous reprenons la mer.

Maintenant, c'est Tizón qui acquiesce.

– Je l'ai pris pour un autre, admet-il.

– Tout est réglé, alors... Non ?

– Il semble.

– Dans ce cas, je vous souhaite bonne chance dans votre ronde.

– Et moi bonne chance dans votre taverne.

Resté dans le passage, Tizón voit les deux marins, redevenus des formes obscures, sortir sous la pluie et se fondre dans les ténèbres que percent par instants les éclairs qui claquent comme des coups de feu et écrasent leurs ombres sur le sol, l'une contre l'autre, sous l'épaisse nappe d'eau. Alors le policier se souvient enfin de tout : ce même capitaine Lobo est l'homme dont on dit – personne n'a pu le prouver, et les témoins sont restés bouche cousue – qu'il a, voici deux mois, grièvement blessé un capitaine du génie dans un duel, sur le récif de Santa Catalina. Coriace, le bougre.

16

Clarté d'eau et de sel. Hautes maisons très blanches le long des arbres de l'Alameda, avec des jardinières fleuries entre le fer forgé des balcons et les miradors peints en vert, rouge et bleu. Un Cadix comme celui des estampes, constate Lolita Palma qui sort de l'église, ajuste sa mantille dorée fixée au peigne par des épingles, et rejoint les autres invités sous les tours quasi mexicaines du Carmel, en s'abritant les yeux derrière l'éventail déplié pour les protéger de la lumière. La journée est splendide et convient parfaitement au baptême du fils de Miguel Sánchez Guinea. La cérémonie achevée, le nouveau-né dort dans les bras de ses parrains, sous un flot de langes et de dentelles, abreuvé de caresses, de félicitations et de vœux d'une longue vie et d'une prospérité qui soient aussi profitables pour les siens que pour la ville. Tu me l'as donné païen et je te le rends chrétien, dit la marraine au père de l'enfant, comme le veut la coutume. Même les salves des canons français semblent fêter l'événement, car ils ont commencé à tirer depuis le Trocadéro au moment même où se terminait la cérémonie. En fait, ils tirent désormais quotidiennement, mais le lieu reste hors de la portée de leurs bombes ; aussi est-ce à peine si l'on prête attention à ce grondement lointain, monotone, auquel la ville s'est depuis longtemps habituée.

– Même la musique est au rendez-vous, commente le cousin Toño en coupant l'extrémité d'un cigare.

Lolita Palma regarde autour d'elle. Les invités, qui sont nombreux – chapeaux légers à larges coiffes de couleurs claires, peignes et mantilles de dentelle blanche, dorée ou noire selon l'âge et l'état civil –, se rassemblent en bavardant tranquillement entre le porche de l'église et le bastion de la Candelaria ; et peu à peu, sans recourir aux voitures et aux calèches qui attendent sur le parvis, ils marchent dans l'Alameda vers le lieu du banquet. Les dames sont au bras de leurs maris ou de leurs proches, les enfants courent sur la terre blanchâtre, et tous jouissent comme s'ils leur appartenaient – et, d'une certaine manière, ils leur appartiennent – de l'allée et du panorama splendide de la mer et du ciel lumineux, impeccables, qui s'étendent au-delà des remparts vers Rota et El Puerto de Santa María.

– Raconte-nous le spectacle d'hier soir, Lolita, demande Miguel Sánchez Guinea. On dit que ç'a été un succès.

– Un succès oui… Et une belle frayeur.

Les conversations – surtout celles des hommes – tournent autour des affaires et des derniers événements militaires, aussi désastreux pour les armes espagnoles qu'à l'ordinaire : la prise d'Alicante par les Français, la défaite du général Ballesteros à Bornos. On commente aussi la rumeur d'une prochaine attaque ennemie contre la Carraca, qui disloquerait le système défensif de l'île de León et menacerait la ville ; mais personne n'y accorde vraiment crédit. Cadix se sent invulnérable derrière ses remparts. Le véritable fait du jour, celui qui suscite beaucoup plus l'intérêt des deux sexes, c'est la pièce que certaines des personnes présentes ont vu jouer hier au théâtre de la rue de la Neuvaine. C'était la première représentation de *Ce que peut un emploi*, divertissement comique sans grandes prétentions mais non dénué d'esprit, tout juste sorti de la plume de Paco Martínez de la Rosa et très attendu, car truffé d'allusions aux serviles antilibéraux qui, en échange de prébendes et de postes lucratifs, embrassent aujourd'hui avec un enthousiasme suspect les idées constitutionnelles. Lolita y a assisté dans sa loge en compagnie de Curra Vilches et de son mari, du cousin Toño et de Jorge Fernández Cuchillero. La salle n'était pas comble, mais les amis communs et ceux qui partagent les opinions politiques de l'auteur étaient présents et occupaient les fauteuils d'orchestre : Argüelles, Pepín Queipo de Llano, Quintana, Mexía Lequerica, Antoñete Alcalá Galiano et les autres. Les femmes étaient nombreuses. On a applaudi à beaucoup de situations amusantes de la pièce ; mais le moment culminant a été quand, en plein milieu de la représentation, une bombe française est passée en frôlant le toit du théâtre pour tomber à proximité. S'en est suivi un beau tumulte, et certains spectateurs épouvantés ont pris la fuite ; mais d'autres, debout, ont exigé que la représentation continue ; et les acteurs ont poursuivi, avec beaucoup de sang-froid, sous de longs applaudissements. Lolita Palma est de ceux qui sont restés jusqu'à la fin.

– Et tu n'as pas eu peur ? s'intéresse Miguel Sánchez Guinea. Curra avoue qu'elle est partie en courant avec son mari.

– Comme un boulet de canon, confirme l'intéressée.

Lolita éclate de rire.

– J'ai failli partir avec elle… Je suis même sortie de la loge. Mais en voyant que Fernández Cuchillero, Toño et les autres ne bougeaient pas, je suis restée plantée là comme une idiote. Pourtant, je me disais : Encore une bombe comme celle-là, et je suis morte… Heureusement, il n'y en a pas eu d'autre.

– Et la pièce est bonne ?

– Un peu forcée, mais elle est amusante et se laisse voir. Le personnage de don Melitón est très drôle… Je n'ai rien à vous apprendre sur l'humour de Paco de la Rosa.

– Et sa plume, ajoute Curra Vilches pour faire bon poids.

– N'exagère pas, langue de vipère… Ceux qui sont restés ont beaucoup applaudi.

– Pardi ! Ils sont tous de son bord.

Le banquet est servi à l'Auberge Anglaise, sur la place des Puits à Neige, près du café des Chaînes : propriété d'un Britannique installé à Cadix, avec un personnel de la même nation, c'est un des établissements les plus élégants de la ville. En arrivant, les convives s'installent dans la salle à manger du haut, grande et spacieuse, avec vue sur la baie et sur la maison toute proche du malheureux général Solano, encore ruinée par le pillage et l'incendie d'il y a trois ans. Pour les dames et les enfants, sur de grands plateaux mexicains en argent empruntés à la vaisselle particulière des Sánchez Guinea, s'empilent biscuits de Majorque, calissons, gâteaux de Savoie et tartes à la crème, accompagnés de citronnades, orangeades, chocolat au lait à la française, thé à l'anglaise, et lait avec citron et cannelle à l'espagnole. Les messieurs disposent en plus de café, liqueurs et boîtes de cigares fraîchement ouvertes. En peu de temps, l'étage regorge d'amis et de parents en effervescence qui fêtent le baptisé et sa famille dans la rumeur des conversations et la fumée des cigares. Sur les tables, on voit des bourses en satin et mailles d'argent, des éventails à manche de nacre, des étuis à cigares en cuir fin. Tout le gratin du commerce local est là pour célébrer la perpétuation de la lignée d'un des siens. Ils se connaissent depuis toujours, ils partagent depuis des générations baptêmes, communions, mariages et enterrements. La grande bourgeoisie commerciale au complet s'est donné rendez-vous, convaincue d'être le sang authentique de la ville, le muscle puissant de son travail et de sa richesse. La douzaine de familles qui remplissent l'étage de l'Auberge Anglaise représente le vrai Cadix : argent et affaires, risques, échecs et succès qui maintiennent vivantes cette ville et sa mémoire atlantique et méditerranéenne, à la fois classique et moderne, raisonnablement cultivée, raisonnablement libérale, raisonnablement héroïque. Raisonnablement inquiète, aussi, moins du fait de la guerre – une affaire comme les autres, après tout – que pour l'avenir. Et pendant que les dames parlent d'enfants, nounous et domestiques, de patrons de robes cousues par leurs modistes de la rue Juan de Andas, des nouveautés arrivées d'Angleterre dans les boutiques élégantes de San Antonio, de la rue Cobos et de la Calle Ancha, des rideaux de lit et des courtepointes en fibres de coco blanc – la dernière mode pour la décoration des alcôves – et du drapeau que brode la Société patriotique des dames pour l'offrir aux artilleurs de Puntales, les maris commentent l'arrivée de tel ou tel navire, la mauvaise situation financière d'une connaissance, les désagréments, incertitudes et espérances que génèrent pour leurs affaires l'occupation française et la perfide insurrection qui n'en finit pas de s'étendre dans les colonies américaines, cyniquement encouragée par ces mêmes Anglais qui, à Cadix, à travers leur ambassadeur, sabotent depuis des mois les progrès constitutionnels et favorisent le parti absolutiste des serviles.

– Il faudrait expédier plus de troupes de l'autre côté de l'océan pour réprimer cette trahison, dit quelqu'un.

– Cette obscène barbarie, renchérit un autre.

– L'ennui, c'est que, comme d'habitude, ils feront ça sur notre dos. Avec notre argent.

Un troisième invité intervient, sarcastique :

– Et avec lequel, sinon ?... Il n'y a pas d'autre gâteau où planter les dents, en Espagne.

– Ils n'ont aucun scrupule. Entre la Régence, la Junte et les Cortès, ils nous saignent comme des gorets.

Don Emilio Sánchez Guinea – sobre frac gris sombre, culottes avec bas de soie noire – a pris Lolita en aparté à l'extrémité d'une table proche de la fenêtre ouverte sur l'étendue de la baie. Eux aussi commentent la mauvaise situation financière. Après avoir contribué l'an passé à l'effort de guerre pour un million de pesos, Cadix s'est vu forcé de participer à de nouveaux emprunts, comme celui de six millions et demi de réaux qui a récemment financé les expéditions militaires inutiles de Carthagène et d'Alicante. Maintenant, la rumeur court – et, en matière d'impôts, les rumeurs se révèlent toujours exactes – qu'on prétend lever une nouvelle contribution directe sur les fortunes, fondée sur la publication de la liste de celles-ci. Et Sánchez Guinea est indigné. Pour lui, livrer ces détails sera aussi préjudiciable à ceux qui mènent bien leurs affaires qu'à ceux qui les mènent mal : les premiers parce qu'ils se verront encore plus pressurés ; les seconds parce que le commerce repose sur la bonne réputation de l'entreprise, et rendre publique la mauvaise situation de certaines maisons ne les aidera pas à conserver leur crédit. Dans tous les cas, il est délicat de calculer les richesses en une période de stagnation des importations coloniales et de pénurie des capitaux.

– C'est une folie, conclut le vieux négociant, d'imposer la contribution directe dans une ville commerçante comme celle-ci, où la seule unité de mesure sérieuse est la réputation de chacun… Personne ne pourra calculer cette contribution sans mettre le nez dans nos livres de comptabilité. Et c'est un abus.

– Vous pouvez être sûr que mes livres, ils ne les verront pas, dit Lolita, résolue.

Elle réfléchit. Sombre. Ses lèvres serrées ne formant plus qu'une mince ligne.

– Je veillerai à m'en arranger, ajoute-t-elle.

Sa mantille est maintenant sur ses épaules, découvrant ses cheveux rassemblés sur la nuque et retenus par un peigne en écaille. À portée de ses mains qui émiettent sur la table un gâteau aux amandes sont posés l'éventail fermé, un porte-monnaie de velours et un verre de lait à la cannelle.

– On prétend que tu as des problèmes, dit Sánchez Guinea en baissant la voix.

– Que moi aussi j'en ai, voulez-vous dire.

– Évidemment. Comme moi-même, comme mon fils… Comme tout le monde.

Lolita acquiesce sans rien ajouter. À l'instar de nombreux commerçants gaditans, sa créance sur le Trésor public est de cinq millions de réaux, dont elle n'a recouvré que le dixième : soit vingt-cinq mille pesos. Si cette dette perdure, son non-remboursement peut la conduire à la faillite. Ou en tout cas à la suspension de paiement.

– Je sais de bonne source, ma fille, que le gouvernement a tiré des traites sur Londres et disposé de l'argent correspondant à sa guise ; sans régler un peso à ses créanciers… Il a agi de même avec les fonds arrivés de Lima et de La Havane.

– Je n'en suis pas surprise. C'est pour ça que vous me voyez inquiète… Au premier coup dur sérieux, je me trouverai sans liquidités pour faire front.

Sánchez Guinea hoche la tête d'un air découragé. Lolita le trouve, lui aussi, fatigué, et même le baptême de son petit-fils ne semble pas le réconforter. Trop de contrariétés et d'inquiétudes minent la sérénité de celui qui fut l'ami intime et l'associé de son père. C'est la fin d'une époque, l'entend-elle dire fréquemment. Mon Cadix disparaît, et je m'éteins avec lui. Je ne vous envie pas, vous les jeunes. Vous qui serez ici dans quinze ou vingt ans. Il parle de plus en plus de se retirer et de tout laisser à Miguel.

– Et quelles nouvelles de notre corsaire ?

Le vieux visage s'anime en posant la question, comme si un souffle d'air marin venait aérer ses pensées. Il sourit même un peu. Lolita approche une main du verre, mais ne le prend pas.

– Elles ne sont pas mauvaises. – Elle reporte un instant son regard sur la baie, au-delà de la fenêtre. – Mais le tribunal des prises ne se presse pas. Entre Gibraltar, Tarifa et Cadix, tout va très lentement… Vous savez aussi bien que moi que la *Culebra* est une aide, mais pas une solution. Et puis, il y a de moins en moins de bateaux français ou de l'usurpateur pour prendre des risques… Il faudrait qu'il aille au-delà du cap de Gata. Il ferait de meilleures prises.

Le négociant acquiesce, amusé. Sans doute se souvient-il des réticences initiales de Lolita à s'impliquer dans des affaires de course.

– Tu as fini par prendre la chose au sérieux, ma fille.

– Comment faire autrement? – Elle sourit à son tour, ironique envers elle-même. – Les temps sont durs.

– Eh bien, nous allons peut-être le voir revenir de chasse. On a signalé ce matin un cotre de ce côté de Torregorda, naviguant de conserve avec un autre bateau… Il pourrait bien s'agir de notre capitaine Lobo avec une prise.

Lolita ne cille pas. Elle aussi est au courant des informations de la tour de vigie.

– En tout cas, conclut-elle, nous devons faire en sorte qu'il reparte immédiatement.

– Vers le Levant, as-tu dit.

– C'est ça. Avec la chute d'Alicante, le trafic français va y augmenter. Et il peut utiliser Carthagène comme port d'attache.

– Ce n'est pas une mauvaise idée… Elle est même excellente.

Ils restent tous deux silencieux. Maintenant, c'est Sánchez Guinea qui regarde par la fenêtre, songeur, puis se tourne vers la salle animée. Autour d'eux, ce ne sont que rumeurs de conversations, bavardages de dames, rires et cris contenus d'enfants bien élevés. La fête suit son cours, étrangère à l'inexorable : à la réalité du monde qui s'écroule au-dehors et aux détonations des canons français qui arrivent à peine jusqu'ici, de temps en temps. Miguel Sánchez Guinea, qui s'occupe des invités et a vu son père et Lolita Palma converser à l'écart, s'approche de leur table en souriant, un cigare dans une main et un verre de liqueur dans l'autre. Mais le père l'arrête d'un geste. Obéissant, Miguel salue en levant son verre et fait demi-tour.

– Quelles nouvelles du *Marco Bruto*?

Don Emilio a de nouveau baissé la voix. Son ton est affectueux, très attentionné. Extrêmement confidentiel. La question assombrit le visage de l'héritière des Palma. Le nom de cet autre navire l'empêche de dormir depuis longtemps.

– Toujours aucune. Il est en retard... Il devrait être parti de La Havane le 15 du mois dernier.

– Tu ne sais pas où il est?

– Pas encore. Mais je l'attends d'un jour à l'autre.

Cette fois, le silence est long et significatif. Tous deux commerçants expérimentés, ils savent comment on peut perdre un navire : les hasards de la mer, les corsaires français. La malchance. Il y a des bateaux qui sauvent ou ruinent leurs affréteurs en un seul voyage. Le *Marco Bruto*, qui reste le meilleur brigantin de la maison Palma – deux cent quatre-vingts tonneaux, la coque doublée de cuivre, quatre canons de 6 livres –, fait route vers Cadix avec un chargement d'une importance exceptionnelle. Emilio Sánchez Guinea sait qu'il transporte une précieuse cargaison de grains, sucre, indigo et mille deux cents lingots de cuivre de Veracruz ; d'ailleurs, une petite partie appartient à sa propre maison commerciale. Ce qu'il ignore – l'affection est une chose, mais les affaires en sont une autre –, c'est que, camouflés sous les lingots, le brigantin transporte vingt mille pesos d'argent, propriété de Lolita, destinés à se procurer des liquidités et à maintenir le crédit local. Sa perte serait un coup difficile à surmonter ; avec cette circonstance aggravante que, cette fois, vu le caractère délicat de l'opération, tous les risques maritimes sont à la charge de Lolita Palma.

– Tu joues gros jeu sur ce navire, ma fille, dit enfin Sánchez Guinea.

Elle reste absente, le regard concentré dans le vide. Elle semble ne pas avoir entendu les dernières paroles de l'ami de son père. Puis elle frémit imperceptiblement et esquisse un sourire préoccupé. Triste.

– Vous êtes en dessous de la vérité, don Emilio... Telles que se présentent les choses, je joue tout.

Maintenant, détournant la tête, elle contemple encore une fois la mer d'où arrivent à Cadix fortunes et désastres. Au loin, proches l'une de l'autre, on aperçoit les voiles de deux navires qui tirent de longs bords dans le vent de nord-est pour pénétrer dans la baie, en essayant de rester hors de portée des batteries françaises pendant qu'ils passent les Puercas et le Diamante.

Pourvu que ce brigantin arrive vite, pense-t-elle. Pourvu qu'il arrive.

*

À bâbord amure de la *Culebra*, l'œil collé à la lorgnette, Pepe Lobo observe les voiles du navire qui s'approche rapidement depuis la pointe de Rota : deux mâts légèrement inclinés vers la poupe, beaupré avec bout-dehors de foc, voiles triangulaires, latines, tendues par le vent de travers.

– C'est un mistic, dit-il. Un canon sur chaque bord et un canon de chasse. Et il ne porte pas de pavillon.

– Un corsaire ? demande Ricardo Maraña qui se tient près de lui et regarde dans la même direction, une main en visière.

– Sûrement.

662

– En l'apercevant, j'ai d'abord cru que c'était la felouque de Rota.

– Moi aussi. Mais le golfe est vide... La felouque est sûrement allée brouter sur d'autres pâturages.

Lobo passe la longue-vue à son second, et celui-ci observe longuement le navire, dont le soleil de l'après-midi éclaire les voiles.

– Nous ne l'avions encore jamais vu dans ces eaux... C'est peut-être celui de Sanlúcar?

– Peut-être.

– Et que fait-il si loin à l'est?

– Si la felouque est à la chasse, il aura pris sa relève dans les parages. Histoire de voir ce qu'il peut trouver.

Maraña continue de regarder dans la lorgnette. On peut déjà se rendre compte de la manière dont manœuvre le mistic.

– Il tente sa chance. Il tâte l'adversaire.

Pepe Lobo regarde vers le bord du vent, là ou navigue de conserve avec la *Culebra*, et amarinée par un équipage de prise, la dernière capture opérée par le cotre : une goélette de quatre-vingt-dix tonneaux, la *Cristina Ricotti*, arraisonnée sans combat il y a quatre jours devant la pointe Cires alors que, partie de Tanger, elle se dirigeait vers Malaga avec une cargaison de laine, de cuirs et de salaisons. Pour l'entrée dans la baie, prévoyant la présence de corsaires et la menace du fort français de Santa Catalina qui canonne toujours les bateaux qui tirent des bords près de la terre, Lobo a pris ses dispositions pour que la goélette se maintienne à tribord de la *Culebra*, à deux encablures, afin de mieux la protéger en s'interposant entre elle et toute menace possible. Pour sa part, le cotre navigue prêt à toute éventualité, pointant son long beaupré sur le golfe de Rota, serrant le vent de nord-est toute toile dehors y compris le petit hunier, sans arborer de pavillon, la moitié des matelots aux bras et aux écoutes, et le maître d'équipage Brasero appuyé sur le guindeau, deux pas derrière le capitaine et son second : un œil sur la manœuvre et l'autre sur les huit canons de 6 livres chargés et prêts à tirer, le reste des hommes armés et sur le qui-vive depuis que la voile ennemie est apparue derrière la pointe de Rota.

– On vire, ou on prolonge le bord ? interroge Maraña en repliant la longue-vue.

– Continuons encore un peu comme ça. Le mistic n'est pas un problème.

Le second acquiesce, rend la lorgnette à Lobo et se tourne, lui aussi, pour jeter un coup d'œil sur la goélette qui navigue au vent, conservant la distance convenue et manœuvrant avec célérité à chaque signal envoyé du cotre. Maraña sait, comme son commandant, que le corsaire ennemi n'a pas la force suffisante pour livrer un combat en règle, car la disproportion entre ses trois canons et les huit de la *Culebra* transformerait toute tentative en suicide. Mais, en mer, rien n'est jamais acquis jusqu'au dernier instant ; et le corsaire français, audacieux comme l'exige son métier, fait exactement ce qu'ils feraient eux-mêmes en pareille situation : il se rapproche autant qu'il le peut, guettant la proie possible comme un prédateur prudent, au cas où un coup de chance – un changement de vent, une manœuvre manquée, le feu de Santa Catalina qui démâterait le cotre – le pousserait dans sa gueule.

– Nous ne passerons pas les Cochinos et le Fraile sans virer, constate Maraña. Il faudrait se rapprocher beaucoup trop de Rota.

Il a parlé avec sa froideur habituelle, comme s'il contemplait la manœuvre depuis la terre. C'est un simple commentaire objectif, sans intention d'influer sur les décisions de son commandant. Pepe Lobo regarde en direction de la pointe ennemie derrière laquelle apparaît le village. Puis il se tourne de l'autre côté, vers Cadix, blanc et allongé dans l'enceinte de ses formidables remparts. Avec un coup d'œil à la mer et à la flamme qui ondule, tendue, en haut du mât unique du cotre, il calcule la force et la direction du vent, la vitesse, le cap et la distance. Pour entrer dans la baie en évitant les écueils qui gardent ses abords, ils devront tirer encore un bord vers Cadix, un autre du côté de Rota, et encore un vers la ville. Cela signifie se rapprocher deux fois des batteries françaises, ce qui ne lui permet pas le droit à l'erreur. En tout cas, le mieux serait de tenir le mistic en respect en lui donnant à réfléchir. On n'est jamais assez prudent.

– Soyez prêt pour la manœuvre, lieutenant.

Maraña se tourne vers le maître d'équipage Brasero, qui s'appuie toujours sur le guindeau.

– Bosco!... Préparez-vous à virer vent devant!

Pendant que Brasero fait volte-face et parcourt le pont incliné par la gîte, en disposant les hommes, Pepe Lobo informe le second de ses intentions.

– Nous allons expédier une bordée au mistic, pour le maintenir à distance respectueuse... Nous le ferons à demi-manœuvre, juste avant de changer de bord.

– Un seul tir par pièce?

– Oui. Je ne crois pas qu'une bordée suffira à le démâter, mais je veux lui flanquer la peur de sa vie... Vous vous chargez du premier coup?

C'est à peine si le second esquisse un sourire. Fidèle à son personnage, Ricardo Maraña regarde la mer comme si, distrait, il pensait à autre chose; mais Lobo sait qu'il combine mentalement les conditions de tir et la portée des canons. Se réjouissant à l'avance.

– Comptez là-dessus, commandant.

– Alors au travail. Nous virons dans cinq minutes.

Pepe Lobo déploie la lorgnette en tentant d'adapter le cercle de vision au mouvement du pont, et il étudie de nouveau le corsaire ennemi. Celui-ci a légèrement modifié son cap, remontant d'un quart au vent. Les voiles latines lui permettent encore de serrer un peu plus le vent pour s'approcher de la route que le cotre et la goélette devront suivre lors des bords suivants. Dans l'oculaire de la longue-vue, Lobo distingue bien ses deux canons, un sur chaque bord, et le long canon de chasse à l'avant, sortant d'un sabord situé à bâbord du beaupré. Une pièce de 6 livres, peut-être. Ou même de 8. Ça ne représente pas une trop grande menace, mais on ne sait jamais. Comme l'affirme un proverbe qu'il a lui-même inventé, en mer il n'y a jamais de précautions superflues : un ris de plus est un mauvais moment de moins.

– Pare-à-virer !

Pendant que les hommes à la manœuvre finissent de préparer bras et écoutes, Lobo va à l'arrière en passant près des artilleurs penchés sur les canons sous les ordres du second.

– Ne me faites pas honte, dit-il. Pas devant Cadix !

Un chœur de rires et de fanfaronnades lui répond. La prise qu'ils ramènent et la perspective de descendre bientôt à terre mettent les hommes de bonne humeur. Et puis ils sont suffisamment aguerris et expérimentés pour comprendre que le corsaire ennemi n'est pas de taille. Près de la chaloupe, arrimée sur le pont sous la longue bôme de la grand-voile, les hommes qui ne sont pas à la manœuvre ou aux canons préparent les armes destinées au combat à plus courte distance, dans le cas où celui-ci deviendrait nécessaire : fusils, pistolets, perriers de bronze à fixer aux chandeliers de la lisse, prêts à être chargés avec de petits sacs de mitraille. Content, Lobo regarde ses hommes travailler. Après une demi-année passée à écumer ensemble le Détroit, la racaille portuaire recrutée dans les pires bouges de Santa María, la Merced et le Boquete se conduit comme un équipage raisonnable, compétent, chaque fois que la capture d'une prise requiert de manœuvrer avec efficacité ou, s'il le faut – deux abordages et quatre combats sérieux à ce jour –, de se battre de près et de subir des pertes. À bord de la *Culebra*, fidèles au contrat qu'ils ont signé, tous ne font que l'indispensable, toujours avec la perspective du butin ; mais personne ne rechigne devant les difficultés et les dangers. Sur le cotre, et Pepe Lobo le sait très bien, il n'y a pas de héros. Ni de lâches. Seulement des hommes qui font leur métier : des professionnels résignés à la dure vie d'un navire, gagnant le difficile salaire de la course.

– Signalez à la goélette !... Pare à virer !

Un pavillon rouge monte et descend rapidement sur tribord, jusqu'au bout de la vergue basse du hunier. À la poupe, l'Écossais et l'autre timonier maintiennent fermement la longue barre sur le cap fixé. Le capitaine est tout près, sur le côté de sous le vent, se retenant d'une main au capot du rouf et regardant par-dessus la lisse la rangée des sabords où se dessinent les bouches des canons. Le maître d'équipage Brasero est au pied du mât, au milieu des hommes à la manœuvre, tourné vers la poupe et attendant les ordres. Ricardo Maraña fait de même, placé près du premier canon de bâbord, la drisse de mise à feu dans la main droite, et la gauche levée pour indiquer qu'il est prêt. Les trois autres chefs de pièce du même bord font le même geste.

– Pour la goélette : virez !

Un pavillon bleu monte maintenant au bout de la vergue, et à l'instant la *Cristina Ricotti* s'élève au vent, ses voiles faseyant. Lobo dirige un dernier regard à la flamme, à la mer et au mistic ennemi. Celui-ci est à moins de trois encablures. Pratiquement à portée des canons, si l'on tient compte que le bord sur lequel ils vont tirer est celui de sous le vent, et donc incliné par la gîte.

– Lof à deux quarts, dit-il aux timoniers.

Ceux-ci mettent la barre à bâbord, et le beaupré de la *Culebra* s'écarte du golfe de Rota, pointant à présent vers le fort ennemi de Santa Catalina. Bras et écoutes arrêtent immédiatement le léger faseyement de la toile, qui serre davantage le vent. Le mistic n'est plus désormais sur bâbord amure, mais sur le travers, juste dans l'aire de tir des canons.

– Hissez le pavillon !

Le pavillon marchand à deux bandes rouges et trois jaunes, portant au centre le blason qui certifie le statut de corsaire du roi d'Espagne de la *Culebra*, monte alors sur sa drisse en se déployant au vent. À peine le drapeau arrivé au faîte de la grand-voile, Lobo regarde son second.

– À vous, lieutenant ! crie-t-il.

Sans se précipiter, accroupi derrière la mire du canon pour calculer le pointage et le roulis pendant qu'il dirige à voix basse les artilleurs qui déplacent leur pièce avec des cales et des anspects, Maraña attend quelques instants, la drisse de mise à feu à la main, tire enfin sur celle-ci, et le canon bondit, retenu par ses amarres avec une détonation et un tourbillon de poudre qui court tout le long du bord. Cinq secondes plus tard, les trois autres tonnent à leur tour ; et la fumée n'est pas encore dissipée que Pepe Lobo donne l'ordre du changement de bord.

– Lofez !... Débordez les écoutes !

– À dieu vat ! dit l'Écossais en se signant avant de mettre la barre sous le vent.

Les voiles du beaupré faseyent, la proue se déplaçant vers tribord pendant que le vent passe d'un côté à l'autre. Sous le mât, les hommes commandés par Brasero brassent furieusement le hunier pour serrer celui-ci dans la nouvelle direction.

– Bordez les écoutes ! Là !... La barre au vent !

Naviguant désormais bâbord amure, s'ajustant à son nouveau cap, la *Culebra* fend puissamment la houle, parallèlement et à une encablure de la goélette qui taille également sa route un peu devant elle, sauve, les deux brigantines et le foc tendus. Ricardo Maraña est déjà de retour à l'arrière, les mains dans les poches de son étroite veste noire, avec son habituelle expression désabusée, comme s'il revenait d'une ennuyeuse promenade à la plage. Pepe Lobo déplie la longue-vue et la dirige vers le mistic ennemi. Celui-ci reste en arrière, dans le travers du vent, à mi-manœuvre. Avec une déchirure dans la trinquette que le vent de nord-est agrandit avant d'arracher la toile sur toute sa longueur.

– Qu'il aille se faire voir, commente Maraña, indifférent.

*

La partie est terminée depuis un quart d'heure, mais les pièces sont toujours sur les dernières cases qu'elles ont occupées : un roi blanc acculé par une tour et un cavalier noir, et un pion blanc isolé à l'autre bout du champ de bataille, un coup seulement avant d'aller à dame. De temps en temps, Rogelio Tizón jette un regard sur l'échiquier. Il lui arrive parfois de se sentir dans la même situation : acculé parmi des cases désertes où se déplacent des pièces invisibles.

– Peut-être qu'un jour, dans l'avenir, la science permettra d'établir ces choses-là, dit Hipólito Barrull. Mais pour le moment, c'est difficile. Pratiquement impossible.

Au milieu des pièces prises se trouvent un cendrier sale, un pot à café vide et deux tasses au fond desquelles stagne un peu de marc. Il est tard, et autour des deux joueurs le café de la Poste est désert. Le silence est inhabituel. Presque toutes les lumières de la cour sont éteintes, et depuis long-temps déjà les serveurs ont posé les chaises sur les tables, vidé les crachoirs en cuivre, balayé et lavé par terre. Seul le coin de Barrull et du commissaire reste en marge, éclairé par une lampe qui pend du plafond, mèches presque consumées. Le maître des lieux apparaît de temps à autre pour vérifier qu'ils sont toujours là ; mais il ne les dérange pas et se retire discrètement. Si quelqu'un a le droit d'enfreindre les ordonnances municipales sur les horaires des établissements publics, c'est bien le commissaire aux Quartiers, Vagabonds et Étrangers de passage – réputé, de plus, pour son mauvais caractère –, et en un tel cas il n'y a rien à dire. Charbonnier est maître chez soi.

– Trois pièges, professeur. Avec trois appâts différents... Et rien, jusqu'aujourd'hui.

Barrull nettoie ses lunettes avec un mouchoir taché par ses éternuements de tabac à priser.

– Il n'a pas non plus recommencé, à ce que je sais. Peut-être la peur de s'être vu surpris... Il se pourrait qu'il arrête de tuer.

– J'en doute. Quelqu'un qui va aussi loin ne renonce pas pour si peu. Je suis sûr qu'il reste aux aguets, attendant l'occasion propice.

Le professeur a rajusté ses lunettes. Sur son menton pointent des poils gris de la barbe rasée le matin.

– Je suis encore stupéfait de cette histoire du militaire français. Obtenir qu'il collabore... Eh bien... Vraiment stupéfiant. En tout cas, je vous suis reconnaissant de me l'avoir racontée. C'est une preuve de confiance.

– J'ai besoin de lui, professeur. Comme de vous. – Tizón a pris un cavalier noir sur la table et le fait tourner entre ses doigts. – L'un et l'autre, vous compensez ce que je n'ai pas. Vous m'aidez à arriver là où je ne peux le faire seul. Vous avec vos connaissances et votre intelligence, et lui avec ses bombes.

– Incroyable. Si ça se savait...

Le policier rit, dents serrées, sûr de lui. Affichant son mépris pour la capacité de savoir des gens.

– Ça ne se saura pas.

– Et cet officier français continue de collaborer?

– Pour le moment.

– Comment diable avez-vous fait pour le convaincre?

Tizón le contemple du haut de toute son expérience policière.

– Grâce à la sympathie que j'inspire naturellement.

Il a reposé la pièce en ébène sur la table avec les autres. Barrull regarde Tizón avec intérêt.

– Ce qu'il vous a dit sur Laplace et la théorie des probabilités est exact, confirme-t-il enfin. Un autre mathématicien du nom de Condorcet s'est également occupé de ce problème.

– J'ignore qui il est.

– Peu importe. Il a publié un livre, que je ne puis cette fois vous prêter car je ne le possède pas, intitulé *Réflexions sur la méthode de déterminer la probabilité des événements futurs...* En français, bien entendu. Il y traite de questions telles que, par exemple, celle-ci : si un fait s'est produit un nombre déterminé de fois dans le passé et d'autres fois ne s'est pas produit, quelles sont les probabilités qu'il se produise de nouveau ou qu'il ne se produise plus ?

Le commissaire, qui vient de sortir son étui en cuir, se penche, d'un air presque confidentiel, un cigare à la main.

– « Les effets de la Nature sont constants », dit-il ou plutôt récite-t-il, « quand ces effets sont considérés en nombre »... C'est bien ça, professeur ?

– Bravo. – Le sourire chevalin et jaune trahit l'admiration. – Vous êtes un diamant à l'état brut, commissaire.

Tizón, qui s'est carré sur sa chaise, sourit aussi.

– À force d'essayer, même les idiots apprennent. Ou nous apprenons... Croyez-vous que je puisse trouver ce livre à Cadix ?

– Je peux vous le chercher, mais c'est difficile. Je l'ai lu il y a des années chez un ami de Madrid... De toute manière, parler de probabilités est une chose et parler de certitudes en est une autre. La distance entre les deux est grande. Et risquée si, pour la franchir, on fait appel à l'imagination et non à l'entendement.

D'un geste, il refuse l'étui que lui tend Tizón et sort sa tabatière d'une poche de son gilet.

– En tout cas, poursuit-il, je comprends votre avidité. Bien que je ne sois pas sûr que toute cette théorie... Enfin. Il peut même arriver qu'elle soit contre-productive. Vous savez : un excès d'érudition asphyxie n'importe quel concept.

Il se tait quelques instants pour prendre une pincée de tabac râpé et la porter à sa narine en aspirant fort. Après avoir éternué et s'être mouché, il dévisage Tizón avec curiosité.

– C'est vraiment consternant qu'il ait réussi à s'enfuir, la dernière fois... Vous croyez qu'il a soupçonné le piège ?

Le policier hoche négativement la tête avec conviction.

– Je ne crois pas. La manière dont ça s'est passé pouvait être fortuite. Puisque l'assassin agit dans la rue, c'est normal que, tôt ou tard, il tombe sur quelqu'un qui le gêne dans l'accomplissement de son crime... C'était juste une question de temps.

– Pourtant, des bombes sont tombées depuis sur d'autres points de la ville. En faisant des victimes.

– Ces bombes-là ne me concernent pas. Elles restent hors de ma juridiction, si je puis dire.

Autre regard pensif du professeur. Analytique, peut-être.

– Quoi qu'il en soit, vous n'êtes pas tout à fait innocent. Vous ne l'êtes plus.

– J'espère que vous ne parlez pas des crimes.

– Bien sûr que non. Je parle de cette sensibilité qui vous fait coïncider avec l'assassin dans la façon d'apprécier certaines choses. De votre étrange proximité.

– Une affinité criminelle ?

– Grand Dieu, commissaire ! Quels mots affreux.

– Mais c'est ce que vous pensez.

Après avoir réfléchi en silence, Barrull répond que non.

Tout au moins, précise-t-il ensuite, pas de cette manière. Il croit, parce que c'est scientifiquement démontré, qu'entre certains êtres, ou qu'entre eux et la Nature, s'établissent des liens que la raison n'est pas en mesure de justifier. Des expériences intéressantes ont été faites sur des animaux, et aussi sur des personnes. Cela pourrait expliquer à la fois les agissements prémonitoires du criminel, assassinant avant que ne tombent les bombes, et les intuitions du commissaire concernant les intentions de celui-ci et les lieux où il agit.

– Vous voulez parler de transmission de pensée ?… Magnétisme et phénomènes du même genre ?

Barrull acquiesce vigoureusement, agitant sa crinière grise.

– Quelque chose comme ça.

Le patron du café vient d'apparaître de nouveau dans la cour pour voir s'ils sont toujours là. Nous devrions partir, dit le professeur. Avant que Celis ne prenne son courage à deux mains pour nous jeter dehors. C'est à vous, commissaire, de donner l'exemple. Etcetera. Tizón se lève à contrecœur, prend son chapeau de paille blanc et sa canne, et tous deux se dirigent vers la porte pendant que Barrull continue d'exposer sa théorie. Lui-même, dit-il, a connu des frères dont la sensibilité commune était si totale que, lorsque l'un ressentait une douleur déterminée, l'autre présentait les mêmes symptômes. Il se souvient aussi du cas d'une femme chez qui se sont ouvertes, le même jour et à la même heure, des plaies que venait de se faire une de ses amies dans un accident domestique à plusieurs lieues de distance. Et Tizón lui-même a sûrement rêvé de choses qui se sont passées plus tard, ou vécu des situations avec la certitude qu'elles étaient des répétitions d'événements antérieurs.

– Il y a dans l'esprit certains angles, conclut-il, où la raison traditionnelle et la science ne sont pas encore entrées. Je ne dis pas que vous avez établi un pont avec le cerveau et les intentions de l'assassin… Ce que je dis, c'est que vous pouvez, pour des raisons que j'ignore, être entré dans son territoire. Dans son champ de sensibilité. Cela vous permettrait de percevoir des choses que d'autres comme moi ne parviennent pas à voir.

Ils ont marché lentement jusqu'à la rue du Christ Saint. Ils avancent dans le noir, à la seule clarté de la lune qui éclaire au-dessus de leurs têtes les terrasses et les tours blanchies à la chaux.

– S'il en était ainsi, professeur, si mes sens avaient créé ce pont, ce serait peut-être... eh bien... que ma nature m'y incline.

– Au crime?... Je ne crois pas.

Barrull fait quelques pas sans parler. Il semble réfléchir à cette idée. Puis il grogne pour la chasser. Ou pour essayer de le faire.

– Sincèrement, je ne sais pas. Il serait probablement plus exact de parler d'une capacité de percevoir l'horreur... Ces cavernes que nous avons tous en nous, les êtres humains... Moi-même, par exemple. Vous m'avez fait remarquer, et je vous l'accorde, que lorsque je joue aux échecs je deviens désagréable. Cruel, même.

– Abominable, si vous me permettez l'expression.

Rire dans l'obscurité.

– Je vous la permets.

Encore quelques pas en silence. Chacun perdu dans ses pensées.

– De là à des filles déchiquetées à coups de fouet, la distance est grande, lâche enfin Tizón.

– Je ne vous le fais pas dire. Ni vous ni moi, je suppose, n'irions jusque-là. Mais voilà plus d'une année que vous êtes obsédé par cette affaire. Vous avez, bien entendu, des raisons professionnelles. Et j'imagine aussi personnelles, bien qu'elles ne me regardent pas.

Gêné, presque irrité, le policier balance sa canne.

– Un jour peut-être, je vous expliquerai…

– Je ne veux pas que vous m'expliquiez quoi que ce soit, l'interrompt le professeur. Vous le savez. Chacun est esclave de ce qu'il dit et maître de ce qu'il tait… Et puis, après toutes ces années passées en face de vous de l'autre côté de l'échiquier, j'en suis venu à vous connaître un peu. Ce que j'essaye de vous dire est que cette obsession prolongée peut produire…

– Certains troubles ?

– Disons certaines séquelles. Pour moi, un chasseur finit par être marqué par la chasse qu'il pratique.

Ils ont descendu la rue de la Comédie jusqu'à la taverne de la Manzanilla. Un rai de lumière filtre sous la porte fermée. Barrull désigne l'établissement.

– Je sais que vous ne buvez pas d'alcool, commissaire. Mais j'aimerais bien me rafraîchir le gosier. Toutes ces hypothèses me donnent soif… Pourquoi n'abuseriez-vous pas encore un peu de vos privilèges, à mon bénéfice cette fois.

Tizón acquiesce et cogne à la porte avec la tête de sa canne jusqu'à ce que le tavernier apparaisse en s'essuyant les mains sur sa blouse grise. Il est jeune, l'air fatigué.

– Je suis en train de fermer, monsieur le commissaire.

– Eh bien, tu attendras dix minutes, camarade. Et sers-nous deux manzanillas.

Ils s'accoudent au comptoir de bois noirci par l'usage, devant les grosses barriques sombres de vins vieux de Sanlúcar. Au fond de la boutique, près de jambons et de tonneaux de harengs, le père du patron mange des seiches avec des pommes de terre en lisant un journal à la lueur d'une chandelle. Barrull lève son verre.

– À votre chasse ! comme je vous l'ai dit tout à l'heure.

Tizón l'imite, mais humecte à peine ses lèvres. Le professeur boit à petites gorgées et mange deux des quatre olives que le tavernier a posées sur une soucoupe. En fin de compte, poursuit-il, l'exemple du chasseur n'est pas mal choisi : quelqu'un qui, après avoir longtemps guetté l'animal, ne bougerait plus du terrain que celui-ci fréquente, en se familiarisant avec les endroits où il boit, dort et mange. Avec ses refuges et ses habitudes. Au bout d'un certain temps, le chasseur imiterait beaucoup de ces comportements, voyant, lui aussi, cet espace comme quelque chose de personnel. Il s'adapterait au territoire, en se l'appropriant au point de coïncider irrémédiablement avec la proie qu'il traque.

– Non, ce n'est pas un mauvais exemple, admet Tizón.

Barrull, qui semble réfléchir à ce qu'il vient de dire, regarde le tavernier qui lave les verres dans l'évier, puis le père qui lit dans son coin. En reprenant la parole, il baisse la voix.

– Un jour que nous parlions de ce même sujet, vous avez recouru à l'image des échecs. Et vous avez probablement raison… Cette ville est le territoire. L'échiquier. Un espace – et tant pis si cela vous déplaît – que vous avez fini par partager avec l'assassin. Pour cette raison, vous voyez Cadix comme moi et d'autres ne pouvons le voir.

Il regarde la soucoupe en continuant à réfléchir et mange les deux olives de Tizón.

– Et même si un jour tout cela se termine, ajoute-t-il, vous ne pourrez plus jamais le voir comme avant.

Il sort un porte-monnaie pour payer les manzanillas, mais Tizón fait signe que non et attire l'attention du tavernier. Mets ça sur mon compte, dit-il. Ils sortent et marchent lentement en direction de la place de l'Hôtel de Ville. Leurs pas résonnent dans les rues vides. Une lanterne allumée au coin de la rue Juan de Andas allonge leurs ombres sur les pavés, devant les portes closes des boutiques de couture.

– Que pensez-vous faire maintenant, commissaire ?

– Maintenir mon plan, tant que ce sera possible.

– Les vorticules ?… Le calcul des probabilités ?

Il y a dans le ton une légère pointe d'ironie, mais Tizón ne s'en offusque pas.

– Ah, si calculer était vraiment possible! répond-il avec franchise. Il y a certains lieux que je tiens particulièrement à l'œil. Je les ai explorés et, depuis des jours, des semaines, j'en étudie chaque détail.

– Ils sont nombreux?

– Trois. L'un est hors de la portée des tirs français. Je l'écarte donc, en principe… Les autres sont plus accessibles.

– Pour l'assassin.

– Bien entendu.

Le policier se tait un moment, pendant qu'il soulève un pan de sa redingote. À la lueur déjà lointaine de la lanterne, il montre la crosse d'un pistolet Ketland à double canon qu'il porte au côté droit de sa ceinture.

– Cette fois, il ne m'échappera pas, commente-t-il, sérieux. Je suis paré.

Il remarque que Barrull le regarde avec attention, manifestement déconcerté. Tizón sait que c'est la première fois, depuis qu'ils se connaissent, que le professeur le voit porter une arme à feu.

– Avez-vous pensé qu'avec votre intervention vous avez pu modifier le territoire de l'assassin?… En perturbant ses idées, ou ses intentions?

Cette fois, c'est Tizón qui est surpris. Ils arrivent sur la place San Juan de Dios, où ils sentent la brise fraîche et salée de la mer proche. Une calèche y stationne, son cocher endormi sur le siège. Sur leur gauche, sous le double pinacle de la Porte de Mer, éclairée du côté de la terre par une lanterne qui teint de jaune les pierres du rempart, les sentinelles procèdent à la relève. Leurs buffleteries blanches et l'éclat de leurs baïonnettes se détachent dans la pénombre devant les guérites.

– Je n'y avais pas pensé, murmure le policier.

677

Il reste un temps sans parler, considérant cette nouvelle perspective. Finalement, il hoche la tête, en l'admettant.

– Vous voulez dire que c'est peut-être pour ça qu'il reste si longtemps sans tuer.

– C'est possible, confirme Barrull. Il se peut que vos manœuvres autour des bombes, en modifiant le hasard innocent – il faut bien trouver un mot – qui dirigeait les tirs de l'artilleur français, aient changé les schémas mentaux de l'assassin. Et le déconcertent... Peut-être qu'il ne tuera plus.

Tizón baisse la tête, lugubre, tout en tapotant le côté où il sent la bosse dure du pistolet.

– Ou peut-être qu'il finira par accepter le jeu, conclut-il, et qu'il viendra où je l'attends.

17

L'ultime lumière du soir s'efface en s'estompant très lentement pour laisser place à la nuit aux tons violets qui s'insinue au-dessous des terrasses, des toits et des campaniles. Lorsque Lolita Palma arrive en calèche au Mentidero – accompagnée de sa femme de chambre, Mari Paz, et du second de la Culebra, Ricardo Maraña –, les vitres des façades orientées au ponant reflètent l'embrasement rouge qui est en train de s'éteindre sur la mer. C'est l'heure, si gaditane et si goûtée des habitants, de la faible clarté marine : quand les voix et les bruits parviennent amortis et lointains comme les coups de marteau d'un calfat sur une barque du port, quand les pêcheurs revenant des remparts passent sous les lanternes encore éteintes, leur canne sur l'épaule, quand les oisifs reviennent d'avoir admiré le coucher du soleil au-delà du phare de San Sebastián, et qu'à l'intérieur des boutiques et des porches on commence à allumer bougies, quinquets et chandelles qui intensifient l'effet de clair-obscur en émaillant de leurs lueurs diaprées la pénombre indécise et paisible au sein de laquelle la ville se recueille chaque jour.

À la tombée de la nuit, la place de la Vraie Croix, connue sous le nom de Mentidero, ressemble à un champ de foire. Ordonnant à la femme de chambre et au cocher d'attendre au coin de la rue du Voyer, Lolita Palma accepte la main que lui offre Maraña, descend de la voiture, dispose sa mantille de dentelle noire sur sa tête et ses épaules, et chemine en compagnie du jeune marin entre des tentes, des enfants qui courent en jouant et des familles entières qui, assises par terre, font la cuisine sur des foyers de fortune et s'apprêtent à passer la nuit à la belle étoile. Ces dernières semaines, les bombardements français se sont intensifiés, en augmentant leur portée. Désormais, les bombes tombent à une fréquence systématique et, bien que le nombre des victimes ne soit pas très élevé – beaucoup de grenades continuent de ne pas exploser et font peu de dégâts –, les habitants des zones les plus exposées profitent de la douceur des nuits pour se réfugier dans cette partie de la ville que ne frappe pas l'artillerie ennemie. Improvisant des abris avec des couvertures, des paillasses, des bâches et des voiles de bateau, ces réfugiés occupent la place du Mentidero et une partie de l'esplanade qui s'étend entre les bastions de la Candelaria et du Bonete. Chaque soir, le quartier se transforme ainsi en campement nomade où viennent maintenant s'ajouter aux tavernes et cabarets traditionnels les gargotes en pleine rue, le vin, la conversation, la musique et les chansons qui permettent aux Gaditans et aux émigrés, mi-résignés, mi-joyeux, de supporter les difficultés de la situation.

Pepe Lobo est en train de dîner devant le café du Petit Versailles, à la porte de la boutique de comestibles du Nègre, située au coin de la rue d'Hercule : un établissement de réputation douteuse, spécialisé dans les sardines grillées, le poulpe rôti et le vin rouge. Lorsque viennent les beaux jours, son propriétaire installe dehors trois ou quatre tables fréquentées par des marins et des étrangers qu'attirent les femmes qui, à la tombée de la nuit, rôdent dans la rue même ou l'allée voisine du Persil. Lolita Palma, qui a vu le corsaire, s'arrête sans que celui-ci s'aperçoive de sa présence et laisse Ricardo Maraña continuer seul. Cela fait plus d'une heure qu'elle cherche Lobo dans la ville : d'abord au bureau des Sánchez Guinea, où on lui a dit qu'il était passé dans l'après-midi ; puis au port, où elle a trouvé la *Culebra* prête à lever l'ancre dès que tombera le fort vent de noroît qui souffle depuis deux jours dans la baie. Prévenu par le patron d'un canot, le second du cotre a débarqué immédiatement – une question de vie ou de mort, lui a-t-elle dit sans autres explications – en s'offrant courtoisement, avec sa froideur et sa correction habituelles, à l'accompagner au Mentidero où il pensait que son commandant devait dîner. Maintenant, Lolita voit de loin le second aborder la table de Pepe Lobo et se pencher pour échanger quelques mots en se tournant dans sa direction. Le capitaine corsaire regarde la femme avec étonnement, puis dit quelque chose à Maraña qui hausse les épaules. Lobo pose sa serviette sur la table, se lève et vient à la rencontre de Lolita, sans chapeau, en esquivant la foule. Elle ne lui laisse pas le temps de prononcer le « Que faites-vous ici ? » qui affleure sur ses lèvres pendant qu'il s'approche.

– J'ai un problème, dit-elle de but en blanc.

Le marin semble déconcerté.

– Grave ?

– Très.

Le corsaire jette un coup d'œil aux alentours. Mal à l'aise. Son lieutenant s'est assis à sa table et, de là, les observe en se servant un verre de vin.

– Je ne sais si l'endroit est bien choisi, fait remarquer Lobo.

– Aucune importance. – Lolita parle avec un calme qui la surprend elle-même. – Les Français ont pris le *Marco Bruto*.

– Ah… Et quand cela ?

– Hier, devant le cap Candor. Une canonnière de la Marine royale a apporté la nouvelle ce matin. On les a aperçus lors d'une reconnaissance dans le golfe de Rota. Le *Marco Bruto* et la felouque corsaire qui l'a arraisonné y sont mouillés l'un près de l'autre... Il devait naviguer trop près de la terre et le Français est sorti à sa rencontre.

Elle sent peser sur elle le regard de l'homme qui l'étudie, inquiet. Elle est venue résolue, après avoir réfléchi à ce qu'elle devait dire. En préparant chaque geste et chaque mot. Son apparence tranquille, cependant, correspond seulement à un effort de volonté. À une intense violence intérieure. Ce n'est pas facile de faire front au regard perplexe des yeux clairs qui l'interrogent. À la bouche entrouverte qu'elle a devant elle.

– Je suis désolé, dit Lobo. C'est un malheur.

– La question n'est pas d'être désolé ou non. C'est plus qu'un malheur. C'est une catastrophe.

Ce qui vient ensuite n'a rien à voir avec un soudain accès de sincérité. Lolita Palma lui raconte tout, parce qu'elle sait que c'est la seule voie. La seule conclusion valable, inévitable, à laquelle elle soit arrivée. C'est ainsi qu'elle parle de la précieuse cargaison de cuivre, de sucre, de grains et d'indigo que transporte le brigantin, mais aussi des vingt mille réaux, vitaux pour la survie immédiate de la firme familiale. Sans compter la valeur du navire et les biens de moindre importance qui se trouvent à bord.

– D'après les informations que j'ai pu avoir, conclut-elle, l'intention des Français est de conduire le navire à Sanlúcar et de le décharger là-bas ; mais le mauvais temps les a obligés à s'abriter derrière la pointe de Rota... On suppose qu'ils lèveront l'ancre dès que le vent aura tourné. Le môle est trop petit pour y accoster.

Le marin s'est redressé un moment, après s'être légèrement penché pour écouter Lolita en silence. De nouveau, il regarde d'un côté et de l'autre, puis reporte ses yeux sur elle.

– Ce coup de noroît peut durer quelques jours... Pourquoi ne déchargent-ils pas sur la plage ?

Lolita Palma l'ignore. Peut-être pour ne pas prendre de risques, si près des canonnières espagnoles et anglaises. Et puis la felouque est basée à Sanlúcar, et ils peuvent préférer y retourner. Enfin des guérilleros opèrent à proximité du Río Salado. En pareil cas, les Français ne font pas confiance au transport par la terre.

– Est-ce que ce que je vous dis vous intéresse vraiment, capitaine ?

Elle formule cette question avec une pointe d'irritation. Son ton frise le mépris. Elle observe qu'il a encore une fois détourné le regard, comme s'il n'accordait pas toute son attention à ses paroles et préférait s'intéresser aux petites lampes et aux lanternes qui continuent de s'allumer, à cette heure entre chien et loup, dans les porches et les boutiques des maisons voisines. Au bout d'un moment elle le voit plisser les paupières.

– Et c'est pour me raconter ça que vous me cherchiez ?

Il la regarde enfin de nouveau. Méfiant. C'est ainsi qu'il regarde la mer, conclut-elle. Ou la vie. Et c'est maintenant que je dois lui dire ce que j'ai à dire.

– Je veux que vous repreniez le *Marco Bruto*.

Elle a parlé – elle a réussi à parler – à voix basse et calmement. Après quoi, elle relève le menton et le fixe avec intensité, sans ciller, tout en tentant de dissimuler le rythme désordonné de son cœur. Ce serait ridicule, pense-t-elle brusquement au bord de l'affolement, si je tombais raide à ses pieds. Sans flacon de sels.

– C'est une plaisanterie, dit Pepe Lobo.

– Vous savez bien que non.

Cette fois, elle n'est pas sûre que sa voix n'ait pas tremblé. Les yeux verts paraissent analyser chaque pouce de sa peau.

– Vous êtes venue ici pour ça ?

Ce n'est pas vraiment une question, et ces mots n'expriment pas la surprise. De son côté, Lolita Palma ne répond pas. Elle en serait incapable. Elle se sent prise d'une étrange lassitude qui la rend presque malade et qui l'affaiblit par moments. Les battements forts et irréguliers de son cœur ont fini par s'espacer et, entre chaque, le temps se fait interminable. Elle est parvenue aux limites de ce qu'elle pouvait faire, et elle le sait. Sans doute le corsaire le sait-il aussi, car après avoir hésité il tend une main vers le bras gauche de la femme ; juste ce qu'il faut pour lui frôler légèrement le coude, comme s'il l'invitait à marcher un peu. À bouger. Elle se laisse mener, obéissante. Elle suit la légère invite de l'homme. Elle fait quelques pas au hasard, et il l'accompagne. Au bout d'un moment, elle entend de nouveau sa voix.

– Impossible de se mettre dans Rota… Ils ont dû mouiller comme d'habitude par trois brasses et demie de fond, entre la pointe et les rochers. Protégés par les batteries de la Gallina et de la Puntilla.

Il n'a pas éclaté de rire, pense-t-elle avec soulagement. Il n'a pas prononcé non plus de grossièretés, comme elle avait fini par le craindre. Il a seulement exprimé son scepticisme, sur un ton grave. Correct. Il semble sincèrement prêt à expliquer pourquoi ce n'est pas faisable. Pourquoi il ne peut accomplir ce qu'elle lui demande.

– On pourrait essayer de nuit, dit Lolita froidement. Si le vent de nord-ouest se maintient, il suffira de couper les amarres et de larguer une voile pour que le brigantin parte à la dérive et s'éloigne de la terre…

Elle s'arrête là, pour que ses paroles portent. Pour qu'il voie la situation comme elle la voit ; comme elle a passé toute la journée à la voir, après s'être gravé dans la tête la carte nautique de la baie qu'elle a étalée sur la table de son bureau. Maintenant, elle remarque que le marin a recommencé à la regarder avec un intérêt tout particulier. Avec admiration, peut-être. Attendant la suite, ou un peu amusé. Mais le ton de surprise semble sincère.

– Ah! çà… vous avez bien étudié la chose.

– Mon sort en dépend.

La place du Mentidero se rétrécit du côté de l'esplanade, du rempart et de la mer, entre le parc d'artillerie et les quartiers militaires de la Candelaria. Sous les tentes où les familles réfugiées forment des groupes, on allume les feux de bois pour faire bouillir les marmites. On entend des cris d'enfants et aussi les notes isolées, mélancoliques, d'une guitare qu'on accorde. Il y a une boutique de charbon dans la dernière rangée de maisons; à la porte, une femme âgée couverte d'un fichu noir qui somnole sur une chaise et des bottes de genêt liées avec des joncs. Derrière la femme, la lueur blafarde d'une lampe à huile éclaire des sacs et des couffins pleins de charbon.

– Dès que le vent tournera, aventure Pepe Lobo, le *Marco Bruto* sortira du golfe. Ce que vous proposez ne serait possible qu'en haute mer, loin des batteries.

– Il sera probablement trop tard. Ils seront sur leurs gardes, peut-être avec une escorte. Cela nous privera de l'avantage de la surprise.

Lolita Palma détecte un sourire sceptique sur les lèvres du corsaire. Depuis la nuit de Carnaval, rien de ce qui concerne cette bouche ne la laisse insensible.

– C'est un travail pour la Marine royale, pas pour nous.

Faisant appel à tout ce qui lui reste de sang-froid, Lolita affronte de nouveau les yeux verts. L'homme la regarde d'une telle façon que, un instant, elle ne sait quoi dire. Mon Dieu, implore-t-elle. C'est probablement à cause de la manière dont je le vois aujourd'hui? De ce que je suis en train de faire, ou de ce que je veux qu'il fasse. De ce que je me propose de lui faire, à lui, son navire et ses hommes.

– La Marine ne va pas s'occuper d'affaires privées, finit-elle par répondre avec un calme parfait. Au mieux, si nous parvenons à sortir le cotre du golfe, quelques canonnières de la Caleta pourraient se rapprocher pour couvrir sa retraite, mais en restant au large... Mais on ne m'a rien garanti.

– Vous êtes allée à la Capitainerie?

– J'ai parlé à Valdés en personne. Et voilà le résultat.

– Mais la *Culebra* est un corsaire, pas un navire de guerre... Ni le bateau ni mes hommes ne sont préparés pour ce que vous demandez.

Ils sont sortis au vent de l'esplanade, près de la gloriette et du petit jardin à demi en friche jouxtant les poudrières. Un peu plus loin se dresse le rempart avec ses guérites et ses canons nimbés de la clarté violette qui s'éteint lentement. Le mistral humide et salé fait voler la mantille sur le visage de Lolita.

– Écoutez, capitaine. Je vous ai parlé des vingt mille pesos que transporte le *Marco Bruto*, mais il y a quelque chose que je ne vous ai pas encore dit... Aux primes habituelles qui vous reviendraient pour sa reprise, j'ajouterai dix pour cent de cette somme.

– Quarante mille réaux?... Vous êtes sérieuse?

– Absolument. Deux mille pesos net. Cela augmentera d'un cinquième ce que vos hommes ont gagné jusqu'à maintenant. Sans compter la part légale de la reprise, comme je viens de le dire.

Un silence de réflexion. Prolongé. Elle voit que Pepe Lobo incurve les lèvres pour siffler, mais il ne le fait pas.

– À ce que je vois, c'est important, dit le corsaire.

– Vital. Je ne vois pas comment Palma & Fils pourrait se remettre de cette perte.

– La situation est si grave que ça?

– Angoissante.

Inattendue, sincère, presque brutale, cette réponse la surprend elle-même. Un instant elle retient son souffle, émue, sans se décider à détourner les yeux de l'homme qui la dévisage avec beaucoup de sérieux. J'ai peut-être fait une erreur en lui parlant ainsi, conclut-elle, alarmée. En allant aussi loin. Ce qui est sûr, c'est que jamais je n'aurais fait un tel aveu à don Emilio Sánchez Guinea ni à son fils Miguel. En de tels termes. Ni à eux, ni à personne. Lolita Palma est trop prudente et trop fière. Et elle connaît sa ville. Un moment, elle sent que Pepe Lobo doit s'en rendre compte, comme s'il lisait dans ses pensées. Étrangement, cela la rassure.

– Ce serait un suicide de se mettre dans le golfe, dit le corsaire après un silence.

Ils se sont arrêtés devant le parapet du rempart – comme la nuit de Carnaval, pense Lolita – et Lobo s'est tourné pour contempler, comme elle, la perspective qui, par-dessus l'eau que la marée et le vent précipitent sur le rocher des Cochinos, file tout droit jusqu'aux lointaines lumières isolées, tremblotantes et ténues qui commencent à s'allumer derrière la pointe de Rota, de l'autre côté des six milles de houle où moutonne l'écume.

– Avec ce vent violent, poursuit le marin, la seule manœuvre possible serait de s'approcher du fort français de Santa Catalina et de descendre ensuite le plus près possible de la plage… Ce qui signifie se placer à trois reprises sous le tir des canons.

– Il n'y a pas de lune. Ça donne un certain avantage.

– Et aussi des inconvénients. Des risques. Comme celui de toucher dans le noir les rochers des Gallinas… Cette côte est très mauvaise.

Le marin pose les deux mains sur le couronnement du rempart comme si c'était la lisse de son navire. Lolita observe qu'il regarde la baie dans la même attitude que celle qu'il doit sûrement adopter quand il est à bord de la *Culebra*. Son expression est méfiante et soucieuse, celle de quelqu'un qui ne donne rien pour certain, sur mer comme sur terre. Qui ne fait jamais confiance à rien ni à personne.

– De plus, continue Lobo, une fois sur place, il faudra aborder le brigantin et réduire les hommes qui seront à bord... C'est impossible de faire ça sans bruit. N'oublions pas que la felouque est ancrée tout près et qu'elle est bien armée : deux caronades de 12 livres et six canons de 6... Vous voulez que j'aille mettre mon cotre sous le feu des batteries de la terre, que j'aborde le brigantin et peut-être que je me batte avec la felouque...

– Exactement.

Pour l'amour de Dieu, se dit Lolita en s'entendant de nouveau. Je ne sais pas comment j'obtiens cette froideur de jugement, mais qu'elle soit bénie. Ce sentiment d'urgence qui me permet de parler ainsi. Le calme qui m'empêche de me jeter contre lui en l'obligeant à me reprendre dans ses bras.

Le corsaire baisse la tête en signe d'acquiescement. Il semble être arrivé à une certaine forme de conclusion, inconnue d'elle.

– Je ne sais pas quelle opinion vous avez de moi. Mais je vous assure...

Il se tait, ou plutôt laisse mourir sa phrase dans un vague soupir qui étonne chez un homme. Cette voix et le silence qui suit font frissonner Lolita Palma. À la fois de désir physique et d'espoir égoïste. Rapide comme l'éclair, c'est le second qui s'impose, et seule demeure l'avidité de la question intéressée, inévitable :

– Est-ce qu'on peut le faire ?

Du coup, Pepe Lobo rit. Doucement, en sourdine, mais sans tenter de s'en cacher. On dirait qu'un personnage invisible vient de lui raconter une histoire drôle, si bas que Lolita n'a pu l'entendre. Ce rire lui donne un espoir et la fait trembler en même temps. Seul quelqu'un qui a entendu rire le diable, pense-t-elle soudain, est capable de si bien l'imiter.

– On peut essayer, murmure le corsaire. C'est la fortune de mer... On peut réussir comme on peut échouer.

– C'est ce que je vous demande. D'essayer.

Il abaisse son regard sur le clapotis de l'eau, devenue presque noire au pied du rempart entre les rochers auxquels l'écume poussée par le vent donne une étrange phosphorescence.

– Concédez-moi que vous en demandez trop.

– Je vous le concède.

Le corsaire continue de suivre des yeux les filaments d'écume lumineuse. De tous les hommes du monde, se dit soudain Lolita, de tous ceux que j'ai rencontrés et que je rencontrerai, il est celui que je connais le mieux. Et il ne m'a prise qu'une seule fois dans ses bras.

– Pourquoi devrais-je le faire ?

Elle tarde à répondre, car elle est encore sous le coup de ce qu'elle vient de découvrir. Le pouvoir inconnu dont elle est pour la première fois consciente. Tout est si simple, désormais. Si évident qu'elle est atterrée de sa naïveté : s'être ainsi laissée aller sans réserve cette nuit-là – déjà lointaine, aujourd'hui impossible – contre la poitrine du corsaire, en respirant l'odeur de son corps et en sentant sous ses mains étonnées et maladroites son dos dur et viril. Ferme et solide comme elle n'avait jamais pu l'imaginer. Ignorant, jusqu'aujourd'hui, les terribles conséquences que ce court instant imposait à l'homme qui contemple la mer, tête baissée.

– Parce que je vous le demande.

Elle le dit avec fermeté, mais aussi une économie de mots et d'intonation. Consciente qu'au moindre faux pas Lobo lèvera les yeux, la regardera différemment, revenant de ses visions d'écume phosphorescente à la réalité, et que tout ira définitivement se perdre dans la nuit violacée qui n'en finit pas de se répandre dans les ombres sous le rempart.

– Je peux être tué, murmure-t-il avec une simplicité désarmante. Et avec moi tous mes hommes.

– Je le sais.

– J'ignore s'ils voudront le faire… Personne ne peut les y forcer. Pas plus moi qu'un autre.

– Ça aussi, je le sais.

– Vous…

Il a relevé la tête et la regarde dans ce qu'il reste de lumière ; mais, pour lui, c'est déjà trop tard. Même si, en entendant ce dernier mot, Lolita vacille un instant dans son propos tenace, elle se reprend tout de suite. Et elle garde le silence. Rien que le vent et la rumeur du ressac sur les pierres.

– Damnation ! murmure Pepe Lobo.

Lolita est frappée par la sécheresse et la précision de cet unique mot. Mais elle continue de se taire. Toutes les victoires ne sont pas douces, pense-t-elle. Pas les victoires comme celle-là.

– Vous n'avez jamais rien su de moi, dit le corsaire.

Ce n'est pas un regret, observe-t-elle. Juste un constat technique. Triste, au pire. Ou résigné.

– Vous vous trompez. Je sais tout de vous.

Elle a parlé avec plus de douceur qu'elle ne le désirait. Elle s'en rend compte et s'arrête un instant. Indécise. De nouveau le bref fléchissement de l'émotion, quelques secondes de tendresse. Trop loin pour respirer son corps, cette fois.

– Tout, répète-t-elle, plus sèchement.

Et, réfléchissant sur ce qu'elle vient de dire, elle conclut que c'est absolument vrai.

– C'est pour ça que je suis venue, ajoute-t-elle. Immédiatement. Parce que je sais tout ce que j'ai besoin de savoir.

Elle remarque qu'il détourne les yeux. Évitant son visage ou peut-être refusant de montrer le sien.

– Et moi j'ai besoin de réfléchir… De parler à mon équipage. Je ne peux rien vous dire maintenant.

– Je comprends ça. Oui. Mais le temps presse.

Un claquement. Il frappe violemment des deux mains sur le plat du rempart. Le double coup résonne sur la pierre nue.

– Écoutez. Je ne peux rien vous promettre. Et vous ne pouvez rien exiger non plus de moi.

Lolita le regarde intensément, presque avec surprise. Les hommes sont stupides, se dit-elle. Et lui comme les autres.

– Je vous ai déjà dit que si. Je le peux.

Elle recule en voyant qu'il fait brusquement un pas vers elle.

– Un jour, vous m'avez embrassée, capitaine.

Elle l'a dit comme si ce souvenir devait être suffisant pour le tenir à distance. Le marin rit de nouveau, mais différemment de la fois précédente. Un rire plus fort et plus amer. Et que Lolita trouve très déplaisant.

– Et c'est ça, dit-il, qui vous donne le droit de disposer de ma vie ?

– Non. Ça me donne le droit de vous regarder comme je vous regarde en ce moment.

– Maudit soit votre regard, madame. Maudite soit cette ville.

Il fait un autre pas vers elle et, méfiante, elle recule encore. Ils restent ainsi, immobiles, se faisant face. S'observant, presque dans l'ombre.

– Si nous étions n'importe où ailleurs dans le monde, je…

Pepe Lobo s'interrompt d'un coup. Comme si la clarté, en disparaissant, emportait ses paroles avec elle, rendant inutile tout argument présent ou à venir. Il a sans doute raison, pense-t-elle, émue. Et je dois le reconnaître.

– Moi aussi, répond-elle avec douceur.

Aucun calcul dans cette réponse. Sa voix est restée calme, comme un regret sincère qui passerait doucement entre eux deux. Elle ne peut plus voir les yeux de l'homme, mais elle observe son hochement de tête découragé.

– Cadix, l'entend-elle dire tout bas.

– Oui. Cadix.

Alors seulement elle s'enhardit jusqu'à le toucher, d'un

geste timide comme celui d'un enfant qui ose s'approcher d'un animal en colère. Elle pose sur le bras de l'homme une main si légère qu'elle semble ne rien peser. Et elle sent sous ses doigts, à travers le drap de la veste, frissonner les muscles tendus du corsaire.

*

Plan du port de Cadix levé par le vice-amiral de la Marine royale don Vicente Tofiño de San Miguel. Pepe Lobo est debout, penché sur la représentation imprimée de la baie, en train de calculer les distances avec un compas dont l'ouverture des pointes correspond à un mille en se référant à l'échelle qui figure sur la partie supérieure droite. À la lumière de la lampe à cardan vissée sur la cloison, la carte marine est étalée sur la table de l'étroite cabine, sous la claire-voie dont les vitres sont recouvertes d'une mince couche de sel. Cela trouble la vision du ciel étoilé, sans nuages, qui tourne très lentement sur l'axe de l'étoile Polaire, au-delà de la longue bôme qui porte la voile affalée et serrée, et du mât unique du cotre. Les cloisons et les baux grincent chaque fois qu'une rafale plus forte du noroît qui souffle dehors et siffle dans le gréement tend le câble du mouillage, et que la *Culebra* est ébranlée par une violente secousse en évitant lentement à bâbord et à tribord sur son ancre qui repose par trois brasses sur un fond de sable et de vase, entre la pointe de la jetée de San Felipe et les rochers des Corrales.

– Les hommes sont rassemblés en haut, dit Ricardo Maraña, qui vient de descendre du pont par l'échelle du rouf.

– Il en manque combien ?

– Le maître d'équipage vient d'arriver avec encore huit hommes. Seuls six sont restés à terre.

– Ça pourrait être pire.

– Ça pourrait.

Maraña s'approche de la table et jette un coup d'œil sur la carte. Les pointes du compas qui pivote entre les doigts de Pepe Lobo parcourent sur l'épais papier la distance exacte – trois milles – qui sépare le cotre de la batterie ennemie, située à l'extrémité orientale du golfe de Rota dans le fort français de Santa Catalina. De là, la côte décrit vers l'ouest deux arcs successifs de cinq milles en tout, qui forment le golfe : du fort au petit cap de la Puntilla, et de celui-ci à la pointe de Rota. Le commandant de la *Culebra* a tracé un cercle au crayon sur chacune des cinq batteries tenues par les Français qui défendent cette côte : en plus de celle de Santa Catalina, avec ses pièces à longue portée, sont indiquées sur la carte celles de Ciudad Vieja, Arenilla, Puntilla, Gallina, et les canons de 16 livres installés par les troupes impériales sur le petit môle de Rota, devant le village.

– À cette heure, l'obscurité et la marée nous aideront, explique Pepe Lobo. Nous pouvons le faire bâbord amure, en serrant le vent jusqu'à la basse de la Galera... À partir de là, nous tirerions des bords pour nous rapprocher de la Puntilla et descendre ensuite le long de la plage, en surveillant la sonde et en gagnant le plus possible au vent. L'avantage est que personne n'attend d'ennemi de ce côté... Si quelqu'un nous voit, il mettra du temps à se rendre compte que nous ne sommes pas français.

Le second est toujours penché sur la carte, inexpressif. Pepe Lobo remarque qu'il étudie avec attention les trois cercles au crayon qui entourent le golfe sur son extrémité gauche. Le jeune homme ne dit rien, mais le capitaine sait ce qu'il pense : trop de canons, et trop près. Pour arriver sur son objectif, la *Culebra* devra se faufiler dans l'obscurité en passant devant un nombre impressionnant de bouches à feu. Il suffira d'une sentinelle méfiante, d'une fusée lumineuse ou d'un bateau de ronde pour qu'une de ces batteries leur tire dessus à bout portant. Et les flancs de chêne du cotre, rapide et léger comme une demoiselle, ne sont pas ceux d'un vaisseau de ligne. Ce qu'il peut encaisser avant de couler est limité.

– Qu'en penses-tu, lieutenant ?

Le jeune homme fait un geste vague. Pepe Lobo sait que son attitude serait la même s'il lui proposait de cingler directement sur Santa Catalina et de tirer au canon sur les pièces de gros calibre du fort.

– Si, quand nous y serons, le vent tourne, dit-il, ne serait-ce que d'un ou deux quarts, nous ne pourrons pas nous approcher du mouillage.

Il a parlé avec son indolence habituelle. Avec toujours la même distanciation technique. Et pas un mot sur les batteries. Pourtant, comme son commandant, Maraña sait que si tout n'est pas réglé avant l'aube et si les canons français les surprennent dans la clarté naissante, ni la *Culebra* ni sa problématique prise ne pourront sortir du golfe.

– Dans ce cas, nous aurons joué de malchance, dit Lobo. Nous passerons sans nous arrêter et voilà tout.

Ils se lèvent tous les deux, et Pepe Lobo range la carte. Puis il observe Ricardo Maraña. Celui-ci n'a fait aucun commentaire depuis que le capitaine lui a confié son intention de reprendre le *Marco Bruto*. Toutes ses questions ont été professionnelles, portant sur les manœuvres à faire en mer et la façon dont équipage et navire doivent être disposés pour exécuter le plan prévu. Maintenant, son étroite et élégante veste noire à longues basques boutonnée jusqu'au col, le second arbore son air las coutumier ; comme si ce qu'ils doivent accomplir dans les heures à venir n'était rien d'autre que la routine habituelle. Une manœuvre comme il y en a tant, et aussi ennuyeuse.

– Que disent les hommes ?

Maraña hausse les épaules.

– Il y a de tout. Mais les quarante mille réaux supplémentaires et la perspective du butin de reprise aident beaucoup.

– Quelqu'un veut retourner à terre ?

– Pas que je sache. Brasero les tient à l'œil.

– Prends ton pistolet, lieutenant. On ne sait jamais.

Le capitaine ouvre un placard dans la cloison, prend une arme chargée et la glisse dans sa ceinture, sous la veste. Il n'est pas plus inquiet que d'habitude, mais il sait que c'est le moment délicat, avec l'assurance de la terre proche ; quand on en est au tout début et que l'on n'a même pas le temps de se poser des questions et d'en parler avec les camarades. Un corsaire a beau naviguer sous le pavillon portant les armoiries royales de la Castille et du León, il manque de la discipline rigoureuse de la Marine royale, et la distance entre le mécontentement et la mutinerie est plus facile à franchir. Après, une fois en mer, dans le feu de l'action, chaque homme se conduira comme toujours, ne se souciant plus que de la manœuvre et du combat. Luttant pour le navire et pour sa vie. Défendant ses intérêts. Tous ont passé des mois à bord et supporté les pénuries et les dangers. On leur doit de l'argent, et ils le perdraient en ne respectant pas le contrat d'engagement. Trop tard pour revenir en arrière.

Ricardo attend au pied de l'échelle en étouffant sa toux dans un mouchoir. Pepe Lobo admire une fois de plus la froideur imperturbable de son second. À la lumière de la lampe, ses lèvres exsangues sur lesquelles il vient de passer le morceau de tissu que, comme d'habitude, il retire semé de taches sombres semblent encore plus pâles. Leur mince ligne s'incurve en une brève ébauche de sourire quand Lobo arrive près de lui et adopte le ton formel dont ils usent sur le pont :

– Vous êtes prêt, lieutenant ?

– Je le suis, commandant.

Avant de remonter par le rouf, Pepe Lobo s'arrête un instant.

– Avez-vous quelque chose à dire ?

Le sourire du second s'accentue. Distant et froid, comme toujours. Identique à celui qui affleure dans les bouges mal famés lorsqu'il bat les cartes sur un tapis couvert de pièces d'argent ; un argent dont il se défait aussi facilement qu'il le gagne, sans ciller, impavide devant le hasard comme devant la vie contre laquelle ses poumons délabrés livrent une course suicidaire. Pour arriver à une aussi parfaite indifférence, décide Lobo, il faut avoir derrière soi la longe décantation de nombreuses générations de joueurs ou de bonne éducation. Probablement les deux.

– Pourquoi aurais-je quelque chose à dire, commandant ?

– Vous avez raison. Montons.

Au moment où ils sortent sur le pont glissant d'humidité sous le ciel étoilé, l'équipage est réuni par petits groupes à l'avant, formes noires entre le mât et la naissance de l'épais beaupré. Le vent n'a pas changé de direction et continue de souffler fort dans le gréement qui vibre, tendu comme les cordes d'une harpe. Quelques lumières de la ville brillent, proches, sur bâbord, au-delà des silhouettes noires des canons de 6 livres arrimés à leurs sabords.

– Bosco !

La forme massive du maître d'équipage Brasero vient à leur rencontre.

– À vos ordres, commandant.

– Les hommes ?

– Quarante et un, sans compter vous deux.

Pepe Lobo marche jusqu'à la pompe d'étrave, située derrière le guindeau de l'ancre. Les hommes s'écartent pour le laisser passer, tandis que les conversations s'éteignent. Il ne peut voir leurs visages ni eux le sien. Le vent ne suffit pas à dissiper l'odeur qui se dégage des corps et des vêtements : sueur, vomissures, vin de la taverne quittée il y a à peine une heure, humidités récentes de femme sale. L'odeur qui, depuis la plus lointaine antiquité, accompagne tous les marins du monde quand ils remontent à bord.

– Nous allons nous payer un bateau, confirme Lobo en élevant la voix.

Puis il parle pendant une minute à peine. Il n'est pas fait pour les discours et ses hommes ne les goûtent pas davantage. Et puis il s'agit de corsaires ; pas de misérables recrutés par la force sur un bateau de guerre, auxquels il faut lire toutes les semaines les ordonnances de la Marine royale pour leur faire entrer dans le corps la crainte de Dieu et des officiers en les menaçant de peines corporelles, mort comprise, et, pour faire bon poids, de tous les châtiments de l'enfer. À des hommes comme les siens, il suffit de parler de butin, si possible en en détaillant la valeur. Et c'est ce qu'il fait. Brièvement, avec des phrases courtes et claires, il leur rappelle ce qu'ils ont gagné jusqu'à maintenant, l'argent qui reste à toucher du tribunal des prises et les quarante mille réaux, qui, outre la prime habituelle de reprise, seront répartis entre tous, augmentant d'un cinquième ce que chaque simple matelot a gagné depuis qu'il s'est enrôlé. De l'autre côté, conclut-il, il y a des corsaires français, et il se peut que la *Culebra* passe un mauvais quart d'heure près des côtes ; mais la nuit, le vent et la marée les aideront. Et pour la retraite – ici, il évoque cette possibilité comme allant de soi, tout en devinant le regard silencieux et sceptique de Ricardo Maraña –, les canonnières alliées les couvriront à leur retour.

– Au passage, termine-t-il, nous lâcherons une bordée à cette chienne de felouque que les gabachos ont là-bas.

Rires. Lobo se tait et se dirige vers l'arrière en sentant les tapes que ses hommes lui donnent sur les bras et dans le dos. Il abandonne la suite de l'affaire aux vieux réflexes : aux liens que la longue campagne de course a tissés entre lui et l'équipage. Il s'agit moins de sentiments et de discipline que d'obéissance et de pratique efficace. De la certitude de se savoir commandés par un capitaine prudent, heureux dans ses entreprises, qui ne prend jamais de risques superflus, garde sains et saufs ses prises, son navire et son équipage, et s'occupe efficacement, à terre, de chaque fruit de la campagne. Confirmant à tous que travaux et dangers ont leur récompense. Telle est la fidélité que Pepe Lobo attend cette nuit de ses hommes : celle dont il a besoin pour naviguer dans l'obscurité jusqu'au fond du golfe, manœuvrer rapidement, se battre comme il faut et revenir avec le *Marco Bruto* en remorque.

En arrivant à l'échelle située près du canon numéro trois de tribord et à la hauteur de la chaloupe arrimée sur le pont, Lobo se penche au-dessus de la lisse vers la silhouette qui attend en bas, dans un canot, contre le flanc du cotre : un employé de la maison Palma, un ancien marin qui fait habituellement la liaison avec la terre quand ils sont mouillés dans le port.

– Santos !

En bas, l'homme s'ébroue. Il dormait.

– À vos ordres, commandant !

– On lève l'ancre. Portez la nouvelle à votre patronne.

– Comme une balle !

Les avirons clapotent dans l'eau tandis que la forme obscure du canot s'écarte de la coque, ramant, vent de travers, en direction de la pointe du quai. Pepe Lobo poursuit son chemin jusqu'à la poupe, passe à côté de la barre amarrée au centre et s'accoude au couronnement sur lequel repose la bôme, près du coffre des instruments et des signaux. Le bois est mouillé ; pourtant, malgré le vent qui s'imprègne de l'humidité de la baie, la température est convenable. La veste déboutonnée sur la chemise, Lobo sort le pistolet qu'il porte à la ceinture et le met dans le coffre. Puis il reste à contempler la ville endormie à l'abri de ses remparts, le double pinacle dans l'ombre de la Porte de Terre, au-delà du quai. Les silhouettes des navires à l'ancre et les rares lumières qui se reflètent dans l'eau noire, entre les moutons d'écume que soulève le mistral.

Peut-être en ce moment est-elle éveillée, pense-t-il. Peut-être est-elle assise, un livre dans les mains, levant de temps à autre les yeux pour vérifier l'heure. Pour imaginer ce qu'ils sont en train de faire, lui et ses hommes. Peut-être compte-t-elle les heures avec inquiétude. Ou bien alors – et c'est le plus probable, à ce que Lobo croit savoir d'elle – elle dort, étrangère à tout, indifférente ; rêvant de cet on-ne-sait-quoi qui occupe ordinairement le sommeil des femmes. Un moment, le corsaire imagine la tiédeur de son corps, son expression en ouvrant les yeux le matin, la paresse des premiers mouvements, la lumière du soleil qui entre par la fenêtre et éclaire son visage. Ce soleil que, peut-être, certains des hommes actuellement à bord de la *Culebra* ne verront jamais se lever.

Je sais tout de vous. Voilà les paroles qu'elle a prononcées sur le rempart, entre chien et loup, alors qu'elle lui demandait de jeter son navire et ses hommes sous les canons du golfe de Rota. Je sais tout ce que j'ai besoin de savoir, a-t-elle dit, et ça me donne le droit de vous demander ce que je vous demande. De vous regarder comme je vous regarde. S'appuyant sur le teck humide, le corsaire se rappelle maintenant la manière dont ce regard, sous les plis translucides de la mantille agitée par le vent, se voilait de plus en plus dans la pénombre violette pendant que sortaient les mots calculés et froids, précis comme l'échelle graduée d'un sextant. Et lui, maladroit comme le furent toujours les hommes confrontés à l'énigme de la chair, de la mort et de la vie, voyait se fondre son visage dans la nuit sans oser y poser un nouveau baiser. Sans emporter avec lui, sur le minu-tieux chemin vers le néant qu'il s'apprête à parcourir – où, en réalité, il s'est déjà engagé quand il s'est penché, en bas, sur la carte nautique –, autre chose que la voix et la certitude de l'existence physique de la femme, sa chaude et inaccessible consistance perdue dans les ombres prêtes à dévorer leurs destins. Si nous étions n'importe où ailleurs dans le monde, je… Voilà tout ce qu'il a réussi à dire avant de s'interrompre ; et il n'a pratiquement rien ajouté, car, avec cet aveu singulier, jamais prononcé avant, tout était désormais clair entre eux, y compris leur résignation devant l'inéluctable. Le voyage était décidé, sans un regard en arrière ni une plainte. Il était juste un autre homme, un de plus, s'éloignant par des routes sans retour et des mers sans vents pour l'aider à revenir. Sans peurs ni remords, car rien ne resterait et rien ne pouvait être emmené. Mais, au dernier instant, elle avait fini par parler. Et cela modifiait tout. Ce « moi aussi », désolé comme la lumière violette s'éteignant sur la baie, sonnait comme un frisson ancestral, venu du fond des siècles. Comme la lamentation d'une femme sur le rempart d'une cité antique : certitude du retour impossible qui rend la mort elle-même encore plus mortelle. Et la main posée sur son bras, légère comme un soupir, n'a fait que le condamner irrémédiablement.

– Les hommes sont prêts, commandant.

Odeur de fumée de cigare, vite emportée par le vent. La silhouette mince et noire de Ricardo Maraña se détache sur le couronnement, la braise à la hauteur du visage. Le pont s'anime, entre piétinements de pieds nus, voix d'hommes, grincements et gémissements de poulies et de moufles.

– Dans ce cas, préparez la manœuvre. Nous partons.

– À vos ordres.

La braise du cigare s'avive pendant que le second fait demi-tour.

– Ricardo… euh… lieutenant !

Un bref silence. Déconcerté, peut-être. Le second s'est arrêté.

– Dites-moi ?

Sa voix trahit l'étonnement. De même qu'ils ne se tutoient jamais devant l'équipage, y compris à terre, Pepe Lobo ne l'avait encore jamais appelé par son prénom.

– Ce sera un voyage court et dur... Très dur.

Autre silence. Puis résonne le rire du second dans l'obscurité, jusqu'à ce qu'une quinte de toux vienne l'interrompre. Le cigare décrit une courbe rougeoyante en passant pardessus la lisse pour aller s'éteindre dans la mer.

– Cap sur Rota, commandant. Et après, que le diable reconnaisse les siens.

*

Dans sa baraque, en manches de chemise rapiécée d'une propreté douteuse, près de la flamme avare d'une chandelle à demi consumée, Simon Desfosseux trempe sa plume dans l'encrier et enregistre calculs et incidences sur un épais cahier qu'il tient méthodiquement en manière de journal technique de campagne. Il termine toujours sa journée ainsi, minutieux comme il sait l'être, notant objectivement chaque réussite et chaque échec. Ces derniers jours, l'artilleur est satisfait : certaines améliorations dans la gravité spécifique des bombes, appliquées non sans frictions avec le général d'Aboville, augmentent leur portée. En recourant à des grenades parfaitement sphériques et polies, dépourvues d'espolette et portant 30 livres de sable inerte en remplacement de la charge de poudre, les obusiers Villantroys-Ruty parviennent depuis deux semaines à atteindre la place San Antonio, au cœur de la ville. Cela suppose une portée de 2 820 toises, grâce au très délicat équilibre entre sable et plomb qui, précautionneusement introduit en couches successives dans l'intérieur du projectile, compense les 95 livres que pèsent les bombes actuelles, tirées avec une élévation de quarante-cinq degrés. Il est vrai que, ne portant ni poudre ni espolette, elles ne peuvent exploser ; mais au moins tombent-elles là où elles doivent tomber, plus ou moins en tout cas, avec des déviations sporadiques – encore préoccupantes pour Desfosseux – qui vont jusqu'à une cinquantaine de toises en prenant pour référence l'alignement des clochers de l'église. Les choses étant ce qu'elles sont, c'est un résultat honorable ; et qui justifie que *Le Moniteur*, à la satisfaction du maréchal Soult, ait publié, sans trop mentir – juste un tiers de mensonge – que l'armée impériale bombarde tout le périmètre de Cadix. Quant aux autres grenades, celles qui explosent, une ingénieuse combinaison d'amorces, d'étou-pilles et de détonateurs nouvellement inventés – fruit, éga-lement, d'interminables calculs et d'un travail harassant avec Maurizio Bertoldi – rend possible que, dans des condi-tions adéquates de vent, de température et d'humidité, une sur dix atteigne à présent sa cible ou ses environs, l'espo-lette restant allumée assez longtemps pour exploser comme prévu. Les informations qui arrivent de Cadix, même si elles font état de plus de peur et de dégâts que de victimes, suf-fisent à sauver les apparences et à faire tenir le maréchal tranquille ; même si, intimement mortifié, Desfosseux reste convaincu que, si on le laissait utiliser des mortiers de gros calibre au lieu d'obusiers et des bombes de plus grand dia mètre avec des grandes espolettes au lieu de grenades, l'efficacité dans la destruction égalerait les progrès réa-lisés dans la portée, et que ses projectiles raseraient la ville. Mais, suivant l'exemple du maréchal Victor, Soult et son état-major, qui s'en tiennent avec beaucoup de prudence aux volontés de l'empereur, continuent de ne pas vouloir entendre parler de mortiers ; et encore moins maintenant que Fanfan et ses frères arrivent là où ils doivent arriver, ou presque. Le duc de Dalmatie en personne – c'est le titre impérial de Soult – a félicité Desfosseux quelques jours plus tôt au cours d'une inspection au Trocadéro. Contre son habitude, le duc était de bonne humeur. Un courrier, l'un des rares qui arrivent à franchir le défilé de Despeñaperros sans que les guérilleros les pendent à un chêne et leur arrachent les tripes, avait remis au duc des journaux de Madrid et de Paris faisant mention de la nouvelle portée des bombardements, et aussi que le convoi transportant le dernier butin de tableaux, tapis et bijoux pillés par Soult en Andalousie était arrivé sain et sauf de l'autre côté des Pyrénées.

– Vous ne voulez vraiment pas d'avancement, capitaine ?

– Non, mon général. – Impeccable claquement de talons réglementaire. – Mais je vous en remercie beaucoup. Je préfère garder mon grade, comme le savent mes supérieurs immédiats.

– Très bien. Avez-vous dit la même chose à Victor ?

– Oui, mon général.

– Vous l'entendez, messieurs ?… C'est un original.

Desfosseux ferme le cahier et reste songeur en pensant à une autre affaire. Au bout d'un moment, il consulte sa montre. Puis il ouvre la caisse de munitions vide dont il se sert comme secrétaire et en sort la dernière communication, reçue l'après-midi même, du policier espagnol. Après un silence de deux semaines, cet étrange individu se manifeste de nouveau pour lui demander que, dans les cinq jours qui viennent et peu après quatre heures du matin, il dirige quelques tirs sur un point précis de la ville. La lettre est accompagnée d'un croquis de l'aire où doivent tomber les bombes ; et le capitaine, qui connaît désormais Cadix mieux que les lignes de ses mains, n'a pas besoin d'un plan pour s'y retrouver : c'est à l'intérieur du secteur des grenades qui explosent, et il peut l'atteindre sans problème tant que ne souffle pas un ponant trop fort. Il s'agit de la petite place San Francisco, jouxtant le couvent et l'église du même nom. Un objectif relativement facile avec une charge conventionnelle de poudre et une espolette, à condition, naturellement, que les bombes – qui parfois semblent n'en faire qu'à leur tête, les garces – ne décident pas de dévier vers la droite ou la gauche, ou d'être trop courtes et de tomber dans la mer.

Un personnage hors du commun, ce commissaire, pense l'artilleur, tout en mettant le feu à un coin du papier et en le laissant se consumer par terre. Peu sympathique, il faut l'admettre. Avec sa tête d'aigle sombre et ses yeux brillant de violence contenue où se lisent la détermination et la vengeance insatisfaite. Depuis leur rencontre clandestine près de la plage, Simon Desfosseux n'a pas répondu par écrit aux communications de l'Espagnol. Il considère que c'est inutile et risqué. Non pour lui, qui peut se justifier en arguant d'un indicateur qui l'aide à déterminer des objectifs, mais pour la propre sécurité de l'individu. Le temps n'est pas aux ambiguïtés, ni aux nuances. L'artilleur doute que les autorités de l'autre bord acceptent avec naturel qu'un de leurs policiers, de connivence avec l'ennemi, oriente certains des tirs qui tombent sur la ville en détruisant des biens et supprimant des vies. Ce sont des risques que ce Tizón semble mépriser ; mais Desfosseux ne souhaite pas les augmenter par une indiscrétion. Même le fidèle Bertoldi, qui l'a aidé à ménager l'entrevue, n'est pas au courant de ce dont ils ont parlé : il croit toujours qu'il a eu affaire à un espion ou un indicateur. En ce qui concerne le capitaine, celui-ci s'est borné à exécuter sa part de l'accord en s'arrangeant pour qu'aux jours et aux heures convenus le sergent Labiche et ses hommes dirigent quelques coups de canon sur les lieux indiqués, toujours avec des grenades pourvues de poudre et d'espolette. Après tout, il s'agit de bombarder, rien de plus. Et donc, que les projectiles tombent là ou ailleurs, c'est du pareil au même. Quant à l'histoire des filles mortes, il imagine qu'en cas de succès le commissaire lui enverra un message pour lui en faire part. De toute manière, Desfosseux reste disposé à tenir ses engagements. Pas indéfiniment, bien sûr. Il y a une limite à tout.

L'artilleur se lève et consulte encore une fois sa montre. Puis il prend sa veste et son chapeau, éteint la chandelle et, après avoir écarté la couverture qui masque l'entrée de la baraque, sort dans l'obscurité. Le ciel est couvert d'étoiles, et le vent de nord-ouest fait se tordre les flammes d'un bivouac voisin, où des soldats de garde ont mis à chauffer une marmite contenant l'habituel breuvage d'orge brûlée et moulue qui prétend être du café mais ne sent pas le café, n'a pas le goût de café et ne contient pas un seul grain de café. Les crépitements du feu éclairent dans leur ballet rougeoyant les canons des fusils et les visages fantomatiques sur lesquels dansent ombres et reflets.

– Un quart, mon capitaine ? questionne un homme quand il passe près d'eux.

– Tout à l'heure, je ne dis pas non.

– Tout à l'heure, il n'en restera pas une goutte.

Desfosseux s'arrête, accepte le quart en fer-blanc qu'on lui offre et, celui-ci à la main, marche dans l'obscurité, en prenant garde aux endroits où il met les pieds, vers la tour d'observation qui se dresse à quelques pas. La nuit est agréable malgré le vent. L'été arrive avec ses grandes chaleurs sur les rives de la baie, le mercure monte jusqu'à quarante degrés centigrades à l'ombre, et des millions de moustiques venus des eaux basses et stagnantes tourmentent nuit et jour l'armée impériale. Au moins, se dit Desfosseux tout en trempant les lèvres dans le breuvage chaud, le vent de nord-ouest a chassé la terrible fournaise des derniers jours : cet autre vent que l'on appelle ici solano, ou sirocco, et qui, venu d'Afrique, apporte des fièvres malignes et des nuits suffocantes, assèche les rivières, tue les plantes et rend les gens fous. On dit que la plus grande partie des assassinats commis sur cette terre, criminelle par nature, ont lieu pendant que souffle le solano. Le dernier cas retentissant s'est produit il y a trois semaines à Jerez. Un lieutenant-colonel des dragons qui vivait en concubinage avec une Espagnole – beaucoup de chefs et d'officiers se permettent ce luxe, laissant les hommes de troupe se défouler dans les bordels ou violer des femmes à leurs risques et périls – a été tué à coups de couteau par le mari, un fonctionnaire municipal ordinairement pacifique qui avait prêté serment au roi Joseph, sans que l'on puisse établir d'autre motivation que personnelle. Sous l'influence du vent brûlant qui fait bouillir le sang et détraque les cerveaux.

Simon Desfosseux termine le breuvage, laisse le quart vide par terre et gravit l'échelle grinçante qui mène à la plate-forme de l'observatoire, transformé en blockhaus grâce à d'épaisses planches en pin de Chiclana. Dans cinq minutes, le lieutenant Bertoldi exécutera avec la batterie de Fanfan les derniers tirs de la journée contre divers points de la ville, dont la place San Antonio, l'oratoire de San Felipe Neri et le bâtiment de la Douane, respectant ainsi ce qui, depuis des mois, est devenu un programme fixe : un certain nombre de bombes tirées à la limite de leur portée à l'heure où l'aube blanchit la campagne, et de nouveaux bombardements au moment du déjeuner, du dîner et du réveil. Simple routine quotidienne : les bombes font plus de dégâts qu'avant, mais nul n'en attend un quelconque changement. Pas même le duc de Dalmatie. Par une meurtrière, Desfosseux observe mélancoliquement le paysage : la vaste étendue de la baie et les rares lumières de la ville endormie, ainsi que les éclats lointains du phare de San Sebastián. Quelques fenêtres sont éclairées du côté de l'île de León, et les feux de bivouac des deux armées se prolongent au loin en forme d'arc, le long des étiers jusqu'à Sancti Petri, délimitant une ligne de front qui n'a pas bougé d'un pouce dans les quatorze derniers mois, depuis la bataille de Chiclana. Et qui ne bougera plus, sauf probablement pour reculer. Avec les mauvaises nouvelles qui arrivent du reste de la Péninsule, la défaite du maréchal Marmont devant Wellington à la bataille des Arapiles suivie de l'entrée des Anglais dans Salamanque, les rumeurs d'un repli vers le nord commencent à courir dans l'armée d'Andalousie.

En tout cas, Cadix est toujours là. Après avoir ôté le cache qui protège l'oculaire d'une moderne longue-vue nocturne Thomas Jones montée sur un trépied, large tube de presque un mètre de long – il aura fallu six mois de paperasses épuisantes pour la faire venir à la Cabezuela –, Desfosseux parcourt avec la puissante optique les contours obscurs de la ville, s'arrêtant sur le bâtiment de la Douane où réside la Régence. Outre l'oratoire de San Felipe Neri, lieu de réunion du Parlement rebelle – plus éloigné et donc plus difficile à atteindre –, la Douane est un de ses objectifs favoris. Après d'innombrables tentatives, tâtonnements et échecs, l'artilleur a réussi à centrer le tir sur l'édifice et à y faire tomber quelques bombes bien dirigées. C'est également le propos de cette nuit, si Bertoldi dose bien la poudre et si le vent de nord-ouest ne complique pas les trajectoires.

À l'instant où Simon Desfosseux va s'écarter de l'oculaire, une ombre passe lentement dans le cercle de la lentille. Déplaçant la longue-vue vers la droite, le capitaine la suit un moment, curieux. Il finit par comprendre que cette ombre, agrandie et aplatie sur la surface immense et noire de la baie par la puissance de l'instrument optique, ce sont les voiles d'un bateau qui, toute toile dehors et serrant le vent, navigue silencieusement dans l'obscurité comme un fantôme.

*

Sur la tour de vigie de la terrasse, rafraîchie par le vent qui pénètre de face par la fenêtre du côté nord, Lolita Palma regarde, elle aussi, dans une longue-vue. La ligne de la côte, où meurent les étoiles dont les constellations percent la voûte bleue du firmament, est à peine visible sur l'immensité noire de la baie. Sous l'horizon que l'intense obscurité qui accompagne la dernière heure de la nuit assombrit davantage encore, il n'y a pas d'autres lumières que l'éclat régulier du phare de San Sebastián à gauche et quelques faibles points lumineux – les feux de Rota –, semblables à des étoiles très basses, amorties et tremblantes dans le lointain.

– L'aurore va dissiper la nuit, commente Santos.

Lolita regarde vers la droite, en direction du levant. Au-delà des hauteurs sombres de Chiclana et des pentes de Medina Sidonia, l'horizon se transforme en une très légère ligne bleutée où les astres commencent à s'éteindre. L'obscure clarté qui ne tombe plus des étoiles mettra plus d'une heure à dissiper les ténèbres de la baie, là où elle regarde en vain depuis un moment, cœur battant, en s'efforçant de percer l'obscurité. À la recherche du moindre indice qui lui révélerait que la *Culebra* est à proximité de son objectif. Mais il n'y a rien d'autre que la nuit. La longue-vue ne révèle rien de particulier et tout semble tranquille. Le vent les a peut-être retardés, conclut-elle, inquiète. L'obligation de tirer trop de bords pour s'approcher. Ou alors, il leur a été impossible de pénétrer à l'intérieur du golfe et ils ont été forcés de reprendre le large. Et de renoncer à leur tentative.

– S'ils avaient été découverts, nous le saurions déjà.

Elle acquiesce sans desserrer les lèvres. Elle sait que le vieux marin a raison. Tout ce calme indique que, quel que soit l'endroit où se trouve le cotre, personne ne l'a encore repéré. Au contraire, cela fait longtemps que les batteries françaises situées entre le fort de Santa Catalina et Rota n'ont pas fait feu, et le vent qui vient de cette rive apporterait des bruits de combat. Or le silence est absolu, si l'on excepte la rumeur du mistral qui court librement sur toute la baie et hurle par moments.

– Se mettre dans le golfe n'est pas facile, ajoute Santos. Ça prend du temps.

Elle acquiesce de nouveau, incertaine. Troublée. Quand les rafales soufflent avec trop de violence par la fenêtre ouverte, elle tremble de froid malgré le châle de laine qu'elle porte – avec une résille en soie rassemblant les cheveux et des mules en maroquin – par-dessus sa robe d'intérieur. Cela fait deux heures qu'elle ne quitte pas la tour, et elle a passé presque toute la nuit à veiller. La dernière fois, elle est montée après un sommeil bref et inquiet qu'elle n'a pas réussi à prolonger, pendant que le serviteur restait de garde avec pour instructions de l'avertir à la moindre alerte. Dès son arrivée en haut, impatiente, elle a réclamé la longue-vue. Maintenant, ses mains et son visage sont glacés, elle se sent brisée par l'interminable attente et ses yeux pleurent de s'être tant acharnés à regarder, collés à l'oculaire. Elle parcourt méticuleusement la ligne noire de la côte, de droite à gauche, en arrêtant le cercle de vision sur le fond sombre du golfe : il n'y règne qu'obscurité et silence. L'idée du *Marco Bruto* et de sa cargaison perdus à jamais, une fois manquée l'unique occasion de les reprendre, la remplit d'angoisse.

– Je crains qu'il n'y ait rien à faire, murmure-t-elle. Quelque chose a dû les empêcher d'arriver.

La voix de Santos évoque la patience, le calme ancestral des gens de mer habitués à faire face aux vicissitudes de leur destin.

– Ne dites pas ça… Le capitaine connaît son métier.

Une pause. Le vent frappe par fortes rafales qui font s'agiter et claquer le linge tendu sur les terrasses voisines comme des suaires de fantômes pris de folie.

– Vous me permettez de fumer, madame Lolita ?

– Bien sûr.

– Je vous remercie.

À la brève lueur du briquet avec lequel le serviteur allume un cigare qu'il a roulé lui-même, Lolita Palma observe les rides profondes qui sillonnent son visage. Pepe Lobo, pense-t-elle, doit être en ce moment entouré de têtes semblables à celle-ci : des hommes tannés, taillés par la mer. Elle peut, sans aucun effort, imaginer le corsaire – s'il n'a pas renoncé et poursuit encore son entreprise – scrutant l'obscurité devant la proue du cotre. Attentif à tous les sons autres que ceux du vent et du grincement des manœuvres et de la toile, pendant que le chuchotement du sondeur juché sur le bossoir énumère les brasses d'eau sous la quille et que tous attendent, crispés par la tension qui lie les langues et sèche les bouches, le flamboiement d'une bordée ennemie qui balaiera le pont.

Une autre rafale de mistral humide hurle sur les terrasses et entre par la fenêtre de la tour de vigie. Grelottant sous son châle, la femme sent maintenant, précis et concret comme une blessure, le vide des gestes qu'elle n'a jamais faits ; le silence de tous les mots qu'elle n'a pas prononcés pendant que la pénombre de ce dernier crépuscule – quelques heures seulement l'en séparent mais il lui semble que des années se sont écoulées – voilait les traits de l'homme dont le souvenir l'émeut : une ligne blanche fendant la peau brune du visage, le double reflet de raisin mouillé dans les yeux clairs, absents, absorbés dans la nuit qui prenait possession, implacable, de leurs sentiments et de leurs vies. Peut-être reviendra-t-il quand tout sera terminé, se dit-elle soudain. Peut-être pourrai-je. Ou devrai-je... Mais non. Peut-être jamais. Ou si. Peut-être toujours.

– Là-bas ! s'écrie Santos.

Lolita sursaute et regarde dans cette direction. Elle retient sa respiration et toute sa peau se hérisse. À travers la baie, le vent apporte un bruit sourd et monotone, étouffé, comme de coups de tonnerre très lointains. Dans le golfe de Rota, sur la surface noire de la mer, brillent de minuscules éclairs.

*

Les débris volent, les tirs lancent des éclairs et les hommes crient. Chaque fois que la *Culebra* reçoit une nouvelle bordée, elle tremble comme si elle était vivante, ou agonisante. Depuis que le cotre a enfin réussi à écarter sa proue de l'arrière du brigantin en passant à bâbord dans le lit du vent, Pepe Lobo n'a pas eu le temps de vérifier comment vont les choses pour Ricardo Maraña et son équipe d'abordage. À peine le dernier homme s'est-il hissé sur le *Marco Bruto* – ne pas avoir cassé le beaupré dans la silencieuse approche finale bien qu'en allant contre le vent relève du miracle –, que Lobo a dû s'occuper du navire sans feux qui leur tirait dessus par tribord. Il ne s'attendait pas à rencontrer quelqu'un de ce côté, et la révélation subite qu'il y avait un navire mouillé sous le vent et à tribord de la prise l'a surpris au dernier instant, quand il ne pouvait plus modifier la manœuvre : il s'agissait d'un bateau armé de petit tonnage. Peut-être le mistic corsaire qui œuvrait dans la baie et qui a dû revenir mouiller ici dans les dernières heures. Son unique coup de canon, isolé, a dénoncé les agresseurs avant terme ; ce qui, en soi, arrivés à ce point, n'était pas trop important. Mais il y a autre chose, de bien plus grave : le mistic, si c'est bien de lui qu'il s'agit, dérive, fortement poussé par le vent, ses amarres rompues, transformé en brasier depuis que la *Culebra*, une fois Maraña et seize hommes montés à l'abordage du *Marco Bruto*, y a mis le feu après avoir lâché par tribord, à bout portant, une bordée de ses quatre canons de 6 livres.

Le problème est à bâbord du brigantin abordé ; ou plutôt là où, après être passé de ce côté sous le vent, Pepe Lobo voit maintenant les éclairs des coups de canon et de la fusillade que tire la felouque corsaire, mouillée tout près. Dans le noir, Lobo ne peut voir distinctement sa propre mâture; mais les flammes du mistic incendié qui continue de dériver avec le vent et les éclairs intermittents des tirs de la *Culebra* montrent le gréement de plus en plus haché et la toile qui empanne ou se tend vers le haut dans le vent déchaîné : la grand-voile est en partie déchirée, la corne est brisée au milieu, et seule la trinquette reste encore utile. Sur le pont couvert de filins emmêlés et d'éclats de bois qui se découpent sur la lumière brutale des coups de canon, les hommes du cotre tentent d'ajuster bras et drisses pour garder le bateau manœuvrant, pendant que les artilleurs écouvillonnent, chargent et pointent de nouveau sur tribord les quatre pièces portant un double boulet. Pepe Lobo parcourt la batterie en harcelant les indécis et en aidant à tirer sur les palanquins qui maintiennent les affûts.

– Feu!... Feu!

La poudre brûlée le fait pleurer et ses cris se perdent dans le fracas du combat. Ils sont tout près de la felouque ennemie qui est toujours à l'ancre et les accable d'un feu très vif. Trois canons de 6 livres et une caronade de 12 sur chaque bord, comme le sait Pepe Lobo. La caronade tire à mitraille et, à cette distance, ses effets sur le pont du cotre sont dévastateurs. À chaque coup qu'il reçoit, la coque tremble, et ses secousses font osciller la mâture dont les haubans se balancent, rompus ou détachés. Il y a trop d'hommes couchés sur le pont : ceux qui tombent morts ou blessés, ou ceux qui se recroquevillent, terrifiés, en essayant de se protéger des tirs et des éclats qui volent de toutes parts. Lobo se félicite d'avoir mis la chaloupe à la mer avant d'entrer dans le golfe, car si elle était restée à bord les boulets l'auraient transformée en mille éclats mortels pour ceux qui se seraient trouvés à proximité.

– Si vous voulez rentrer, continuez à tirer!

Des éclairs, encore et toujours. Après chaque détonation, les canons reculent, retenus par leurs bragues. Le manque d'hommes commence à se faire sentir. L'équipe d'abordage du *Marco Bruto* a laissé les pièces sans servants suffisants, même avant de commencer le combat. Ceux qui se battent encore toussent, essuient leurs yeux larmoyants et profèrent des obscénités en tirant sur les palanquins et en remettant les canons en batterie. Lobo se joint à eux et s'écorche les mains sur les câbles en halant désespérément. Puis il va à la poupe en contournant le plancher arraché et les corps tombés. Une sensation confuse de perte de contrôle et de désastre imminent commence à lui faire abandonner son sang-froid. Le vent emporte rapidement la fumée des tirs, et il peut distinguer, toujours plus proche, la svelte silhouette noire du navire à l'ancre, et son flanc de tribord où se succèdent les éclairs des canons et des fusils. Par chance, pense-t-il brusquement, il est trop près, et les batteries de la côte ne se décident pas à donner de la voix par crainte de toucher la felouque.

– La barre à tribord, toute !... Si nous le heurtons, nous ne sortirons pas d'ici !

Un des timoniers – ou ce qui en reste, car il est en morceaux, comme s'il était passé sur le billot d'un boucher – est étendu contre la gouttière de bâbord. De toutes ses forces, l'Écossais pousse la barre vers le bord opposé. Pepe Lobo tente de l'aider, mais il glisse sur le plancher couvert de sang. Au moment où il se relève, un boulet frappe la coque à la manière d'un poing monstrueux, avec un craquement sec, taillant sur le pont une longue brèche semblable à un coup de hache. Lobo, qui est retombé, ferme les yeux et les ouvre quelques secondes plus tard, assommé. À la lueur des coups de canon et des flammes du mistic qui dérive, il voit que la barre oscille librement et que l'Écossais est à quatre pattes dessous, traînant ses tripes qu'il écrase avec ses genoux en hurlant comme un animal. Le capitaine se relève, l'écarte d'une poussée et prend la barre, mais elle ne répond pas. La *Culebra* est sans gouvernail. Au même moment se produisent simultanément plusieurs choses : un feu de Bengale monte de la côte en illuminant le golfe, la grand-voile du cotre se déchire sur toute sa hauteur, le mât tombe avec un long craquement d'arbre qu'on abat et, tandis que pleuvent d'en haut filins, cercles de mât, poulies, toile et éclats de toutes sortes, le flanc du navire craque et s'immobilise contre celui de la felouque ennemie, et le gréement défait de l'un s'emmêle inextricablement avec celui de l'autre.

Il n'y a plus d'ordres à donner. Ni personne à qui les donner. Impuissant, sous la dernière lueur du feu de Bengale qui s'éteint dans le ciel, Pepe Lobo voit mourir le maître d'équipage Brasero qui tentait de déblayer les morceaux de drisses, écoutes et voile tombés sur les canons : un tir de mitraille lui emporte la moitié de la tête. De navire à navire, bord contre bord, les hommes se fusillent à bout portant, à coups de mousqueton, espingole et pistolet. Abandonnant la barre, Lobo se tourne vers le coffre du couronnement, sort l'arme chargée qu'il y a rangée et empoigne un sabre. Ce faisant, il entend des détonations lointaines et regarde par-dessus la lisse en direction de la mer, où il voit se soulever des gerbes d'écume. Les batteries françaises commencent à tirer depuis la plage. Un moment, il se demande si elles tentent d'atteindre la *Culebra*, bien qu'attachée à la felouque. Alors, se découpant sur la clarté de plus en plus faible du mistic incendié qui continue de dériver, il voit passer très lentement et tout près du cotre moribond la silhouette obscure du *Marco Bruto*, la trinquette déployée au vent et les écoutes tendues, avec une forme mince et impassible debout à l'arrière en laquelle il croit reconnaître Ricardo Maraña.

Indifférent, le capitaine corsaire se tourne vers ce qui reste de son navire. Le constat du désastre irréparable lui rend son calme. Il ne perçoit plus qu'éclairs, fumée et tumulte dans un enchevêtrement de toile, de câbles rompus et de corps mutilés, et, dans le craquement des planches qui se brisent, le vrombissement sourd des boulets et de la mitraille, les cris et les jurons. L'antenne d'artimon de la felouque est également tombée sur le cotre en augmentant la confusion sur le pont, où chaque éclair du combat révèle un vernis rouge, épais et luisant. On dirait qu'un dieu ivre n'en finit pas d'y déverser d'innombrables baquets de sang.

Un tir à mitraille de la caronade balaye la poupe, fait craquer la charpente du rouf et soulève une nuée de débris. En proie à un froid soudain, Pepe Lobo baisse les yeux avec stupéfaction et palpe son pantalon ensanglanté ; le liquide est chaud, collant, et sort à gros bouillons réguliers, comme s'il était pulsé par une pompe de pont. Voilà, se dit-il. C'était donc ça. Curieuse manière de se vider. Et c'est ainsi que ça se passe, conclut-il en sentant ses forces lui manquer et en s'appuyant sur le rouf détruit. Il ne se souvient pas de Lolita Palma, ni du brigantin que Ricardo a mis en sûreté. Il pense seulement, avant de tomber, qu'il ne reste même pas un mât où hisser le drapeau blanc.

18

Le brouillard incommode beaucoup Rogelio Tizón. Le chapeau et la redingote boutonnée jusqu'à la cravate ruissellent d'humidité, et quand il passe la main sur son visage il sent que sa moustache et ses favoris sont mouillés. Le policier réprime son envie de fumer et jure dents serrées, longuement et abondamment, entre deux bâillements. Par des nuits comme celle-là, Cadix semble à demi immergé dans la mer qui l'entoure, comme si la ligne qui sépare l'eau de la terre ferme n'était plus définie. Dans cette pénombre diffuse et grise où un mince halo de lune indique le contour des édifices et les angles des rues, la brume mouille les pavés et les fers forgés des grilles et des balcons, et la ville ressemble à un bateau fantôme échoué à la pointe de son récif.

Comme d'habitude, Tizón a préparé le piège avec soin. Les échecs antérieurs – il en est à la troisième tentative depuis le début du mois et la huitième depuis que tout a commencé – ne lui ont pas fait baisser la garde. Seule reste une lanterne allumée qui éclaire une partie du mur blanchi à la chaux du couvent San Francisco se prolongeant jusqu'au coin de la rue de la Croix de Bois. Là, cette brume légère et rasant le sol s'épaissit en une pénombre indécise, laissant des recoins dans le noir. Depuis presque une demi-heure, après avoir passé un bon moment de ce côté de la place, l'appât est dans les parages. Les chasseurs sont convenablement répartis pour couvrir les abords immédiats : ils sont six agents, dont Cadalso, presque tous jeunes avec de bonnes jambes, pourvus chacun d'un pistolet chargé et d'un sifflet pour demander de l'aide en cas de poursuite ou d'incident. Le commissaire porte lui aussi le sien : son arme à double canon, prête à tirer, sous le pan de sa redingote.

Il y a peu, trois explosions lointaines ont retenti du côté de San Juan de Dios et de la Porte de Terre ; mais maintenant le silence est total. Réfugié sous un porche voisin du coin de la rue de l'Ancien Consulat, Rogelio Tizón ôte son chapeau et appuie sa nuque contre le mur. Demeurer immobile par cette nuit humide lui ronge les os, mais il n'ose pas bouger de peur d'attirer l'attention. Il deviendrait trop visible. Le halo de lune et la lanterne allumée au mur du couvent répandent sur ce côté de la place une faible clarté, entre rougeâtre et grise, qui se multiplie dans les millions de gouttes suspendues dans l'atmosphère. Résigné, le commissaire passe d'une jambe sur l'autre. Je deviens trop vieux pour ce genre d'exercice, pense-t-il avec irritation.

Il n'y a plus eu de crime depuis la nuit où Rogelio Tizón a poursuivi l'assassin avant de perdre sa trace. Il n'est pas sûr de la raison de cet arrêt. L'homme a pu prendre peur avec cet incident, ou alors l'intervention ultérieure du commissaire, en agissant dans les lieux de chute des bombes et en disposant artificiellement des proies – celle de cette nuit est encore une jeune prostituée –, a pu bouleverser sa manière de procéder et l'étrange schéma de ses calculs et prévisions. Parfois, la pensée que l'assassin ne tentera plus jamais rien tourmente Tizón ; et cette idée le plonge dans une désolation où l'exaspération le dispute à la fureur. En dépit du temps qui s'est écoulé, de l'inutilité de ses efforts, du nombre des nuits de veille passées à tendre des filets qu'il relève vides au petit matin, son instinct lui répète qu'il est sur la bonne voie, que la perverse sensibilité de l'assassin coïncide en un certain sens avec la sienne, et que l'un et l'autre se croisent constamment, comme des lignes inévitables sur l'étrange carte de la ville que tous deux partagent. Il n'est point de secret que le temps ne révèle. Le visage amaigri, les yeux enfiévrés par les gardes constantes et les litres de café, crispé par l'obsession qui est devenue le but principal de son travail et de sa vie, Tizón vit depuis longtemps en regardant autour de lui, méfiant, agressif, flairant l'air à la manière d'un griffon frappé de folie, en quête de signes minuscules connus seulement de lui et de l'assassin. Lequel, malgré tout, rôde peut-être dans les environs, regardant les appâts de loin sans se décider à passer la tête dans le ressort qui l'attrapera. Rusé et cruel, à l'affût. Voire, conclut d'autres fois le policier – et pourquoi pas cette nuit même –, surveillant ceux qui le surveillent, en attendant qu'ils baissent la garde. Ou peut-être la partie d'échecs est-elle passée à un autre niveau, celui d'un défi intellectuel. Opposant des esprits subtils, malades. Comme deux joueurs qui n'ont pas besoin de déplacer les pièces sur l'échiquier pour poursuivre la partie. En tel cas, il se peut que ce soit seulement une question de temps avant que l'un des adversaires ne commette l'erreur. Cette éventualité, dans la mesure où elle peut le concerner, effraye Tizón. Jamais il n'a eu aussi peur d'échouer. Il sait qu'il ne pourra pas maintenir la situation indéfiniment en l'état ; que les lieux sensibles de la ville sont trop nombreux. Il y a dans tout cela un excès de hasard, et rien n'empêche l'assassin d'agir à un endroit quand il l'attend dans un autre. Sans compter que l'artilleur français qui collabore de l'autre côté de la baie peut se lasser du jeu et l'abandonner à tout moment.

Bruit de pas sur les pavés. Rogelio Tizón se serre contre le mur du porche pour mieux dissimuler sa présence. Deux individus vêtus à l'andalouse, veste brodée et bonnet, passent sous la lumière trouble de la lanterne du couvent et s'éloignent

CADIX, OU LA DIAGONALE DU FOU

en direction du croisement des rues de la Croix de Bois et du Chemin. Ils ont l'allure de jeunes élégants des quartiers populaires et ne portent pas de manteau. Impossible de voir leurs visages. Le commissaire les suit du regard jusqu'à ce qu'ils disparaissent de l'autre côté ; là où, il y a quinze jours, il est resté immobile toute une nuit à observer les alentours, en guettant l'absence de son et la raréfaction de l'air, au centre d'une de ces cloches de vide imaginaires dans lesquelles il pénètre avec la satisfaction intime, perverse, de quelqu'un qui voit se confirmer l'autre espace secret de la ville. Le tracé géométrique, invisible pour les autres, du plan qu'il partage avec l'assassin.

Il lui semble maintenant voir se déplacer une femme dans la brume. Il s'agit sans doute de l'appât qui marche, en suivant ses instructions, vers cette partie de la place : une fille de dix-sept ans recrutée par Cadalso dans la Merced, dont le commissaire n'a même pas eu la curiosité de se faire donner le nom. Un instant plus tard, il se confirme que c'est bien elle. Elle avance lentement, en suivant le mur du couvent pour être visible dans la lumière, comme il lui a dit de faire, avant de retourner sur ses pas, dans la zone d'ombre. Sa démarche lasse, professionnelle, démoralise le policier. Ça ne peut pas fonctionner, se dit-il en observant la silhouette dont les contours se précisent dans la pénombre. L'idée le blesse comme un coup en pleine figure. Tout est beaucoup trop évident, chez cette pauvre fille. Trop grossier. Autant mettre un gros fromage bien en vue dans une souricière : pour peu que l'assassin ait rôdé dans la ville les nuits précédentes, il doit en savoir assez pour ne pas être dupe. Encore une fois, pense Tizón, voilà mon roi acculé dans un coin de l'échiquier, et les éclats de rire de l'autre résonnent dans toute la ville. Ni vorticules, ni bombes. Je devrais aller me coucher une bonne fois pour toutes et mettre fin à tout ça. Je suis fatigué. Épuisé.

Un moment, il envisage de sortir de sa cachette, d'allumer un cigare, de se dégourdir les jambes et de se débarrasser de cette chienne de brume qui lui mord les os. Seule la patience professionnelle le retient. Les gestes résignés du métier. La fille est arrivée sous la lanterne et, après y être restée un temps, elle reprend sa marche en sens inverse. Du brouillard qui s'épaissit au fond de la place une ombre s'est détachée. Tizón, alerté, voit qu'il s'agit d'un homme qui va seul, le long du mur du couvent ; et qu'en approchant de la fille, il s'écarte pour lui céder le passage. Il porte un chapeau rond et un manteau sombre et court. Il croise la fille sans lui adresser un regard ni un mot et poursuit son chemin qui le mène à la hauteur du porche où le policier se tient caché. À cet instant, alors qu'il n'est pas encore arrivé à sa hauteur, un cri d'homme, rauque et violent, où le commissaire croit reconnaître la voix de Cadalso, retentit au loin. Juste après parvient un coup de sifflet aigu, suivi d'un deuxième, puis d'un troisième. Stupéfait, Tizón observe la fille qui s'est arrêtée, toujours éclairée par la clarté diffuse de la lanterne, et qui regarde en direction de la zone obscure. Que diable se passe-t-il, se demande le commissaire. Pourquoi le cri et les coups de sifflet. Réagissant enfin, il abandonne sa cachette en toute hâte, en empoignant sa canne. Deux choses se produisent alors : en le voyant apparaître, la fille – qui est au courant de sa présence dans cette partie de la place – vient à lui, affolée. Et en même temps, l'homme qui était sur le point de croiser Tizón baisse la tête et part en courant. Durant quelques secondes, le commissaire reste perplexe. C'est son instinct de policier qui décide automatiquement, en concentrant son attention sur l'homme qui court. Et il lui suffit de le voir faire deux ou trois enjambées pour le reconnaître. Il courait de la même manière, la nuit de la côte de la Murga, avec Tizón à ses trousses : rapide, silencieux et tête baissée. La découverte paralyse un instant le commissaire : un temps suffisant pour que l'individu passe tout près et poursuive sa fuite en descendant la rue, dans la brume, son chapeau enfoncé et son court manteau flottant dans son dos comme les ailes d'un rapace nocturne. Alors, oubliant les coups de sifflet et la fille, le policier sort son pistolet, arme le double percuteur, le pointe en toute hâte et appuie sur l'une des deux détentes.

– À l'assassin ! crie-t-il après la détonation. À l'assassin !

Ou la balle est entrée dans la chair du fugitif, ou celui-ci a glissé sur le pavé humide : Tizón le voit tomber et se relever avec une étonnante agilité, au coin même de la rue San Francisco. Maintenant le policier court derrière lui, à quelques pas seulement. La rue descend et cela l'aide. À l'improviste, le fuyard tourne à droite et disparaît. Tizón le suit, toujours en courant, mais en tournant le coin il ne voit que la rue vide, dans la pénombre grise de la brume qui mouille tout. C'est impossible, décide-t-il, qu'il ait déjà atteint l'autre extrémité. Il s'arrête, essaye de recouvrer son souffle et son calme pour étudier la situation. Reprenant ses esprits, il constate qu'il se trouve dans la partie haute de la rue du Bastion, qui traverse la rue San Francisco. Le silence est absolu. Tizón sort le sifflet de sa poche et le porte à ses lèvres ; mais, après une hésitation, il renonce à s'en servir pour le moment. Avec force précautions, en essayant de poser le talon avant le reste de la semelle de ses bottes pour ne pas faire de bruit, il avance au milieu de la rue, aux aguets comme un chasseur, regardant d'un côté et de l'autre, le pistolet dans la main droite et la canne dans la gauche ; les tympans bouchés par les battements du sang dans ses artères. Sur son passage, il rencontre des portes fermées ou des porches vides – beaucoup d'habitants les laissent ouverts à cette époque de l'année – et un temps désespéré, amer au point de jurer entre ses dents, il est convaincu d'avoir perdu la partie. Une des dernières maisons, située à gauche et près du carrefour, a son porche ouvert, long et profond, en forme de vestibule fermé au fond par l'habituelle grille. Prudemment, Tizón s'adosse au mur humide et avance la tête dans l'obscurité pour scruter l'intérieur. À peine s'est-il découpé dans l'ouverture qu'une ombre surgit brusquement, l'écarte d'une poussée et se précipite dans la rue, non sans que le commissaire lui ait expédié à bout portant la seconde balle de son pistolet, avec un bref éclair que masque le manteau de l'homme, tandis que jaillit de ses lèvres un grognement presque animal, désespéré et violent. Titubant sous l'effet du coup reçu, Tizón tombe en se froissant le coude. Il se relève du mieux qu'il peut et part sur les talons du fugitif qui a tourné le coin; mais, en y arrivant, il voit la rue déserte dans la clarté blafarde du halo de la lune. De nouveau, l'homme semble avoir été avalé par le brouillard. Réprimant sa première réaction qui est de poursuivre sa course, le commissaire s'arrête, respire profondément et réfléchit. C'est impossible que l'homme ait réussi à atteindre le carrefour suivant, conclut-il. La rue est trop longue. De plus, une partie en est occupée par l'église du Rosaire. Cela signifie qu'au lieu de continuer à fuir, il a cherché refuge sous un autre porche; et ceux-ci ne sont pas nombreux sur cette portion de rue. Il a peut-être pris l'endroit au hasard, ou alors il habite là, dans une maison voisine. De plus, il a probablement été touché. Il doit avoir besoin d'une cachette provisoire pour inspecter sa blessure. Pour être un moment tranquille et récupérer. Ou s'évanouir. Sans perdre un instant de vue la rue, le policier étudie les maisons une par une, en essayant d'imaginer ce que lui-même aurait fait en pareil cas. Il est certain que ses hommes ont entendu les coups de feu et ne tarderont pas à arriver. Et cette fois est la bonne, conclut-il. Désormais, le loup a planté les crocs dans sa proie, et il n'est pas disposé à la lâcher. Tant, au moins, qu'il pourra faire ce qu'il faut pour l'acculer un peu plus. La première chose, c'est de boucler le lieu tout le temps nécessaire. Refermer le filet. Que nul ne sorte de là sans avoir été fouillé de haut en bas.

Debout dans la brume, Tizón range le pistolet dans sa poche, porte le sifflet à ses lèvres et émet un long appel, par trois fois. Puis il allume un cigare et attend la venue de ses hommes. Il en profite pour récapituler l'ordre des événements. Tout reconstituer. C'est alors qu'il se demande ce qui a pu se passer avant, dans la partie obscure de la place. Pourquoi Cadalso a crié, si c'était bien lui, et pourquoi les premiers coups de sifflet.

*

Dans le petit salon de réception du rez-de-chaussée, au milieu des estampes marines encadrées sur la plinthe haute de bois sombre, le léger tic-tac de la pendule anglaise meuble les silences. Ceux-ci sont nombreux et désemparés. Pauses de stupéfaction et d'horreur. Assise dans le fauteuil tapissé de cuir, Lolita Palma tord un mouchoir entre ses doigts. Elle a les mains jointes sur sa robe bleu sombre ceinte à la taille d'une rangée de boutons en jais.

– Comment a-t-elle été découverte ? questionne-t-elle en frissonnant.

Le policier – commissaire Tizón, a-t-il dit en se présentant – est assis sur le bord du sofa, rigide, le chapeau à côté de lui et la canne contre les genoux. Sa redingote marron, de coupe commune, est aussi froissée que son pantalon. Son visage est ravagé : paupières rougies, cernes profonds sous les yeux, menton pas rasé sous les épais favoris qui rejoignent la moustache. Une sale nuit, sans aucun doute. Sommeil et épuisement. Le nez aquilin, fort, rappelle celui d'un rapace. Un aigle cruel, dangereux et fatigué.

724

– Par hasard, dans la cour de la remise à bois… Un de nos hommes est entré pour assouvir un besoin naturel et a vu le cadavre à terre.

Il parle en la regardant dans les yeux, mais elle remarque sa gêne. De temps en temps, il dirige un regard rapide vers la pendule du mur, comme si son esprit s'échappait ailleurs. On dirait qu'il est désireux d'abréger la conversation. L'ennuyeuse formalité qui le retient ici.

– Elle était très… maltraitée ?

Le policier a un geste ambigu.

– Elle n'a pas été violée, si c'est le sens de votre question. Pour le reste… Eh bien… Ça n'a pas été une mort agréable. Aucune ne l'est.

Il se tait, laissant Lolita Palma imaginer le reste. Elle frissonne de nouveau. Encore incrédule. Placée, malgré elle, au bord d'un abîme inattendu. De douleur et de noire épouvante.

– C'était presque une enfant, murmure-t-elle, effondrée.

Elle continue de tordre son mouchoir. Elle ne veut pas fléchir, et elle a réussi jusqu'à maintenant. Pas devant cet homme. Ni devant personne. Le cousin Toño qui s'est précipité en apprenant la nouvelle est en haut avec Curra Vilches et d'autres amis et voisins, décomposé. Écroulé dans un fauteuil et pleurant comme un gamin.

– A-t-on arrêté celui qui a fait ça ?

Même geste que le précédent. La question semble accentuer la gêne du commissaire.

– Nous nous en occupons, répond-il sur un ton neutre.

– Est-ce le même que pour les autres femmes ?… La rumeur courait depuis des mois.

– Il est trop tôt pour l'établir.

– On sait que, peu avant, une bombe est tombée presque au même endroit ? Est-ce vrai qu'elle a tué deux personnes et blessé trois autres ?

– Il semble que oui.

– Quel malheureux hasard.

– Très malheureux. Oui.

Lolita Palma voit que le policier regarde d'un air distrait les estampes aux murs, comme s'il voulait détourner le cours de la conversation.

– Pourquoi cette jeune fille est-elle sortie ?

Elle le lui explique en quelques mots : elle allait faire une course chez l'apothicaire de la rue de la Croix de Bois. Le majordome, Rosas, est au lit, malade. Il lui fallait des remèdes, et lui-même a demandé à Mari Paz d'aller les chercher.

– Seule et à cette heure ?

– Il n'était pas très tard. Dix heures, ou un peu plus. Et l'apothicaire est tout près, à trois maisons d'ici... En dehors des bombardements français, ce quartier a toujours été tranquille. Très respectable et sûr.

– Personne ne s'est soucié de ne pas la voir revenir ?

– Nous ne nous en sommes pas rendu compte. On avait déjà dîné... Le majordome dormait dans sa chambre, et moi j'étais en haut, dans mon cabinet. Je ne pensais pas descendre, et je n'avais pas besoin d'elle.

Elle s'interrompt en se remémorant cette nuit : elle, dans la chambre du dernier étage, ignorant ce qui arrivait pendant ce temps à la malheureuse fille. Occupée, jusqu'à une heure avancée, à rédiger les papiers officiels concernant la récupération du *Marco Bruto* et la perte de la *Culebra*. Agissant comme une automate privée d'âme, refusant de penser à quoi que ce soit d'autre qu'aux aspects pratiques de l'affaire. Les yeux secs, et le cœur battant très lentement. Et aussi, envers et contre tout, allant par moments à la fenêtre pour contempler entre les pots de fougères le halo de la lune au-dessus de la brume. Se souvenant du regard couleur de raisin mouillé de Pepe Lobo. Concédez-moi que c'est en demander trop, avait-il dit. Si nous étions n'importe où ailleurs dans le monde, je...

– C'est terrible, se lamente-t-elle. Épouvantable.

Le ton du policier est celui de la routine. D'une sécheresse professionnelle.

– Avait-elle un fiancé? Des soupirants?

– Pas que je sache.

– Et de la famille à Cadix?

Lolita hoche la tête. La jeune fille, explique-t-elle, était de l'île de León. Des gens pauvres, honnêtes. Des travailleurs des salines. Le père est un brave homme. Il s'appelle Felipe Mojarra. Il sert dans la compagnie des chasseurs de don Cristóbal Sánchez de la Campa.

– Il est au courant?

– Je l'ai fait prévenir par mon cocher, avec une lettre de moi à ses supérieurs pour qu'ils lui permettent de venir... Le pauvre homme!

Elle reste absorbée dans ses pensées, prostrée. Les yeux humides, enfin. Elle imagine la douleur de cette famille. La malheureuse mère. Sa fille chérie morte de cette manière atroce. À dix-sept ans.

– Incroyable. Épouvantable et incroyable. Est-ce que ce qu'on m'a dit est vrai?... Qu'elle a été torturée avant d'être tuée?

Le policier ne répond rien. Il ne fait que la regarder, sans expression. Elle sent maintenant, irrémédiable, une larme glisser jusqu'à son menton.

– Mon Dieu, gémit-elle.

Elle a honte de montrer sa faiblesse devant un étranger, mais elle ne peut l'éviter. Son imagination la secoue. Cette pauvre enfant.

– Qui peut être capable de...

Ses paroles s'étouffent. La digue est rompue, les larmes jaillissent à flots, inondant son visage. Mal à l'aise, le commissaire détourne de nouveau les yeux et se racle la gorge. Finalement, il prend sa canne et son chapeau et se lève.

– En réalité, madame, dit-il presque avec douceur, n'importe qui en est capable.

Elle reste à le regarder depuis son fauteuil, sans comprendre. De quoi me parle-t-il, pense-t-elle. À qui fait-il allusion.

– J'espère que vous trouverez l'assassin.

Une grimace quasi animale crispe la bouche de l'homme. Elle dévoile, au coin, une dent en or. Une canine.

– Si rien ne se complique, nous sommes sur le point de le prendre.

– Et que ferez-vous de cette canaille ?

Le regard dur et froid transperce Lolita Palma comme s'il allait loin, très loin derrière elle. Jusqu'à des lieux troubles, inexplicables, que lui seul peut voir.

– Justice, répond-il d'une voix sourde.

*

Toute la lumière du Sud en quelques pas, sous un ciel si pur et si bleu qu'il blesse la vue. La rue du Rosaire ne ressemble plus en rien à celle de cette nuit : chaux blanche, pierre marine dorée, pots de géraniums aux balcons. Dans cette clarté, débraillé, suant, le visage marqué par l'insomnie, l'adjoint de Rogelio Tizón baisse la tête à la manière d'un molosse dont la maladresse est à la mesure de la taille.

– Je vous jure que nous avons fait l'impossible, monsieur le commissaire.

– Et moi je te jure que je vais vous massacrer, Cadalso… S'il s'est échappé, je vous arrache les yeux et je pisse sur vos crânes.

Sourcils froncés, front plissé, le sbire considère sérieusement ce que la menace comporte d'exagération et de réalité. Il ne semble pas voir clairement la limite.

– Nous avons ratissé toute la rue, maison par maison, dit-il enfin. Et pas la moindre trace. Personne ne sait rien. Personne ne l'a vu... La seule chose dont nous avons pu avoir confirmation, c'est qu'il est blessé. Vous ne l'avez pas raté.

Tizón marche un peu, en balançant sa canne. Furieux. Des hommes sont en faction aux extrémités de la rue et aux portes de certaines maisons : une vingtaine d'agents et de vigiles répartis sur les lieux, contrôlant tout sous le regard des habitants qui les observent avec curiosité de leurs balcons et de leurs fenêtres. Cadalso indique un porche voisin du carrefour.

– Quand il a posé une main là, il a laissé une trace de sang. Et une autre plus loin.

– Vous avez vérifié que ce n'est pas un habitant de la rue ?

– Avec le registre municipal et la liste du quartier. Nom par nom. – Cadalso montre les gens qui regardent. – Personne n'est blessé. Et personne n'est sorti cette nuit après dix heures.

– Ce n'est pas possible. Je l'ai forcé à entrer dans cette rue. Et je n'ai pas bougé jusqu'à ce que tu arrives en lançant des coups de sifflet avec cette bande d'inutiles.

Il va jusqu'au porche et observe la tache brunâtre sur l'encadrement blanchi à la chaux. Trois doigts et la paume d'une main. En tout cas, pense-t-il avec une satisfaction mauvaise, un de ses deux tirs a fait mouche. L'oiseau a du plomb dans l'aile.

– Est-ce qu'il n'aurait pas pu s'échapper en profitant de la brume, monsieur le commissaire ?

– Je te dis que non, crétin. Je l'ai suivi de près, et il n'a pas eu le temps d'arriver au bout de la rue.

– Nous avons établi un cordon autour des deux pâtés de maisons, à gauche et à droite.

– Et vérifié aussi les caves ?

En douter est insultant, indique l'expression choquée du sbire. Quand même, on connaît son métier.

– Passées au crible. Nous avons même retourné les bûches et le charbon.

– Et les terrasses ?

– Toutes inspectées. Une par une. Nous avons encore des gens en haut, à toutes fins utiles.

– Ce n'est pas possible.

– Alors dites-moi quoi faire.

Tizón frappe le sol de sa canne avec impatience.

– Je suis sûr que vous avez commis une erreur quelque part.

– Je vous dis que non. Croyez-moi. Tout a été fait selon vos ordres. Je m'en suis assuré personnellement. – Le sbire, déboussolé, se gratte la tête. – Si au moins vous aviez vu son visage...

– C'était à toi de le voir, quand il t'est passé sous le nez. Imbécile.

L'homme baisse encore la tête, blessé. Moins par l'injure que par le scepticisme de son chef. Se désintéressant de son adjoint, Rogelio Tizón descend la rue en regardant de tous côtés.

– Quelqu'un a dû ne pas faire attention, murmure-t-il. C'est évident.

Cadalso marche derrière lui, oreilles basses. Collé à ses talons comme un toutou fidèle derrière le maître qui le bat.

– On peut tout imaginer, monsieur le commissaire, admet-il finalement. Mais je vous jure qu'on a fait tout son possible. Cette nuit, nous avons tout bouclé très vite. Il n'a pas pu aller loin.

Une détonation proche. Une bombe vient de tomber

sur le Palillero. Cadalso sursaute en regardant dans cette direction, et la plupart des curieux quittent les fenêtres et les balcons. Indifférent, Rogelio Tizón est arrivé devant la façade de l'église du Rosaire. Comme beaucoup à Cadix, l'édifice n'est pas séparé de la rue, mais intégré à la file générale des maisons. Seules les tours se détachent au-dessus du lourd portail de l'entrée, grand ouvert. Cette nuit, il était fermé. Tizón pénètre à l'intérieur et observe la chaire et les bas-côtés. Au fond, sous le retable, brille la lampe du Saint Sacrement.

– De plus, poursuit Cadalso en le rejoignant, permettez-moi de vous dire que moi-même j'ai pris ça… eh bien… comme une affaire personnelle. L'impression que j'ai ressentie en entrant dans cette cour pour pisser et en butant sur la pauvre gamine… Jésus ! Vous avez entendu le cri que j'ai poussé pour avertir les hommes. Et encore heureux que vous vous soyez trouvé tout près de l'individu. Sinon, il nous aurait encore échappé.

Le commissaire hoche la tête, mi-incrédule, mi-furieux. À mesure que passent les heures, tout recommence à sentir la défaite. Une vieille connaissance, dans cette affaire. C'est plus qu'il n'en peut supporter.

– Il s'est échappé, de toute manière. Avec ou sans moi.

Le sbire lève une main, maladroit comme toujours. Un instant, Tizón croit qu'il va la poser sur son épaule. S'il le fait, je lui ouvre le crâne d'un coup de canne, pense-t-il.

– Ne dites pas ça, monsieur le commissaire. – En voyant l'expression de son chef, il arrête son geste à mi-chemin. – On va bien trouver un moyen. Dans l'état où il est, avec une balle de pistolet dans le corps, il ne peut pas être loin… Il faudra bien qu'il aille se soigner quelque part. Ou se cacher.

Je n'ai même plus la force de jurer, conclut Tizón. Je suis trop fatigué. Trop écœuré de tout ça.

– Quelque part, dis-tu.

– Mais oui.

Au bas de la rue, jouxtant le porche de l'église du Rosaire, se trouve l'oratoire de la Sainte Crypte. Sous le fronton triangulaire de l'entrée, la porte est ouverte.

– Avez-vous également vérifié ici ?

Nouvelle expression choquée. Encore une fois, en douter est insultant, dit-elle sans le dire.

– Naturellement.

Rogelio Tizón franchit un instant le seuil, jette un regard distrait et se dispose à poursuivre sa route. Soudain, au moment de ressortir, quelque chose attire son attention et le fait regarder de nouveau. Il s'agit d'un objet situé à la naissance du double escalier qui descend dans la crypte, sur le côté gauche. Le commissaire le connaît comme n'importe quel Gaditan, car il fait partie du décor habituel du lieu. Il est là depuis toujours, ou presque. Pourtant, les circonstances font qu'il le voit maintenant sous une perspective différente. Stupéfiante.

– Qu'y a-t-il, monsieur le commissaire ?

Rogelio Tizón ne répond pas. Il continue de regarder, cloué sur place par la surprise, la vitrine située à côté de l'escalier de gauche sur un sol de dalles blanches et noires identique à un échiquier. À l'intérieur, il y a un Ecce Homo : un Christ tel qu'on en trouve dans les églises de la ville comme dans celles d'Andalousie et de toute l'Espagne, représenté en pleine Passion. Entre Hérode et Pilate. Dans son genre, celui de la Sainte Crypte est particulièrement expressif : attaché à la colonne du supplice, il a la chair déchiquetée, couverte d'innombrables plaies rouges, sillonnée par les sanglantes déchirures que lui ont infligées les fouets de ses bourreaux. Dans son exagération, l'image donne une impression d'agonie, de vulnérabilité et de souffrance indicible. Et voici que soudain, comme si une main inconnue arrachait un voile qui brouillait son esprit, le commissaire se rend compte de ce que cela signifie. De ce que cela représente. Fondée trente ans plus tôt par un prêtre d'origine noble, aujourd'hui défunt – le père Santamaría, marquis de Valdeíñigo –, la Sainte Crypte est un oratoire souterrain privé, qui s'ouvre à la manière d'une cave sous une petite église de forme elliptique. La partie en sous-sol est consacrée aux pratiques ascétiques d'une confrérie religieuse connue dans la ville : des gens fortunés et de bonne position sociale, très scrupuleux dans la stricte observance de la doctrine catholique. Trois fois par semaine, ses membres se réunissent pour adorer les sacrements et se livrer aux dévotions traditionnelles avec une rigueur extrême. Ce qui inclut la pénitence à coups de fouet. La flagellation pour mortifier la chair. Pour la dompter.

– Et la crypte ? demande-t-il.

Un silence déconcerté. Trois secondes exactement. Tizón ne regarde pas son adjoint, mais le sol en forme d'échiquier aux pieds du Christ.

– La crypte ?

– Pas besoin de répéter. Il y a une chapelle en haut et une crypte en bas. C'est pour ça qu'on l'appelle ainsi... Tu comprends ?... Sainte pour le haut, et Crypte pour le bas. Il te faut un dessin ?

Le sbire passe d'un pied sur l'autre. Confus.

– J'ai cru...

– Allons. Vas-y. Dis-moi ce que tu as cru, foutredieu !

– Les portes qui mènent en bas sont toujours fermées. D'après le sacristain, seuls les vingt et quelques frères en détiennent la clef. Même lui ne l'a pas.

– Et alors ?...

– Alors voilà... – Cadalso hausse les épaules, évasif. – Ça veut dire que personne n'a pu y entrer cette nuit. Sans avoir la clef.

– À part un membre de la confrérie.

Nouveau silence. Cette fois plus long et plus embarrassé. Le sbire regarde de tous côtés, sauf de celui des yeux de son chef.

– C'est vrai, monsieur le commissaire. Mais ce sont des gens respectables. Religieux. Je veux dire que le lieu est…

– Privé?… Saint?… Inviolable?… Hors de tout soupçon?

Tout le corps massif de l'adjoint semble sur le point de se liquéfier.

– Eh bien… C'est à peu près ça…

Tizón l'interrompt, un doigt levé.

– Écoute-moi bien, Cadalso…

– Oui, monsieur le commissaire.

– Je chie sur ta putain de mère.

Tizón se désintéresse du sbire. Un long frisson le parcourt, qui se prolonge en un soupir réprimé et silencieux. Presque de plaisir. À la surprise initiale puis à l'accès de rage succède maintenant une expression féroce, concentrée. C'est le comportement d'un animal dressé qui détecte – ou retrouve – enfin une trace toute fraîche. D'un seul coup, tout ce qui était intuition devient certitude. En descendant l'escalier sous le regard plein de souffrance du Christ flagellé, le commissaire sent battre son propre sang qui, lentement, fortement, chasse la fatigue. C'est comme s'il venait de passer de nouveau par un de ces lieux impossibles, ou improbables, où le silence se fait absolu et l'air reste en suspens. La cloche de verre : le vorticule qui conduit à la case suivante sur l'échiquier de la ville et de sa baie. Il a enfin vu la partie. Et donc, au lieu de se précipiter, de lancer un cri de joie ou d'émettre un grognement de satisfaction devant la perspective de la piste retrouvée, le commissaire traverse en diagonale le sol de dalles noires et blanches, sans desserrer les lèvres, à pas très lents, en regardant tout sans dédaigner un seul indice, pendant qu'il savoure la sensation de picotement dans ses doigts serrés sur la canne. Il s'approche ainsi de la porte close de la crypte. Ah, pense-t-il soudain, si ce moment d'extrême jouissance pouvait ne jamais s'éteindre !

– Si vous voulez, je vais faire ouvrir, propose Cadalso, qui marche derrière. C'est l'affaire d'un moment.

– Vas-tu te taire, oui ou merde ?

La serrure est conventionnelle, faite pour une grande clef. Comme quantité d'autres. Tizón sort de sa poche son trousseau de rossignols et libère le pêne en moins d'une minute. Un jeu d'enfant. Un déclic et la voie est libre, donnant accès à une crypte qui ne reçoit aucune lumière de l'extérieur. Tizón n'y était jamais venu.

– Va chercher de la lumière dans la chapelle, ordonne-t-il à Cadalso.

D'en bas monte une odeur d'humidité et de renfermé : un air glacé qui s'intensifie et enveloppe Tizón à mesure qu'il pénètre dans la crypte, éclairé par son adjoint qui le suit en portant bien haut un gros cierge allumé. L'ombre du commissaire glisse vers l'intérieur en se projetant sur les murs. Chaque pas résonne dans la cavité. À la différence de la chapelle du haut, la crypte n'a pas de décoration : ses murs sont nus et austères. C'est là que les pénitents de la confrérie s'adonnent à leurs rites. La lumière que tient le sbire éclaire une tête de mort et deux tibias peints sur un arc de la voûte. Dessous, il y a une tache sèche et brune. Une trace de sang.

– Sainte Vierge ! s'exclame Cadalso.

L'homme est recroquevillé au fond de la crypte, dans un angle du mur : une forme obscure qui ahane et gémit, dents serrées, comme une bête aux abois.

*

– Vous permettez, mon capitaine ?

Simon Desfosseux écarte l'œil droit de l'oculaire du télescope Dollond, en gardant imprimée sur la rétine l'image des tours de l'église San Antonio : 2 870 toises, et il n'a pu arriver jusqu'à elles, pense-t-il avec mélancolie. La portée maximale atteinte est de 2 828 toises. Aucune bombe française tombée sur Cadix n'est allée plus loin. Et n'ira jamais plus loin.

– Allez-y, Labiche. Prenez-le.

Avec l'assistance de deux soldats, le sergent démonte le télescope et plie le trépied pour mettre le tout dans des housses. Les autres instruments optiques de la tour d'observation sont déjà chargés sur des chariots. Le Dollond a été laissé jusqu'à la fin, pour suivre les ultimes tirs exécutés depuis la Cabezuela. C'est à Fanfan qu'est revenu l'honneur du dernier, il y a vingt minutes. Une bombe de 100 livres lestée avec du plomb et une charge inerte, un tir trop court qui n'a pas dépassé les remparts. Triste final.

– Vous avez d'autres ordres, mon capitaine ?

– Non, merci. Vous pouvez disposer.

Le sergent salue et disparaît par l'échelle avec ses hommes et le matériel. Par la meurtrière vide Desfosseux observe la fumée qui monte à la verticale – il n'y a pas un souffle de vent – dans la lumière déclinante du soir au-dessus d'une bonne partie des positions françaises. Tout le long de la ligne, les troupes impériales démantèlent leurs installations, brûlent les équipements, enclouent les canons de siège qui ne peuvent être emmenés et les jettent à la mer. Le départ de Madrid du roi Joseph et la rumeur que le général Wellington est entré dans la capitale de l'Espagne mettent l'armée d'Andalousie dans une situation difficile. La consigne est de se replier de l'autre côté du Despeñaperros. À Séville, les préparatifs de l'évacuation ont commencé : on a jeté dans le fleuve les dépôts de poudre de la Chartreuse et détruit tout ce qui est possible à la fonderie, aux ateliers et à la fabrique de salpêtre. Tout le Premier Corps se retire vers le nord : bêtes de somme, charrettes et voitures chargées du butin des derniers pillages, convois de blessés, intendance et troupes espagnoles inféodées, trop suspectes pour être laissées à l'arrière-garde. Autour de Cadix, les ordres sont de couvrir ce mouvement par un bombardement permanent depuis les positions des canaux de Chiclana et les forts côtiers qui vont d'El Puerto de Santa María à Rota. En ce qui concerne la Cabezuela, seule une petite batterie de trois canons de 8 livres continuera de tirer jusqu'au dernier moment sur Puntales, de manière à garder l'ennemi occupé. Le reste de l'artillerie qui ne peut être évacué va à la mer, dans la vase du rivage, ou sera abandonné dans les redoutes.

Raaas. Boum. Raaas. Boum. Deux coups de canon espagnols, dont les projectiles fendent l'air au-dessus de la tour et vont exploser près des baraquements où, à cette heure, le lieutenant Bertoldi doit avoir fini de brûler tous les documents officiels et les papiers inutiles. Simon Desfosseux, qui a baissé la tête en entendant passer les grenades, se redresse et jette un dernier regard sur le front ennemi de Puntales. À l'œil nu – un demi-mille de distance –, on peut distinguer le drapeau espagnol qui, criblé de mitraille, n'a jamais cessé de flotter obstinément. La garnison est composée d'un bataillon de Volontaires, de vétérans de l'artillerie et de quelques Anglais qui tiennent la batterie du haut. Le nom complet du fort est San Lorenzo del Puntal et, il y a quelques jours, à l'occasion de la fête de son saint patron, Desfosseux et Maurizio Bertoldi ont vu avec stupéfaction, à travers la lentille de la lorgnette, les défenseurs rester fermement au garde-à-vous pendant toute la cérémonie, impavides malgré le tir de la Cabezuela, et pousser des vivats pendant qu'on hissait le drapeau.

Et, au fond, à droite, il y a Cadix. Le capitaine contemple la ville blanche qui se découpe dans le crépuscule rougeoyant : le paysage qu'à force de l'avoir tant étudié avec une longue-vue ou sur les tracés des cartes il connaît mieux que celui de sa maison et de sa patrie. Simon Desfosseux souhaite ne jamais revenir. Comme des milliers d'hommes, il a usé sa santé dans la baie pendant trente mois et vingt jours de siège : sa vie s'est enlisée dans l'ennui et l'impuissance, se décomposant comme la boue putréfiée d'un marais. Sans gloire, même si le mot lui est indifférent. Sans succès ni satisfaction, sans bénéfice.

Raaas. Boum. Une fois, deux fois, trois fois. La batterie de 8 livres tire toujours sur Puntales, et le fort espagnol riposte. D'autres tirs ennemis passent près de l'observatoire ; et le capitaine, après avoir encore baissé la tête, décide de le quitter. Mieux vaut ne pas tenter le hasard, pense-t-il en descendant l'échelle. Ce serait vraiment stupide de se faire emporter au dernier instant par un boulet. Et donc il fait mentalement ses adieux au panorama, après 5 574 tirs d'artillerie de divers calibres expédiés sur la ville depuis la Cabezuela : c'est le chiffre qui figure sur ses registres des opérations, destinés désormais à la poussière des archives militaires. Sur ce chiffre, seules 534 bombes sont arrivées sur Cadix, la plupart lestées de plomb et sans poudre. Les autres, tirées trop court, sont tombées dans la mer. Les dommages infligés à la ville ne vaudront pas non plus à Desfosseux la Légion d'honneur : quelques maisons détruites, quinze ou vingt morts et une centaine de blessés. La sécheresse du maréchal Soult et de son état-major quand le capitaine a été convoqué pour le bilan final des opérations laisse peu de doutes à cet égard. Assurément, il n'y aura plus jamais personne pour lui offrir un avancement.

La Cabezuela est un chaos. Toutes les retraites le sont. On voit çà et là du matériel brisé et jeté à terre, des prolonges et des affûts du train des équipages amoncelés en bûchers où l'on brûle tout ce qui pourrait servir à l'ennemi. Des sapeurs munis de pics, de pelles et de haches démolissent tout, et un peloton d'artificiers, sous le commandement d'un officier du génie, disposent des traînées de poudre et de goudron pour incendier les baraques, ou des charges et des mèches pour les faire sauter. Le reste des fantassins, artilleurs et marins, avec l'indiscipline qui prévaut dans de telles circonstances, va de tous côtés : pressés et insolents, ils volent tout ce qu'ils peuvent, chargeant sur des chariots leurs équipements et ce qu'ils ont pillé au cours des dernières heures dans les villages et les hameaux avoisinants, sans que l'on accorde trop d'attention aux rôdeurs qui violent, volent et tuent. Les volumineux bagages des généraux, avec leurs précieuses Espagnoles installées dans des carrioles réquisitionnées à Chiclana et El Puerto, sont partis depuis longtemps pour Séville, avec une forte escorte de dragons ; et la route de Jerez est encombrée de voitures, de chevaux et de soldats mêlés à des civils : familles d'officiers français, Espagnols ayant prêté serment au roi Joseph et collaborateurs de tout poil terrifiés à l'idée d'être abandonnés à la vengeance de leurs compatriotes. Personne ne veut être le dernier, ni tomber aux mains des guérilleros qui se concentrent déjà et rôdent comme des bêtes nuisibles et cruelles, de plus en plus audacieux, flairant le pillage et le sang. Pas plus tard qu'hier, vingt-huit blessés et malades français, laissés sans escorte entre Conil et Vejer, ont été capturés par les gens du pays, roulés dans des bottes de paille arrosées d'huile et brûlés vifs.

Arrivé au pied de l'échelle, le capitaine observe que quatre sapeurs posent des charges inflammables autour des piliers de la tour d'observation. Il fait très chaud et ils transpirent abondamment sous leurs vestes bleues à revers noirs pendant qu'ils répandent des traînées de goudron et de poudre. Un peu plus loin, un officier du génie, un gros lieutenant qui s'éponge le front et le cou avec un mouchoir sale, regarde travailler ses hommes.

– Il reste quelqu'un là-haut ? demande-t-il à Desfosseux quand celui-ci passe près de lui.

– Personne, répond l'artilleur. La tour est à vous.

L'autre fait un geste affirmatif, indifférent. Il a des yeux aqueux et inexpressifs. Il n'a même pas salué en voyant le grade de Desfosseux. Puis il crie un ordre. Tandis que le capitaine s'éloigne sans regarder derrière lui, il entend le souffle de la poudre qui prend feu ; et, tout de suite, le crépitement des flammes qui montent le long des piliers et de l'échelle. Arrivé à la redoute des obusiers, il voit Maurizio Bertoldi qui contemple la tour.

– Ce sont deux années de notre vie qui s'en vont, commente le Piémontais.

Alors, seulement, le capitaine se retourne pour jeter un coup d'œil. Le poste d'observation transformé en torche brûle dans une fumée noire qui monte droit dans le ciel. Ceux de l'autre rive, pense-t-il, auront un beau spectacle cette nuit. Feux d'artifice et illumination d'un bout à l'autre de la baie : une vraie fête d'adieux, avec la poudre de l'empereur.

– Comment vont les choses, ici ? s'enquiert-il.

Le lieutenant a un geste évasif. Il semblerait que les expressions *aller bien* ou *aller mal* ne soient guère adaptées à tout cela.

– Les vingt-cinq canons de 4 que nous abandonnons sont déjà encloués. Labiche jettera à la mer tout ce qu'il pourra… Le reste est brûlé ou réduit en miettes.

– Et mes bagages ?

– Faits et chargés, comme les miens. Ils sont partis voilà un moment. Sous escorte.

– Bien. De toute manière, vous et moi ne perdrions pas grand-chose.

Les deux officiers se regardent. Double sourire triste. Complice. Depuis si longtemps qu'ils vivent côte à côte, les mots leur sont inutiles. Ils repartent aussi pauvres qu'ils sont arrivés. Ce n'est pas le cas de leurs chefs : ces généraux rapaces qui emportent les vases sacrés des églises et l'argenterie des demeures élégantes où ils ont logé.

– Quelle est la consigne pour l'officier qui reste avec les canons de 8 ?

– Continuer de tirer jusqu'à ce que nous ayons tous quitté les lieux ; il ne manquerait plus que les manolos débarquent trop tôt... À minuit, il les enclouera et partira à son tour.

Le lieutenant émet un petit rire sceptique.

– J'espère qu'il tiendra jusque-là et qu'il ne prendra pas la poudre d'escampette avant l'heure.

– Moi aussi, je l'espère.

Une énorme explosion sur la côte, à deux milles au nord-ouest. Un champignon de fumée noire s'élève au-dessus du fort de Santa Catalina.

– Eux aussi se dépêchent, observe Bertoldi.

Desfosseux regarde à l'intérieur de la redoute des obusiers. Les sapeurs sont passés par là : les affûts en bois sont brisés à coups de hache et ceux en fer ont été démontés. Les gros cylindres de bronze gisent à terre, comme autant de cadavres après un combat sans merci.

– Comme vous le craigniez, mon capitaine, nous n'avons pu emporter que trois obusiers. Nous n'avons pas les hommes ni les moyens de transport... Il faut laisser le reste.

– Combien Labiche en a-t-il jeté à l'eau ?

– Un. Mais il n'a plus rien pour porter les autres jusqu'à la mer. Les sapeurs vont venir y mettre une charge et obturer les bouches. Nous essaierons au moins de les fissurer.

Desfosseux saute à l'intérieur, entre les fascines et les planches brisées, et s'approche des pièces. Il est impressionné de les voir ainsi. Le pauvre Fanfan est là, gisant sur les débris de son affût. Son bronze poli, ses presque neuf pieds de longueur et un pied de diamètre font penser à un énorme cétacé noir, mort, échoué sur la terre.

– Ce ne sont que des canons, mon capitaine. Nous en fondrons d'autres.

– Pour quoi faire ?... Pour un autre Cadix ?

En proie à une singulière mélancolie, Desfosseux caresse du bout des doigts les marques sur le métal. Les poinçons de la fonderie, les traces récentes des coups de marteau sur les tourillons. Le bronze est intact : pas une fissure.

– Les braves enfants, murmure-t-il. Fidèles jusqu'à la fin.

Il se lève, en se sentant comme un chef félon qui abandonnerait ses hommes. Les pièces de 8 livres de la batterie du bas continuent de faire feu. Une grenade espagnole, tirée de Puntales, explose à trente pas et l'oblige de nouveau à se baisser, tandis que Bertoldi, avec des réflexes de chat, saute du parapet et tombe sur lui au milieu des pierres et des éclats qui volent tout près. Presque aussitôt, on entend des cris venant de l'endroit où la bombe est tombée : plusieurs malheureux viennent d'être touchés, en déduit Desfosseux, pendant qu'ils se relèvent tous les deux en secouant la terre. Encore la malchance, pense-t-il. À la dernière heure, alors que les ambulances sont déjà, pour le moins, à Jerez. Le nuage de poussière ne s'est pas tout à fait dissipé, quand apparaît sur le parapet le lieutenant du génie avec plusieurs hommes qui transportent de lourdes caisses contenant des outils et des explosifs.

– On dirait que ça les fait jouir, ces salauds.

Laissant Fanfan et ses frères à la merci des artificiers, le capitaine et son subordonné quittent la redoute et empruntent la passerelle qui mène aux baraquements, où tout commence également à flamber. La chaleur de l'incendie est insoutenable et donne l'impression que les flammes font onduler l'air au loin, là où des files en désordre de cavaliers, d'artilleurs et de fantassins qui poussent des chariots et y chargent toutes sortes de ballots convergent vers le flot bleu, brun et gris qui se déplace lentement sur le chemin d'El Puerto. Douze mille hommes battent en retraite.

– Il nous reste un bon bout de chemin à faire, commente Bertoldi. Jusqu'à la France.

– Plus loin encore, je le crains. On dit que c'est maintenant le tour de la Russie.

– Merde.

Simon Desfosseux regarde une dernière fois derrière lui, vers la ville lointaine, inexpugnable, qui se teinte progressivement de rouge dans le crépuscule de la baie. J'espère, pense-t-il, que cet étrange policier a enfin trouvé ce qu'il cherchait.

*

Le calme d'une nuit du Sud. Pas un souffle de brise dans l'air chaud et immobile. Aucun bruit non plus. Rien que les voix de deux hommes qui discutent tout bas, dans la pénombre d'une lanterne posée par terre au milieu des décombres de la cour du château des Gardes-marines. Près de l'ouverture dans le mur qui donne sur la rue du Silence.

– Ne m'en demandez pas tant, dit Hipólito Barrull.

À côté de lui, Rogelio Tizón se tait. Je ne vous demande rien, répond-il enfin. Juste votre version des faits. Votre point de vue sur l'affaire. Vous êtes le seul qui possédiez la lucidité suffisante pour me donner ce dont j'ai besoin : la touche de rationnel qui éclaire le reste. Le regard scientifique qui met de l'ordre dans ce que je connais déjà.

– À mon avis, il n'y a pas beaucoup d'ordre à mettre là-dedans. Il n'est pas toujours possible… Il y a des clefs qui ne seront jamais à notre portée. Pas de notre temps, en tout cas. Il faudra des siècles pour comprendre.

– Un marchand de savon, murmure le commissaire entre ses dents.

Il est déçu. Ses idées sont encore confuses.

– Un maudit marchand de savon de rien du tout, répète-t-il au bout d'un instant.

Il sent le regard du professeur posé sur lui. Un éclat de la lanterne dans le double reflet des lunettes.

– Pourquoi pas ?... Ça n'a pratiquement rien à voir. C'est une question de sensibilité.

– Dites-moi comment vous voyez ça.

Barrull détourne la tête. Sa gêne d'être là est évidente. Cela fait un moment qu'elle l'emporte sur sa curiosité initiale. Depuis qu'il est remonté du souterrain du château, son attitude n'est plus la même. Évasive.

– Je n'ai parlé avec lui qu'une demi-heure.

Tizón ne dit rien. Il se borne à attendre. Au bout d'un moment, il voit le professeur promener son regard sur les alentours, les ombres de la vieille bâtisse obscure et abandonnée.

– C'est un homme obsédé par la précision, dit enfin Barrull. La proximité de son métier avec la chimie y est sûrement pour beaucoup... Il manipule, disons, un système spécial de poids et de mesures. En réalité, c'est un enfant de notre temps... Et même particulièrement représentatif. Un esprit quantificateur, dirais-je. Géométrique.

– Donc, il n'est pas fou.

– Ce mot est à double tranchant, commissaire. C'est un dangereux fourre-tout.

– Dans ce cas, décrivez-le-moi mieux. Définissez-le.

Le professeur répond qu'il aimerait bien en être capable. Tout ce qu'il peut faire, c'est imaginer une petite partie, et rien de plus. Quand il parle d'obsession de la précision, cela signifie que le sujet est extrêmement méticuleux avec les détails. Et plus encore s'il est doté d'un esprit mathématique. Ce qui semble bien être le cas. Il possède deux caractéristiques. Bien que n'ayant pas reçu d'éducation scientifique, c'est un mathématicien naturel. Capable de voir les régulations, les lois qui sont sous-jacentes à une grande quantité de données de tout type : air, odeur, vent, angles urbains...

– Vous savez ce dont je veux parler, conclut-il.

– Pourquoi est-ce qu'il tue ?

– Il se peut que l'orgueil joue un rôle... La rébellion, aussi. Et le ressentiment.

– C'est curieux que vous invoquiez le ressentiment. Cet homme a eu une fille... Elle est morte il y a douze ans, durant l'épidémie de fièvre jaune. À seize ans.

Du coup, Barrull le regarde avec intérêt. Et méfiance. Tizón hoche légèrement la tête. Il regarde d'un côté, puis de l'autre, et ses yeux se remplissent d'ombres.

– Comme la mienne, ajoute-t-il.

Il se rappelle froidement le long interrogatoire, en bas. La stupeur de Cadalso quand il lui a donné l'ordre de conduire le marchand de savon ici, et non dans les cachots de la rue du Mirador. Les soins superficiels donnés à la blessure, une balle dans l'os de la hanche droite. Les questions et les cris de douleur, au début. L'impression ressentie par Hipólito Barrull quand il l'a fait descendre dans le souterrain en ruine du château. Son horreur et son désarroi initiaux. Ça fait dix ans que vous vous dites mon ami, professeur. Prouvez-le. Vous avez une demi-heure pour fouiller dans l'âme de cet individu, avant que je le mette face à tous ses démons et aux miens.

– Poursuivez, s'il vous plaît. Dites le fond de votre pensée.

Barrull tarde un peu à répondre, tandis que Rogelio Tizón réfléchit à l'échange auquel il a assisté, adossé au mur en fumant un cigare. Observant le professeur qui, assis sur une chaise bancale à la lumière d'une lampe à huile, parlait avec l'homme couché sur une vieille paillasse à même le sol, des fers aux mains et aux pieds, et un mauvais pansement autour de la taille. Ce bruissement des mots prononcés à voix basse, presque tout le temps des murmures, tandis que la flamme huileuse faisait briller la peau graisseuse du marchand de savon et se reflétait dans ses prunelles dilatées par une goutte de laudanum – une seule – versée dans un verre d'eau. Je veux qu'il reste lucide et qu'il n'ait pas trop mal,

CADIX, OU LA DIAGONALE DU FOU

avait expliqué Tizón. Qu'il soit capable de raisonner. Juste un moment, et pour que vous puissiez parler ensemble. Ensuite, qu'il souffre ou non, je m'en fiche.

– Il est clair que cet homme se rebelle contre notre vision prosaïque du monde, dit finalement Barrull. Pour lui, fabriquer des savons n'est pas un simple travail, mais une affaire de haute précision : cela requiert de combiner avec une exactitude absolue les différents éléments qu'il emploie. Qu'il touche et qu'il sent. Et qui sont destinés à d'autres peaux, d'autres chairs. De jeunes femmes, surtout... Celles qui entraient tous les jours dans sa boutique pour lui demander ceci ou cela.

– Le fils de pute.

– Ne simplifiez pas, commissaire.

– Vous insinuez qu'en plus d'être un scientifique, il est un artiste ?

– C'est probablement ainsi qu'il se considère. Il se peut que cette idée lui permette de s'élever au-dessus de sa condition de simple manipulateur de substances. Il pourrait avoir un fond sensible. Et ce serait à cause de cette sensibilité qu'il tue.

Sensibilité. Le mot arrache à Tizón un rire amer.

– Le fouet tressé avec du fil de fer... Il l'avait avec lui, là-bas dans la crypte. Nous l'avons retrouvé.

– Je suppose que c'est la confrérie des pénitents qui lui en a donné l'idée.

– Il n'est même pas membre en titre. Seuls les gens d'origine noble sont admis dans la Sainte Crypte... Il fait fonction d'assistant pour les cérémonies. Une sorte d'acolyte ou de factotum.

Tizón regarde le ciel. Au-dessus des murs démantelés et sinistres du château qui baigne dans l'ombre, luisent les étoiles. Elles sont aussi froides que ses pensées, maintenant. Jamais, se dit-il, il ne s'était senti aussi lucide. Aussi clair face au présent et à l'avenir.

– Comment pouvait-il prévoir les bombes ?

– Il s'est formé tout seul par l'expérience. Il a été capable de deviner que Cadix est un espace très particulier, modelé par la mer, les vents et la structure urbaine qui les affronte et les canalise. Pour lui, ce n'est pas seulement un ensemble de constructions habitées par des gens, mais un conglomérat d'air, de silences, de sons, de température, de lumières, d'odeurs…

– Nous ne nous trompions donc pas.

– Absolument pas. Vous l'avez vous-même prouvé. Comme cet homme, vous avez composé dans votre esprit une carte originale de la ville, faite de tous les éléments de cet ordre. Une ville parallèle. Occulte.

Un long silence s'installe, que le policier ne veut pas interrompre. Puis Barrull s'agite un peu dans la pénombre de la lanterne. Inquiet.

– Par tous les diables, dit-il. C'est compliqué, commissaire… Je ne peux qu'imaginer. J'ai parlé avec lui à peine une demi-heure. Je ne suis pas sûr que me mêler à ça…

Tizón lève une main, en repoussant toute excuse. Un geste d'impatience. Cette nuit, le temps est compté.

– Les bombes… Dites-moi où se trouve la clef de l'après et de l'avant.

Cette fois, le silence est bref. Un instant de réflexion. Barrull est de nouveau immobile. Je peux aventurer une théorie, répond-il finalement. Une simple idée sans base scientifique. Quand les canons français ont commencé à tonner, le monde compliqué de notre chimiste-marchand de savon a pu se développer dans des directions insoupçonnées. Peut-être, au début, a-t-il eu peur d'être la victime d'un boulet de canon. Peut-être se précipitait-il pour voir les points de chute, mû par la satisfaction d'être resté indemne. Il se peut qu'à force de se répéter, ce sentiment de soulagement ait cédé la place à d'autres.

– Au désir de s'exposer? demande Tizón. De prendre plus de risques?

– C'est possible. Et qu'il ait voulu se placer à l'extrémité de la courbe du tir, dans la partie la plus dangereuse... Son instinct, sa sensibilité le poussaient à influer sur elle.

– En tuant.

– Oui. Pourquoi pas?... Envisagez ça ainsi : une vie humaine, en des lieux où étaient tombées des bombes qui ne tuaient pas. Compensant l'erreur de la science. Collaborant avec la technique imparfaite, grâce à son sens de la précision. Ainsi, vie et lieu d'impact d'une bombe coïncideraient avec une exactitude absolue.

– Et comment a-t-il franchi le pas qui lui a permis d'anticiper?

Du sol, la lanterne éclaire une grimace sur le visage chevalin de Barrull. Elle ressemble presque à un sourire.

– Comme vous l'avez franchi vous-même, en quelque sorte... L'obsession accompagnée de sensibilités extrêmes engendre des monstres. Et c'est le cas de cet individu. Il a déduit que le hasard n'existe pas, et il n'a plus pensé qu'à une chose : parvenir à prédire de façon rigoureuse le lieu où tomberaient les prochains projectiles. Défiant les pièges du hasard, ce fils bâtard de l'ignorance.

– Et alors il a commencé à réfléchir.

Le policier observe que Barrull le regarde avec intérêt, comme surpris par l'exactitude de sa remarque.

– C'est ça. Du moins je crois que les choses ont pu se passer ainsi. Qu'il n'a fait d'abord que réfléchir, encore et encore. Et que son intelligence malade, sa sensibilité extrême ont fait le reste avec une froide précision. Celle-ci a fini par se transformer en une cruauté...

– ... Technique?

Il est conscient de ce qu'il a dit comme quelqu'un qui sait de quoi il parle. Mais le professeur ne semble pas accorder d'importance au ton. Il est trop occupé à suivre son idée.

– C'est ce que je crois, répond-il. Technique, objective... Il restituait ses droits à l'univers, vous comprenez?

– Je comprends.

Oui, c'est vrai, le commissaire comprend. Cela fait déjà un moment. Les distances se sont réduites d'une façon étonnante, résume-t-il. Inquiétante, même. Quels sont les mots dont a usé le professeur?... Oui. Il se souvient: *rébellion* et *ressentiment*. Une vision du monde en accord avec la vérité de la Nature. Condition humaine et condition de l'univers. Fourmis sous la botte d'un dieu cruel, étranger à tout. Un bras exécuteur. Un fouet d'acier.

– Il ordonnait le chaos, dit Barrull, en réduisant la souffrance à de simples lois naturelles. Familiarisé avec cette ville, le marchand de savon a déployé sur Cadix son paysage de nœuds sensibles. Il se peut, même, que le sens de l'odorat propre à son métier ait joué un rôle: l'air, les odeurs. Et alors il s'est posé la question... Ces points ne seraient-ils pas la destination par excellence des bombes françaises, conditionnée, par exemple, par la direction et la convergence des vents?... De sorte qu'il a étudié, comme vous l'avez fait vous-même ensuite, les lieux d'impact. Il a composé ainsi dans sa tête une carte des points où étaient tombées des bombes et leur a attribué des probabilités. Si bien que sa carte mentale s'est colorée de zones qui représentaient des probabilités plus ou moins grandes... Son esprit mathématique a analysé ce territoire et y a vu des choses: irrégularités, courbes et trajectoires. Il a identifié les vides qui allaient être comblés. Cette phase atteinte, il ne pouvait plus revenir en arrière. Il s'agissait de probabilité, non de hasard... C'était de la science mathématique exacte.

Tizón l'interrompt avec une satisfaction perverse.

– Pas si exacte que ça. Il s'est trompé une fois. Rue du Laurier, aucune bombe n'est tombée après.

– Cela ne fait que rendre notre théorie plus vraisemblable, en lui accordant son pourcentage d'erreur. Sa marge… Vous ne croyez pas ?

Là non plus, le policier ne répond pas. Il se souvient de son désarroi. L'attente inutile et la tentation de tout reprendre de zéro. Et ses propres erreurs sur l'échiquier, en chaîne. Y compris la dernière : un gambit de la dame.

– Le fait est, poursuit Barrull, que dans ces vides qui attendaient leur bombe, le marchand de savon a assassiné… Il ne s'agissait plus de corriger les imprécisions de la science ou de la technique. Ni même de combler par la souffrance d'autrui le vide de sa fille perdue… Il voulait confirmer, encore et toujours, que lui, l'humble artisan, avait accédé aux arcanes de la connaissance.

– De là, le défi final.

– Je crois. Il a su qu'on était sur ses traces et il a accepté la partie. C'est pour cela qu'il a attendu si longtemps avant de tuer de nouveau. En guettant ceux qui le guettaient. Et quand il s'est senti prêt, il a décidé de prendre une pièce qui n'était pas celle que vous aviez prévue. Il l'a fait, mais ça a mal tourné, et ça juste pour une simple question de quelques minutes.

L'éclat de rire du policier résonne entre les murs noirs du château. Aussi sinistre que le décor.

– L'envie d'uriner de Cadalso… Le hasard !

– Exact. Le marchand de savon ne l'avait pas incluse dans son calcul des probabilités.

Ils gardent tous les deux le silence. L'air est toujours immobile, sans un souffle de brise. Le ciel est un rideau noir criblé de coups d'épingle.

– Je suis sûr, ajoute Barrull au bout de quelques instants, qu'il n'éprouvait même pas de plaisir quand il tuait.

– C'est probable.

Bruit de pas. Deux ombres se profilent de l'autre côté de l'ouverture dans le mur, venant de la rue. L'une, grande, massive, s'avance un peu, se découpant dans la pénombre. Tizón reconnaît Cadalso.

– Il est là, monsieur le commissaire.

– Vous êtes venus seuls ?

– Oui. Comme vous l'avez ordonné.

Le policier se tourne vers Hipólito Barrull.

– Je vais vous prier de partir, professeur… Je vous suis très reconnaissant. Mais, maintenant, vous devez vous en aller.

Barrull le regarde, inquiet. Interrogateur. Deux nouveaux reflets de la lanterne dans ses verres de lunettes.

– Qui est l'autre ?

Tizón hésite un instant. Et puis quelle importance, conclut-il. Au point où nous en sommes.

– Le père de la dernière fille morte.

Barrull recule, comme s'il voulait se protéger de quelque chose dans l'obscurité. Introduire une distance. Un cavalier sur l'échiquier, pense le policier. Se retirant, d'un soubresaut, d'une case dangereuse.

– Que comptez-vous faire ?

C'est le genre de questions auxquelles, au fond, il est préférable de ne pas donner de réponse. Et Tizón ne prend pas la peine d'en donner une. Il est si serein que, malgré la chaleur de la nuit, il sent que ses mains restent froides.

– Partez, répète-t-il. Vous n'êtes jamais venu ici. Personne n'est au courant.

Le professeur tarde un peu à bouger. Finalement, il fait un pas vers Tizón, ce qui éclaire son visage. Ombres montant du sol, double reflet sur les verres. Grave.

– Prenez garde, murmure-t-il. Les temps ont changé. La Constitution… Vous savez. Les nouvelles lois.

– Oui. Les nouvelles lois.

Ils se serrent la main : un contact ferme, prolongé de la part de Barrull, qui observe Tizón comme s'il le faisait pour la dernière fois. Un instant, il semble sur le point d'ajouter quelque chose, et finalement il hausse les épaules.

– Ç'a été un honneur, commissaire. De vous aider.

– Adieu, professeur.

Celui-ci fait volte-face, presque avec brusquerie, passe par la brèche dans le mur et disparaît dans la rue du Silence. Tizón sort l'étui de cuir et prend un cigare pendant que Cadalso et l'autre ombre s'approchent. La lanterne posée sur le sol éclaire, à côté du sbire, un homme de taille moyenne et d'aspect humble qui fait quelques pas et demeure immobile, silencieux.

– Tu peux t'en aller, ordonne Tizón à son adjoint.

Cadalso obéit, en se retirant lui aussi par la brèche. Après quoi, le commissaire se tourne vers le nouveau venu. Un éclat métallique, observe-t-il, brille à sa ceinture.

– Il est en bas, dit-il.

*

L'escalier en colimaçon plonge dans les profondeurs comme la noire spirale d'un cauchemar. Felipe Mojarra descend à tâtons, en posant ses mains sur le mur humide et froid, évitant les décombres accumulés sur les marches. Par moments, il s'arrête pour écouter, mais tout ce qu'il perçoit, c'est le courant d'air raréfié de la cavité dans laquelle il pénètre. L'incrédulité et la douleur – le passage des heures et la vie qui continue, même machinalement, habituent à tout – ont depuis longtemps fait place à un désespoir absolu, irrémédiable, aussi calme que l'eau sans rides d'un marais dans la nuit. Il a la bouche sèche et la peau comme anesthésiée, insensible à tout, sauf aux frémissements périodiques du pouls qui bat, lent et très fort, dans ses poignets et ses tempes. Parfois ce battement s'arrête quelques instants, et il expérimente alors un vide étrange dans la poitrine, comme si la respiration et le cœur lui-même étaient paralysés.

Le saunier continue de descendre les marches. Une image demeure nette devant ses yeux, ou dedans, pour peu qu'il batte des paupières et qu'il les ferme pendant qu'il est aspiré par cette spirale qui semble ne jamais se terminer : une chair morte et nue, impersonnelle, posée sur le marbre froid d'une table. Le cri de stupeur qu'il a poussé alors lui arrache toujours la gorge ; la plainte désespérée, rauque et rebelle, devant l'inexplicable, l'absurdité de tout cela. L'injustice. Et ensuite, lui glaçant les entrailles, la désolation de ne pas reconnaître, dans ce cadavre pâle et déchiqueté qui sentait les viscères ouverts, lavé avec des seaux d'eau dont les flaques stagnaient encore sur le sol de la morgue municipale, le petit corps tiède et endormi qu'il a jadis serré dans ses bras. L'odeur de douce fièvre, de rêve. De chair minuscule et chaude de la fillette dont il ne pourra plus jamais garder le souvenir intact.

Une lueur en bas de l'escalier. Felipe Mojarra s'arrête, une main contre le mur en attendant que son cœur reprenne ses battements et que son pouls revienne à la normale. Finalement, il respire profondément plusieurs fois et termine sa descente. Il se trouve dans un espace voûté et vide, à demi éclairé par une chandelle qui achève de se consumer dans une niche du mur. La lumière indécise montre un homme, nu à l'exception d'une couverture jetée sur ses épaules et d'un pansement sale qui lui ceint la taille. Il est assis sur une paillasse en loques, adossé au mur ; il garde la tête basse, posée sur ses bras croisés autour de ses genoux, comme s'il somnolait, et porte des fers aux mains et aux pieds. En le voyant, Mojarra sent ses jambes se dérober sous lui et se baisse lentement pour s'asseoir sur la dernière marche. Il demeure ainsi un long moment, immobile, les yeux fixés sur l'homme. Au début, celui-ci ne semble pas avoir remarqué sa présence. Puis il relève la tête et regarde le saunier, qui se trouve face à un inconnu : âge moyen, cheveux roux, peau tachetée. Des hématomes sur tout le corps. Des cernes profonds sous les yeux, de douleur et de manque de sommeil. Partant de la lèvre inférieure éclatée, une traînée de sang séchée s'étend jusqu'au menton.

Aucun des deux ne parle. Ils se dévisagent un moment, puis l'homme pose de nouveau sa tête sur ses bras, indifférent. Felipe Mojarra attend que se comble le vide de son cœur, puis, à grand effort, se remet debout. Il se souvient : la chair minuscule et chaude. La douce odeur de fillette endormie. Quand il ouvre sa navaja et que le claquement du cran d'arrêt résonne dans le silence du souterrain, l'homme enchaîné relève la tête.

*

Rogelio Tizón fume, adossé au mur. La lune qui pointe derrière les créneaux mutilés de la tour du château des Gardes-marines répand une clarté laiteuse qui donne du relief aux décombres et aux pierres éparses de la cour. La braise du cigare du policier, en se ranimant par intervalles, est la seule chose chez lui qui semble vivante ; sans ce point lumineux, malgré la lanterne dont la flamme agonise au sol, un observateur confondrait le commissaire immobile avec les ombres qui l'entourent.

Les hurlements ont cessé depuis un moment. Pendant presque une heure, Tizón les a écoutés avec une curiosité professionnelle. Ils arrivaient amortis par la distance et l'épaisseur des murs, sortant de l'escalier du souterrain dont l'ouverture se trouve à quelques pas, dans l'obscurité. C'étaient tantôt des cris brefs, secs : des gémissements

rapides, tout de suite étouffés. Et tantôt d'autres plus prolongés : des râles d'agonie qui semblaient interminables, se
brisant à la fin comme si celui qui les émettait avait épuisé
tout ce qu'il avait pu y mettre d'énergie et de désespoir. On
n'entend plus rien, mais le commissaire ne bouge toujours
pas. Il attend.

Des pas lents et indécis. Une présence proche. L'ombre est
sortie de la cavité de l'escalier et se déplace, incertaine, en
s'approchant de Tizón. Elle finit par s'arrêter à côté de lui.

– C'est fait, dit Felipe Mojarra.

Sa voix est fatiguée. Sans commentaires, le policier tire
un cigare de son étui et le lui offre, en lui tapant sur l'épaule
pour attirer son attention. L'homme tarde à réagir. Il finit
par comprendre et prend le cigare. Tizón gratte une allumette sur le mur et approche la flamme. À sa lueur, il étudie
l'expression du saunier, qui se penche un peu pour allumer
le havane : il voit les pattes qui encadrent ses traits durs et
les yeux qui regardent dans le vide, encore remplis de tant
d'horreurs, les siennes et celles de l'autre homme. Il observe
aussi le léger tremblement des doigts humides et rouges qui
tachent de sang le cigare.

– Je ne savais pas qu'on pouvait crier sans langue, dit
finalement Mojarra en lâchant une bouffée.

Il semble réellement surpris. Rogelio Tizón rit dans l'obscurité. Comme il le fait toujours : un rire de loup, dangereux,
qui découvre la canine. Un éclair d'or au coin des lèvres.

– Eh bien, vous avez vu. On peut.

Épilogue

Il pleut sur le golfe de Rota. C'est une pluie fine, chaude, estivale – le ciel va se dégager par le sud-ouest avant la tombée de la nuit – qui crible de minuscules gouttes l'eau immobile. Pas un souffle de vent. Le ciel de plomb, bas et mélancolique, se reflète sur la surface de la baie, encadrant la ville lointaine comme la gravure ou le tableau d'un paysage sans autres couleurs que le blanc et le gris. À une extrémité de la plage, là où le sable s'arrête pour laisser la place à une succession de rochers noirs et d'amas d'algues mortes, une femme contemple les restes d'un navire échoué à peu de distance du rivage ; une épave démâtée, dont le bordage noirci porte des marques de boulets et des traces d'incendie. La coque, dont on devine encore les lignes élégantes de la longueur originelle, gît sur un côté en montrant ses œuvres vives, le pont détruit et une partie de l'armature interne de ses membrures et de ses baux, semblable à un squelette que le passage des jours et la houle des intempéries dénudent peu à peu.

Face à ce qui reste de la *Culebra*, Lolita Palma demeure impassible sous la douce humidité qui pénètre la mantille lui couvrant la tête et les épaules. Elle tient dans les mains un sac qu'elle serre contre sa poitrine. Et, depuis un bon moment, elle essaye d'imaginer. Elle tente de reconstituer dans sa tête les derniers instants du navire dont les débris sont devant elle. Ses yeux tranquilles vont d'un côté à l'autre, calculant la distance par rapport à la terre, la présence proche des rochers qui émergent de l'eau, la portée des canons qui, il y a peu encore, occupaient les meurtrières vides des forts qui entourent le golfe. Elle reconstruit aussi dans sa tête l'obscurité, l'incertitude, le tonnerre, les éclairs des canons. Et chaque fois qu'elle parvient à entrevoir quelque chose, une image, à deviner une situation ou un moment précis, elle penche un peu la tête, émue. Effrayée, malgré elle, par tout ce que le cœur de certains hommes peut recéler de grand, d'obscur et de redoutable. Puis elle relève les yeux et s'oblige à regarder de nouveau. Cela sent le sable mouillé, la décomposition marine. Dans l'eau couleur d'acier, les cercles concentriques de chaque fine goutte de pluie se dilatent et s'étendent avec une précision géométrique, s'entrecroisent et couvrent tout l'espace entre le rivage et la coque morte du cotre.

Lolita Palma tourne finalement le dos à la mer et marche en direction de Rota. Sur la gauche, du côté où le quai s'avance dans la mer, des petits bateaux sont à l'ancre, avec leurs voiles latines hissées pour être lavées par la pluie et qui pendent des antennes comme du linge mouillé. Près du quai se détachent les restes d'une fortification démantelée, sans doute une des batteries qui protégeaient ce point de la côte. Les débris des guirlandes de fleurs dont les Gaditans ont couronné les parapets, le jour même du départ des Français, achèvent de se faner ; ce jour-là, sous un soleil resplendissant et au son de toutes les cloches de la baie célébrant la victoire, des centaines de barques ont traversé la baie, tandis qu'un essaim de cavaliers et d'attelages prenait le chemin du Récif amenant les habitants qui fêtaient la libération par un gigantesque pèlerinage aux positions abandonnées. Et cela, même si, en marge des réjouissances officielles, ne pouvait manquer de se manifester une certaine contrariété due à la fin d'une époque de lucratives spéculations commerciales, de locations et de sous-locations de logements. Comme l'a judicieusement fait remarquer le cousin Toño entre deux bouteilles de vin de Jerez – qui arrive désormais à Cadix sans restriction –, à voir comment certaines de ses connaissances font grise mine, la patrie n'est pas toujours loin du porte-monnaie.

De l'autre côté des fortifications, sur la pente, les rues de Rota portent encore les stigmates des destructions et du pillage. Le ciel de cendre, l'air humide et la bruine qui continue de tomber accentuent la tristesse du paysage : maisons effondrées, rues coupées par des décombres et des parapets, scènes de misère, gens ruinés par la guerre qui mendient sous les porches ou tentent de survivre entre les murs des maisons sans toit couvertes avec des bâches et de précaires protections de planches. Même les grilles des fenêtres ont disparu. Comme toutes les agglomérations de la région, Rota a été dévasté lors des derniers vols, assassinats et viols commis lors de la retraite des Français. Ce qui n'a pourtant pas empêché des femmes de la localité de partir volontairement avec les troupes impériales. Sur un groupe de quatorze capturées par la guérilla près de Jerez dans des voitures de l'intendance laissées en arrière, six ont été massacrées et huit exposées à la vindicte publique, têtes rasées, sous un écriteau qui disait : *Putains des gabachos*.

En passant entre l'église paroissiale – portes défoncées et intérieur vide – et le vieux château, Lolita Palma s'arrête, hésite, cherche à s'orienter, puis prend une rue à gauche en direction d'une grande construction qui conserve des traces du crépi blanc et ocre qui, en d'autres temps, couvrait ses murs de brique. Sous la voûte de l'entrée, Santos, le serviteur, attend en fumant un cigare, un parapluie plié sous le bras. En voyant apparaître sa maîtresse, le vieux marin laisse tomber le cigare et vient à sa rencontre en ouvrant le parapluie, mais Lolita le refuse d'un geste.

– Il est ici ?

– Oui, madame.

L'intérieur du bâtiment – un ancien entrepôt de vin, où l'on voit encore quelques grosses barriques noircies alignées contre les murs – est éclairé par d'étroites lucarnes situées très haut. La lumière spectrale et grise, presque absente, donne au lieu une atmosphère d'extrême tristesse, qu'intensifie l'âcre odeur de corps mutilés, malades et sales qui émane des centaines de malheureux qui gisent et souffrent, alignés, sur de minces litières de feuilles de maïs ou des couvertures étendues à même le sol.

– Ce n'est pas un endroit agréable, commente Santos.

Lolita ne répond pas. Elle a ôté sa mantille pour secouer les gouttes de pluie et s'emploie à retenir sa respiration en essayant de ne pas être affectée au point de perdre son sang-froid par le spectacle et la puanteur qui imprègne l'air. En la voyant entrer, un aide du chirurgien de la Marine royale, jeune et les traits fatigués, tablier souillé sur l'uniforme bleu et manches de la veste retroussées, vient à sa rencontre, présente ses respects et indique un emplacement au fond de la nef. Laissant l'aide du chirurgien et Santos derrière elle, la femme continue seule, pour arriver devant une litière collée au mur près de laquelle on vient de placer une chaise paillée basse. Sur la litière il y a un homme immobile, allongé sur le dos et couvert jusqu'au torse d'un drap qui épouse les contours de son corps. Dans le visage émacié, dont la maigreur fait ressortir une barbe épaisse que nul ne rase plus depuis des jours, la fièvre fait briller intensément le regard. On voit aussi une affreuse cicatrice violacée, large, qui partage en deux la joue hirsute, de la commissure gauche des lèvres jusqu'à l'oreille. Fini, le bel homme, pense Lolita avec un sentiment de pitié. Il ne se ressemble même plus.

Elle s'est assise sur la chaise, serrant toujours son sac contre elle, arrangeant les plis de sa jupe et la mantille humide. Les yeux fiévreux l'ont vue arriver et l'ont suivie en silence. Ils ne sont plus verts, mais se sont obscurcis à cause de l'extrême dilatation des pupilles – des drogues, sans doute, pour supporter la douleur. La femme écarte un moment les siens, mal à l'aise, les faisant descendre le long du corps couvert du drap jusqu'au vide que celui-ci laisse deviner sous la hanche droite : une jambe amputée à quelques pouces de l'aine. Elle reste ainsi quelques instants à contempler cette absence, fascinée. Quand elle relève les yeux, elle constate que ceux de l'homme n'ont pas cessé de l'observer.

– J'avais préparé beaucoup de paroles, dit-elle enfin. Mais aucune ne convient.

Pas de réponse. Rien que le regard intense et obscur. L'éclat de la fièvre. Lolita se penche un peu sur la litière. Ce faisant, une goutte de pluie glisse sur son visage depuis la racine des cheveux.

– Je vous dois beaucoup, capitaine Lobo.

L'homme garde le silence, et elle étudie de nouveau ses traits : la souffrance a collé la peau sur les os des pommettes, et la fièvre a fendillé les lèvres en les couvrant de croûtes et de plaies. De même pour le brutal point de départ de la cicatrice. Un jour, cette bouche m'a embrassée, pense-t-elle, émue. Et elle a crié des ordres pendant le combat auquel j'ai assisté de ma terrasse, de l'autre côté de la baie. Les points lumineux des tirs de canon dans la nuit.

– Nous nous occuperons de vous.

Elle est consciente du pluriel dès qu'elle l'a prononcé, et elle voit que Pepe Lobo aussi l'a relevé. Cela suscite en elle une profonde émotion. Un désarroi intime et désolé. Ainsi, le mot irréparable reste ancré dans l'air, un intrus inopportun entre la femme et l'homme qui continue de la regarder. Elle observe alors une légère contraction sur la bouche torturée du corsaire. Une amorce de sourire, conclut-elle. Ou peut-être quelque chose qu'il a été sur le point d'exprimer, et qu'il n'a pas dit.

– Cet endroit est terrible. Je vais faire le nécessaire pour qu'on vous sorte d'ici.

Elle regarde autour d'elle, désemparée. L'odeur – lui aussi, pense-t-elle sans pouvoir s'en empêcher, répand la même puanteur – devient insoutenable. Elle semble adhérer aux vêtements, à la peau. Elle ne parvient pas à s'y habituer, de sorte qu'elle tire l'éventail de son sac, le déplie et s'aère. Au bout d'un moment, elle se rend compte que c'est celui sur lequel est peinte l'image du dragonnier, l'arbre qu'ils n'ont finalement jamais contemplé ensemble comme ils l'avaient projeté. Le symbole, peut-être, de ce qui n'a jamais pu être et n'a jamais été.

– Vous vivrez, capitaine… Vous vous en sortirez. Il y a une bonne quantité de… Bref, il y a de l'argent qui vous attend. Vous et vos hommes, vous l'avez bien gagné.

Les yeux fiévreux qui observent l'éventail qu'elle a cessé d'agiter cillent un instant. On dirait que, pour le corsaire, les verbes *vivre* et *s'en sortir* n'ont pas de sens.

– Moi et mes hommes, murmure-t-il.

Il a enfin parlé, d'une voix rauque, très basse. Ses pupilles dilatées et obscures contemplent le vide.

– Quelle blague…, ajoute-t-il.

Lolita se penche un peu plus sur lui, sans comprendre. De près, son odeur est âcre, constate-t-elle. L'odeur de la démission. De la sueur accumulée et de la souffrance.

– Ne parlez pas ainsi. Avec tant de tristesse.

Il remue légèrement la tête. Lolita observe ses mains, immobiles sur le drap. Leur peau pâle et leurs ongles longs et sales. Leurs veines bleues, gonflées.

– Les chirurgiens disent que vous récupérez bien… Vous ne manquerez jamais de personne pour s'occuper de vous ni de moyens pour vivre. Vous aurez ce que vous avez toujours

voulu : un morceau de terre et une maison loin de la mer...
Je vous en donne ma parole.

– Votre parole, répète-t-il, vaguement songeur.

La contraction de la bouche mutilée correspond enfin à
un sourire, observe la femme. Ou plutôt à l'expression de
quelqu'un qui s'absorbe en lui-même. Presque indifférente.

– Je suis mort, dit-il brusquement.

– Ne dites pas de bêtises.

Il ne la regarde plus. Cela fait un moment qu'il a cessé
de le faire.

– On m'a tué dans le golfe de Rota.

Peut-être a-t-il raison, conclut Lolita. Un cadavre fatigué,
qui pourrait parler, sourirait exactement ainsi. Comme le
fait maintenant Pepe Lobo.

– Je suis enterré sur cette plage, avec vingt-trois de mes
hommes.

Elle se tourne de tous côtés comme pour appeler à l'aide,
en se faisant violence pour contenir le trouble qui déborde
de sa poitrine. Émue de sa propre pitié. Soudain, elle se
retrouve debout, sans l'avoir prémédité, se couvrant la tête
de sa mantille.

– Nous nous reverrons très vite, capitaine.

Elle sait que ce n'est pas vrai. Elle le sait à chaque pas
qu'elle fait pour s'éloigner de plus en plus rapidement en
parcourant la nef entre les rangées d'hommes étendus sur
le sol, pour respirer enfin une bouffée d'air frais et humide,
sortir et marcher sans s'arrêter jusqu'à la mer, face à la ville
blanche et grise, estompée par la distance, sous la pluie qui
répand des larmes froides sur son visage.

La Navata, décembre 2009

Remerciements

Cadix, ou la Diagonale du fou est un roman, pas un livre d'histoire. C'est ce qui a rendu possibles certaines libertés, quand il s'est agi d'adapter des dates, des noms, des caractères ou des événements réels aux nécessités du récit. Pour le reste, je dois rendre grâce à l'aide déterminante de nombreuses personnes et institutions, en distinguant particulièrement Óscar Lobato, José Manuel Sánchez Ron, José Manuel Guerrero Acosta et Francisco José González, bibliothécaire de l'Observatoire de la Marine. Le directeur du Musée municipal de Cadix, la Municipalité de San Fernando et Luisa Martín-Merás, du Musée naval de Madrid, ont mis à ma disposition une cartographie et des documents d'une extraordinaire utilité, et mes amis des librairies gaditanes Falla et Quorum m'ont tenu au courant de tout ce qu'il s'est publié dans les dernières années sur le Cadix du siège français et la Constitution. Juan López Eady, capitaine de vaisseau et ingénieur hydrographe, m'a servi de guide dans les moments opportuns. Grâce à l'assistance expérimentée d'Esperanza Salas, bibliothécaire à l'Unicaja, j'ai pu trouver, dans les journaux de 1810 à 1812, certains éléments fondamentaux concernant les navires, le fret et les incidents portuaires. Mon vieil ami, le libraire d'ancien Luis Bardón, m'a trouvé divers livres clefs de l'époque, et

765

Íñigo Pastor a donné son approbation de professionnel aux finances de Lolita Palma. Je dois à la justice de mentionner, entre autres, les travaux spécialisés de María Nélida García Fernández, Manuel Bustos Rodríguez, María Jesús Arazola Corvera, María del Carmen Cózar Navarro, Manuel Guillermo Supervielle et Juan Miguel Teijeiro qui m'ont été d'une grande aide pour me glisser dans la mentalité, les mœurs et l'activité de la classe commerçante gaditane du début du xixᵉ siècle. Ma reconnaissance va aussi à la ville de Cadix et à ses habitants, pour leur accueil toujours affectueux, leur collaboration et leur chaude sympathie.

A. P-R.

RÉALISATION : PAO ÉDITIONS DU SEUIL
IMPRESSION : NORMANDIE ROTO S.A.S. À LONRAI
DÉPÔT LÉGAL : SEPTEMBRE 2011. N° 102948 (112852)
Imprimé en France